개 정 된 수 가 제 도 와 3 주 기 인 증 기 준 에 맞 춘

노인환자 진료를 위한
요양병원 진료지침서

넷째판

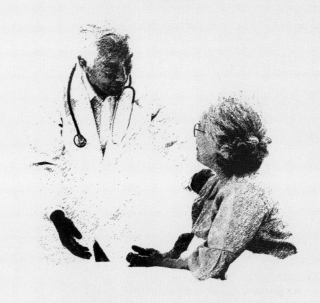

대표저자 가 혁   공동저자 원장원

대한요양병원협회 학술이사 /   대한노인병학회 이사장 /
인천은혜병원 병원장   경희의대 가정의학과장

부록

• 인천은혜병원 식사처방지침서와 임상영양관리지침서

별책부록〉 환자평가를 위한 노인포괄평가(CGA) 포켓카드
　　　　3주기 요양병원 인증평가 IT 연습용 직군별 질문지

2

요양병원 진료지침서 4판

Volume. 2

첫째판 1쇄 인쇄 | 2011년 1월 10일
첫째판 1쇄 발행 | 2011년 1월 20일
둘째판 1쇄 발행 | 2013년 9월 25일
둘째판 2쇄 발행 | 2014년 4월 15일
셋째판 1쇄 발행 | 2016년 11월 11일
셋째판 2쇄 발행 | 2017년 9월 12일
셋째판 3쇄 발행 | 2018년 8월 21일
넷째판 1쇄 발행 | 2021년 1월 8일
넷째판 2쇄 발행 | 2023년 8월 24일

지 은 이   가혁, 원장원
발 행 인   장주연
출 판 기 획   이성재
책 임 편 집   배진수
편집디자인   주은미
표지디자인   김재욱
일 러 스 트   이호현
제 작 담 당   황인우
발 행 처   군자출판사(주)
　　　　　등록 제4-139호(1991. 6. 24)
　　　　　본사 (10881) **파주출판단지** 경기도 파주시 회동길 338(서패동 474-1)
　　　　　전화 (031) 943-1888　　팩스 (031) 955-9545
　　　　　홈페이지 | www.koonja.co.kr

ISBN   979-11-5955-633-3
　　　　979-11-5955-631-9 (세트)
정가   37,500원
세트   75,000원

노인환자 진료를 위한

요양병원
진료지침서

넷째판

저자소개

가 혁 賈赫

현재

인천은혜요양병원 병원장
대한요양병원협회 학술이사
대한노인병학회 홍보/정보통신이사
의료기관평가인증원 자원조사위원
의료기관평가인증원 3주기 요양병원 인증기준 분과위원
대한노인병학회 학술지 AGMR 부편집장(Associate Editor)
질병관리청 노인검진분야 인지기능 전문기술분과위원
대한가정의학회 노인의학특별위원회
인천광역시 서구 노인장기요양등급판정위원회 소위원장
미래복지요양센터 계약의사

교육활동

인하대학교 의과대학 노인의학 강사
인하대학교 대학원 노인전문간호사 과정 강사
아주대학교 보건대학원 강사
대한간호조무사협회 전문강사
대만(Kaohsiung Veterans General Hospital)
고령의학과 강사
노인연구정보센터 강사
대한의사협회 노인요양시설 촉탁의사교육사업 강사

학력 및 학술 활동

2001   인하대학교 의과대학 졸업
2002–2005 인하대병원 가정의학과 전공의 및 전임의
2005–2006 포천중문의대 대체의학대학원 객원연구원
2006   인하대학교 대학원 의학석사(가정의학 전공)
2008   인하대학교 대학원 의학박사(가정의학 전공)

저자소개

원장원 元章源

현재

경희의대 가정의학과 과장, 어르신진료센터장
대한노인병학회 이사장
대한근감소증학회 학술이사
보건복지부 장기요양심판위원회 위원

학력 및 학술 활동

1987	서울대학교 의학사
1994	서울대학교 보건대학원 보건학석사
2000	고려대학교 의학박사(예방의학 전공)
1996–현재	경희대 교수
2004–2005	미국 University of Washington 노인내과 연수
2013	서울 세계노년노인학대회 조직위 사무차장 역임
2016–2020	한국노인노쇠코호트(KFACS) 사업단장

넷째판 머리말

우리나라는 2017년에 전체 인구의 14%가 노인 인구인 고령사회(Aged Society)가 되면서 OECD 국가 중 가장 빠른 속도로 초고령화 사회로 나아가고 있습니다. 이러한 현상은 특히 장기적 돌봄과 치료를 필요로 하는 노인들에 대한 국가의 재정적 부담을 가중시켜, 정부에서는 2025년을 목표로 지역사회돌봄 정책 사업을 추진 중입니다. 그 여파는 요양병원에도 미쳐, 2019년 11월에 개편된 수가제도에 따라 장기입원환자나 경증의 환자에 대해서는 지속적인 입원이 불리하게 되었습니다. 게다가 2020년에 전 세계를 덮친 코로나19 감염병 사태는 특히 감염병에 취약한 노인환자가 대부분을 차지하는 요양병원에 대한 보다 엄격한 감염관리체계로의 개편을 요구하게 되었습니다. 그러나 오히려 코로나19 사태를 통해 의사, 간호사 등의 의료진을 갖춘 우리나라의 요양병원 시스템이 대부분 요양시설에 의존하는 외국에 비해 방역체계를 포함한 대부분의 분야에서 양질의 서비스를 제공하고 있음이 증명되고 있습니다.

4판의 주요 특징은 다음과 같습니다.

1. 분량의 증가에 따라 두 권으로 분철함으로써 가독성 및 편리함을 높이고자 하였습니다.
2. 요양병원 실무에 중요도가 높은 내용은 추가하고, 쓰임새가 적은 챕터는 과감히 삭제함으로써 '선택과 집중'을 하였습니다.
3. 2019년 11월에 개편된 수가 및 환자평가표를 포함하여 2020년 11월 현재의 법률 및 제도를 반영하였습니다.
4. 2021년부터 시행 예정인 3주기 요양병원 인증기준의 내용을 반영하였습니다.
5. 요양병원에서의 다양한 사람들(환자, 보호자, 직원)과의 의사소통 관련 챕터를 추가함으로써, 요양병원 직원으로서 원활한 인간관계를 함양할 수 있도록 하였습니다. 사람을 상대하는 직업인에게 사람과의 원활한 관계는 필수 덕목이기 때문입니다.

2010년에 처음 시작하여, 본 책을 집필한 지 올해로 꼭 10년이 되었습니다. 요양병원 직원분들과 노인진료에 관심이 있으신 분들께 조금이나마 도움이 되고자 시작했던 일이 많은 분들의 관심과 격려로 4판의 출간을 눈 앞에 두고 있다는 사실이 마음을 벅차게 합니다. 10년을 한결같이 함께 해주신 군자출판사 장주연 사장님을 비롯한 모든 직원 여러분들과, 특히 많은 요구 사항과 한정된 기간으로 인해 정신적 압박과 육체적 노고가 많으셨을 주은미 편집 디자이너와 이예제, 안경희 편집자께 감사의 말씀을 남깁니다.

2020년 한해, 여러가지 힘든 일들이 있음에도 불구하고 언제나 옆에서 나를 지켜주는 아내 박지선과 이제는 알아서 잘 자라고 있는 승민, 효경이, 그리고 부모님께도 고맙다는 말씀을 드립니다.

오랜만의 비가 내리는 2020년 11월 1일

가 혁

첫째판 머리말

2010년 여름 무더위의 유난스러움에 대한 기억은 작은 성과물을 향한 열정의 부산스러움에 의해 묻혀져 가고 있습니다. 어느덧 본격적인 노인병 의사가 된 지 4년이 되었고, 그간 우리나라 사회 및 의료 환경에도 많은 변화가 있었습니다. 그 변화의 핵심에는 급격한 노령화 및 그에 따른 노인병, 노인환자, 노인 관련 시설 등의 급증이 있었음은 누구도 부인할 수 없습니다. 최근 몇 년간 우리나라 요양병원의 증가는 가히 폭발적이었으며 그와 더불어 요양병원에서 근무하는 의사, 간호사, 간병인 등의 인력도 상당한 규모에 이르게 되었습니다.

하지만 이러한 양적 증가에도 불구하고 아직 우리나라 요양병원에 근무하는 의료인들에게 실무적인 지침이 될 만한 서적이 마땅히 없다는 현실을 절감하고 있던 차, 마침 요양병원 환자 평가 및 진료 지침에 관한 강의들과 요양병원 진료의 노하우 등에 관한 개인적인 문의 등을 통해 인연을 맺게 된 여러 요양병원 봉직의 및 원장님들의 권유가 본 책을 집필하게 된 직접적인 계기가 되었습니다.

몸소 노인환자들을 접하고 있는 일차 의료인의 입장에서 가능한 한 실제 업무에 도움이 될 만한 내용들을 선정하기 까지 많은 고심을 하였고 인천은혜병원 간호국을 비롯한 여러 분야의 분들로부터 자문 및 의견을 취합하여 본 지침서를 완성할 수 있었습니다. 특히 요양병원에서 꼭 알아두어야 할 심평원의 심사 및 보험 기준과 요양병원형 포괄수가제에 입각한 환자평가표, 그리고 요양병원에서 많이 작성하게 되는 다양한 평가 도구들 및 서류 등의 작성요령에 대해서도 정리해 보았습니다.

우선 집필 과정에서 큰 관심과 격려를 보내 주신 서천 재단 김영기 대표이사님과 김현석 행정원장님, 인천은혜병원 창립 멤버이시자 인자한 카리스마로 저희들을 이끄시는 김상국 병원장님, 참신한 의견 및 다양한 자료들을 제공해 주신 인천은혜병원 및 인천시립노인치매요양병원 간호사 여러분들께 무한한 감사를 표합니다. 그리고 바쁘신 중에도 제 원고에 대한 감수 및 일부 내용을 직접 집필해 주신 원장원 교수님, 막연했던 마음을 직접 실행에 옮기도록 모티브를 주신 시흥병원 홍정용 선생님께도 고마움을 전합니다. 또한 세심함과 정성으로 본 책의 출간을 위해 처음부터 끝까지 애써 주신 군자출판사 여러분께 고개 숙여 고맙다는 말씀을 드립니다.

끝으로, 원고 작업한다는 핑계로 초등학교 입학 직전임에도 많은 시간 함께 해 주지 못한 승민이와 하루가 다르게 여자 아이가 되어가는 효경이, 그리고 나의 분신이자 언제나 힘이 되어 주는 아내 지선에게 항상 사랑하고 있다는 말을 하고 싶습니다.

2011년 겨울 문턱에

가 혁

넷째판 격려사

요양병원의 역사가 1994년 의료법에 종별로 명시된 이래 26년이란 세월이 흘렀습니다. 한국의 요양병원이 한국노인의료와 복지의 한 축을 묵묵히 감당해 왔고, 지금도 많은 긍정적인 역할을 하고 있지만 아직 제대로 인정을 받지 못하고 있습니다. 많은 제도적인 규제와 수가구조가 오히려 요양병원이 병원으로서 역할을 할 수 없게 만든 부분도 많이 있습니다. 이러한 힘들고 어려운 상황에서 노인의료를 제대로 하고 근거있는 진료지침을 마련하기위해 현장에서 많은 경험과 학문적인 바탕을 토대로 요양병원 진료지침서가 가혁 원장님을 통해 2010년 처음 발간되었을 때 사막의 오아시스와 같은 희망의 빛으로 보였습니다. 많은 요양병원 종사자들 특히 의사와 간호사들이 이론적인 학문이 아닌 현장의 실천적인 학문과 경험을 바탕으로 한 본 지침서를 통해 노인의료의 질을 한 단계 끌어 올렸다고 생각합니다.

2017년에 고령사회로 진입하고 커뮤니티케어가 시작되면서 요양병원의 새로운 역할에 대한 기대와 위상정립이 요구되는 시점에서 현장의 진료에도 여력이 없을 것인데 이번에 진료지침서 4판을 개정하였습니다.

특히 3주기 요양병원의 인증평가 기준과 이에 대한 대응방법, 2019년 11월 개정된 요양병원의 수가개정내용, 그리고 앞으로 나아가야 할 방향인 존엄케어에 대해 최신의 많은 경향과 자료를 정리해서 개정안에 담았습니다.

이 한 권의 책만 보더라도 의료와 간호, 그리고 행정 등의 요양병원의 전반을 다 알 수 있어 요양병원에 근무하는 의료진과 종사자들이 꼭 보아야 할 필수 교과서가 되었습니다. 개정판을 만들기 위해 노력하신 그 노고에 진심으로 감사드리고 요양병원진료지침서가 노인의료서비스의 발전에 나침판과 같은 역할이 되길 바랍니다. 감사합니다.

2020년 11월
대한요양병원협회장 손덕현

첫째판 격려사

인천은혜병원 가혁 진료부장님의 저서 "노인요양병원 진료 지침서"의 발간을 맞이하여 격려의 말씀을 드리게 된 것을 매우 기쁘게 생각합니다.

우리 인천은혜병원은 1993년 당시 불모지와 다름없던 노인병 전문 치료를 위해 국내 최초로 노인전문병원으로 개원하였습니다. 이로써 많은 의료인들이 노인 진료 및 노인병원에 대한 관심을 갖게 한 선구자로서 노인의학 발전에 기여하였다고 자부하며, 이에 안주하지 않고 현재도 최고의 의료서비스를 제공하고자 노력하고 있습니다.

인천은혜병원 개원, 즉 우리나라에서 처음으로 노인요양병원이 도입된 지 17년이 지난 2011년 현재 우리나라는 세계적으로 유례를 찾기 어려울 정도로 급속한 고령화가 진행되고 있습니다. 노인인구의 증가 속도에 따라 지난 4년 동안 우리나라의 치매환자도 2.7배로 늘어났으며 만성 질환으로 전문 치료를 받아야 할 노인 또한 급속도로 증가하는 시점에 이르렀습니다. 이에 노인요양병원 의료인을 위한 체계화된 진료 지침서의 발간은 그 의미가 매우 크다고 할 수 있을 것입니다.

가혁 선생님께서는 집필 과정에서 원고를 앞에 두고 살아온 지난날을 조용히 반추할 수 있는 시간을 가질 수 있었을 것이라 생각되며, 글이 잘되고 못됨을 떠나 더없이 귀중한 체험이었을 것이라고 믿습니다. 노인요양병원을 운영해 오고 있는 한 사람으로서 한없는 기쁨과 무한한 긍지를 느끼며, 다시 한번 축하의 말씀을 드립니다. 그동안 직원들의 노력으로 병원이 많은 발전을 해 온 만큼, 앞으로도 김상국 병원장님을 중심으로 의료진과 직원 여러분들의 저력과 열정으로 좋은 결과가 맺어질 수 있도록 진료부장님의 가교 역할과 활동을 기대합니다.

끝으로, 우리나라 노인요양병원의 발전에 기여할 수 있도록 더욱 많은 연구와 배전의 노력을 기울여 주시기를 당부 드리며, 진료부장님께 아낌 없는 후원과 격려의 박수를 다시 한 번 보내 드립니다. 감사합니다.

2011년 1월

사회복지법인 서천재단 대표이사 김영기

이 책의 구성 및 활용법

01
요양병원 환자의 진료 시에 반드시 알아두어야 할 질병과 증상들에 대해 근거에 입각한 최신지견을 바탕으로 핵심적 내용만을 요약하고자 하였다.

02
각 장 첫머리의 "Q (Question or Quotation) BOX"에는 그 장의 내용과 관련하여 필자가 질문 받았던 내용이나 증례, 연관된 인용문 등을 제시함으로써 독자로 하여금 흥미를 유발하고 학습 동기를 부여하고자 하였다. "Q BOX"에서 제시한 문제들의 해결을 위해 본문을 읽다 보면 자연스레 각 장의 핵심을 짚을 수 있게 된다.

03
가능한 한 많은 사진과 그림들을 제시하여 지루하지 않게 구성하려 노력했고, 특히 요약 정리가 필요한 내용들은 기술적(記述的) 설명보다는 표로 제작함으로써 한 눈에 알아볼 수 있게 구성하였다.

04
본 책은 총 10개의 PART와 76개의 장으로 구성하였으며, 각 PART의 활용 방법은 다음과 같다.

PART I, II 요양병원의 개념과 관련 제도 소개
우리나라 요양병원의 현황과 요양병원 운영을 위해 필수적인 각종 수가체계, 법률 문제, 감염관리, 그리고 보호자와 직원들간의 원활한 의사소통 방법에 대해 다루었다.

PART III 3주기 요양병원 인증평가 대비
2021년부터 새로 시작되는 요양병원 3주기 인증평가를 대비할 수 있도록 각 조사 기준 별 준비 방법을 소개하였다.

PART IV~VI 노인증후군과 노인성 질병
노인에서 흔한 노인증후군과 치매, 기타 노인성질병들에 대한 접근방법을 제시하였고, 진단 기준도 소개하였다.

PART VII, VIII 요양병원에서의 노인환자 진료 팁
의사들이 노인환자를 포괄적으로 진찰하는 요령과 의무기록 작성법, 각종 검사의 종류, 처방 요령 등을 제시하였다.

PART IX 요양병원에서의 노인간호
환자평가표를 비롯한 각종 간호 사정 도구들 및 요양병원에 입원한 노인환자 간호 시의 업무와 관련된 다양한 서류들을 소개하였으므로 실제 간호 업무 과정에서 활용하면 유용할 것이다.

PART X 요양병원에서의 중증 환자 관리
요양병원에 입원 중인 중증 환자들에게 생길 수 있는 다양한 문제들과 윤리적 문제, 사망진단서 등 각종 진단, 소견서 작성요령에 대해 다루었다.

Contents

Volume. 1

I 우리나라 요양병원에 대한 이해　　1

II 요양병원 수가·심사 체계　　119

Contents

VII 노인환자 진료의 원칙 665

VIII 요양병원 입원환자 진료의 팁 827

Contents

VI

젊은이와 다른
노인성 질환들의 특성

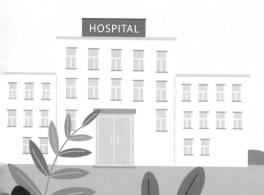

36 노인의 고혈압

- 치매로 3년째 요양병원에 입원 중이신 81세 여성. 입원 당시에 고혈약 병력이 있다고 하였으나 입원 후에 체크한 혈압은 125/85(mmHg) 정도여서 혈압약은 처방하고 있지 않았다. 그런데, 약 1개월 전부터 평균 혈압이 150/90(mmHg) 정도로 체크되고 있다.

  – 이 환자에게 혈압약을 처방할 것인가?

1. 노인 혈압의 특징

동맥은 연령이 증가하면 탄성 섬유의 퇴화 변성과 콜라겐의 축적에 의해 경직도가 증가하며, 고혈압은 이러한 동맥의 퇴화 변성을 가속화 시킨다. 이러한 동맥 경직도의 증가로 인해 노인성 고혈압에서는 수축기 혈압은 증가하는 반면, 이완기 혈압은 55세 이후 점차 감소하게 되어 결국 맥압(수축기혈압과 이완기 혈압의 차이)의 급격한 상승이 일어난다. 따라서 과거부터 노인성 고혈압은 "고립성 수축기 고혈압(Isolated Systolic Hypertension, ISH)"으로 표현되어 사용되어 왔다. 노인 혈압의 특징들을 나열하면 다음과 같다.

a. 고립성 수축기 고혈압(ISH)을 보이는 경우가 많다.

b. 기립성 저혈압이 잘 발생한다.

c. 고혈압 이외에도 다른 동반된 심혈관 위험 인자들이나 질환들이 많다.

d. 수면 중에도 혈압의 하강이 잘 일어나지 않는(non-dipper) 경우가 많다.

e. 가성 고혈압(pseudohypertension) 혹은 백의고혈압(white coat hypertension) 및 식후 저혈압이 잘 일어난다.

f. 심장에 대한 부담이 증가되어 있어 심부전이 발생하기 쉽다.

g. 고혈압 환자에서 치매가 더 많이 발생한다.

h. 기립성 저혈압이 잘 발생한다.

기립성 저혈압

◇ Supine → Standing : 수축기 20 mmHg, 혹은 이완기 10 mmgHg 이상 감소
◇ 증상: 똑바로 서기 힘들고 어지럽고 실신을 하기도 한다.
◇ 당뇨 환자에서 많이 발생
◇ 70세 이상에서 7%가 발생
◇ 나이 보정한 사망률(age-adjusted mortality) : 64% 증가(낙상, 골절 연관)
◇ 50세 이상에서는 혈압 측정 시 누워서 재고, 일어서서 잰다.

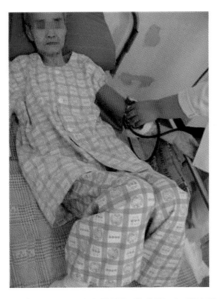 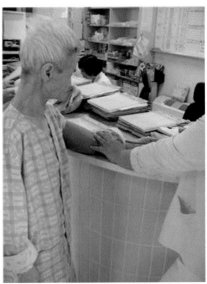

그림 36-1. 노인의 혈압을 잴 때에는 누워서 한 번(左), 서서 한 번(右) 잰다.

2. 노인 고혈압 치료의 원칙과 목표

표 36-1. **혈압의 분류 (대한고혈압학회, 2018년 고혈압 진료지침)**

혈압 분류	수축기 혈압(mmHg)		이완기 혈압(mmHg)
정상혈압*	< 120	그리고	< 80
주의혈압	120~129	그리고	< 80
고혈압전단계	130~139	또는	80~89
고혈압 1기	140~159	또는	90~99
고혈압 2기	160 이상	또는	100 이상
수축기단독고혈압	140 이상	그리고	< 90

* 심뇌혈관 질환의 발생 위험이 가장 낮은 최적혈압

과거에는 노인에서 혈압이 높아지는 것을 정상적인 방어기전으로 이해하였는데, 65세 이상에서의 고혈압 약물은 장점이 없고(Fry J, lancet, 1974), 심지어 권위 있는 의학저널인 BMJ(영국의학협회지)에서는 혈압이 200/110 mmHg가 넘지 않으면 고혈압 약물을 복용할 필요가 없다고까지 하였다(Editorial, Br Med J, 1978). 그러나 이후 여러 연구들을 통해 노인에서도 수축기 고혈압을 치료하면 심혈관계질환과 사망률이 줄어듦을 확인하게 되었다.

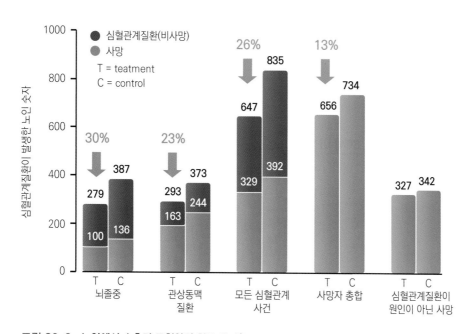

그림 36-2. **노인에서 수축기 고혈압의 치료 효과(Staessen, Lancet 2000; 355:865-872)**

노인환자의 수축기 혈압 목표는 젊은이와 마찬가지로 140 mmHg 이하이지만, 미국의 JNC−8 기준에 따르면 60세 이상에서는 150 mmHg로 하였다. 노인에서는 이완기 혈압이 감소하면 관상동맥 혈류가 감소하여 결국 심근허혈(myocardial ischemia)로 이어지므로 확장기 혈압의 지나친 하강 (70 mmHg 이하)은 피하는 것이 좋다. 또한 기립성 저혈압을 유발할 정도의 지나친 치료도 피해야 한다.

다음은 대한고혈압학회의 고혈압 치료 목표인데, 노인 고혈압의 경우는 고위험군에 속하더라도 140/90(mmHg)를 목표 혈압으로 한다.

표 36-2. 상황별 고혈압 치료 목표 (대한고혈압학회)

상황	수축기 혈압(mmHg)	이완기 혈압(mmHg)
단순고혈압 (합병증 X)	140	90
노인 고혈압	140	90
뇌졸중	140	90
고위험군*	130	80
심혈관질환[†]	130	80
당뇨병 + 심혈관질환 없음[†]	140	85
당뇨병 + 심혈관질환 있음[†]	130	80
만성콩팥병 + 알부민뇨 없음	140	90
만성콩팥병 + 알부민뇨 동반됨[†]	130	80

* 고위험군(10년 심뇌혈관 질환 발생률 > 15%). 노인은 노인 고혈압 기준을 따름(즉, 140/90 mmHg).

[†] 50세 이상의 관상동맥 질환, 말초혈관 질환, 대동맥 질환, 심부전, 좌심실비대.

[‡] 미세알부민뇨 포함.

한편, 노쇠한 노인 또는 80세 이상의 노인은 수축기 혈압 160 mmHg 이상인 경우 생활요법과 함께 약물치료를 권고한다. 그러나 140~159 mmHg인 경우에도 약물치료에 잘 적응할 것으로 기대되는 건강한 노인은 약물치료를 고려할 수 있다.

표 36-3. 주요 가이드라인에 따른 목표혈압과 약제 선택 (단위 mmHg)

분류		NICE 2011	ESH/ESC 2018	ASH/ISH 2013	대한고혈압학회 2018	JNC-8
목표	젊은 환자	< 140/90	< 130/80	< 140/90	< 140/90	< 140/90
	노인 환자	80세 이상 < 150/90	65세 이상 <130~140/ 70~80	80세 이상 < 150/90	65세 이상 수축기혈압 < 140 (노쇠하거나 80세 이상 < 160)	60세 이상 < 150/90
약제	1차 약제	ACEi/ARB BB, CCB, 이뇨제	ACEi/ARB BB, CCB, 이뇨제	ACEi/ARB BB, CCB, 이뇨제	모든 약제 가능 (순서 없음)	ACEi/ARB CCB, 이뇨제

3. 요양병원에 입원한 노인환자의 혈압 목표는?

인천은혜요양병원에서 사망 시까지 입원했던 100명의 환자를 대상으로 한 필자의 연구에 의하면 평균 나이는 82세였고 총 입원 기간, 즉 평균 생존 기간이 712일이었다. 일개 요양병원의 결과를 일반화시킬 수는 없겠으나, 대부분의 요양병원 입원환자들은 매우 고령의 노쇠한 노인들이다. 이러한 요양병원 입원환자들의 혈압 목표는 어느 정도여야 할까? 몇 편의 논문을 통해 추정해보고자 한다.

1) HYVET 연구(80세 이상의 지역사회 노인 대상 - 수축기 고혈압 치료)

2008년에 유럽과 아시아의 80세 이상 고혈압 환자(수축기 혈압 160 mmHg 이상) 3,845명을 대상으로 한 연구로서, 고혈압약으로 적극 치료한 군(150/80 mmHg 목표)이 위약군에 비해 뇌졸중 빈도가 30%(P=0.06), 뇌졸중으로 인한 사망은 39%(P=0.05), 모든 원인에 의한 사망은 21%(P=0.02), 심혈관 원인에 의한 사망은 23%(P=0.06), 심부전 빈도는 64%(P<0.001)까지 감소시켰다.

그러나 치매, 뇌졸중, 요양이 필요한 자 등이 연구에서 제외되었으므로 이 결과를 요양병원 환자에게 그대로 적용하는 것은 무리이다.

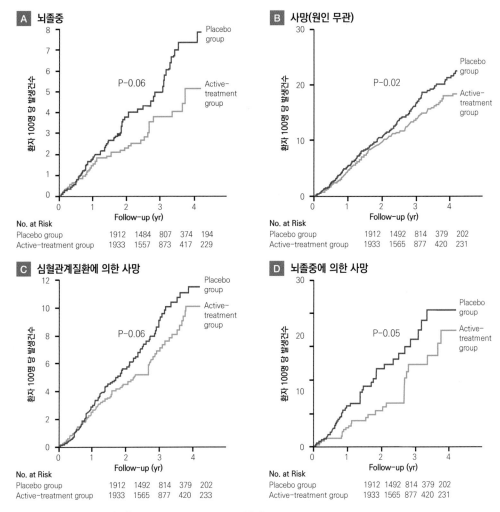

그림 36-3. HYVET 연구 결과(Beckett, et al, NEJM, 2008)

2) SPRINT 연구(75세 이상의 건강한 노인 대상 - 매우 엄격한 혈압 조절)

2010년 10월~2015년 8월까지 시행한 무작위대조군연구(RCT)로서, 수축기혈압 목표를 120 mmHg로 엄격하게 설정한 그룹(n=1317)이 140 mmHg로 설정한 그룹(n=1319)에 비해 주요 심혈관 계질환과 사망이 적었다.

그러나 본 연구 참여자들은 당뇨병, 치매 등이 없는 비교적 건강한 노인들이어서 이 결과를 요양 병원 입원환자들에게 그대로 적용하기에는 무리가 있다.

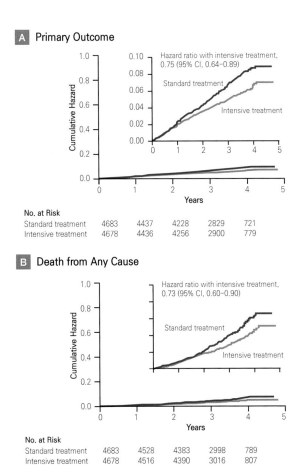

3) PARTAGE 연구(요양원 입소 중인 80세 이상 노인에서의 엄격한 혈압 조절)

요양원 거주 중인 80세 이상(평균 87.6세)의 프랑스, 이탈리아 노인 1,127명을 대상으로 한 연구로서, 한가지 이상의 혈압약을 복용하고 수축기혈압이 140 mmHg 미만인 노인들을 4그룹으로 나눔(수축기혈압 130 mmHg과 혈압약 2가지 이상 복용 여부에 따라).

그 결과 "수축기혈압이 130 mmHg 미만이면서 혈압약을 2가지 이상 복용한 군"의 사망률이 가장 높았다. 즉, 요양원에 입소한 80세 이상의 초고령 노인에서는 엄격한 혈압 관리가 오히려 높은 사망률과 관련있었다는 결과였다. 이 연구에 참여한 자들은 우리나라 요양병원 입원환자와 비슷한 조건이므로 암시하는 바가 크다.

그러나, 단순한 관련성만을 조사한 '관찰연구'이므로 인과관계를 단정할 수 없다는 한계가 있다.

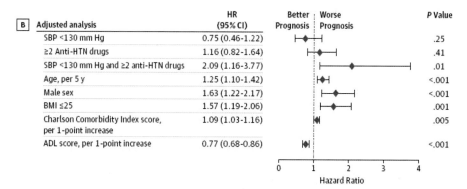

Figure 1. Hazard Ratios (HRs) for All-Cause Mortality According to Systolic Blood Pressure (SBP) Levels, Number of Antihypertensive (anti-HTN) Drugs, and Interaction Between SBP and Number of Anti-HTN Drugs

그림 36-5. PARTAGE 연구 – 수축기혈압과 고혈압약제 수, 그 외 상태에 따른 전체 사망원인율에 대한 위험도 (HR: Hazard Ratio)

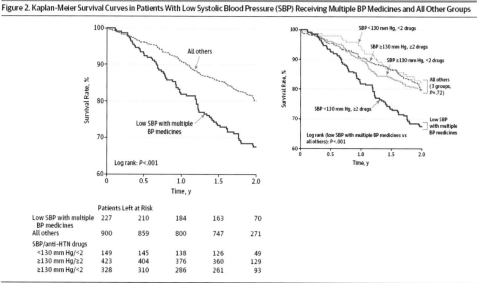

Figure 2. Kaplan-Meier Survival Curves in Patients With Low Systolic Blood Pressure (SBP) Receiving Multiple BP Medicines and All Other Groups

Detailed description according to SBP and number of drugs is shown in the inset. Individuals with an SBP of less than 130 mm Hg who were receiving multiple BP medicines demonstrated higher mortality compared with those in all the other groups in their totality and in each of the subgroups (inset). Anti-HTN indicates antihypertensive.

그림 36-6. PARTAGE 연구 – 수축기혈압이 낮고 고혈압 약을 다제 복용하는 환자군과 그 외 그룹의 생존율곡선

4. 고혈압 처방의 실제

a. 칼슘통로 차단제(암로디핀, 니페디핀)

- 강압 효과가 좋고 안전(Syst-Eur, STOP-2, HOT, Framingham Heart Study)
- ACEI 제제와 비교하여 관상동맥질환, 심부전, 신부전, 당뇨병 등을 동반한 노인환자에서는 덜 효과적임.

b. 베타차단제(atenolol, bisoprolol)

- 노인 고혈압 환자에서 뇌졸중은 줄였으나, 관상동맥질환은 감소시키지 못했다(JAMA 1998;279:1903-7).
- JNC-6과 2000년의 캐나다 고혈압 치료지침에서는 노인환자에서 1차 약물로 베타차단제의 사용을 권하지 않음.
- 관상동맥질환과 심부전증을 가진 노인에서 효과적

c. ACEI [안지오텐신 전환효소억제제] (에날라프릴 등)와 ARB[안지오텐신 수용체 차단제] (losartan 등)

- 노인에서 ACEI는 이뇨제, 베타차단제 정도로 안전
- 신부전, 관상동맥질환, 심부전, 당뇨병의 합병증 가진 노인에서 더 효과적

d. 이뇨제(다이크로짓 등)

- 뇌졸중과 심혈관계 이환률, 사망률, 총 사망률 모두 감소(JAMA, 1998;279:1903-7)
- 항고혈압제 중 이뇨제에 비해 확실한 우위의 효과를 보이는 다른 약물은 없다.
- 다른 동반 질환이 없거나 합병증이 없는 경우 1차 약으로 권장됨.

표 36-4. **동반 질환이 있는 고혈압에서의 일차 선택 약물(JNC-7)**

동반 질환	이뇨제	베타차단제	ACE 억제제	ARB	Ca 길항제	ALDO ANT.
심부전	●	●	●	●		●
심근경색 이후		●	●			●
관상동맥질환 고위험군	●	●	●		●	
당뇨병	●	●	●	●	●	
만성 신장 질환			●	●		
뇌졸중 예방	●		●			

5. 급격한 혈압 상승 상황(Hypertensive Crisis)시 대처법

a. 고혈압성 응급(Hypertensive Emergency)
- 심각한 혈압 상승(>180/120 mmHg) + 표적장기 손상이 임박 혹은 진행
- 표적장기손상: 고혈압성 뇌장애(hypertensive encephalopathy), ICH, AMI, 폐 부종을 동반한 급성 좌심실부전, 불안정성 협심증, dissecting aortic dissection, 임산부의 자간증(eclampsia)
- 허혈성뇌졸중(뇌경색)에서는 혈압을 바로 떨어뜨리지 않는다.
- 우선 중환자실로 옮겨서 지속적인 혈압 모니터링
- 첫 치료 목표: 1시간 내에 25% 이내 범위에서 낮춤
- Stable하면 다음 2~6시간 내에 160/100
- 계속 stable 하다면 24~48시간에 걸쳐 단계적으로 정상 혈압까지 낮춤
- 병동에서 주로 쓰는 약물(속효성 니페디핀[아달라트]은 금지)

* Hydralazine HCl (혈관확장제)
  : 10~20 mg IV(10~20분 후 작용)나 10~40 mg IM(20~30분 후 작용)으로 투여
* Labetalol HCl (alpha-beta receptor blocker)
  : 20~80 mg씩 10분마다 IVS, 혹은 0.5~2.0 mg/min IV infusion(5~10분 후 작용)

b. 고혈압성 긴급(Hypertensive Urgency)
- 심각한 혈압 상승만 있고 표적장기 손상이 진행되지 않을 때
- 대부분 약을 안 먹거나 제대로 치료하고 있지 않는 경우
- ㉘ 심각한 두통, 호흡곤란, 코피, 심각한 불안증 동반
- 치료: 빠른 혈압 조절이 이득이 된다는 증거는 없다. 현재 복용약물 농도 조절이 중요

"속효성 니페디핀(Adalat, 아달라트)" 처방은 금기!

칼슘길항제인 속효성 니페디핀은 현재까지도 병원에 입원한 환자들의 혈압이 갑자기 상승했을 때 종종 처방되고 있는 것이 사실이다. 그러나 니페디핀의 설하(sublingual) 투여는 미국 식약청(FDA)에서도 승인하고 있지 않을 정도로(특히 노인에서는) 위험성이 있음을 반드시 알아야 한다. 이 약의 처방이 환자에게 이득이 됨을 증명한 연구도 없고, 오히려 절대로 이 약을 쓰지 말아야 한다는 근거들은 많이 있다.

갑자기 혈압이 상승하는 고혈압성 응급(Hypertensive emergency)의 상황에서는 첫 1시간 이내에 혈압을 20%~25% 정도 떨어뜨리는 것이 목표이다. 그러나 혈압을 너무 빨리, 너무 많이 떨어뜨리면 오히려 표적장기(신장, 뇌, 심장) 손상을 가져올 수 있다. 특히 뇌혈관의 혈류 감소를 일으킴으로써 허혈 부위의 "자가조절(autoregulation) 기능"을 저해하여 뇌 허혈을 유발할 수 있다.

설하로 투여된 니페디핀은 "말초혈관의 확장"을 통해 혈압을 낮추는데, 그 결과 혈압을 너무 많이 떨어뜨리고, reflex tachycardia 및 몇몇 vascular beds의 steal phenomenon을 유발한다. 이미 이 치료가 대뇌 허혈증상이나 뇌경색, 심근 경색, 사망 등의 심각한 결과를 초래했다는 많은 연구 결과들이 있다(자칫 의료 소송감!!). 미국 식약청에서는 이러한 자료들을 근거로 하여 이미 1995년에 고혈압성 응급 시의 니페디핀 설하 투여를 금지하게 되었다.

따라서 특히 노인에서는 절대적으로 금기되어야 할 약물이다!!!

혈압약 복용자에서 다른 약 병합 투여 시 주의할 점! (환자교육용)

- 해열제 : 혈관 이완 작용으로 혈압을 떨어뜨리므로 해열제 복용 시에는 혈압약을 2/3 정도로 줄여서 복용한다.
- 기침약 : 혈압을 올리고 심박 수를 높이는 작용이 있으므로 고혈압 환자는 원칙적으로 사용하지 않아야 한다.
- 위장약 : 혈압을 높이는 나트륨이 함유되어 있다. 위장장애 시 너무 많은 약의 복용으로 혈압이 상승하거나 심장이 너무 빨리 뛰는 일이 없도록 주의할 것

37 노인의 당뇨병

- 뇌졸중 후 와상 상태로 8년째 입원 중인 89세 여성. 당뇨병의 과거력이 있고 현재 NPH 24단위 + metformin 500 mg bid로 투여 중임. 평상시 공복혈당은 80∼90 mg/dL, 식후혈당은 140∼150 mg/dL 정도로 잘 조절되고 있었고 1개월 전에 시행한 HbA1c = 5.8% 이었다. 금일 오전 환자가 drowsy해져 혈당을 재 보니 36 mg/dL 였다.

  – 본 환자에게 위와 같은 엄격한 혈당 관리가 득이 될까요, 독이 될까요?

1. 노인 당뇨병 관리의 목표

a. 혈당치의 큰 변동이나 저혈당 발생을 막는 것이 우선!

b. 합병증 발생을 예방하거나 지연

c. 환자의 건강한 전신 상태와 독립적인 생활 유지

2. 식사 요법

a. 수십 년 간의 식사 습관을 하루 아침에 바꾸거나, 불이행을 질책하는 것은 곤란

b. <u>정규적(定規的)인 식사</u>를 강조하는 것이 중요

c. 노인은 미각, 후각의 변화, 소화기능저하, 침샘기능감퇴, 치아 상태 불량 등으로 처방된 식사 요법을 시행하기가 곤란할 때가 많다.

d. <u>채소류, 섬유소</u> - 노인에서는 오히려 미량영양소 결핍, 복부 팽만, 복통 유발

e. 손 떨림, 관절염 등 - 음식 장만에 문제

3. 운동 요법

a. 기존 연구 결과들이 청장년층 대상이어서, <u>노인에서는 신중할 것</u>

b. 정서적 요소를 고려하여 운동 전후 철저한 평가를 전제로 권고

c. <u>운동 중의 저혈당을 대비</u>-당분 휴대, 당뇨임을 알리는 증명서 휴대

d. 손 떨림, 관절염 등-운동에도 문제

4. 경구약물 요법

처음은 적은 용량, <u>1~2주 간격으로 증량</u>

경구약물 복용의 적응증

◇ 인슐린 주사의 완강한 거부
◇ 70세 이후 발병하고 350 mg/dL 미만
◇ 50~70세, 제 2형 당뇨병이면서 [시력 불량, 거동 불능, 알코올 의존] 등의 sociomedical contraindication 있을 때

〈인슐린 분비 촉진제〉

a. 아마릴, 다이그린, 다오닐 등-Sulfonylurea 계통 : <u>식전 10~30분에 복용</u>
   - <u>주의 및 금기 : s-Cr > 2.0 mg/dL</u>, 설파제 과민자

　　－ 부작용: 저혈당이 흔함, 체중 증가

b. 노보넘, 파스틱 － Meglitinide 계통 : <u>식전 10∼30분에 복용</u>

　　－ 약효가 매우 빠르다.

　　－ 식사를 거르면 같이 거름

　　－ 부작용: 저혈당, 체중 증가

〈인슐린 감수성 촉진제〉

단독 복용 시 저혈당이 거의 없다.

a. 메트포르민(글루코파지) － 바이구아나이드 계통: <u>식사 직후에 복용</u>

　　－ creatinine clearance 를 주기적으로 측정

　　－ 비교적 적은 양을 사용할 것

　　－ 급성 질환이 발생하면 중단

　　－ 비타민 B_{12}와 엽산의 흡수 장애 발생 가능

　　－ <u>주의 및 금기 : s－Cr > 1.4 mg/dL, 간기능 이상, 알코올 중독, 80세 이상, 심부전</u>

　　－ 부작용: 일시적 설사, 구역, 금속 맛

b. 아반디아, 액토스 － Thiazolidinedione (TZD) 계통 : 식사와 무관하게 복용

　　－ 노인 심부전 유발, 골밀도 감소 등의 위험

〈장에서 탄수화물 흡수를 지연〉

a. 베이슨, 글루코바이－α－glucosidase inhibitor 계통 : <u>식사도중 혹은 식전 바로 복용</u>

　　－ 식후혈당 높을 때 복용

　　－ <u>주의 및 금기 : s－Cr > 2.0 mg/dL, 장 폐색, 간경변</u>

　　－ 부작용 : 복부 팽만, 방귀, 복통 및 설사(시간 지나면 괜찮아짐)

〈DDP-4 억제제〉

a. 자누비아－1일 1회 투여. GLP-1 수치를 상승시켜 인슐린 분비를 증가시키고 인슐린 작용을 증가시킨다. 90% 이상이 신장을 통해 배설되므로 신부전 환자에서는 감량(25∼50 mg/d)

5. 인슐린 주사요법

a. 처음 인슐린 처방할 때

- 가능한 한 간단히 처방(아침에 한번 NPH 10~15단위로 시작 – 2, 3일 간격으로 4단위 이내씩 조절).
- 보통 경구 약 1T는 인슐린 10단위와 비슷한 효과
- 적정용량 : 공복혈당(FBS) 기준으로
  - < 140 mg/dL → No Insulin
  - 140~200 mg/dL → 하루 0.3~0.4단위/kg (60 kg인 노인은 하루 20 단위 정도)
  - > 200 mg/dL → 0.5~1.2단위/kg (하루 40단위 이상 쓰게 되면 아침:저녁 2~3 : 1로 분할주사)

b. 엄격한 당 조절(다회 주사나 다량 주사)

조절 동기가 강하고 거동이 가능하고 의식이 맑아서 독립적으로 자기 관리를 하고 다른 병발질환이 없는 노인에서만 적합

c. 인슐린 작용 시간

- 초속효성 인슐린: 15분 이내 효과, 3~4시간 지속. 따라서 식사 직후나 직전에 투여, 식후 혈당을 조절하는데 용이. : 인슐린 리스프로(lispro), 인슐린 아스파르트(aspart), 인슐린 글루리신(glulisine) 등
- 속효성 인슐린 : 초속효성 인슐린이 나오기 전까지 식후 혈당을 조절하기 위해 사용하던 인슐린. 투여 30분~1시간 후 효과, 2~4시간 지속 : RI (regular insulin)
- 중간형 인슐린 : 1~3시간 후 효과, 12~16시간 지속, 투여 6~8시간에 최고 효과. 인슐린이 특징적으로 뿌옇다. : NPH
- 지속형 인슐린 : 작용 시간이 24시간, 저혈당도 드물다. : 란투스[인슐린 글라진(glargine)]

d. 인슐린 주사 부위

인슐린을 혈액 내로 천천히 흡수시키기 위해 피하 주사가 원칙이다. 즉 피하 조직이 충분한 곳에 주사하며, 배꼽으로부터 5 cm 반경을 제외한 복부 전체, 상완부, 대퇴부의 앞쪽, 엉덩이 등에 주사한다. 또한 지방 조직의 증식 및 괴사를 예방하기 위하여 매일 인슐린의 주사 부위는 달라져야 한다. 이를 위하여 인슐린 투여자는 주사 부위 그림을 항상 주변에 비치하여 매일 주사하는 부위를 표시하여 가능하면 한 부위에 여러 번의 주사를 하지 않도록 해야 한다.

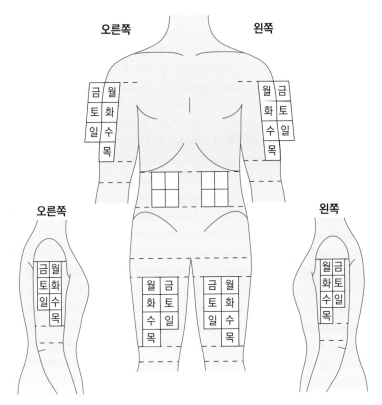

그림 37-1. 요일별로 인슐린 주사 부위를 달리 하기 위한 그림

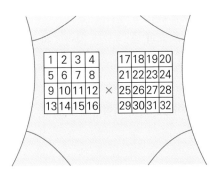

그림 37-2. 복부에도 1~2 cm 간격으로 32곳에 임의로 주사 부위를 만든다.

6. 병합요법(경구약물 + 인슐린)

Metformin(글루코파지) + 인슐린

a. Metformin이 인슐린 감수성을 높여주므로 이론적으로도 합리적

b. 인슐린 투여량이 25~50% 감소

c. 환자의 체중 증가도 적다.

7. 입원한 당뇨 환자가 금식 시에 어떻게 인슐린을 주는가?

a. 경구약물 복용자 – 짧은 기간 금식 : 특별한 조치를 하지 않고 규칙적인 BST 체크만 한다.

b. 인슐린 투여자 – 짧은 기간 금식 : 평소 인슐린 용량을 1/2로 하고 5%DW 20 gtt로 IV

장기간 금식할 때(modified Alberti method ; Alberti 수액 달기!) ⇒ 저체중 노인에서는 저혈당 주의!

1) [10 DW 1L + KCL 30 mEq] mix IV 100 cc/hr (= 25 gtt)
2) [N/S 500 mL + RI 50u] mix IV 20 cc/hr (= 5 gtt)
   – BST와 electrolyte를 주기적으로 검사한다.
   – Glucose가 인슐린에 의해 세포 내 흡수될 때 K도 같이 들어간다! (저칼륨혈증)
   – 목표혈당이 100~200 mg/dL 라면?
     • BST < 100 mg/dL → 2)번 수액을 10 cc/hr로 감량
     • 100 < BST < 200 mg/dL → 유지
     • 200 < BST < 300 mg/dL → 10 cc/hr 증량
     • BST > 300 mg/dL → 20 cc/hr 증량

8. 혈당이 너무 높을 때(BST > 500 mg/dL) 인슐린 사용법

a. N/S 1 L를 빨리 주입(심장기능 확인 후!)

b. N/S 1 L 계속 주입

c. RI 10 단위를 IVS로 shooting

d. 이어서 RI를 0.1~0.15단위/kg/hr의 속도로 주입(60 kg이면 6~9단위/hr)

9. 노인 당뇨병 혈당 조절 목표

a. 노인에서는 목표가 아직 확립되지 않음.

b. 혈당치 자체보다 혈당의 불안정(glocose instability)이 더 문제

c. 노인은 자율신경계의 부조화, 영양 부실, 알코올 의존성, 여러 약물의 복용, 신장과 간기능 약화, 미세혈관합병증 발병 등의 이유들로 인해 저혈당이 더 자주, 더 심하게 발생

d. 노인에서는 증상이 없는 저혈당(hypoglycemic unawareness)도 잘 발생

e. 증상을 없애는 수준까지 혈당치를 내리고, 저혈당의 발생을 절대적으로 피하는 것이 중요!

　　* WHO에서 제시한 FBS 100 mg/dL, PP2 140~160 mg/dL 기준은 노인에게는 너무 엄격하다.

　　* 대개 하루 중 혈당치가 200 mg/dL를 넘지 않고, 공복 시 140 mg/dL를 넘지 않는 것이 적절

　　* 노인에서의 실제적 권고 정도는 다음과 같다(유형준 교수의 권고사항).

> 미세혈관 합병증이 없으면 FBS 115 mg/dL, PP2 180 mg/dL로 권고,
> 이미 신증이나 망막병증 같은 미세혈관 합병증 있으면 FBS 140 mg/dL, PP2 200~220 mg/dL

10. 요양병원 입원환자의 혈당 조절 목표는?

인천은혜요양병원에서 사망 시까지 입원했던 100명의 환자를 대상으로 한 필자의 연구에 의하면 대부분 노쇠하였고 평균 기대 여명은 약 2년(712일)이었다. 그렇다면 이러한 요양병원 입원환자들의 혈압 목표는 어느 정도여야 할까? 최근에 발표된 논문이나 전문가 집단의 권고에 의하면 노쇠하거나 의존적인 노인들은 오히려 느슨하게 혈당 조절하는 것이 생존률을 높인다고 한다. 따라서 요양병원 입원환자의 혈당 조절 목표도 이를 고려해야 한다.

1) 당뇨병 앓는 요양시설 입소 대상자의 당화혈색소(HbA1c) 목표

요양원 입소 수준의 대상자 367명(아시아인 65% 포함)을 2년간 추적 조사한 결과, 당화혈색소가 8.0~8.9%인 군이 7.0~7.9%인 군보다 기능쇠퇴나 사망 확률이 유의하게 낮았다. 즉, 요양원 입소자의 당뇨병은 느슨하게 조절하는 것이 생존률을 높일 수 있다는 결과이다.

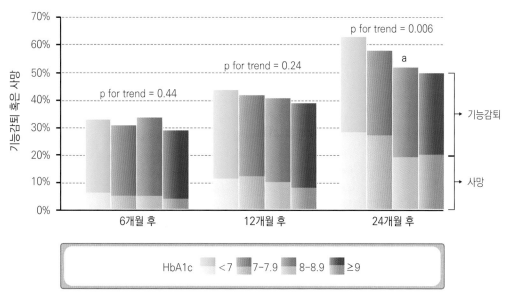

그림 37-3. 당화혈색소(HbA1c)에 따른 기능 쇠퇴 혹은 사망률.
[a]P =.03 for difference between reference group (HbA1c 7.0-7.9%) and HbA1c 8.0-8.9%. All other comparisons with reference group (HbA1c 7.0-7.9%), P > .05.

2) 노인에서 저혈당은 노쇠의 위험 인자이다

노인에서 반복적인 저혈당은 결국 신체기능과 인지기능의 저하를 가져오며 그로 인해 건강은 안 좋아진다.

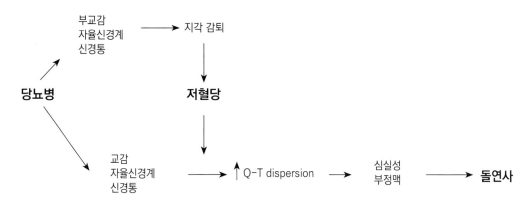

그림 37-4. 와상 환자에서 저혈당이 사망으로 발전되는 기전

3) 주요 기관에서 제시하는 당화혈색소(HbA1c) 목표

아래의 표는 몇몇 기관에서 제시하는 당화혈색소 목표인데, 표에서 보다시피 나이와, 노쇠 여부, 기대 여명 등에 따라 달라진다. 특히 미국당뇨병학회(ADA)에서는 제한된 기대 여명, 혈관합병증, 심각한 동반 질환, 인지장애, 기능적 의존상태에 해당되는 '특별한 경우'에 8%~8.5%를 목표로 한다. 따라서, 이러한 특성을 가진 요양병원 환자라면 8%~8.5% 정도를 당화혈색소 목표로 삼을 수 있겠다.

표 37-1. **주요 기관에서 제시한 당화혈색소(HbA1c) 목표**

	미국당뇨병학회 (ADA)	미국노인병학회 (AGS)	미국 국방부 보훈처 (DVA DoD)		
당화혈색소 HbA1c(%)	< 7.5: 65세이상	< 7 : 기능이 좋음		기대 여명(년)	동반 질환
			< 7	> 15	경미
	< 8~8.5: 심한 저혈당 또는 특별한 경우*	8 : 노쇠 혹은 기대 여명 < 5년	8	5~15	중간
			9	< 5	중증
공복	90~130	*특별한 경우?			
식후	< 180	: 제한된 기대 여명, 혈관합병증, 심각한 동반 질환, 인지장애,			
취침 전	110-150	기능적 의존상태			

38 뇌졸중

- 뇌출혈?, 뇌경색?, 뇌졸중?, 중풍?, 혈관성 치매?

– 뇌졸중은 뇌혈관이 터졌는지 막혔는지에 따라 각각 출혈성 뇌졸중, 허혈성 뇌졸중으로 구분되며, 일반적으로 출혈성 뇌졸중을 뇌출혈, 허혈성 뇌졸중을 뇌경색이라 칭합니다. 한편, 한방에서는 뇌졸중을 폭넓은 의미로 중풍이라 부르며, 치매의 주된 원인이 뇌졸중인 경우를 혈관성 치매라 합니다.

1. 뇌졸중의 정의

뇌졸중(Stroke; 腦卒中)은 뇌혈관의 손상에 의해 갑자기 발생한 국소신경장애가 24시간 이상 지속되거나, 24시간 이내에 사망에 이르게 하는 뇌혈관 질환을 총칭하며, 사망 원인의 2-3위를 다투는 질병이고, 특히 단일 질환으로는 우리 나라에서 가장 주요한 사망 원인으로 알려져 있다.

2. 뇌졸중의 분류

뇌졸중은 크게 뇌혈관이 막혀서 생기는 허혈성 뇌졸중(ischemic stroke) 또는 뇌경색(cerebral infarction)과 혈관이 터져서 생기는 출혈성 뇌졸중(hemorrhagic stroke) 또는 뇌출혈(cerebral hemorrhage)로 구분된다. 또한 증상발생 후 24시간 이내에 호전되는 것을 일과성허혈발작(transient ischemic attack; TIA), 증상이 24시간 이상 지속되나 3주 이내에 소실되는 경우를 가역적 허혈성신경장애(reversible ischemic neurologic deficit; RIND), 시간이 갈수록 신경 증상이 악화되는 경우를 진행성 뇌졸중(progressive stroke), 신경 증상이 완전히 고정된 상태인 완전 뇌졸중(complete stroke)이라고 사용하기도 하지만, 현재는 일과성허혈발작(TIA) 외에는 잘 쓰이지 않는다.

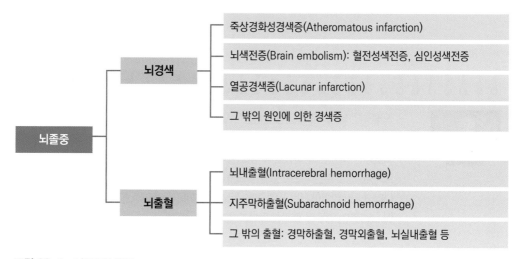

그림 38-1. **뇌졸중의 분류**

3. 뇌졸중의 대표적 증상

1) 안면 마비, 편측 마비(양측이 동시에 마비된다면 뇌졸중의 가능성이 적다)

2) 편측 감각 이상(양측 감각 이상은 뇌졸중의 가능성이 적다)

3) 한쪽 눈이 잘 안 보임

4) 반맹(hemianopsia)이나 복시(diplopia) 현상

5) 의식 저하

6) 삼킴 장애

7) 발음 장애(실어증, 더듬거림)

8) 한쪽 청력 장애

9) 두통

10) 어지럼증

4. 뇌졸중이 아닐 가능성이 높은 증상

1) 손에 발생한 감각 증상이 진행하여 위로 올라가는 증상 ⇨ 국소 간질
2) 반맹(hemianopsia)이 두통과 구역 및 광 과민 증상과 동반 ⇨ 편두통
3) 일시적 어지럼증이 운동실조, 복시, 이명 및 구역 증상과 동반 ⇨ 추골기저동맥계(vertebro-basilar artery system)의 혈류 감소
4) 당뇨 환자의 어지럼증이 진전증과 빈맥을 동반 ⇨ 저혈당 증세
5) 어지럼증과 신체 좌우 측의 이상 감각 및 불안증 동반 ⇨ 과호흡 및 panic attack

5. 뇌졸중과 관련된 경련

1) 노인에서 발생하는 모든 경련의 원인 중 30~50%는 뇌혈관 질환이다.
2) 뇌경색 후 지연성 경련은 수개월 혹은 수년 후 발생하기도 하며, 경련이 재발성 경련(간질)으로 발전하는 경우도 15~20% 정도 차지한다.

6. 뇌졸중의 진단

갑자기 뇌졸중 증상이 발생했다면 우선 뇌 CT 촬영을 통해 뇌출혈 여부를 감별하고, 뇌출혈이 없다면 뇌 MRI 촬영을 시행한다. 특히 확산강조영상(diffusion imaging) 기법으로 발병 1시간 이내의 병변을 정확히 찾을 수 있다.

7. 노인에서 간과하기 쉬운 증상들

1) 지주막하 출혈

보통 지주막하 출혈의 대표적 증상은 "그동안 경험해보지 못한 끔찍한 정도의 두통"으로 알려져

있으나, 실제 노인에서 발생한 경우에는 일반적인 긴장성 두통이나 편두통 수준의 통증을 호소하기도 한다. 또한 지주막하 출혈이 발생 후 72시간 내에 CT를 촬영했을 경우에 약 20% 정도에서는 발견하지 못하므로 더욱 주의해야 하고, 필요하다면 재촬영해야 함을 알아야 한다.

2) 뇌동맥류(aneurysm)에 의한 동안신경 마비(3rd nerve palsy d/t aneurysm)

동안신경(oculomotor nerve)이 마비되면 눈꺼풀이 쳐지고(눈이 감김) 안구가 바깥쪽 아래쪽으로 쳐진다. 이때 동안신경 마비의 원인으로 MRI 검사 등을 통해 뇌동맥류를 감별해야 한다. 뇌동맥류는 뇌출혈의 흔한 원인이기 때문이다.

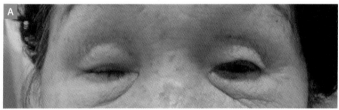

우측 눈이 감김.

우측 눈동자가 바깥쪽 아래쪽으로 치우침.

그림 38-2. 75세 여성이 우측 눈이 감기는 증상을 주소로 외래에 방문함. 신체검진에서 우측 눈동자가 바깥쪽 아래쪽으로 치우침을 관찰. MRI 촬영 결과 뇌동맥류의 압박에 의한 동안신경 마비로 진단되어, 신경외과 전원 후 응급수술로 수개월 후 회복됨.

8. 뇌졸중의 예방

1) 노인의 고립성 수축기 고혈압(이완기 혈압은 정상이나 수축기혈압은 높음) 치료
2) Statin계 약물을 이용한 콜레스테롤 감소
3) 항혈전제, 항응고제 치료
   ① 아스피린 : 하루 50~325 mg
   ② Ticlopidine : 백혈구 감소증의 부작용이 있으므로 처음 3개월간 2주마다 CBC
   ③ Clopidogrel : 백혈구 감소증이 없고, 아스피린보다 더 좋다는 근거는 부족.
   ④ Warfarin : 심방세동이 있으면 INR을 2~3으로 조정

9. 항혈전제, 항응고제의 치명적 부작용

　노인에서 뇌졸중이나 심혈관질환의 1차예방을 위해 아스피린 등의 약물을 복용하는 것은 득보다 해가 많다는 연구 결과들이 보고되고 있다. 물론 2차예방을 위해 항혈전제, 항응고제를 복용하는 경우에도 특히 노인에서는 위장출혈 등의 심각한 합병증으로 위험한 상황에 이르는 경우가 종종 있다. 따라서, 요양병원 입원환자 중 항혈전제, 항응고제 복용자는 반드시 입원 시부터 약물 용량 검토를 꾸준히 모니터링하여야 한다. 특히 아스피린+클로피도그렐 2중 복용의 효과는 단일복용 시보다 의미 있는 차이는 없다고 보고되고 있으므로 노인에서는 이러한 처방을 자제한다.

그림 38-3. **아스피린 장기 복용 중이던 85세 여성이 입원 다음 날 혈변을 보아 상급병원으로 전원된 사례**

39 만성 폐쇄성 폐질환(COPD): 만성 기관지염, 폐기종

- 85세 남성. 80PY의 흡연력이 있으며, 현재 COPD로 진단 받고 근처 병원 내과에서 경구약 및 흡입제 투여 중이고, 필요 시 벤토린 흡입하시면서 관리 받고 계셨는데, 최근에는 조금만 걸어도 호흡곤란이 생길 정도로 증상이 악화되어 입원 치료를 위해 내원하셨다.

- 어떤 약물을 처방할 것인가? (경구약 및 흡입제)
- 급성 악화 시에는 PRN으로 어떤 약을 쓸 것인가?
- 산소 공급은 어느 정도로 할 것인가?

1. 호흡곤란

1) 가벼운 운동에서 호흡곤란 : 약 50%의 폐기능 소실
2) 안정 시에도 호흡곤란 : 약 30% 미만의 폐기능만 남음
3) 호흡곤란의 정도 파악
   - VASD(visual analogue scale for dyspnea) : "숨이 찬 정도가 0점에서 10점까지 중에 몇 점 정도 되시나요?"
   - 미국 흉부학회(ATS; American Thoracic Society)에서 제시한 판정법(표 39-1)

표 39-1. ATS Dyspnea Grade

중증도	Grade	임상 증상
정 상	0	힘든 운동 외에는 호흡곤란을 느끼지 않음
경 도	1	경사진 길을 올라가거나 평지에서 빨리 걸을 때 호흡곤란
중등도	2	호흡곤란으로 동년배보다 늦게 걷거나, 걸을 때 중간에 멈추고 숨을 쉬어야 함
중 증	3	평지를 30 m 정도 걸으면 호흡곤란
최중증	4	호흡곤란으로 집 밖에 나가지 못하며, 옷을 입거나 벗을 때에도 호흡곤란

2. COPD에서 호흡곤란을 일으키는 기전

1) 호흡 시의 일의 양 증가로 인한 노력의 증가
2) 저산소혈증, 고이산화탄소혈증
3) 기도(airway)의 가역적이고 역동적인 폐쇄

3. COPD의 치료

1) 안정 시 치료

a. 금연
b. 기관지확장제
   β2-agonists, 항콜린제, methylxanthine 등이 있다.
   ① β2-agonist
      - 빠른 작용으로 급성 기관지경련에 효과적
   ② 항콜린제
      - 속효성(ipratropium, oxitropium)은 8시간 효과가 지속되는데 반해 지속성(tiotropium)은 24시간 이상 지속
   ③ Methylxanthine (theophylline)
      - COPD에 사용하는 것은 논란이 있다.
      - 특히 폐동맥확장과 심장수축효과도 있어서 폐성심(cor pulmonale)이 있는 환자에서 우

심실 기능을 향상시킨다.

④ 기관지확장제의 병합요법

- 속효성 β2-agonist 혹은 지속형 β2-agonist와 ipratopium(혹은 tiotropium)의 병합요법은 한 가지만 사용할 때보다 폐기능에서 더 많은 향상을 보임.
- 지속형 β2-agonist와 theophylline의 병합요법은 한 쪽만 투여하는 경우보다 폐기능에서 더 좋은 효과를 보임.

⑤ Corticosteroids(=스테로이드=부신피질호르몬)

- 흡입용 스테로이드는 6주~3개월 정도 사용해 봄으로써 장기적인 사용이 이득이 있을지를 평가
- 경구용 스테로이드를 장기간 사용하는 것은 권하지 않음 : 장기적인 효과가 있다는 증거가 없을 뿐 아니라 장기적인 사용으로 근육약화를 유발해 진행된 환자의 경우에는 호흡부전이 유발될 수도 있기 때문
- 지속형 β2-agonist와 흡입용 부신피질호르몬제의 병용요법은 단독으로 사용 시보다 폐기능과 증상에 의미있는 부가효과를 보여주는데, 특히 FEV1이 예측값의 50% 미만인 경우에 효과가 가장 좋았다.

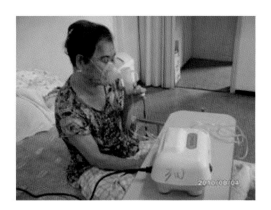

그림 39-1. 흡입 제제로 치료 중인 COPD 환자

안정 시 COPD 치료 원칙

1. 가능한 한 경구약제보다는 흡입약제를 권한다.
2. 제1기(경증) : 필요 시에만 속효성 기관지확장제(흡입제)를 사용하며, 흡입제를 사용할 수 없는 경우에는 서방형 theophylline의 정규처방을 고려한다.
3. 제2기(중등도) ~ 제4기(고도중증) : 지속성 기관지확장제의 규칙적인 처방을 한다. 증상이 조절되지 않으면 theophylline을 추가한다. 증상이 있으면서 FEV1이 50% 미만(제3,4기)이거나, 폐기능에 관계없이 반복적인 악화 를 나타내는 환자에게는 흡입용 부신피질호르몬제 정규 치료를 추가한다.
4. 항생제를 예방적으로 투여하는 것은 급성 악화의 빈도를 감소시키는데 도움이 되지 않는다.

2) 악화된 경우의 치료

악화 시 COPD 치료 원칙

1. 악화되는 가장 흔한 원인은 기관지의 감염과 대기오염이지만 약 1/3에서는 원인을 찾을 수 없다.
2. 흡입용 기관지확장제(특히 흡입용 $\beta2$-agonist 혹은 항콜린제), 테오필린, 그리고 전신적(대개 경구용) 스테로이드 제제가 효과적이다.
3. 호흡기 감염의 임상적 징후(예, 객담의 양 증가, 색 변화, 열)가 있는 환자는 항생제 사용으로 도움을 받을 수도 있다.

a. 기관지확장제

① 사용하던 기관지확장제의 용량이나 빈도를 증가시키는 것이 좋다
- short-acting inhaled $\beta2$-agonist가 COPD 악화에 최우선으로 선택되어야한다. 1~2시 간 간격으로 2번씩 분무(puff)해준다.
- short-acting inhaled $\beta2$-agonist에 효과가 없을 때에는 흡입용 항콜린제(예, ipratropi-um)를 추가한다.
- 악화상태가 더 심한 경우에는 경구용 혹은 정주용 theophylline을 추가하는 것을 고려 할 수 있다.

b. 전신적 스테로이드

- FEV1이 50% 미만으로 악화 시 효과적이다. 즉 회복에 걸리는 시간을 단축하고 폐기능을 빨리 회복하는데 도움을 준다.
- Methylprednisolone을 60~125 mg씩 하루 2~4회 정주하거나 경구용 prednisolone을 하루 40 mg씩 7~10일간 사용

c. 항생제

환자가 호흡곤란과 기침이 악화되면서 가래의 양과 화농성이 증가한 경우에만 효과적이다.

3) COPD 치료의 개괄

a. 금연은 유일하게 COPD의 폐기능 저하 속도를 줄일 수 있는 치료

b. 기관지확장제: Ventolin®[short-acting β2-agonist] or Atrovent®[ipratropium(항콜린성 약물)]
   - PRN 혹은 주기적으로 사용 가능
   - 폐기능 저하 방지나 생존율에는 영향을 주지 못한다.
   - 2가지 약물의 작용 기전이 다르므로 같이 사용하면 효과가 나을 것으로 추정됨.

c. 중증도에 따른 치료 원칙(표 39-2)

표 39-2. 중증도에 따른 COPD 치료 원칙

중증도	제0기	제1기	제2기	제3기	제4기
	위험시기	경증	중등증	중증	고도중증
특징	만성증상 위험 인자에 노출 정상 폐기능	$FEV_1/FVC<70\%$ $FEV_1 \geq 80\%$ 증상 있거나 없음	$FEV_1/FVC<70\%$ $50\% \leq FEV_1 < 80\%$ 증상 있거나 없음	$FEV_1/FVC<70\%$ $30\% \leq FEV_1 < 50\%$ 증상 있거나 없음	$FEV_1/FVC<70\%$ $FEV_1<30\%$ 혹은 $FEV_1<50\%$ 이면서 만성호흡부전 동반
	위험 인자 회피 : 인플루엔자 백신				
		필요 시 속효성 기관지확장제 추가			
			한 가지 이상의 지속성 기관지확장제 정규치료 추가 호흡재활 추가		
				반복악화 시 흡입 부신피질호르몬제 추가	
					만성호흡부전 시엔 장기산소요법 추가 외과적 치료 고려

d. 위 치료에도 불구하고 호흡곤란이 지속되면 다음과 같은 약물들이 도움이 된다(표 39-3).

표 39-3. COPD 환자에서 호흡곤란에 도움이 되는 보조 약물들

중증도	제2기
약한 아편계 약물	
codeine(or codeine with 325 ㎎ acetaminophene)	30 ㎎ PO q4h
hydrocodone	5 ㎎ PO q4h
강한 아편계 약물	
morphine	5~10 ㎎ PO q4h, 30~35% of baseline opioid dose q4h
oxycodone	5~10 ㎎ PO q4h
hydromorphone	1~2 ㎎ PO q4h
항불안제	
lorazepam	0.5~1.0 ㎎ PO/SL/IV q1h then q4~6h
clonazepam	0.25~2.0 ㎎ PO q 12h
midazloam	0.5 ㎎ IV q 15 min

Adapted from Harrison's principles of internal medicines 18th Ed, page 73

* 마약성 진통제(opioids계 약물)
  - 뇌의 중추호흡센터의 감수성을 낮추고 호흡곤란의 느낌을 완화시킴.
  - 처음 사용할 때엔 약한 opioids부터 시작
  - 이미 사용 중이었다면 morphine이나 다른 강한 opioids를 사용
  - Chlorpromazine 등의 phenothiazines 계열 약물을 같이 사용하면 호흡곤란을 더 완화시킬 수 있다.
  - 벤조다이아제핀은 단독 사용이나 1차적 사용은 금기

e. 급성 악화 치료
  - 급성 악화의 가장 흔한 원인은 기관지계의 감염 및 대기오염이지만, 심각한 악화의 약 1/3은 원인을 알 수 없다.
  - 흡입용 기관지확장제(특히, 흡입 β2-수용체 항진제 혹은 항콜린제), 테오필린, 전신(특히 경구) 부신피질호르몬제는 COPD의 악화를 치료하는데 효과적이다.

* 경구 프레드니솔론(PDS, 소론도) : 30~40 ㎎/day용량으로 10~14일간 투여. 연장 치료를 한다고 해도 효능은 더 커지지 않고, 부작용의 위험률이 증가된다.
  - 기관지 감염의 임상 증상(즉 객담 양의 증가 및 색깔의 변화 혹은 발열)을 보이면 항생제 요법이 효과적이다(*S. pneumoniae, H. influenza, M. catarrhalis* 치료).

f. 가래가 너무 많을 때(감염이 동반되지 않은 과도한 객담)
  − 부스코판(Scopolamine)의 경피(SC)나 정주(IVS)가 도움이 된다.
  − 부스코판의 항콜린성 효과

g. 장기적 산소 공급
  −PaO_2가 60 mmHg 이하인 COPD 환자의 생존율을 높임.

COPD 악화 환자의 입원 적응증

◆ 급작스러운 안정 시 호흡곤란 발생과 같은 증상 중증도의 뚜렷한 증가
◆ 중증의 기저 COPD
◆ 새로운 신체적 징후의 시작(즉, 청색증, 말초 부종)
◆ 악화에 대한 초기 치료의 실패
◆ 심각한 동반 질환
◆ 새로 발견된 부정맥
◆ 불확실한 진단
◆ 고령
◆ 불충분한 가정의 지원

40 골관절염

- 85세 여성. 만성적인 양쪽 무릎 통증으로 수년 전부터 근처 정형외과 의원에서 물리치료 및 약물치료 받고 계시지만 큰 호전이 없다. 최근에는 관절주사까지 맞아 보셨다고 하나 역시 만족할만한 진통 효과가 없었다. 현재 드시고 계시는 진통제는 아세트아미노펜과 NSAID계 약물을 병합하여 복용 중이다.

  – 고령자가 마약성 진통제를 복용해도 별 문제는 없을까?

1. 노인에서의 역학적 특징

1) 동양인 : 무릎 골관절염이 많다.
2) 65세 이상에서 68%

2. 관절통의 특징

1) 이환된 관절의 국한된 깊숙한 부위의 동통(관절을 사용하면 악화, 휴식하면 완화)

2) 이른 아침에 뻣뻣해짐

3) 관절 운동범위 감소

4) 염발음(관절 움직일 때 뼈와 뼈가 비벼지는 느낌)

5) 국소적 압통과 뼈나 연부조직의 종창

6) 골관절염이 반드시 악화되는 것은 아니다. 어떤 환자는 좋아지기도 함.

3. 무릎 골관절염

1) 서있거나 걸을 때, 계단을 오를 때 통증

2) 촉진상 골의 비대, 압통

3) 무릎의 안쪽 관절 연을 따라 발현하는 경우가 많고 무릎의 아래 위로 방사통

4. 검사실 검사

1) 골관절염의 진단을 위해 필수적으로 필요한 혈액검사는 없다.

2) 다른 염증성 질환들을 감별하기 위해 ESR, CRP, CBC, RF, UA 등을 해볼 수 있다.

5. 골관절염의 X-ray 소견

1) 초기 – 정상

2) 관절강의 협착, 골극(bony spur), 연골하 골경화, 연골하 골낭종 등

3) 손가락, 무릎 관절 : 통증과 가장 연관성 높은 소견은 골극

4) 고관절 : 통증과 관절강 협착이 연관 있다.

5) X-ray 소견의 정도와 통증의 정도가 반드시 일치하지는 않는다.

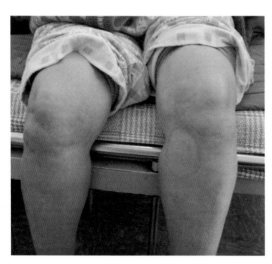

그림 40-1. 만성적인 양측 무릎 통증과 보행 장애를 호소하는 66세 여성의 무릎. 무릎 관절 주위로 종창(swelling)이 있으나 발적(redness)은 없다.

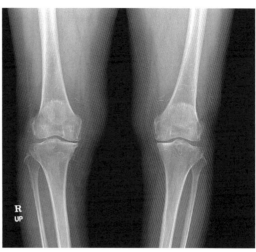

그림 40-2. **71세 여성의 무릎 골관절염.** 양측 관절강 협착 및 골극 등의 소견이 보인다. 양측 무릎 주변의 다발성 흰 색 선상 음영은 대체요법인 소위 "금침(金針)" 치료를 받은 흔적이다.

6. 골관절염의 치료

1) 치료 원칙
  - 통증 경감
  - 운동성 유지
  - 장애의 최소화
  - 약물 부작용 최소화

2) 비약물적 치료
  - 환자교육 : 격려, 안심, 운동 교육, 관절 부하 감소시키는 방법
  - 체중 조절
  - 물리치료 : ROM exercise, 대퇴사두근 강화운동, 열치료, 보조기구
  - 운동치료 : 빠른 도보, 실내자전거, 수영

3) 약물 치료
  - 약물 요법의 주된 목적은 통증의 완화 자체이다.
  - 1차적으로 NSAIDs보다는 기타 진통제의 투여가 추천됨
  a. 1차적 : 아세트아미노펜(타이레놀)
  b. 국소치료제(캡사이신 연고 등)

c. NSAIDs: 위 진통제의 효과가 없는 경우에 처방

d. 마약성 진통제(아편유사제 포함): 트리돌, 울트라셋, 코데인, 옥시코돈, 펜타닐 패취 등
  – 노인은 마약 남용의 빈도가 낮으므로 마약성 진통제의 처방을 너무 꺼리지 말 것

4) Hyaluronic acid 유도체(히루안) 관절주사

  – 내인성 hyaluronic acid 생성 촉진, 연골 proteoglycan 합성 촉진, arachidonate 억제, PGE2 억제

  – 단기간의 관절 윤활유 역할, 활막 신경 말단을 도포하여 진통 효과, 활막 자극에 의한 hyaluronic acid 합성 증가 효과

  – 1주일에 1회씩 3주 cycle, 6개월 지나서 치료하면 보험 적용됨(sodium hyaluronic acid 20 mg; 히루안 플러스).

  – 관절주사 방법

a. 환자를 바로 누인 후, 무릎 밑에 얇은 베개를 대어 약간 굽힌다.

b. 슬개골(patella)을 내측으로 민 다음, 외측 경계를 눌러 내측 모서리를 올린다.

c. 위 상태에서 슬개골의 내측 경계의 중간에 바늘을 자입하고, 슬개골 후면의 곡면을 고려하여, 바늘을 외측과 약간 후방으로 자입한다.

d. 관절강내에 들어가 저항이 없으면 bolus로 주사약을 주입한다.

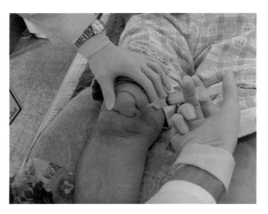

그림 40-3. **우측 무릎 관절강내 주사 방법.** 한 손으로 슬개골 외측을 눌러서 내측 모서리를 올린 후, 슬개골 내측 경계의 중간에 주사한다.

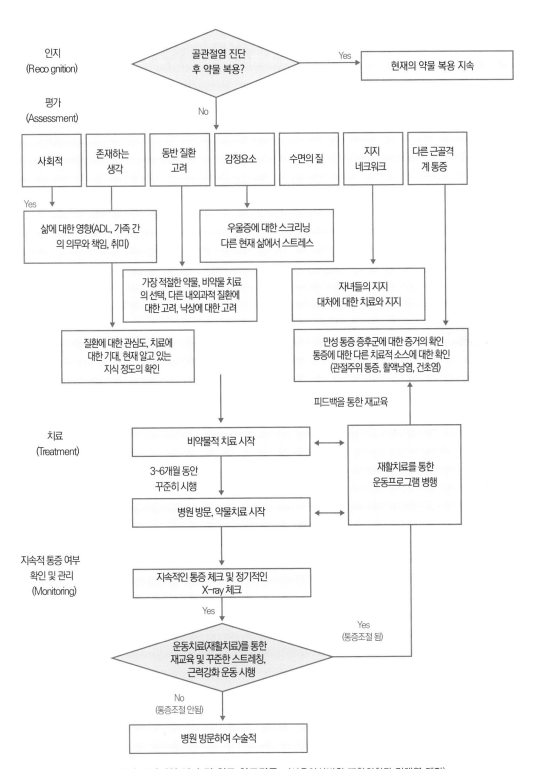

그림 40-4. 요양병원에서의 골관절염 평가 및 치료 알고리듬. (서울아산병원 재활의학과 김대열 제작)

41 진전(떨림: tremor)과 파킨슨병

 • 59세 여성. 특별한 과거력이나 약물 복용력은 없던 분으로서 오른쪽 팔, 다리의 떨림 증상을 주소로 외래를 방문함. 약 2년 전부터 오른쪽 팔, 다리가 조금씩 떨리는 증상이 있어 왔으나 최근에는 다른 사람이 알아볼 정도로 그 증세가 악화되었다. 오른손잡이로서 글씨를 쓰는 데에는 큰 문제가 없었다. 팔, 다리 외에 얼굴 등의 근육은 떨림 증상이 없었다. 가족에 따르면 최근에 걸으실 때에 팔 움직임이 거의 없다고 하신다.

– 본태성 진전과 파킨슨병을 감별하기 위해 무엇을 더 물어야 하고, 무슨 검사를 해야 하며, 어떤 약물을 투여해 볼 것인가?

1. 진전의 정의 및 분류

1) 정의

스스로 통제하기 어려운, 율동적이며, 규칙적 떨림 운동 현상

2) 분류

a. 안정기(resting) : 중력 없이 충분히 이완된 상태에서 진전(넓적다리에 손 올려놓은 상태)

b. 자세성(postural) : 일정 자세를 취했을 때(손가락 펴고 손을 앞으로 쭉 내민 상태)

c. 운동성(action)

- 활동성(kinetic) : 글씨를 쓰거나 젓가락질을 하는 등의 활동 시
- 의도성(intentional) : 정확한 목표 지점에 가까이 갈수록 심해지고, 일단 목표물에 도달하면 진전은 사라진다(소뇌 질환).

2. 진전의 원인

1) 생리적 진전 ☞ 정상적인 반응이며, 임상적 의미는 거의 없다.

    a. 손을 앞으로 펴고 손가락에 힘을 주고, 손에 종이를 올려놓으면 종이가 떨리는 것

    b. 스트레스, 피로, 격한 감정, 불안 저혈당, 갑상선기능항진증 등에 의해 심해짐.

2) 본태성 진전 ☞ 가장 흔하며 나이가 들수록 증가

    a. 40세 이후 약 1%, 가족력 있는 경우 17~70%

    b. 체위성 진전(postural tremor), 혹은 운동성 진전도 가능하며 심하면 안정시 진전도 가능함.

    c. 초기에는 한쪽, 시간이 지나면서 양쪽(양측성인 경우가 흔하다)

    d. 손이 가장 흔함 : 글씨가 흔들리고 둥근 글자는 삐쭉 삐쭉 써짐.

    e. **얼굴 주위 근육**(혀, 머리[끄덕끄덕 형, 도리도리 형], 목소리 떨림)

    f. 술을 조금이라도 마시면 줄어듦.

    g. 치료제 : 베타차단제(Propranolol), primidone (<u>Levodopa는 효과없다</u>)

3) 파킨슨 진전

    a. 안정기 및 자세성 진전

    b. 환약을 주무르는(pill-rolling) 양상

    c. 한쪽에서 간헐적 양상으로 시작

    d. 손, 턱, 입술, 체간 등에서 보임.

    e. 머리를 떠는 증상은 흔치 않음.

    f. 치료제 : Levodopa, Propranolol (<u>Primidone은 효과없다</u>)

표 41-1. 파킨슨병과 본태성 진전의 비교

	비교사항	파킨슨병	본태성 진전
특징	가족력	거의 없다	약 50%가 있다
	알코올 섭취 후	자세성 진전 감소	현격한 감소
	병원에 오는 시기	초기에 방문	말기에 방문
	초발 연령	중년 또는 노년기	모든 연령군
	진전 유형	안정기, 자세성	자세성 및 운동성, 드물게 안정기
	주로 나타나는 곳	손, 다리	손, 머리, 음성
	병의 경과	진행성	서서히 진행. 때로는 오래 변화 없음.
	운동완서, 강직	있다	없다
	균형 이상	있다	없다
치료	Levodopa	효과적	효과 없음
	Propranolol	효과적	효과적
	Primidone	효과 없음	효과적

Adapted from 박건우 2005

4) 약물 유발성 진전

진전을 일으키는 약물들

항정신병약(antipsychotics), 리튬, 스테로이드, 칼슘채널차단제, 알코올(금단), 베타수용체 항진제, Valproic acid, 테오필린(아미노필린), 카페인, 갑상선 호르몬, 항부정맥약, 니코틴, TCA

a. 항정신병약(antipsychotics)
- 파킨슨병과 비슷한 양상
- 1개월 이내에 나타남.
- 대개 양측성
- 약제를 끊어도 수 주에서 수개월이 지나야 없어짐.
- 치료 : 주로 항콜린성제제에 의해 잘 조절

b. Valproate
- 안정기, 자세성 및 운동성 진전의 요소를 모두 가짐.
- 치료 농도 내에서도 발생

c. 삼환계 항우울제(TCA)

- 약 10%에서 발생
- 치료 : propranolol 이 효과적

5) 소뇌성 진전

    a. 목표물에 도달하려면 심해지는 의도성 진전(intentional tremor)

    b. 다발성 경화증, 뇌경색, 종양, 감염 등 소뇌에 영향을 미치는 모든 질환이 원인

3. 파킨슨병의 4대 운동 증상(TRAP)

Tremor(가만히 있을 때 손이 떨리고)   Rigidity(팔, 다리, 몸이 굳어지고)

Akinesia(행동이 느려지며)   Postural Instability(자세가 불안정하다)

4. 파킨슨병의 비운동성 증상

1) 우울증 : 약 50%−SSRI, TCA(저 용량)로 치료

2) 불안 증상−벤조다이아제핀계 약물로 치료

3) 치매 : 약 30%

4) 환각(대부분 환시), 망상

5) 수면장애

6) 자율신경계 기능 장애

    a. 기립성 저혈압

    b. 위장관 문제 : 타액분비 증가, 연하곤란, 장 운동 저하, 변비

    c. 피부 문제 : 지루성 피부염, 땀을 많이 흘림, 비듬

    d. 소변 문제 : 긴박뇨, 야간 빈뇨증, 요실금 등

7) 통증 등의 감각 증상들

    a. 몸을 잘 못 움직여서 통증 발생

    b. 약 40%

    c. 치료 : 운동(걷기, 수영, 스트레칭), 물리치료

5. 파킨슨병의 증상이 나타나는 이유

1) 운동기능 조절의 윤활유 역할을 하는 '도파민'이 부족
2) 도파민 생산 공장의 점진적 조기 폐쇄

6. 파킨슨병의 운동무력 단계(Hoehn-Yahr 임상 척도)

1 단계 : 일측성 침범
2 단계 : 양측성 침범이지만, 균형 장애(–)
3 단계 : 양측성 질환으로 균형 장애(+), 독자적 생활 가능
4 단계 : 심각한 무능력 상태, 겨우 서고 걷기
5 단계 : 휠체어를 타거나 침대에 누워 있어야만 하는 상태

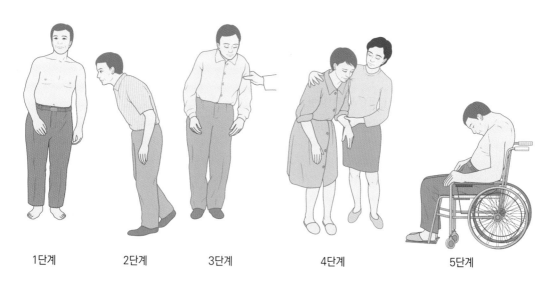

1단계   2단계   3단계   4단계   5단계

그림 41-1. **파킨슨병의 운동무력 단계(Hoehn-Yahr 임상척도)**

7. 운동 증상에 대한 약물 치료

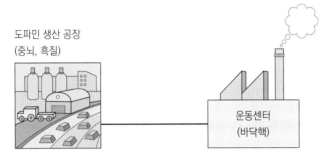

도파민 생산 공장
(중뇌, 흑질)

운동센터
(바닥핵)

그림 41-2. **도파민과 운동센터**

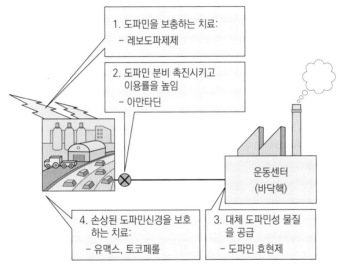

1. 도파민을 보충하는 치료:
   – 레보도파제제

2. 도파민 분비 촉진시키고
   이용률을 높임
   – 아만타딘

운동센터
(바닥핵)

4. 손상된 도파민신경을 보호
   하는 치료:
   – 유맥스, 토코페롤

3. 대체 도파민성 물질
   을 공급
   – 도파민 효현제

그림 41-3. **파킨슨병의 발생 및 다양한 약물의 치료 기전**

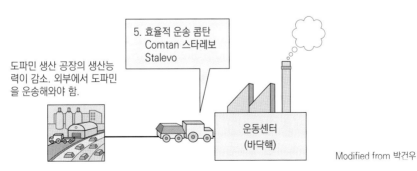

5. 효율적 운송 콤탄
   Comtan 스타레보
   Stalevo

도파민 생산 공장의 생산능
력이 감소. 외부에서 도파민
을 운송해와야 함.

운동센터
(바닥핵)

Modified from 박건우

그림 41-4. **진행된 파킨슨병 및 이 시기의 치료 약물**

1) Deprenyl(Selegiline®) - MAO-B 억제제

a. 1, 2 단계에 파킨슨병의 진행성을 늦출 목적으로 투여
   - 도파민의 대사로 생기는 신경독성물질의 생성을 막음으로써 신경세포의 손상을 막을 수 있는 신경보호작용이 있다고 하나 논쟁의 여지가 많다.

2) 레보도파(Sinemet®, 마도파®) - 도파민의 전구 물질

a. 3단계 이후부터 투여하기를 권고하나, 가장 효과적인 약물이라 일찍 투여하는 경향
b. 하루 3~4회로 나누어 복용
c. 50 mg/d 의 저 용량으로 시작 → 1주일 간격으로 천천히 증량
d. 치료 초기에 <u>오심, 구토</u>의 부작용
   - 식사와 함께 복용
   - 약물 복용 전 domperidone 투여
e. 장기 치료 시 합병증
   - <u>반응변동성(response fluctuations)</u>
     : 레보도파 치료 5년 후 50%에서
     : 레보도파의 짧은 효과 지속시간 때문
   - <u>운동수행의 변동성</u>
     : 레보도파 치료 5년 후 50%에서
     : 이상운동증(dyskinesia), 통증 및 기타 감각 증상들, 불안 및 공황 발작, 주체할 수 없는 슬픔, 인지기능 변화

3) Bromocriptine(Parlodel®), Pergolide(Cilence®), Ropinirole(Requip®), Pramipexole(Mirapex®) - 도파민 효현제 : 도파민 수용체에 결합하여 작용

a. 경미~중등도 상태에서 새로 치료 시작 시, <u>레보도파 요법의 시작을 지연</u>시키기 위해
b. 레보도파의 장기간 치료에 따른 합병증 방지 위해 레보도파와 조합 치료
c. 레보도파의 장기간 치료에 따른 합병증 있는 환자에서 <u>레보도파 용량 줄이기</u> 위해

4) Benztropine(Cogentin®), Trihexyphenidyl(Artane®) - 항콜린성

a. 현저한 진전에 효과

5) Amantadine(PK-merz®) - 도파민 분비 or 항콜린성

a. 현저한 진전에 효과

6) Entacapone(Comtan®) - COMT 억제제

a. L-dopa에 대해 반응변동성이 있을 때
b. 말초조직에서 L-dopa가 COMT 효소에 의해 뇌를 통과하지 못하는 물질로 대사되는 것을 억제해 L-dopa의 뇌에 대한 작용을 증대(carbidopa, benserazide와 같은 효과). 혈중과 중추신경계의 levodopa의 bioavailability와 반감기를 45% 정도 증가시킴.
c. L-dopa와 병용

표 41-2. **파킨슨병의 치료 약물들의 종류 및 용량**

성분명	상품명	하루용량(mg)	작용기전
Deprenyl	Selegiline®	10	MAO-B 억제제
Levodopa + carbidopa benserazide	Sinemet® Madopar®	300/30 ~ 2,000/200 250/125 ~ 2,500/1,250	도파민 전구물질 (도파민을 보충)
Bromocriptine	Parlodel®	7.5 ~ 40	도파민 효현제(DA agonist) : 도파민 수용체에 작용 (도파민 대체 물질)
Pergolide	Cilence®	0.5 ~ 6	
Ropinirole	Requip®	6 ~ 8	
Pramipexole	Mirapex®	3 ~ 4	
Benztropine	Cogentin®	0.5 ~ 8	항콜린성 약물
Trihexyphenidyl	Artane®	4 ~ 8	
Amantadine	PK-merz®	100 ~ 200	도파민 분비, 약한 항콜린성
Entacapone	Comtan®	200 ~ 2,000	COMT 억제제(외부에서 도파민 운송)

Adapted from 박건우 2005

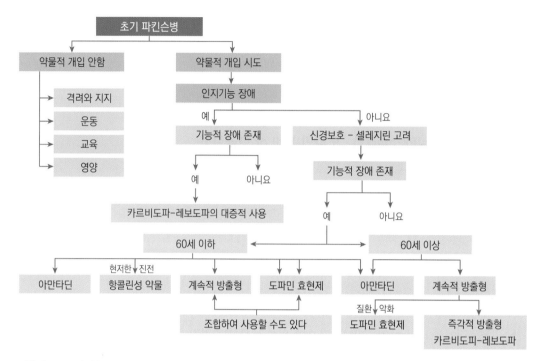

그림 41-5. 파킨슨병 치료의 흐름도. Adapted from 박건우(modified from Koller WC, et al.)

@ carbidopa 150 mg + levodopa 1350 mg + entacapone 600 mg + benserazide 187.5 mg 조합을 복용 중이던 환자가 입원했을 때, 요양병원에 가지고 있는 파킨슨약이 다음과 같다면?

요양병원에서 가지고 있는 파킨슨약이 다음의 4가지 뿐이라면?	
퍼킨정25/250 (carbidopa 25 levodopa 250) 마도파125 (levodopa 100, benserazide 25)	마도파250 (levodopa 200, benserazide 50) 스타레보100/25/200 (carbidopa 25, levodopa 100, entacapone 200)

아래의 표와 같은 조합으로 처방할 수 있다.

		퍼킨정 25/250	개수	마도파 250	개수	마도파 125	개수	스타레보 100/25/200	개수	SUM	기존용량
1	carbidopa	25	4		3		1.5	25	3	175	150
	levodopa	250	4	200	3	100	1.5	100	3	2050	1350
	entacapone		4		3		1.5	200	3	600	600
	benserazide		4	50	3	25	1.5		3	187.5	187.5
2	carbidopa	25	3		2		2	25	3	150	150
	levodopa	250	3	200	2	100	2	100	3	1650	1350
	entacapone		3		2		2	200	3	600	600
	benserazide		3	50	2	25	2		3	150	187.5
3	carbidopa	25	3		1.5		2.5	25	3	150	150
	levodopa	250	3	200	1.5	100	2.5	100	3	1650	1350
	entacapone		3		1.5		2.5	200	3	600	600
	benserazide		3	50	1.5	25	2.5		3	150	187.5
4	carbidopa	25	3		1		2.5	25	3	150	150
	levodopa	250	3	200	1	100	2.5	100	3	1650	1350
	entacapone		3		1		2.5	200	3	600	600
	benserazide		3	50	1	25	2.5		3	150	187.5

		퍼킨정 25/250	개수	마도파 250	개수	마도파 125	개수	스타레보 100/25/200	개수	SUM	기존용량
5	carbidopa	25	3		3		1.5	25	2	125	150
	levodopa	250	3	200	3	100	1.5	100	2	1700	1350
	entacapone		3		3		1.5	200	2	400	600
	benserazide		3	50	3	25	1.5		2	187.5	187.5
6	carbidopa	25	3		3		1.5	25	3	150	150
	levodopa	250	3	200	3	100	1.5	100	3	1800	1350
	entacapone		3		3		1.5	200	3	600	600
	benserazide		3	50	3	25	1.5		3	187.5	187.5
7	carbidopa	25	3		3		1.5	25	3	125	150
	levodopa	250	3	200	3	100	1.5	100	3	1550	1350
	entacapone		3		3		1.5	200	3	600	600
	benserazide		3	50	3	25	1.5		3	187.5	187.5
8	carbidopa	25	3		3		1.5	25	3	112.5	150
	levodopa	250	3	200	3	100	1.5	100	3	1425	1350
	entacapone		3		3		1.5	200	3	600	600
	benserazide		3	50	3	25	1.5		3	187.5	187.5
9	carbidopa	25	3		3		1.5	25	3	100	150
	levodopa	250	3	200	3	100	1.5	100	3	1300	1350
	entacapone		3		3		1.5	200	3	600	600
	benserazide		3	50	3	25	1.5		3	187.5	187.5

출처: 천성희 선생님 제공

8. 산정특례의 혜택

파킨슨병 및 파킨슨 증후군은 2009년부터 희귀성난치성질환으로 산정특례 혜택을 받아 진료비의 10%만 보호자가 부담하게 되므로 아래의 진단 기준에 맞는 경우는 환자가 혜택을 볼 수 있도록 "건강보험 산정특례 등록 신청서"를 작성해 준다(그림 32-11). 또한 원외 처방 예외 질환으로서, 병원 내에서 약물을 조제 받을 수 있다.

파킨슨병(G20)에 대한 희귀난치성질환자 산정특례등록기준

1) 경증(mild) 이상의 서동(bradykinesia)이 반드시 있어야 하고(즉, UPDRS의 서동 항목 당 2점 이상), 이에 더해서 근경축(muscular rigidity), 안정 진전(rest tremor), 그리고 직립자세 불안정(postural instability) 중, 적어도 한가지 이상 있으면 '파킨슨 증'(parkinsonism)이 있다고 진단한다.

2) 이러한 '파킨슨 증'이 뇌경색, 약물 부작용, 두부 외상, 뇌염, 저산소증에 의한 뇌 손상 등으로 기인한 것이 아님을 확인해야 한다. 참고로, '파킨슨 증후군' (즉, 파킨슨병이 아니지만 '파킨슨 증'을 보이는 퇴행성 뇌 질환들)은 특수한 진단장비를 사용하지 않는 한, 파킨슨병과의 감별이 어렵고, 또한 이 질환들은 파킨슨병보다 더 희귀한 난치병이라는 현실을 고려하여, 본 등록 지침에서는 파킨슨병과의 엄격한 구별을 권장하지 않는다.

3) '파킨슨 증'의 양상이, 아래 제 3 단계의 8가지 중 3개 이상과 합치하면 파킨슨병으로 진단한다.
   - 파킨슨 증상이 몸의 한쪽에서 시작됨
   - 병세가 점차로 진행되는 경과를 보임
   - 레보도파에 우수한 반응(70~100% 호전)을 보임
   - 레보도파에 대한 반응이 5년 이상 지속됨
   - 안정 진전(rest tremor)이 있음
   - 파킨슨 증상의 좌우 비대칭이 지속적으로 유지됨
   - 레보도파-유도성 이상운동증이 심함
   - 병의 과정이 10년 이상

Adapted from 보건복지부

42 노인에서 흔한 감염성 질환들 (폐렴, 폐결핵, 요로 감염)

- 87세 남성. 파킨슨병 말기 와상 상태인 환자로, 엉덩이에 2단계의 압창이 있고, 영양 공급은 L-tube로, 배뇨는 Foley catheter를 통해 하고 있음. 어제부터 38도 이상의 고열이 체크 되어 생리식염수 정주하며 관찰했으나 떨어질 기미가 보이지 않음.

  – 감염이 의심된다면 그 원인 질환들은 무엇이 있을까?
  – 폐렴, 요로감염, 패혈증 등의 진단을 내리기 위해 시행해야 할 검사 항목은?

노인은 면역력이 저하되어 감염 질환에 걸릴 가능성이 높다. 일반적으로 폐렴이나 요로 감염이 노인에게 가장 흔한 세균 감염증으로 알려져 있지만, 이 밖에도 결핵, 연조직 감염증, 균혈증(bacteremia), 심내막염, 감염성 설사, 뇌수막염, 패혈성 관절염(septic arthritis) 등이 젊은이에 비해 더 잘 생긴다.

3차 의료기관에서 발표된 자료에 의하면 65세 이상 노인환자의 퇴원 시 주 진단명 중 감염 질환이 8.7%를 차지하였는데, 이들의 구성은 다음과 같다.

- 간담도계감염 : 26%
- 결핵 : 21%
- 호흡기 감염 : 16%

- 요로감염 : 9%

이들 중 호흡기계 감염의 사망률이 가장 높았다.

1. 폐렴

- 등급에 따른 사망률
  - I : 0.1~0.4%, II : 0.6~0.7%, III : 0.9~2.8%, IV : 8.2~9.3%, V : 27.0~31.1%
- 등급에 따른 치료 계획
  - I, II ⇨ 외래 치료가 원칙
  - III ⇨ 외래 치료 또는 단기 입원
  - IV, V ⇨ 입원 치료

1) 노인 폐렴의 특징

a. 발병이 점진적

b. 기침이 비교적 적고 발열의 정도도 낮다(전혀 열이 없기도).

c. 의식이 나빠지는 경우가 흔하다.

d. 막연하고 뚜렷하지 않은 증상들(식욕부진, 전신무력감, 기력쇠퇴, 혼돈, 헛소리, 가래 끓는 소리, 청색증, 복통, 대소변을 못 가리기 등)

e. 청진 소견상 기관지 호흡음, 수포음 등이 미미한 경우가 흔함.

2) 진단 검사

a. Chest X-ray : <u>침범한 엽(lobe) 수</u>를 근거로 폐렴의 중증도 평가 가능

b. CBC : <u>WBC > 15,000/mm^3</u>이면 세균성 폐렴을 시사 ⇨ 항생제

c. 혈액 배양 : 최소 2회 시행, 약 11%에서 양성, 폐렴연쇄구균은 약 67% 양성

d. 객담 검사 : 민감도와 특이도가 낮다.

3) 지역사회 획득 폐렴(CAP)의 입원 여부 결정을 위한 중증도 지표들

a. PORT (Pneumonia patient Outcomes Research Team)에서 제시한 폐렴 중증도 지표(Pneumonia Severity Index; PSI) : 환자의 역학 요소, 기존 질환, 임상 소견 등을 분석하여 위험 등급을 5등급으로 구분(그림 42-1)

b. CURB-65/CRB-65 : 영국흉부학회(British Thoracic Society) 기준(2004년)
　　→ 비교적 단순하여 외래에서 적용이 용이

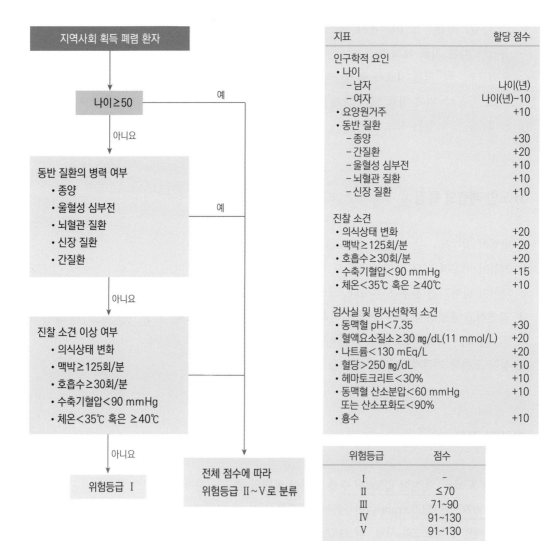

그림 42-1. **PORT의 연구에 근거한 폐렴 중증도 지표.** Adapted from 정태훈

표 42-1. CURB-65/CRB-65의 평가요소들

영문앞글자	임상적요인	점수
C	의식 : 혼돈(confusion)	1
U	BUN > 19 mg/dL	1
R	호흡수 ≥ 30회/분	1
B	SBP < 90 mmHg or DBP ≤ 60 mmHg	1
65	나이≥ 65세	1
	총점	

Adapted from 정태훈

표 42-2. CURB-65 점수에 따른 치료 계획

영문앞글자	임상적요인	점수
0	0.6	외래 치료
1	2.7	
2	6.8	짧게 입원 치료 or 감시 하에 외래 치료
3	14.0	입원 치료, 중환자실 입원도 고려
4 or 5	27.8	

CURB-65 = Confusion, Urea nitrogen, Respiratory rate, Blood pressure, 65 years of age and older.

표 42-3. CRB-65 점수에 따른 치료 계획

CRB-65 점수	사망률(%)	권고사항
0	0.9	외래 치료
1	5.2	입원 치료 고려
2	12.0	
3 or 4	31.2	응급 입원

CRB-65 = Confusion, Respiratory rate, Blood pressure, 65 years of age and older.

→ 혈액검사(BUN)가 불가능할 때 사용!

4) 노인의 폐렴 치료 시 고려할 점

a. 투여한 약물의 체내 동태(흡수, 분포, 대사 및 배설), 약물 반응성 등의 변화
b. 다른 약물 사용 가능성이 높아 약물 상호 작용으로 부작용 생길 가능성
c. 노인에서는 특히 G(−)균이 구인두(oropharyngeal) 부위에 많이 서식하므로 폐렴의 원인으로 고려
   − Aztreonam, Imipeneme, Quinolone 계통이 잘 듣는다.
   cf) Aminoglycoside(GM, Amikin 등)는 호흡기에서 농도가 낮고, 산성의 성향이 강한 폐렴에서는 그 활동도 또한 낮아 잘 쓰지 않는다.

5) 지역사회 획득 폐렴의 원인균과 항생제 선택

a. 폐렴의 원인을 찾기 어려운 경우가 많기 때문에 초기 항생제 치료는 흔히 시험적으로 사용하게 된다.
b. 외래에서의 경험적 항생제
   − 동반 질환과 약제 내성 폐렴구균에 대한 위험 인자가 없는 외래환자는 1) ß−lactam 단독 또는 2) ß−lactam과 macrolide 제제 병용, 또는 3) respiratory quinolone 사용이 권장된다.
   − ß−lactam 중에서 penicillin 계에서는 amoxicillin 또는 amoxicillin/clavulanic acid를 권장할 수 있다. ß−lactam 중 cephalosporin 중에서는 cefpodoxime 또는 cefditoren 등이 권고되며 cefuroxime은 국내 분리 폐렴구균에 대한 내성률(61.3%)이 높아 권고하지 않는다.
   − 경구용 macrolide 제제 중 erythromycin은 H. influenza에 듣지 않으므로 새로운 macrolide 제제인 azithromycin이나 clarithromycin을 추천한다.
   − 미국의 지침과 달리 macrolide 또는 doxycycline 단독 치료는 권하지 않는데 이는 국내 폐렴구균에 높은 내성률을 보이기 때문이다. 국내에서 macrolide의 폐렴구균에 대한 내성률은 62~87%로 보고되고 있다.
c. 일반병동으로 입원하는 경우의 경험적 항생제
   − 일반병동으로 입원하는 폐렴 환자 중 녹농균 감염의 위험이 없는 경우에는 β−lactam+macrolide 혹은 호흡기 fluoroquinolone이 추천된다. 호흡기 fluoroquinolone은 경구 혹은 주사 형태 모두 가능하다.

표 42-4. **지역사회 획득 폐렴의 상황별 원인균**

환자가 처한 상황	원인균
의식 변화(흡인성 폐렴 의심 시)	혐기성균
만성폐쇄성폐질환(COPD)	*Streptococcus pneumoniae* *Hemophilus influenzae* *Moraxella catarrhalis*
알코올 중독	Hemophilus Klebsiella 혐기성균
요양시설 거주자	Enterobacteriaceae Methicillin-resistant *Staphylococcus aureus* *Mycobacterium tuberculosis* Respiratory viruses
면역저하자	*Pneumocystis carinii* Cytomegalovirus *Mycobacterium tuberculosis* *Cryptococcus neoformans* Nocardia
독감 유행시기	*Staphylococcus aureus*

표 42-5. **폐렴 환자에 대한 경험적 항생제 처방**

입원 여부	항생제의 선택	
외래환자	*β*-Lactam	amoxicillin or amoxicillin/clavulanic acid, cefpodoxime, cefditoren
	or, *β*-Lactam + macrolide	amoxicillin or Augmentin, cefpodoxime, cefditoren + azithromycin, clarithromycin, erythromycin, roxithromycin
	or, respiratory quinolone	levofloxacin, moxifloxacin, gemifloxacin, gatifloxacin
입원 환자 (녹농균 감염의 위험이 적을 때)	*β*-lactam + macrolide	ampicillin/sulbactam, Augmentin, cefpodoxime, cefotaxime, ceftriaxone + azithromycin, clarithromycin, erythromycin, roxithromycin
	or, respiratory quinolone	levofloxacin(정맥 주사 혹은 경구), moxifloxacin(정맥 주사 혹은 경구), gemifloxacin(경구), gatifloxacin

6) 항생제 치료 기간

a. 폐렴구균 폐렴은 약 7~10일간 치료하고, 마이코플라즈마나 클라미디아 폐렴은 14일 정도 치료

b. 반감기가 긴 항생제(예, azithromycin)를 복용하는 경우에는 5일이면 충분

c. 폐실질 괴사를 유발하는 병원균(녹농균, 포도상구균, 클레브시엘라, 혐기성 세균, 심한 레지오넬라병)은 2주 이상 치료

7) 객담 배출이 힘들어 흡인성 폐렴의 위험이 높은 환자를 위한 예방 조치

a. ACEI 제제 투여로 기침을 유발

b. MI-E (Mechanical Insufflation-Exsufflation) (그림 42-2)

① 적응증 : 효과적으로 기침이나 객담 배출을 못하는 자

② 금기증 : 수포성 폐기종, 기흉의 기왕력, 최근의 압력 상해

③ 원리 : 점차적으로(1~2초 간) 양압을 제공하다가 음압으로 빠르게 변환시킴으로써 저류된 환자의 폐기물을 제거하도록 도와줌.

④ 세팅 : 양압 및 음압을 10~15 cmH$_2$O로 1cycle 당 5회씩 하루 3~6회로 시작

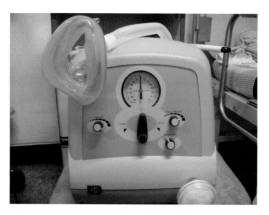

그림 42-2. MI-E 시스템을 이용한 객담 배출 및 기침 유도 장치. 고가의 기계이므로, 일반적으로 보호자가 대여하는 방식으로 이용한다.

2. 폐결핵

1) 임상 증상

a. 오한이 없다.

b. 전형적 : 오후에 열이 나고 밤에 잠이 들면 식은 땀과 함께 열 내림.

c. 대부분 기침 지속되면서 체중 감소, 밤에 식은 땀

d. 경미하거나 만성적이어서 환자가 못 느끼는 경우가 많다.

e. 식욕부진, 쇠약감, 체중감소, 발열 등이 서서히 진행

2) 흉부방사선 소견

a. 침범 부위 : 상엽의 폐 첨부 및 후 분절 or 하엽의 상 분절

b. 활동성(active)

　－불균질하고 경계가 불명확한 음영

　－다발성 결절(multiple nodules)

　－공동(cavity)

　－이전 흉부 X-선과 비교하거나 추적 검사로 비교

c. 속립성 결핵(miliary Tb)

　－미세한 작은 결절들이 고르게 전 폐야에 분포

3) 객담 검사를 위한 객담 채취법

a. 최소한 3회, 아침 공복 시 채취

b. 객담 배출이 어려우면 3% 식염수를 분무기로 흡입 후 기침 유발하여 채취

4) 초 치료 처방(체중이 50kg 이상인 경우)

표 42-6. 6개월 표준 치료(2HERZ + 4HER) : 첫 2개월은 2HERZ 용법, 이후 4개월은 4HER 용법

> 50 kg	2HERZ	4HER	부작용
H (INH)	400 mg	400 mg	말초신경염, 간염, 과민증, 정신병
E (EMB)	1,200 mg	800 mg	시력감소, 시야협착증, 적녹색약
R (RFP)	600 mg	600 mg	간염, 발열, 자반증, 신부전
Z (PZA)	1,500 mg		간독성, 고요산혈증에 의한 관절통

5) 노인의 결핵 치료

a. INH 투여 시−말초신경염 예방 위해 pyridoxine(10~100mg/d) 복용, 간독성 주의

b. EMB에 의한 시력저하를 나이 탓으로 돌리지 말 것

c. 70세 이상−처음부터 HER 3가지만 투여하는 것이 안전

6) 치료 중 경과 관찰

a. 객담 검사 : 균음전 될 때까지 2주마다 검사. 그 후 최소 4주마다

b. 치료 시작 5개월 후에도 AFB(+)면 치료 실패

c. 위장장애: 매우 흔하며 특히 시작 첫 수 주 동안 잘 발생

d. 피부발진: 소양증 동반하면 항히스타민제 투여, 항결핵약제는 투여 지속

e. 약제 유발성 간염

   − 약 20%의 환자들에서 무증상이면서 약간의 간수치 상승 동반

   − 무증상이면서 AST, ALT가 정상의 5배 이상 증가하거나 증상 있으면서 3배 이상 증가하면 간독성이 있는 항결핵 약제는 모두 중지해야 함.

3. 요로 감염

1) 노인에서 요로감염이 잘 생기는 요인

a. 노화에 따른 신체적 변화
   - 방광 용적 감소, 잔뇨량 증가, 신경인성 방광
   - 남성 : 전립선비대증(BPH), 전립선 분비물의 살균력 감소
   - 여성 : 에스트로겐 감소 ⇒ 질 내 pH 증가 ⇒ 질 내 정상세균총 변화, 자궁 탈출
   - 면역력 저하
b. 요로계 침습적 시술의 증가 : 요로를 통한 기구 조작이나 도뇨관 삽입
c. 병발 질환의 증가
   - 뇌졸중, 퇴행성 질환 등에 동반되는 방광기능 장애
   - 척추 손상 등으로 인한 근신경계의 기능적 장애

2) 노인 요로감염의 특성(vs 젊은 성인)

a. 원인균의 분포가 다르다(그래도 *E. coli*가 가장 흔하다).
b. 남성에서 요로감염의 유병률이 높다.
   - 전립선비대증 등의 영향
   - 70세 이상 요로감염 환자 중 남:녀 비율 = 1:2
c. 기저 질환을 가지고 있는 경우가 더 흔하다.
d. 무증상 세균뇨가 더 흔하고 복잡성 요로감염도 더 흔하다.
   - 요로결석, 전립선비대증과 같은 요로계의 구조적 이상이 동반된 복잡성 요로감염
e. 증상이 비전형적인 경우가 더 흔하다.
   - 의식 저하, 오심과 구토, 요잔류 등
f. 항생제 치료에 대한 반응이 나쁘고, 사망률도 더 높다.
   - 균혈증(bacteremia)이 자주 동반 ⇒ 이로 인한 사망률이 약 30%
   - 항생제 부작용이 흔히 발생
   - 복잡성 요로감염이 있으면 침습적 치료가 필요하며 치료에 대한 반응도 나쁘다.

3) 노인 요로감염의 치료

a. 무증상 세균뇨 : 치료하지 않는다.

b. 여성 노인의 하부 요로감염
   - 3일 요법 권장(Quinolone [ciprofloxacin, ofloxacin]이나 3세대 cephalosporin)
   - 당뇨병 있거나 재발한 경우는 7일 요법

4) 여성 노인의 급성 신우신염(APN)

a. 노인은 균혈증이나 합병증(신농양, 요로폐쇄)이 잘 동반, 치료 반응이 좋지 않은 경우가 많다
   ⇒ 입원 치료

b. 항생제 투여 전에 소변배양 후 경험적으로 3세대 cephalosporin(ceftriaxone), aminoglycoside
   (gentamicin, amikacin) 투여, 2~3일 후 배양 결과 보고 경구로 바꿈

5) 남성 노인의 요로감염

a. 여성에 비해 *E.coli*의 빈도가 낮고(40~50%), G(+)[Enterococci, Staphylococci], 진균(Candida)
   이 원인인 경우가 더 흔하다.

b. 전립선비대증 → 알파차단제 투여

c. 하부 요로 감염 : 전립선에 투과력이 좋은 Quinolone제로 7~10일 요법

43 노인에서 흔한 피부질환들

- 아침 회진을 하는데, 특정 병실에 있는 간병인 두 분이 피부 병변과 심한 가려움 증을 호소하고 계심. 자세히 보니 주로 양 손가락 사이에 구진 양상의 병변이 있고 수도(burrow)가 관찰됨.

– 옴의 가능성이 있다면 같은 병실에 있는 노인환자들에게 즉각 취할 조치는?

요양병원에 입원한 노인환자들의 대부분이 기본적으로 노쇠한 상태이고 영양 부족, 면역력 저하 등의 위험 요소가 많은 상태에서 다양한 피부 질환이 발생할 수 있다. 특히 옴(scabies) 등의 전염성 피부질환은 간병인이나 의료인의 손을 통해 다른 환자에게도 전파될 우려가 높으므로 가능하면 초기에 빠른 진단 및 치료가 중요하다. 그러나 요양병원에 피부과 전문의가 근무하지 않는 현실에서 입원 환자의 주치의가 정확한 진단명을 파악하기 어려운 피부 질환자의 경우는 자칫 적절한 치료가 늦춰질 수 있다. 이러한 경우에 다음과 같은 방법으로 피부과 전문의에게 의뢰할 수 있다.

* 보호자 동반하여 피부과 외래진료
  – 다소 번거롭지만 가장 확실한 방법
  – 와상(bed-ridden) 환자의 경우는 앰블런스가 필요
  – 보호자가 협조하지 않는 경우가 있을 수 있다.
  – 피부과 전문의의 진료 소견서를 받아오도록 할 것

* 보호자가 직접 환자의 사진을 찍어가서 피부과 외래진료받기(의료법상 재진만 가능)
  − 와상 환자의 경우에 많이 이용되는 방법
  − 선명하게 사진을 찍는 기술이 필요하다.
  − 의뢰하기 전에 반드시 주치의가 사진 촬영 상태를 확인할 것
  − 보호자의 협조가 필요
  − 피부과 전문의의 진료 소견서를 받아오도록 할 것

* 주치의가 환자의 사진을 찍어서 피부과 의사에게 따로 문의하기
  − 쉽게 연락할 수 있는 피부과 의사가 있는 경우에 용이하다.
  − 선명하게 사진을 찍는 기술이 필요하다.
  − 적절한 인터넷 사이트를 통해 문의해 볼 수도 있다.

1. 원발성 피부병변(Primary lesion)

- 반점(macule) : 색의 변화만 있다.
- 구진(papule) : 직경 5 mm 미만의 작고 단단한 융기
- 결절(nodule) : 직경 5 mm 이상의 융기
- 잔물집(vesicle) : 직경 5 mm 미만의 물집
- 물집(bulla) : 직경 5 mm 이상의 물집
- 고름물집(pustule) : 물집 내 고름이 육안으로 관찰됨.
- 낭종(cyst) : 체액 또는 반고체물질로 채워진 표피로 둘러싸인 결절
- 판(plaque) : 편평하게 만져지는 피부의 융기. 대개 직경 2 cm 이상
- 팽진(wheal) = 두드러기(urticaria) : 일시적 진피부종에 의한 압축성 구진 또는 판
- 비늘(scale) : 떨어져 나갈 두꺼워진 각질층의 각질이 모인 것
- 궤양(ulcer) : 표피~진피까지 피부가 손실되어 주변과 경계를 이루는 것

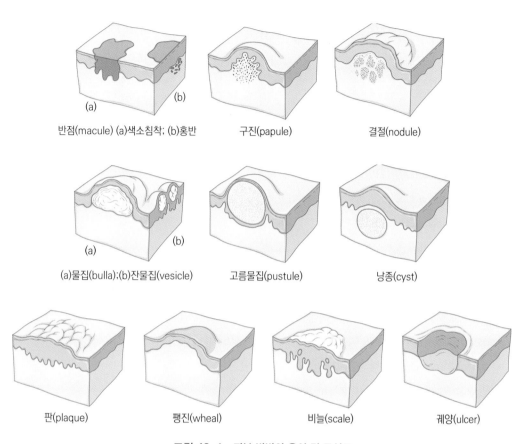

그림 43-1. 피부 병변의 용어 및 모식도

2. 속발성 피부병변(Secondary lesion)

- 농양(abscess) : 조직 괴사로 발생한 농(고름)의 국소적 집합
- 위축(atrophy) : 표피, 진피 또는 모두의 소실. 얇고 투명하며 주름짐.
- 굴=수도(burrow) : 기생충, 특히 옴에 의해 생기는 피부의 터널
- 굳은살(callus) : 압력에 의해 주로 손, 발바닥에 발생하는 각질층의 비후
- 모낭염(folliculitis) : 모낭의 염증
- 종기(furuncle) : 모낭에 국한된 농포성 감염
- 큰종기(carbuncle) : 종기의 집합
- 봉소염(cellulitis) : 피부와 피하 조직의 농성 염증
- 면포(comedo) : 털피지선의 늘어난 입구의 피지와 각질 마개
- 딱지(crust) : 정상적으로 혈청, 혈액 또는 농 등이 피부표면에서 건조된 것
- 흉터(scar) : 손상부위의 정상조직이 섬유성 결체조직으로 대체된 것
- 켈로이드(keloid) : 퇴화되지 않고 융기되는 진행성의 흉터
- 점상출혈(petechia) : 직경 1~2 mm의 출혈성 반점
- 반상출혈(ecchymosis) : 직경 2 mm 이상의 반점상 적색 혹은 자색 출혈
- 자반(purpura) : 피부 혈액의 혈관외 유출로 발생하는 적색의 색조변화
- 까짐(erosion) : 흉터없이 치유되는 표피의 벗겨짐.
- 홍반(erythema) : 혈관 확장으로 인한 피부의 적색 변화
- 긁은 상처(excoriation) : 대개 일직선 모양의 얕은 찰과상
- 열창(fissure) : 종종 진피까지 확장되는 표피의 선상 분리
- 각화증(keratosis) : 피부가 뿔 모양으로 두꺼워진 것
- 태선화(lichenification) : 피부의 만성 두꺼워짐
- 좁쌀종(milium; milia) : 내부에 각질을 포함하는 작은 백색의 낭종
- 유두종(papilloma) : 유두 모양으로 돌출된 것
- 선조(stria) : 흰색, 분홍색, 보라색의 위축성 선상의 띠. 결체조직의 변화
- 혈관확장증(telangiectasia) : 육안으로 관찰 가능한 진피 혈관의 확장

3. 국소 피부병변의 부위별 호발 질환

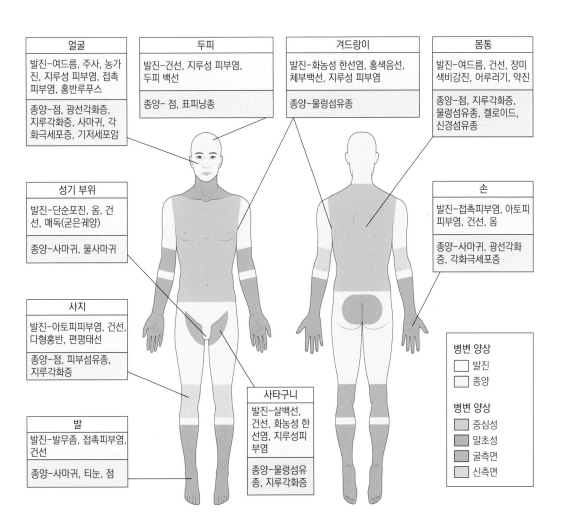

얼굴
발진-여드름, 주사, 농가진, 지루성 피부염, 접촉피부염, 홍반루푸스
종양-점, 광선각화증, 지루각화증, 사마귀, 각화극세포증, 기저세포암

두피
발진-건선, 지루성 피부염, 두피 백선
종양- 점, 표피낭종

겨드랑이
발진-화농성 한선염, 홍색음선, 체부백선, 지루성 피부염
종양-물렁섬유종

몸통
발진-여드름, 건선, 장미색비강진, 어루러기, 약진
종양-점, 지루각화증, 물렁섬유종, 켈로이드, 신경섬유종

성기 부위
발진-단순포진, 옴, 건선, 매독(굳은궤양)
종양-사마귀, 물사마귀

손
발진-접촉피부염, 아토피피부염, 건선, 옴
종양-사마귀, 광선각화증, 각화극세포증

사지
발진-아토피피부염, 건선, 다형홍반, 편평태선
종양-점, 피부섬유종, 지루각화증

사타구니
발진-살백선, 건선, 화농성 한선염, 지루성피부염
종양-물렁섬유종, 지루각화증

발
발진-발무좀, 접촉피부염, 건선
종양-사마귀, 티눈, 점

병변 양상
- ☐ 발진
- ☐ 종양

병변 양상
- ▨ 중심성
- ▨ 말초성
- ▨ 굴측면
- ▨ 신측면

그림 43-2. 부위별 호발 피부질환

4. 국소 치료

1) 제제의 형태에 따른 분류

표 43-1. 피부 질환에 대한 국소치료제의 분류

제제의 형태	형태의 특성	치료적 특성
로션(lotion)	수분이나 알코올을 base로 한 액체 제제	증발하면서 피부 온도를 낮춤. 화상이나 삼출성 병변에 많이 쓰임
크림(cream)	물에 혼합된 반고체의 기름. 유화제와 방부제를 함유	증발을 잘하므로 번들거리지 않고 사용과 제거가 쉽다
겔(gel)	기름기 없는 수분 유상액으로, 투명한 반고체	
연고(ointment)	유지 또는 기름의 반고체로, 수분이 거의 없거나 전혀 없고, 간혹 가루를 함유	습진과 같은 건조한 피부에 사용. 수분은 공급하고 밀폐가 가능하나 크림에 비해 바르기 및 제거가 어렵다
된연고(paste)	연고에 녹말이나 산화아연 같은 가루를 많이 함유하여 딱딱한 밀도 유지	판상 건선과 같은 표면 경계가 명확한 병변에 바르기 좋음. 제거가 어려움

2) 국소 약물의 종류별 적응증

표 43-2. 피국소치료제 종류별 적응증

약물	적응증
스테로이드	습진, 건선, 편평태선, 일광 화상, 장미색비강진, 경화태선
항균제(chlorhexidine, silver nitrate…)	피부 패혈증, 다리 궤양, 감염된 습진
항생제	주사, 모낭염, 농가진, 감염된 습진
항진균제	진균 감염증, 칸디다 감염
항바이러스제	단순포진, 대상포진
기생충 살충제	옴, 이

3) 하루에 보통 2회 정도 바른다.

4) 처방하는 양

a. 10×10 cm 부위 : 1 gm

b. 전체 피부를 도포하려면 : 20~30 gm

c. 1 FTU (Finger Tip Unit) : 둘째 손가락 Tip~distal crease 까지 = 0.5 gm

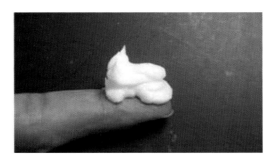

그림 43-3. 1 FTU (finger tip unit) ; 둘째 손가락 마디에 듬뿍

표 43-3. **피부질환의 부위별 국소치료제의 처방 용량**

부 위	FTU, gram	Bid×10일 사용하면?
얼굴 + 목	2.5 FTU = 1.25 gm	25 gm
몸통(앞쪽 or 등쪽)	7 FTU = 3.5 gm	70 gm
한쪽 팔	3 FTU = 1.5 gm	30 gm
한쪽 손	1 FTU = 0.5 gm	10 gm
한쪽 다리	6 FTU = 3 gm	60 gm
한쪽 발	2 FTU = 1 gm	20 gm

5) 부위에 따른 스테로이드의 선택

→ 장기간 도포 시 피부 위축, 혈관 확장, 다모증 등의 부작용이 나타남

a. 얼굴, 사타구니, 음낭, 항문 주의 : 낮은 역가의 스테로이드

b. 몸통, 사지, 두피 : 높은 역가의 스테로이드

6) 국소 스테로이드의 상대적인 역가(potency)

표 43-4. **국소 스테로이드의 상대적 역가**

역 가(Potency)	제 제
낮은 역가	Hydrocortisone 1% & 2.5%(락티케어)
중등도의 역가	Prednicarbate(더마톱) Clobetasone butyrate 0.05%(유베나)
높은 역가	Betamethasone(타메존) Triamcinolone acetonide 0.05%(트리암)
매우 높은 역가	Clobetasol propionate 0.05%(더모베이트)

5. 노인에서 흔한 피부질환들

표 43-5. **노인에서 흔한 피부질환들**

습진	건성 습진, 기저귀 피부염, 지루성 피부염, 화폐상 습진, 접촉성, 정맥성	**양성종양**	지루각화증(검버섯), 물렁섬유종, 노인성 혈관종
다른 발진들	건선, 약물 발진, 열성 홍반	**광손상**	광노화, 광선각화증
감염	간찰진, 대상 포진, 칸디다증, 족부 백선,손발톱 진균증, 옴, 모낭염	**전암병변**	상피내 편평세포암종
피부혈관질환	주사(Rosacea), 노인성 자반, 하지 궤양, 압창, 모세혈관확장	**암**	기저세포암, 편평세포암, 악성 흑자 흑색종
수포성 질환	수포성 유천포창	**기타**	노인성 가려움증, 땀띠(한진), 노인성 흑자 (Senile Lentigo)

1) 건성 습진(xerotic eczema)

a. 피부 표면의 지방성분 감소와 연관된 습진

b. 표재성 균열과 미세한 인설

c. 건조하고 차가운 공기에 노출 시 발생

d. 주로 하지의 정강이 부위(pretibial region)에 분포

e. 치료 : 가습기, 목욕 횟수 줄이고 순한 비누 사용, 뜨겁지 않은 물로 샤워. 목욕 후에는 피부 보습제나 오일 바름. 증상이 심하면 스테로이드제 사용

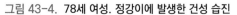

그림 43-4. 78세 여성. 정강이에 발생한 건성 습진

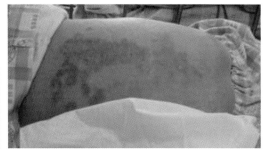

그림 43-5. 진균 감염이 동반된 기저귀 피부염

2) 기저귀 피부염(Diaper dermatitis)

a. 피부가 대소변에 오래 접촉함으로써 피부가 짓물러져 나타나는 자극성 피부염

b. 윤기 나는 홍반이 기저귀 접촉부위에서 발견

c. Candida albicans 감염이 흔하다.

d. 치료 : 수분성 크림, 국소 1% hydrocortisone + 항진균제

3) 지루성 피부염(Seborrheic dermatitis) / 비듬(dandruff)

a. 피지선의 활동이 증가된 부위에 발생

b. 피부가 붉게 변하며 인설(scale)이 동반

c. 파킨슨병, 간질, 척수공동증 등에서 호발 : 신경전달 물질의 대사 혹은 자율신경계 이상과 연관

d. 치료 : 스테로이드 크림, 항진균제(sporanox 100 mg qd)

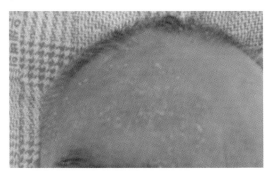

그림 43-6. 66세 남성. 파킨슨병 환자의 지루성 피부염

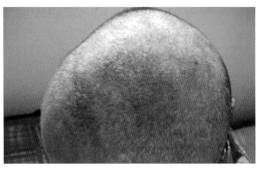

그림 43-7. 비듬. 두피 세척을 위해 머리를 짧게 자름

4) 화폐상 습진(Nummular eczema)

a. 비교적 경계가 분명한 원형~동전 모양의
   아급성 혹은 만성의 염증성 피부 질환

b. 원인 : 아토피, 세균, 감염, 금속 알레
   르기, 곤충 교상, 유전적 요인

c. 노인의 건조한 피부에 많이 발생하며
   특히 겨울에 많이 발생

d. 악화 요인 : 정서적 긴장, 음주, 장기간
   목욕, 자극, 의복(모직물) 등

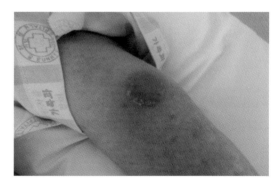

그림 43-8. **화폐상 습진. 팔에 발생.**

e. 치료

   − 목욕은 미지근한 물에 짧게

   − 국소적 스테로이드 연고. 밤새 밀폐요법이 효과적

   − 만성 병변은 병변 내에 스테로이드 주사

   − 스테로이드 경구제는 단기간(40 mg/d) 사용 후에 점차 감량

   − 항히스타민제는 소양감 및 불안을 감소시킴

5) 건선(Psoriasis)

a. 만성적, 비감염성의 염증성 질환으로
   경계가 분명한 홍반성 판 위로 은백색
   인설

b. 치료 : 국소치료(비타민 D 유도체, 스
   테로이드, Tar, Anthralin, 레티노이드,
   피부연화제), 전신치료(Methotrexate),
   레티노이드, Cyclosporine

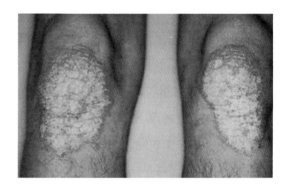

그림 43-9. **무릎에 생긴 전형적 인설을 동반한 판상 건선.**
Adapted from 이민걸, 노효진 역

6) 약진(Drug eruption)

표 43-6. **약진이 발생하는 시기량**

1시간	2~3시간	4~6시간	12시간	24시간	3~5일	1~2주	3주	4~5주
I형 알레르기(두드러기)								
	아스피린 불내성							
	고정약진					Stevens-Johnson 증후군		
		파종형 홍반구진형(기감작)						
								Drug-induced hypersensitivity synd.

a. 발진성 약진(홍역상 발진, 파종성 홍반구진) : 가장 흔함

- 약물 투여 6~15일 경에 많이 발생
- 가려움증 호소
- 대칭적
- 희미한 핑크색 반점으로 시작 ⇒ 밝은 적색의 구진성 반으로 진행
- 머리와 팔에서 시작하여 먼저 없어짐 ⇒ 체간과 다리의 병변은 이후에 발생

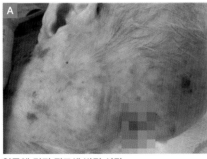

얼굴에 먼저 핑크색 반점 시작.

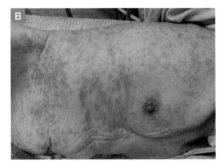

얼굴에 반점 생긴 다음 날 배와 가슴에도 마치 홍역반점과 같은 양상의 발진 생김.

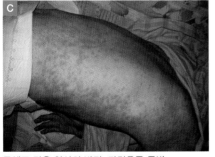

등에도 같은 양상의 발진. 가려움증 동반.

그림 43-10. **Isoniazid에 의한 발진성 약진 (before).** 91세 여성으로, 3주 전부터 결핵약 (isoniazide 200 mg/d 등) 복용 중이었음.

얼굴 홍반 사라짐

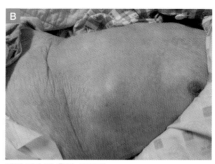

배와 가슴의 홍반 사라짐

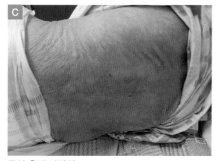

등의 홍반 사라짐

그림 43-11. **발진성 약진(after). Isoniazid 복용 중단 3일 후의 모습.** 가려움증은 조금 남아 있으나 피부병변은 크게 호전됨.

b. 두드러기양 약진

- 담마진 형태의 병변
- 일과성의 국한된 부종성 병변
- 전신의 발적과 홍조.
- 안면부종, 입술부종과 같은 맥관부 종이 나타날 수 있다.

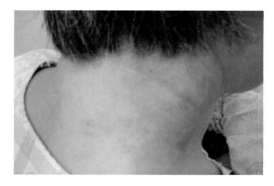

그림 43-12. **두드러기양 약진.** NSAID제 복용한 63세 여성.

c. 고정약진

- 약제를 투여할 때마다 동일한 부위에서 반복 발생.
- 약물 복용 1~12시간 사이에 발생.
- 구강, 성기부, 손가락, 외상을 받기 쉬운 부위에 호발.

표 43-7. 발진의 형태에 따른 원인 약물 (요양병원에서 흔히 쓰는 약물 위주)

1시간	12시간	24시간	3~5일	4~5주
ampicillin	penicillin	tetracycline	tetracycline	스테로이드
penicillin	세파계 항생제	이부프로펜	thiazide	isoniazid
phenytoin	아스피린	벤조디아제핀	chlorpromazine	phenytoin
gentamicin	hydralazine	chlordiazepoxide	isoniazid	vit. B1,B6,B12
carbamazepine	인플루엔자 백신			Diazepam
세파계 항생제	(계란 단백질)			tetracycline
Thiazide	조영제			rifampin
Isoniazid				
Naproxen				

7) 간찰진(Intertrigo)

a. 두 피부 면이 겹치는 부위에 발생하는 표층 염증성 피부염

b. 마찰, 열, 습윤(노인의 요실금), 침연(짓무름), 공기순환의 결핍 등에 의함

c. 감염에 의해 악화되며, 주로 칸디다 등의 진균, 세균, 바이러스 감염이 올 수 있다.

d. 치료 : 통풍시키기, 국소항생제 연고, 항진균제 연고

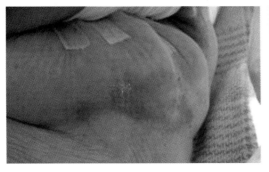

그림 43-13. 간찰진. 좌측 유방 밑의 접히는 부위

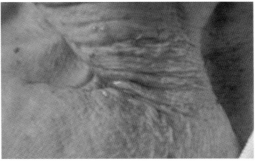

그림 43-14. 간찰진. 목이 접히는 부위

8) 대상포진(Herpes Zoster)

a. 피부 지각신경 분포에 따라 통증을 수반한 띠 모양의 편측성, 수포성 발진

b. Ramsay-Hunt 증후군 : 내이, 중이, 외이를 침범하여 어지럼증, 이명, 및 안면신경마비

c. 치료 : Acyclovir PO 800 mg 5회/하루×7일 OR famciclovir tid×7일. 노인에서는 발진 72시간 내에 정맥 주사로 Acyclovir 10 mg/kg 투여 시작하여 7일간 치료

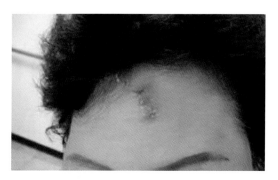

그림 43-15. 대상포진 발병 5일 후 : 수포가 터지기 시작

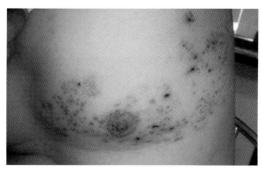

그림 43-16. 대상포진 발병 2주 후

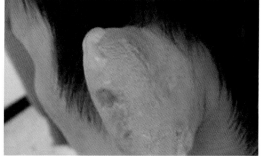

그림 43-17. 귀에 생긴 대상포진

9) 체부 백선(Tinea corporis)

a. 사지, 체간(서혜부, 손, 발 제외)에 발생

b. 특징적 소견 : 인설, 구진, 소수포 등으로 구성된 약간 융기된 변연부와 인설이 동반된 색소반 또는 정상 피부 색깔의 중앙부

c. 치료 : 단일 병변은 국소치료. 광범위는 itraconazole, fluconazole 등을 2~4주 복용

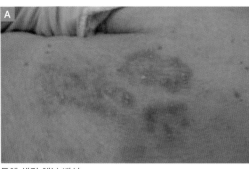

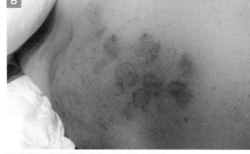

등에 생긴 체부 백선

기저귀로 덮인 엉덩이에 생긴 체부 백선

그림 43-18. **체부 백선**

10) 완선(Tinea cruris)

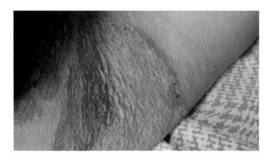

a. 서혜부, 회음부, 대퇴부 내측, 치골부

b. 치료 : 2~4주간 하루 2회 항균제 도포.
반응 없으면 경구제 2~4주간 복용

그림 43-19. **완선 : 대퇴부 내측**

11) 어루러기(Tinea versicolor)

a. 주로 몸통에 색소침착으로 나타나는 진균 감염

b. 치료 : 항진균제 도포. 효과 없으면 경구제 1주 복용

12) 손발톱 무좀(조갑진균증; onychomycosis)

a. 발톱의 감염은 손톱의 7배

b. 치료 : Itraconazole 200 mg qd × 6주(손톱), 12주(발톱), 혹은 Pulse Therapy [(200 mg bid
× 1주 후 3주 휴약기) × 2 cycles(손톱), or 3 cycles(발톱)] 혹은 terbinafine 250 mg qd ×
6주(손톱), 12주(발톱)

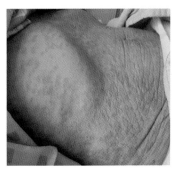 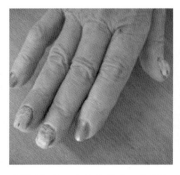 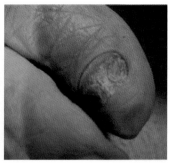

그림 43-20. **가슴에 생긴 어루러기.**   그림 43-21. **손톱에 생긴 조갑진균증**   그림 43-22. **발톱에 생긴 조갑진균증**
: 매니큐어를 바를 수 없게 됨

13) 옴(Scabies)

a. 옴진드기가 주로 밤에 각질층 내에 수도(burrow)를 만들고 이때 소화액과 같은 분비물이 알레르기 반응을 유발하여 가려움증이 나타남.

b. "수도(burrow)" : 먼지나 때 같은 것이 터널 상부에 끼어서 주위 피부보다 어두운 색. 주로 손가락 사이, 손목 굴축, 남자의 성기에서 주로 발견. 발등, 발바닥, 둔부, 액와부 등에서도 발견됨.

c. 치료

 - Lindane 1% 로션 : 취침 전 몸 전체에 바르고 8시간 후 닦아냄. 1주 후 재도포
 - Crotamiton 10% cream(유락신 연고) : 2일간 연속적으로 도포, 5일 내에 재도포
 - Permethrine(오메크린크림) : 치료 효과가 좋지만 고비용. 머리부분을 제외한 몸 전체에 마사지하듯이 펴 바르고 12~14시간 후에 물로 씻어냄. 보통 1회 적용으로 치료하며, 재치료할 필요가 있는 경우에는 7~10일 후에 이 용법을 1회 더 반복함.

 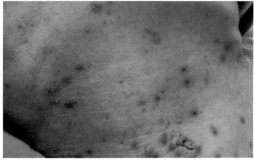

그림 43-23. **옴진드기에 의한 수도(burrow).**   그림 43-24. **옴진드기 감염에 의한 다수의 찰과상**
Adapted from 이민걸, 노효진 역

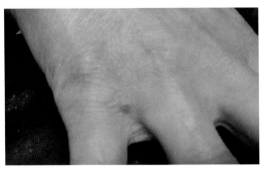

그림 43-25. **옴의 초기 소견**

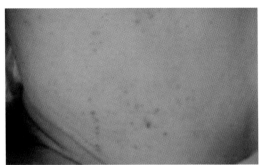

그림 43-26. **하복부에 발생한 옴 발진**

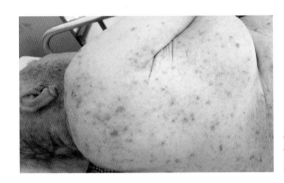

그림 43-27. **1개월간 낫지 않은 난치성 옴.** 피부과 전 문의에게 의뢰하여 [유락신 격일로 3회 ⇨ 그 다음 주는 2회 ⇨ 2주 휴지기]를 한 사이클로 2사이클 적용 후 호전되었음.

14) 모낭염(Folliculitis)

a. 모낭 주위에 주로 포도상구균의 침범에 의해 발병

b. Pseudomonas 모낭염은 목욕탕에서 잘 생김

c. 임상 양상 : 표재 또는 심재성의 농포성 결절들

d. 치료

　－ Bactroban 연고

　－ 포도상구균 모낭염 : clindamycin 300 mg bid, dicloxacillin 250 mg qid

　－ Gram(−) 모낭염 : isotretinoin

　－ Pityrosporum 모낭염 : itraconazole, fluconazole 경구 또는 국소도포

　－ Pseudomonas 모낭염 : povidone iodine, Gentamicin

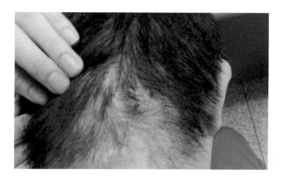

그림 43-28. 모낭염 : 가려워서 긁었더니 염증 악화됨

15) 주사(Rosacea)

a. 안면홍조와 홍반, 모세혈관확장증, 여드름과 닮은 염증성 구진농포성 발진 등을 포함한 총체적인 증상을 특징으로 하는 질환

b. 분포 : 안면의 중심부인 이마, 코, 양측 볼, 턱에 침범

c. 주사는 자연 치유되지 않으며 치료를 받지 않을 경우 점진적으로 심해짐.

d. 치료

    – 악화 요인(뜨거운 음식, 술, 햇빛, 고열, 스트레스, 한기, 운동)을 피함.

    – Tetracycline 1~1.5 gm/d

    – Doxycycline(바이브라마이신-엔 캅셀) : 100 mg bid(제 1일) → 100 mg/d(제 2일부터)

    – Metronidazole(로섹스 겔) 0.75%

    – 심한 경우 스테로이드 연고를 단기간 바름

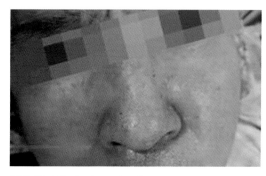

그림 43-29. 주사 : 코와 양측 볼에 모세혈관 확장증

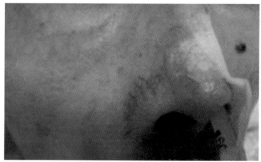

그림 43-30. 코 주위의 1단계 주사

16) 노인성 자반(Senile purpura)

a. 노화, 장기간의 자외선 노출, 강력한 부신피질 호르몬제 등의 도포에 의해 반상의 출혈이 생기는 질환. 혈관을 지지하는 교원질과 탄력섬유의 변성에 의해 혈관벽이 약해지고 파열되어 발생. 쿠싱증후군 환자에게 나타날 수도 있다.

b. 분포 : 손등, 팔에 경계가 뚜렷하며 다양한 크기와 모양의 반상 출혈성 병변

c. 치료 : 원인 요소를 파악하고 피함(과도한 자극, 자외선 노출 및 스테로이드 도포 금지). 장기적인 Retinoic acid 사용이 효과 있었다는 보고도 있음.

그림 43-31. **팔에 생긴 노인성 자반**

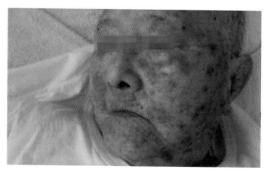
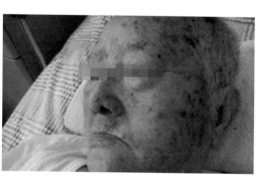

그림 43-32. **장기간의 스테로이드 복용 후 생긴 얼굴의 발진**   그림 43-33. **스테로이드 중단 24일 후 호전된 모습**

17) 수포성 유천포창(Bullous pemphigold)

a. 점막의 기저막대 성분 중 반교소체(hemi-desmosome) 항원에 대한 자가항체가 존재하는 질환. 즉 피부 및 점막에서 표피하 수포를 형성하는 만성 수포성 질환임.

b. 대개 60세 이상의 노인에서 호발

c. 치료
   - 스테로이드(프레드니솔론 1 mg/kg/d) 투여 후 점차 감량

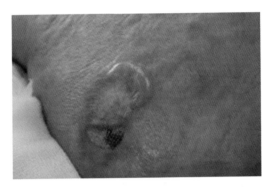

그림 43-34. **엉덩이에 생긴 수포성 유천포창.** 아래 쪽 수포는 침대와의 마찰에 의해 터졌음

18) 지루 각화증(Seborrheic keratosis) = 검버섯

a. 비침윤적인 각질형성세포의 과증식성 병변

b. 분포 : 얼굴, 어깨, 가슴 등에 호발

c. 중년 및 장년층의 나이에서 흔함.

d. 다발성 지루 각화증 : 에스트로겐 치료, 이미 존재하는 염증성 피부병, 내부의 악성 질환 등과 연관

e. 악성흑색종과의 감별점 : 경계(margin)가 부드럽다.

f. 치료 : 냉동 요법, TCA(삼염화아세트산) 이용한 화학적 박피술

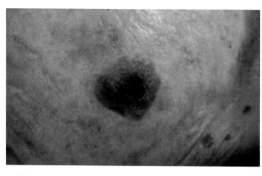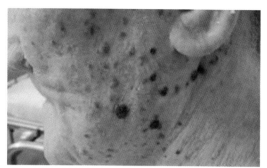

그림 43-35. **얼굴에 생긴 지루각화증(검버섯)**

19) 쥐젖 = 물렁섬유종 = 연성섬유종(Soft fibroma, skin tag, acrochordon)

a. 모양 : 침두대(0.1~0.5 cm) 또는 대두대(1 cm 이상) 크기의 부드러운 섬유상피성 용종으로, 대부분 유경성(pedunculated)의 형태를 보임.

b. 원인 : 불명이나 당뇨병, 임신, 비만증 등과 연관 있으며 중년 이후의 여성에게 호발. 결장 용종과의 연관성도 제기됨.

c. 증상 : 대부분 무증상이나 가끔 소양증 호소. 드물게 병변의 줄기 부위가 꼬여서 통증, 홍반, 괴사 등이 생길 수 있다.

d. 분포 : 단독 또는 여러 개의 피부색~담갈색의 병변이 목의 양측, 액와부, 체간의 상부에 호발

e. 치료

　－ 포셉(forceps)으로 병변을 잡고 밑부분을 자른다. 지혈은 절제 부분을 누르거나 Monsel 용액(ferric subsulfate), 약산(30% trichloracetic acid), 전기 소작을 시행한다.

　－ 마취는 큰 병변이 아니면 대부분 필요하지 않다.

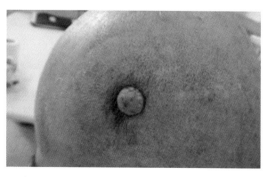

그림 43-36. **두피에 생긴 1.5 cm 크기의 쥐젖**

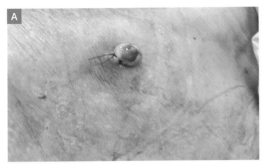

가장 근위부(아랫 부분)를 강하게 결찰(tie). Black silk 3.0 사용.

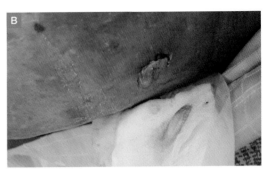

2일 경과 후 영양(혈액) 공급 저하로 종양 위축됨.

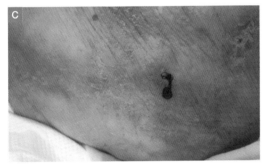

4일 경과 후 종양 덩어리는 괴사됨.

괴사조직 제거 후 모습

그림 43-37. **82세 남성의 등에 생긴 쥐젖을 욕창 방지를 위해 결찰술로 제거.**

20) 혈관성 종양(Vascular tumor)

a. 무증상.

b. 새로운 혈관의 과정상 또는 확장에 의해 발생하는 종양성 병변.

c. 어린이에서는 딸기양 혈관종(Strauberry hamangioma)이 많이 발생하고, 노인에서는 버찌 혈관종/노인성 혈관종(cherry hemangioma/senile hemangioma)이 주로 생기는데, 어린이의 딸기양 혈관종은 주로 얼굴, 목, 어깨에 생기는 반면, 노인의 버찌 혈관종은 주로 몸통과 사지에 생긴다.

그림 43-38. **버찌 혈관종(Cherry hemanigoma) = 노인성 혈관종(Senile hemangioma)**

21) 광선각화증(Actinic keratosis)=노인성 각화증(Senile keratosis)

a. 장기간 햇빛을 쐬어 발생하는 양성의 각화성 종양으로서 편평세포암으로 이행할 수 있는 암 전구증
b. 분포 : 노출 부위인 얼굴, 귀, 머리, 팔, 손등 등
c. 위험 인자 : 젊었을 때 흰 피부를 가진 사람, 농부, 어부
d. 임상 양상 : 살색~핑크색의 편평하거나 약간 융기된 경계를 보이는 인설성 병변. 만져보면 거칠고 마치 사포와 같은 느낌
e. 예방 : 과도한 일광 노출 삼가, 모자, 양산, 일광차단제 도포
f. 치료 : 냉동 요법, 소파술, 전기 건조법, 5-FU 도포

그림 43-39. **광선각화증.** 핑크색의 융기된 인설성 병변. 거친 느낌(최근까지 농사 짓던 2인의 노인 얼굴)

22) 기저세포암(Basal cell carcinoma)

a. 가장 흔한 피부의 악성종양
b. 주로 두경부에 발생, 특히 얼굴의 중앙 상부에 가장 호발
c. 종류 : 결절궤양성(가장 흔함), 색소성, 경화성, 표재성, 섬유상피종
d. 치료 : 수술적 치료, 방사선 치료, 약물 요법

그림 43-40. **기저세포암. 전형적인 진주빛 경계, 중심성 가피**
Adapted from 이민걸, 노효진 역

23) 악성 흑색종(Malignant melanoma)

a. 멜라닌세포에서 유래하며, 자외선 노출과의 연관성이 높다.

b. 악성화의 징후 : 비대칭성, 불규칙한 경계, 색조의 다양함, 크기 증가, 통증, 출혈, 가피

c. 종류 : 표재확산 흑색종, 악성흑색점 흑색종, 말단흑자성 병변, 결절성 흑색종

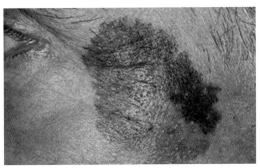

그림 43-41. 악성 흑색점 흑색종 : 불규칙한 경계 및 색깔

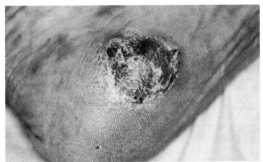

그림 43-42. 악성 흑색종 : 말단 흑자성 병변
Adapted from 이민걸, 노효진 역

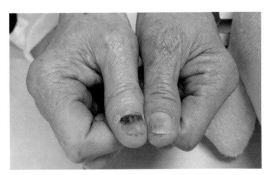

그림 43-43. 조갑백선을 치료하러 온 74세 여성의 손톱.
우측 엄지손톱 기저부의 검은 부위는 조갑악성흑색종 감별 위해
조직검사 필요. (천성희 선생님 제공)

24) 땀띠(한진; Miliaria)

a. 땀이 표피 밖으로 배출되는 과정에서 땀관, 땀구멍의 특정 부위가 막혀서 증상 발생. 고온 다습한 환경(여름 장마철)에서 잘 생긴다.

b. 수정형 땀띠(Miliaria crystalline)

   – 이슬 모양의 작고 투명한 수포가 발생하며 증상 없고 수시간 내에 저절로 터져 소실됨.

   – 장기간 침대 생활을 하는 환자에게 잘 생긴다.

c. 치료

   – 시원한 환경 유지

   – 수정형 땀띠는 자연 소실되나 홍색 땀띠는 소양증, 농포를 형성하므로 항생제, 항히스타민제를 투여

그림 43-44. **여름에 생긴 수정형 땀띠**(2010년7월26일촬영)

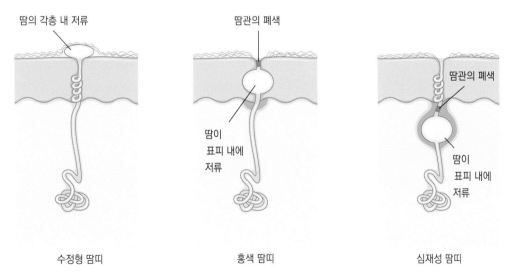

그림 43-45. **땀띠의 발생 기전**

25) 노인성 흑자(Senile Lentigo)

a. 멜라닌 세포의 증식에 의한 5~10 mm 크기의 갈색~검은색의 색소성 반점

b. 장기간의 햇빛 노출과 연관 있으며 50대 이후에 잘 생김.

c. 호발 부위 : 둥근 갈색의 반점이 얼굴과 손에 잘 생김.

d. 치료 : 모자, 일광차단제를 사용하여 과다한 태양노출을 피한다.

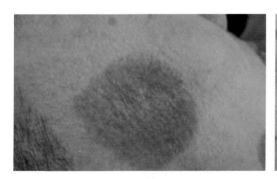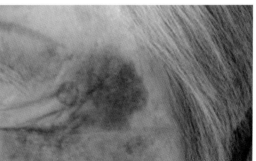

그림 43-46. 노인성 흑자. 둥근 갈색의 반점이 얼굴에 생김(우측 사진의 경우는 경계가 불규칙하여 악성 흑색종과의 감별이 필요)

26) 박탈 피부염(Exfoliative dermatitis) = 홍피증(Erythroderma) = 홍색 비강진

a. 특징적 증상 : 전신에 홍반이 동반되며 낙설이 특징

b. 원인

   – 선행 피부 질환 : 건선, 지루성 피부염, 접촉 피부염, 아토피 피부염, 약물 알레르기

   – 약물 : 설파제, Allopurinol, 말라리아약, Penicillin, Captopril, Carbamazepine, INH

   – 선행 질환 : 호즈킨병, 균상 식육종, Sezary 증후군, 백혈병

c. 주관적 증상 : 고열, 림프선병증, 무력감, 오한, 심부전

d. 임상 양상

   – 40세 이상의 남자에게 흔하다.

   – 약물에 의한 병변은 약물 복용 수 주 후에 나타난다.

   – 초기부터 홍반, 인설이 시작되는 경우와 습진 또는 발진형의 발진이 나타난 후에 전신으로 진행하면서 인설이 나타나는 경우가 있다.

   – 점막을 침범하지는 않는다.

　　　－ 세균의 2차 감염에 의해 발열, 림프선병증이 나타난다.

e. 치료

　　　－ 수액요법 시행하여 탈수 방지

　　　－ 원인이 되는 요인을 치료 : 건선 등은 레티노이드제제, 면역억제제, 광화학 요법

　　　－ 스테로이드의 국소 및 전신요법

　　　－ 소양증이 심하면 항히스타민제

　　　－ 보습제 및 soothing baths 시행

　　　－ 체온 유지 및 2차 감염예방

　　　－ 약물에 의한 병변은 원인 약제를 제거하면 2~3주 후에 회복이 가능하다.

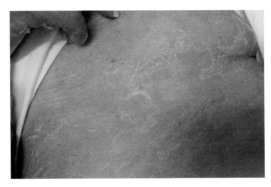

그림 43-47. **박탈성 피부염.** 뇌졸중 후 경련 때문에
Carbamazepine을 꾸준히 복용 중이던 71세 여성에서 홍반과
낙설을 동반한 피부 병변이 발생하였고, 수일 후 고열 발생

27) 우정 문신(tattoo)

a. 일제시대에서 6.25 전쟁 당시 10대~20대 여성들 사이에 유행한 팔뚝 문신으로서 위안부 차
　출, 사할린 강제 이주, 피난 등의 일을 겪으면서 나타난 유행으로 추정된다.

b. 일반적으로는 친구들 인원 수만큼의 점을 표시하는 방식으로 문신을 새김. 지역에 따라 자기
　를 뺀 나머지 인원 수를 새긴 곳도 있음

c. 주로 먹물을 묻힌 실을 바늘에 꿰어 새김

d. 남자들 사례는 발견되지 않음

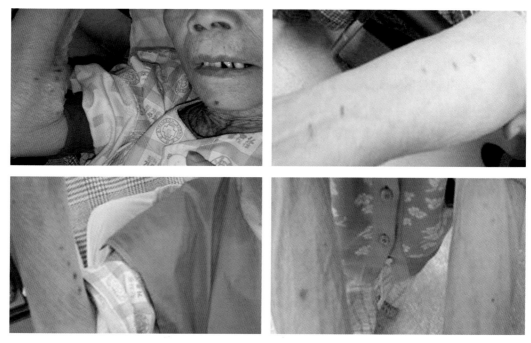

그림 43-48. 우정 문신. "나중에 우리가 어디에 있게 되든, 우리 우정을 잊지 말자!"

◆ 우정문신 관련 신문 기사

"지옥 같은 위안소, 나를 견디게 한 건 팔목의 점 3개"

출처 : 중앙일보 2015.08.14 오전 8:27

공○○ 할머니가 왼쪽 팔에 새겨 넣은 문신을 바라보고 있다. 위안소에서 만난 '세 언니'와 서로를 잊지 말자며 새긴 징표다.

"아이고 참말로 나, 원없이 고생했어. 살아난 거 생각허믄 아조 꿈도 같고. 하루에 처음 손님을, 한 번도 자도 못 한 사람이 일곱이나 받았당께…." 지난 5일 전남 해남의 한 요양병원에서 만난 공○○(95) 할머니는 30도가 넘는 날씨에도 긴팔 환자복을 입고 있었다.

뇌졸중으로 마비가 오기 시작한 왼쪽 손과 발은 한여름에도 차가웠다. 위안부로 끌려갔을 당시 위안소에서 다쳐 생긴 목 뒤 작은 혹은 주먹만큼 커져 누워 있기도 불편해 보였다.

할머니는 겨우겨우 말을 이었다. 쥐어짜듯 온몸으로 힘을 줘야만 그날의 일을 얘기할 수 있어서다. 공 할머니는 1935년 15세의 나이로 고향인 전남 무안을 떠났다. 비단공장에 취직시켜 준다는 말을 믿고 3명의 일본인 남자를 따라섰지만 도착한 곳은 중국 하이청(海城)의 위안소였다. 도착한 첫날, 평생 외간 남자 손한 번 잡아 본 적이 없던 공 할머니는 7명의 군인을 상대해야 했다. 낯선 중국 땅에서 소녀는 매일 밤을 눈물로 보냈다. "일요일이 닥치믄 군인들이 수십 명씩 들어와. 나래비로 서서 신도 못 벗고 들어와서 자고 나가고…."

문신을 확대한 모습. 왼쪽부터 순천 언니, 광주 언니, 전주 언니를 상징한다.

한동안 말을 잇지 못하던 할머니는 "힘들 때 어떻게 이겨 냈느냐"는 물음에 환자복 왼팔을 걷어 올렸다. 가느다란 팔목에 3개의 점(點)이 보였다. 지옥 같은 위안소에서 할머니를 처음 웃게 해 준 언니 3명과 함께 새긴 문신이라고 했다. 각각 순천과 광주, 전주에서 끌려온 언니들은 공 할머니를 친동생처럼 보살펴 줬다. "이건 순천 언니, 이건 광주 언니, 그리고 이건 전주 언니…." 3개의 점을 손가락으로 하나씩 가리키는 할머니 눈에 눈물이 맺혔다.

중략…

서로를 의지하던 4명의 소녀는 늦은 밤 촛불 앞에 둘러앉았다. 바늘에 먹물을 묻혀 서로의 팔에 동그란 점을 하나씩 새겼다. "언제 어디로 끌려갈지 모릉게, 기억할라꼬 했제. 요즘에도 잠이 들믄 언니들이 나와 '아야 보고 싶었다. 보고 싶었다' 하며 내 손을 잡아준당께. 참 정다운 사람들이었지… 죽도록 보고 싶어."

공 할머니는 문신을 새긴 뒤 오래지 않아 하얼빈(哈爾濱)의 위안소로 끌려왔다. "내가 잔뜩 죽겄드라고, 오죽했으면 쥐약을 먹어 봤을 것이여." 그곳에서 공 할머니는 자포자기의 심정으로 쥐약을 먹었다. 정신을 잃고 팔다리가 차가워진 채로 쓰러진 할머니를 보고 의사는 사망 진단을 내렸다. 관 속에 눕혀진 채로 이송을 기다리던 공 할머니는 뚜껑이 닫히기 직전 기적적으로 정신을 차렸다. "그렇게 죽다 살아났는데 정신 차리고 돌아오니 다시 영업을 시키더라고…." 관 속에서 걸어 나온 그 날도 할머니는 일본군을 받아야만 했다.

중략…

할머니는 올해 2월 뇌졸중으로 쓰러졌다. 시민단체 '해남나비' 봉사자들이 매주 할머니를 찾아가면 휠체어를 타고 병원 앞뜰로 나오는 게 외출의 전부다. 인터뷰를 마친 기자의 손을 잡고 할머니는 말했다. "우리 세 언니… 아니 언니의 손주라도 좋으니께 나 가기 전에 꼭 한 번 만나 보고 싶어." 할머니에게 시간이 많이 남지 않았다.

참고문헌

36 노인의 고혈압

1. 김계훈. 노인 고혈압의 특성과 치료. 노인병 2010;14(suppl. 1):37-40.
2. 김석연. 노인 심장질환은 다른가? 노인병 2010;14(suppl. 1):189-202.
3. Use of Sublingual Nifedipine in Hypertensive Urgency/Emergency [Internet]. NY: Medscape; c1994-2010 [cited 2010 Jul 10]. Available from: http://www.medscape.com/viewarticle/444263.
4. Chobanian AV, Bakris GL, Black HR, Cushman WC, Green LA, Izzo JL Jr, et al.; National Heart, Lung, and Blood Institute Joint National Committee on Prevention, Detection, Evaluation, and Treatment of High Blood Pressure; National High Blood Pressure Education Program Coordinating Committee. The Seventh Report of the Joint National Committee on Prevention, Detection, Evaluation, and Treatment of High Blood Pressure: the JNC 7 report. JAMA 2003;289:2560-72.
5. 김의수, 진영수. 건강, 삶의 질을 바꾼다 - 고혈압. 서울: 국민건강보험공단; 2000.
6. Benetos A, Labat C, Rossignol P, Fay R, Rolland Y, Valbusa F et al. Treatment With Multiple Blood Pressure Medications, Achieved Blood Pressure, and Mortality in Older Nursing Home Residents. JAMA Intern Med. 175:989-95,2015.
7. Williamson JD, Supiano MA, Applegate WB, Berlowitz DR, Campbell RC, Chertow GM et al. Intensive vs Standard Blood Pressure Control and Cardiovascular Disease Outcomes in Adults Aged ≥75 Years: A Randomized Clinical Trial. JAMA. 28;315:2673-82,2016.
8. 대한고혈압학회. 2018년 고혈압진료지침, 2018.
9. Ga H, Won CW, Jung H-W. Use of the Frailty Index and FRAIL-NH Scale for the
10. Assessment of the Frailty Status of Elderly Individuals Admitted in a Long-term Care Hospital in Korea. Ann Geriatr Med Res, 2018;22(1):20-25.

37 노인의 당뇨병

1. 유형준. 노인 당뇨병 환자 관리. In: 고려대학교병원 가정의학과. 의료의 중심, 주치의. 핵심 진료능력의 강화. 2판. 서울: 고려대학교병원 가정의학과; 2010. p. 3-8
2. 유형준. 노인성 질환. In: McPhee SJ, Papadakis MA. 오늘의 진단 및 치료 I,II (역저). 서울: 두담; 2010. p. 60-76
3. 대한당뇨병학회. 단계별 당뇨병 관리. 서울: 대한당뇨병학회; 2003.
4. 김유리. 인슐린을 이용한 혈당조절법. 당뇨병 2003;27(Suppl. 5):67-76.
5. Bernal-Mizrachi E, Bernal-Mizrachi C. Diabetes mellitus and related disorders. In: Dept. of Medicine, Washington University School of Medicine. The Washington Manual of Medical Therapeutics. 32nd edition. Philadelphia: Lippincott Williams & Wilkins; 2007. p. 600-623.
6. Ga H, Won CW, Jung H-W. Use of the Frailty Index and FRAIL-NH Scale for the
7. Assessment of the Frailty Status of Elderly Individuals Admitted in a Long-term Care Hospital in Korea. Ann Geriatr Med Res, 2018;22(1):20-25.
8. Yau CK, Eng C, Cenzer IS, Boscardin WJ, Rice-Trumble K, Lee SJ. Glycosylated Hemoglobin and Functional Decline in Community-Dwelling Nursing Home − Eligible Elderly Adults with Diabetes Mellitus. J Am Geriatr Soc 60:1215 − 1221, 2012.
9. American Diabetes Association. Standards of medical care in diabetes, 2019.

38 뇌졸중

1. 석승한, 이용석. 뇌졸중. In: 대한노인병학회. 노인병학 개정판. 서울: 의학출판사; 2005. P.582-608.
2. 김범생. In: 대한임상노인의학회. 임상노인의학. 서울: 한우리; 2003. P.547-561.
3. Kidwell CS, Alger JR, Di Salee F, Starkman S, Villablanca P. Saver JL, et al. Diffusion MRI in patients with transient ischemic attacks. Stroke 1999;30:1174-1180.
4. Uchiyama S. Aspirin for primary stroke prevention in elderly patients with vascular risk factors. J Gen Fam Med 2017;18:331-335.

5.   Lei H, Gao Q, Liu SR, Xu J. The Benefit and Safety of Aspirin for Primary Prevention of Ischemic Stroke: A Meta-Analysis of Randomized Trials. Front Pharmacol 2016;7:440.

㉟ 만성 폐쇄성 폐질환(COPD): 만성 기관지염, 폐기종

1.   장윤수. 지속적인 호흡곤란의 원인과 관리. In; 연세대학교 의과대학 내과. 제 10회 연세대학교 의과대학 내과 연수강좌. 서울: 연세대학교 의과대학 내과; 2009. p. 55-64.
2.   박순규. 만성폐쇄성폐질환. In: 대한노인병학회. 노인병학 개정판. 서울: 의학출판사; 2005. P. 859-874.
3.   Pauwels RA, Buist AS, Calverley PM, Jenkins CR, Hurd SS; GOLD Scientific Committee. Global strategy for the diagnosis, management, and prevention of chronic obstructive pulmonary disease. NHLBI/WHO Global Initiative for Chronic Obstructive Lung Disease (GOLD) Workshop summary. Am J Respir Crit Care Med 2001;163:1256-76.

㊵ 골관절염

1.   김현숙. 골 관절염의 모범처방. 노인병 2009;13(suppl.1):55-64.
2.   이철우 역. 근골격계 통증치료의 주사요법. 서울: 신흥메드싸이언스; 2004.

㊶ 진전(떨림: tremor)과 파킨슨병

1.   박건우. 손 떨림과 파킨슨병. In: 대한노인병학회. 노인병학. 개정판. 서울: 의학출판사; 2005. p. 609-620.
2.   박건우. 파킨슨병의 이해와 치료. 노인병 2009;13(Suppl.1):65-70.
3.   Netter FH. Degenerative disorders of central nervous system. In: Netter FH. The CIBA Collection of Medical Illustrations. Vol. 1. Nervous System; Part II. Neurologic and neuromuscular disorders. NJ: CIBA Pharmaceutical Company; 1986. p. 145-156.
4.   Koller WC, Silver DE, Lieberman A. An algorithm for the management of Parkinson's disease. Neurology 1994;44:1-20.

㊷ 노인에서 흔한 감염성 질환들(폐렴, 폐결핵, 요로 감염)

1.   김홍빈. 노인에서 감염질환의 예방. 노인병 2010;14(Suppl.1):137-142.
2.   정태훈. 폐렴,폐결핵. In: 대한노인병학회. 노인병학. 개정판. 서울: 의학출판사; 2005. p. 843-858.
3.   원장원. 지역사회획득 폐렴. 가정의학회지 2010;31:503~511.
4.   BTS guidelines for the management of community-acquired pneumonia in adults □ 2004 update [Internet]. London: British Thoracic Society. Available from http://www.brit-thoracic.org.uk/Portals/0/Clinical%20Information/Pneumonia/Guidelines/MACAPrevisedApr04.pdf.
5.   배인규. 노인에서의 요로감염. 노인병 2010;14(Suppl.1):147-150.

㊸ 노인에서 흔한 피부질환들

1.   이민걸 노효진 역. 한눈에 보는 피부과학. 4판. 서울: 군자출판사; 2010.
2.   안성구, 장경훈, 송중원, 천승현. 한국인의 Common Skin Disease. 2판. 서울: 닥터스북; 2009.
3.   정종영, 하창민. 피부질환의 일차진료 제 1권. 개정판. 서울: 엠디월드; 2006.

VII

노인환자
진료의 원칙

44 노인환자의 진찰 요령

1. 병력 청취

1) 병력 청취 할 때의 주의사항

a. 보호자로부터도 정보를 얻어야 함

b. 충분한 시간을 갖고 각 환자의 특성에 맞게 면담

c. 인지기능 장애나 시력, 청력에 문제가 있는 경우 어려움

d. 환자 특유의 용어의 의미를 잘 파악하기

e. 비전형적인 증상 호소가 많고, 일상생활의 기능이 떨어지는 현상으로 나타나는 경우 많음

f. 기억력 장애가 많으므로 병력, 수술력, 입원력 등은 보호자나 병력 기록지를 참조

g. 환자들이 중요시하는 문제와 본인이 느끼는 주 문제 간에 차이가 있을 수 있다.

h. 신체적 문제뿐만 아니라 삶의 질에 영향을 미치는 여러 문제, 정신적, 기능적 의존 등에 대하여 알아 보아야 한다.

i. 정확하고 유용한 정보를 얻기 위해서는 1회의 면담만으로는 불충분하며, 지속적 만남을 통해 좋은 환자-의사 관계를 유지하는 것이 중요하며, 이러한 좋은 관계가 순응도를 높여 치료 효과를 좋게 한다.

j. 비언어적인 대화, 즉 몸의 자세, 얼굴의 미세 표정(micro-expression), 말의 속도, 말의 톤 등으로 환자의 심리 상태를 파악할 수 있다.

k. 진찰실 환경: 노쇠를 고려함
 - 안락하고 안전한 장소

- 자율신경계 기능이 저하되어 체온 변화가 많으므로 적정한 실내온도 유지
- 시력이 저하되어 있고, 수정체가 받아들이는 빛의 양이 적으므로 밝은 장소여야 함

l. 조용한 장소에서 낮은 피치(주파수)의 음성으로 말하기

m. 환자를 마주보면서 이야기하기

n. 보통 의자보다 높은 의자와 보조기구 준비

o. 넓은 계단이 달린 침대 구비

2) 의학적 과거 병력

질병력 뿐만 아니라 유행성 독감(인플루엔자), 폐렴구균성 폐렴, B형 간염 등의 예방접종 여부와 예방접종 후 부작용에 대해서도 확인

a. 약물 복용력
- 노인병의 특성상 여러 질환을 가지고 있고, 여러 의료기관을 다니는 경우가 많음.
- 중복 처방, 약물간 상호작용
- 의사의 처방대로 복용하지 않는지
- 약물 부작용 : 안정제, 정신병 약물, 이뇨제, 부정맥 치료제, 항생제 등
- 필요 이상으로 장기간 복용하는 약물?
- 의사의 처방약 외에도 약물을 복용하는지; 민간요법, 정체불명의 다양한 약물, 건강 기능성 식품 등
- 다음 방문 시에 집에 있는 모든 약을 봉지에 담아 오게 하여 약물 종류와 이름 확인, 불필요한 약은 버리도록 함.

b. 영양
- 영양 부족은 흔히 간과되기 쉬운 문제
- 만성 질환이나 구강 및 소화기계 질환, 약물복용, 전신질환이나 정신질환 등에 의해 영양결핍
- 매끼의 식사 상태, 최근 수년간의 체중 변화, 장보기나 조리 기능 등 파악
- 식사 장소, 식사 동반자 확인
- 혈청 알부민 수치: 최근의 영양 상태 파악의 중요한 지표, 사망률과 큰 관련
- 음주력(CAGE 설문이 유용) 파악

c. 정신과적 병력

- 노인환자에서 정신적 문제를 찾아내는 것은 어려운 과정이다.
- 불면증, 수면 주기의 변화, 인지기능의 변화, 변비, 식욕저하, 체중 감소, 피로, 음주량 증가, 다양한 신체증상 호소
- 면담 시 환자에게 슬픈지, 우울한지, 희망이 없는지에 대해 직접 물어본다.
- 자주 눈물을 보인다면 우울증 의심
- 망상이나 환각 증상 확인
- 최근 배우자나 가족이 사망하였는지, 자살을 생각해본 적이 있는지 물어본다.

d. 기능 상태

- 기본적 일상생활 활동(ADL; Basic Activities of Daily Living); 식사하기, 옷 입기, 목욕하기, 대소변 가리기, 이동하기 등 다른 사람의 보살핌이 필요한지 보는 척도
- 도구적 일상생활 활동(IADL; Instrumental Activities of Daily Living); 외출하기, 장보기, 집안일 하기, 전화 받기 등 독립적인 생활을 할 수 있는지를 보는 척도

3) 환경과 사회적 평가

a. 환자의 주거 환경 평가: 집안의 구조, 온도 조절, 계단 유무, 가구 배치, 실내조명, 낙상을 유발할 수 있는 조건(미끄러운 바닥 등)이 있는지도 확인

b. 환자의 하루 일과, 취미, 운동시간, 사회 활동, 친구 관계, 가족과 어울리는 정도

c. 운전 여부

d. 누구와 살고 있는지, 배우자는 있는지?

e. 경제력

f. 간병은 누가 하는지?

g. 알코올 중독 여부

2. 신체검사

진찰실은 온도와 습도가 적절하고 밝은 조명이어야 하고, 노인에 적합한 진찰 의자와 침대를 구비. 진찰 시 침대 위에 환자를 혼자 남겨두고 자리를 떠나서는 안 되며, 침대에 올라가고 내려올 때에 부축을 해주는 것이 좋다.

1) 활력 징후

a. 키, 몸무게를 잴 때 넘어지지 않도록 조심
b. 노인에서는 저체온증이 흔함. 비정상적으로 나오면 2~3회 측정하여 낮은 체온 유무 확인
c. 발열이 있으면 젊은 환자보다 더 힘들어 하며, 열이 없다고 해도 감염증이 없다고 단정 못함
d. 혈압과 맥박은 양쪽 팔에서 측정하는 것이 원칙. 충분한 휴식 후 여러 번 측정
e. 동맥의 탄력성 저하로 혈압이 실제보다 높게 측정될 수 있다.
f. 기립성 저혈압이 흔하므로 누운 상태와 기립 상태 각각의 혈압을 측정
g. 식사 후에는 일시적으로 혈압이 떨어질 수 있다.
h. 노인의 정상 호흡수는 16~25회/분. 25회/분이 넘어가면 임상 증상이 나타나기 전이라도 감염증을 의심

기립성 저혈압의 확인

◇ 앙와위로 20분간 누운 자세를 취한 후 혈압 측정: 앙와위 혈압
◇ 기립 후 1, 2, 3분에 혈압 측정 : 기립 혈압
  ⇒ 기립 후 1, 2, 3분에 1회라도 기립 혈압이 앙와위 혈압보다 수축기 혈압이 20 mmHg 낮거나 이완기 혈압이 10 mmHg 낮으면 기립성 저혈압으로 진단

2) 계통별 진찰 소견

a. 피부, 손톱, 발톱
  – 피부 궤양, 조직 괴사 소견
  – 원인모를 멍 : 노인 학대 의심
  – 나이가 들면서 진피(dermis)가 얇아지므로. 특히 전완부는 작은 외상에 의해서도 반상출혈 (ecchymosis)이 잘 일어난다('노인성 자반').
  – 손톱은 광택이 없어지고, 특히 발톱은 누렇게 되고 두꺼워진다.

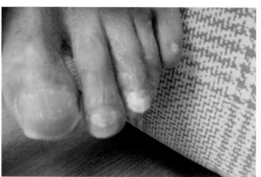

그림 44-1. **광택이 없어지고 누렇게 변한 발톱**

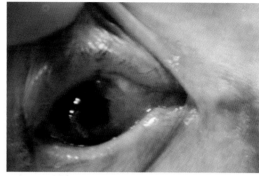

그림 44-2. **익상편=군날개(Pterygium): 삼각형의 섬유 혈관 조직 증식**

b. 눈, 귀, 코

〈눈〉

- 시력은 20~50세까지 비교적 일정하게 유지되지만, 70세부터는 급격히 감소
- 렌즈의 신축성이 감소되어 조절능력이 상실되는 원시안(노안)은 보통 40세부터 시작됨.
- 눈 구조 변화: 눈 주위 지방과 안와의 쿠션 감소로 안구가 안와 깊숙히 들어가며, 눈꺼풀의 피부가 주름지고 늘어나 겹침. 눈꺼풀이 내려오는 노인성 안검하수증이 흔하다.
- 눈물이 적게 나와 눈이 건조해짐.
- 각막은 광택을 잃고 뿌옇게 되고, 동공의 크기가 작아지나 빛에 대한 반사와 조절 작용은 정상
- 상측을 주시하기 어려운 것 외에는 외안(extraocular)운동은 유지
- 렌즈가 두꺼워지고 혼탁해져 망막으로 빛의 전달이 감소되어 밝은 조명이 필요
- 백내장이 흔함.
- 렌즈는 나이에 따라 커지므로 앞으로 돌출되고 홍채와 각막 사이의 각이 좁아지기 때문에 녹내장이 될 위험성이 크다.
- 익상편=군날개(Pterygium) : 눈꺼풀 틈새 구결막에 삼각형의 섬유혈관 조직이 증식하여 각막을 침범. 백내장으로 오인되기도 함. 자외선, 바람, 먼지의 자극과 연관. 익상편이 동공 부까지 침범하여 시력장애가 나타날 위험이 많으면 제거술을 시행

〈귀〉

- 노인성 난청(presbycusis) 초기에는 주로 고주파음 영역의 소리를 들을 수 없어서 f, t, p, s, th, ch, sh 같은 자음을 잘 구별하지 못한다. 더 진행되면 중간 혹은 저주파음도 잘 구별

못 하게 된다.

- 저주파음만 들리고 고주파음을 들을 수 없을 때, 특히 시끄러운 환경에서는 말소리가 왜곡되어 대화가 힘들어진다.
- 노인에서 청력 장애의 흔한 원인 중에 하나가 귀지(cerumen)이므로 이경으로 귀를 들여다보아야 한다.
- 청력 저하 노인과는 청진기를 이용한 소위 '청진기 반전법'으로 대화할 수도 있다.

그림 44-3. **청력저하 노인과 청진기를 이용해 대화하는 모습(청진기 반전법)**

〈코〉
- 코의 끝 부분이 주저 앉고, 상하 측부 연골이 분리되어 코가 커지고 길어짐.
- 후각도 서서히 감소하나, 양쪽의 후각 감소 정도가 다른 것은 병적 소견

c. 턱관절

골관절증(osteoarthrosis)에 의한 턱관절의 변형은 치아 손실과 관절에 부하되는 압력을 증가시킨다. 턱을 움직일 때마다 염발음(crepitus)과 통증

d. 구강
- 구강 검사 전에는 의치 빼기
- 잘 맞지 않는 의치는 구강 점막의 염증 유발
- 구강 점막이 창백해지고 건조해지며, 타액 분비 감소
- 치아는 닳아서 에나멜질이 벗겨지고 썩어서 빠짐.

- 치주염(periodontitis)은 치아 손실의 가장 중요한 원인. 치주염과 충치에 의해 구취 발생
- 아랫니 빠지면 턱이 작고 들어가 보이며, 입가의 주름이 두드러져 보임.
- 구각염(angular stomatitis) : 입술이 겹쳐지는 부위에 생긴 염증. 의치 등을 한 경우에 타액이 흘러나와 물리적 자극이 발생
- 잇몸의 부종이나 출혈, 흔들리는 치아, 진균 감염, 궤양이나 종양 유무 관찰
- 구강 건조증 호소 시에 구강과 혀에 균열(fissure)이 있지 않나 확인
- 지도상 혀 : 정상적인 노화 반응
- 혀 측면부의 유두(papillae)는 위축되어 있다.
- 의치를 한 환자는 정상적으로 혀가 커져 있으며, 갑상선기능저하증이나 아밀로이드증에서도 커져 있다.
- 코발라민(vit. B12)이 감소되어 있는 경우에 혀의 통증이 있을 수 있다.

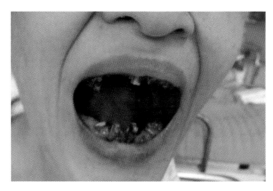

그림 44-4. 62세 여성. 치아가 닳아서 에나멜질이 벗겨지고 썩어서 빠짐. 구취가 심함

앞니의 발치는 환자의 외모를 더 늙어보이게 만든다.

78세 여성으로서, 4개의 윗니를 충치로 발치하기 전과 후의 모습. 발치 후에 최소 5년 정도는 더 나이가 들어 보임.

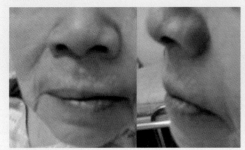 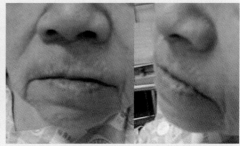

발치 전 모습

발치 후 모습 : 윗 입술이 안으로 들어가 보이고, 입 주위로 주름이 많이 잡힌다.

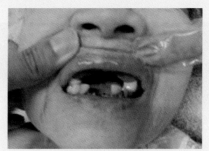

앞니가 발치된 모습

e. 경부

- 갑상선 : 노화에 따라 위치가 아래로 이동함에 유의하며, 촉진으로 결절 유무와 비대 여부 확인
- 이하선염 : 촉진 시 통증을 느낀다.
- 경동맥 청진 : 잡음(bruit)이 들리면 경동맥 협착에 의한 것인지 심장 잡음이 전도된 것인지 확인. 경동맥 잡음은 시끄럽고, 심잡음은 부드러운 편
- 목을 구부렸을 때 저항감이 느껴지는 경우, 뇌막염이면 상하 굴곡 시에만 저항감이 있고, 측면으로 회전 시에는 정상. 경추증(cervical spondylosis)이나 골관절염 시에는 상하, 좌우 회전 시 모두 통증을 느낌
- 노화에 따라 임파선이나 편도선이 점차 위축되므로 노인에서 임파선이나 편도선이 커져 있는 경우에는 암 등의 질병 의심

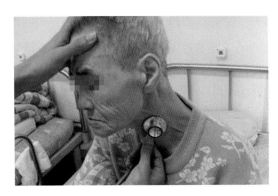

그림 44-5. **경동맥 청진 : 잡음(bruit) 유무 진찰**

f. 흉부

- 등 부위의 척추측만증 유무와 통증 부위 살피기
- 폐의 기저부에서 습성 수포음(moist rales)이 흔히 들림 : 심부전 때문일 수도 있지만, 노인, 특히 와상 중이거나 쇠약한 경우 혹은 습관적으로 숨을 깊게 쉬지 않는 경우에 무기폐에 의한 수포음(atelectatic rales)으로 인해 들릴 수 있다. 건강한 노인에서 들리는 폐하부의 수포음은 심호흡을 하게 되면 사라진다.

g. 심장

- 소아기와 성인 초기에는 심첨 박동(apical pulse)이 쉽게 촉진되나, 노인이 되면 흉곽의 전후 직경이 길어져 촉진이 어려워진다. 따라서 폐동맥부위의 심음이 약해져서 제 2심음의 분열(splitting)을 청진하기가 어렵다.
- 40세 이후까지 제 3심음이 청진되면 승모판 폐쇄부전증과 같은 판막질환과 승모판 역류에 의한 혈류 증가를 의심해 보아야 한다.
- 제 4심음은 성인 초기에는 거의 들리지 않으나, 노인에서는 흔하게 들을 수 있다.
- 노인에서는 대동맥성 수축기 잡음이 흔한데, 60세에서는 1/3, 80세에서는 1/2에서 들을 수 있다. 이는 주로 대동맥의 동맥경화에 의한 현상으로 임상적 의미는 크지 않다.
- 노인에서는 기능성 수축기 잡음(functional systolic murmurs)도 들릴 수 있다. 이는 대동맥 판륜(aortic annulus)이 확장되어 생기는데, 심장의 기저부에서 심장의 수축기 초기에 짧게 들린다.
- 간혹 심박동수가 40회/분 이하인 경우가 있는데, 다른 증상이 동반되어있지 않다면 병적소견은 아닌 것으로 본다.

h. 복부

- 복부 근육이 약해지고, 지방층이 늘어나 올챙이배와 같은 배불뚝이로 변한다.
- 복부 대동맥류가 있을 때에는 혹처럼 만져지기도 한다.
- 노인에서는 복막 자극이 있어도 복벽 강직(abdominal wall rigidity)은 흔하지 않음에 유의한다.
- 항문 진찰 시에는 치핵, 치열, 협착 유무를 관찰하고, 종양과 변의 유무를 확인하기 위해서 직장수지 검사는 남녀 모두 필수적. 특히 남성의 경우는 전립선 비대 정도와 종양 유무를 확인

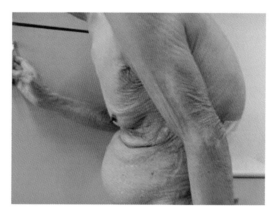

그림 44-6. **86세 남성. 척추전만증이 있고 흉곽의 전후 직경이 길어져 제 2심음 분열의 청진이 어렵다.** 복부 근육이 약해지고 지방층이 늘어나 올챙이배 모양이고 여성형 유방 소견을 보임

i. 유방/여성 생식기

- 40세 이후에는 유방 자가 진찰을 매달 하고 정기적으로 의사의 진찰을 받는다.
- 노인에서는 유방의 함몰(retraction of nipple)이 흔한데 노화현상에 의한 것은 유두 주위로 가벼운 압력을 가하면 다시 나오지만, 유두의 기저부에 병변이 있는 경우에는 나오지 않게 된다.
- 남성에서 여성형 유방(gynecomastia)은 노인에서 생리적 현상으로도 가능하나, 기관지 세포암, 갑상선기능 항진증, 갑상선기능저하증, 고환암, 약물(spironolactone, diazepam, cimetidine), 간경화 등의 가능성을 생각해야 한다.
- 자궁경부암 세포진 검사 : 일반적으로 60세 이후에 연속 3년간 이상이 없다면, 그 후에는

검사를 받지 않아도 된다. 성생활 유지하는 경우는 70세까지 정기적으로 검사

- 폐경 이후에 질 점막의 위축
- 노인 여성에서는 난소가 위축되어 있으므로 진찰상 난소가 만져진다면 난소종양 등을 의심
- 기침이나 운동 시 요실금 있는지 꼭 확인
- 요도언덕(Urethral caruncle) : 요도의 뒤쪽 입구 점막이 뒤집혀져 핑크빛의 작은 덩어리로 보임. 폐경 후 여성의 최대 50%까지 보고됨.

j. 근골격계

- 각 관절의 압통, 종창, 불완전탈구(subluxation), 염발음, 온감, 발적 유무 확인
- 관절운동 범위와 제한 정도 검사
- Heberden 반, Bouchard 반 : 노화에 의한 정상적인 소견 혹은 골관절염에 의한 2차적 소견
- 신장 감소 : 추간판 핵이 얇아지고, 슬관절과 고관절의 굴곡
- 몸통에 비해 팔다리가 길어 보임.
- 골격근의 크기와 근력 감소 : 특히 손의 근육 위축이 심하여 노인의 손은 가늘고 뼈가 노출되어 보임. 근육의 세기는 규칙적인 운동을 하면 비교적 잘 유지됨.
- 팔다리 근육도 위축이 일어나, 상대적으로 관절이 크게 보임.

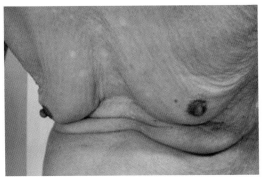

그림 44-7. **86세 남성의 여성형 유방**

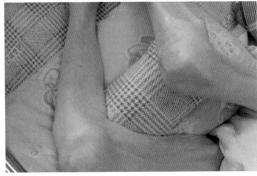

그림 44-8. **와상 상태의 85세 치매 여성.** 다리 근육의 위축으로 무릎 관절이 상대적으로 크게 보임

k. 발

- 발톱진균증(onychomycosis)이 주로 엄지발가락에 흔하다.
- 무지외반증(hallux valgus)

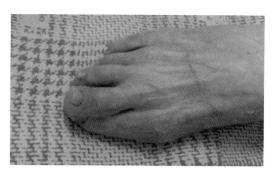

그림 44-9. 85세 여성의 무지외반증

l. 신경계

- 손발의 감각 장애 유무 파악
- 일반적으로 심부건 반사(무릎, 이두박근)는 변화가 없으나, 족관절 반사는 노인의 약 반수에서 감소.
- 위치 감각도 감소되거나 사라지므로 낙상 위험 증가.
- 고령화에 따라 진동감각이 감소된다.
- grasp, glabellar, snout reflex는 대뇌(특히 전두엽)의 이상이 있을 때 나타나는 병적 반사이지만 뇌병변이 없는 노인에서도 나타날 수 있다. 그러나 이들 병적 반사들이 동시에 나타나는 경우에는 뇌의 이상을 꼭 확인해야 한다.
- 진전(tremor) : 주로 머리, 턱, 입술, 손 - resting or intentional 여부를 파악해야 한다.

3) 정신상태

난청 여부를 미리 확인한다. 정보를 받아들이고 입력시키는 능력은 감소하지만, 나이가 들었다고 하여 의식의 이상, 지남력, 판단력, 계산 능력, 대화, 언어 능력이 변하거나 감소되지는 않는다. 단기간 기억력에 문제가 있으면 인지기능 장애를 의심해 보고, 지남력에 문제가 있으면 치매에 대해 검사를 해봐야 한다.

4) 언어 기능

스스로 말을 할 수 있는지, 말을 이해하는지(질문에 예, 아니오 대답, 명령에 따른 행동 유무), 단어나 문장을 반복, 단어 찾기, 글을 읽을 수 있고 쓸 수 있는지를 알아본다.

- 구음 장애(dysarthria) : 입술, 혀, 구개, 인후 등의 운동 이상으로 뚜렷한 발음의 결핍이 나타나는데, 불완전하고 불명료한 말씨가 특징임.
- 언어실행불능증(speech apraxia) : 말을 이해하고 말하는 근육은 움직일 수 있으나, 발음, 말하기가 힘든 상태
- 실어증(aphasia) : 말을 이해하지도, 읽지도, 말하지도 못함.
- 우울증 : 말을 느리고 힘없이 하나 언어기능은 정상

5) 영양 상태

신뢰도가 높은 평가 방법은 아직 없다. 노화에 의해 신장, 체중, 신체구성(체지방 증가, 제지방 감소)의 변화가 온다. 팔 둘레 길이가 신장 변화를 잘 반영하고 있고, 피부주름 두께를 잴 때에도 단지 팔의 삼두박근부위만 측정하지 말고, 여러 곳을 측정하는 것이 정확성이 높다.

표 44-1. **노인의 계통별 증상(review of system)과 증상에 따른 의심 질환**

계통	증상	의심 질환
머리	- 두통	- 우울, 불안, 측두 동맥염, 경추골관절염, 경막하 혈종
눈	- 근거리 시력저하(노안) - 주변시력 저하 - 중심시력 저하 - 통증	- 노화 현상 - 녹내장, 뇌졸중 - 황반부 변성 - 녹내장, 측두 동맥염
귀	- 청력 저하 - 노인성 난청(고주파)	- 우울, 불안, 측두 동맥염, 경추골관절염, 경막하 혈종귀지, 노인성 난청, 이물, 코의 손상, 이독성 약물, 청신경종양, 소뇌교각부 종양 - 노화 현상
구강	- 미각 저하 - 혀의 운동 제한 - 의치에 의한 통증 - 구강 건조	- 구강, 비강의 감염, 흡연, 약물, 비인강 종양, 방사선 치료 - 구강암 - 맞지 않는 의치, 구강암 - 약물, 탈수, 타액선의 질환(감염, 방사선 치료), 자가면역성 질환
인후부	- 음성 변화 - 연하곤란	- 성대 종양, 갑상선기능저하증 - 이물, 게실증, 식도협착, 악성종양
경부	- 통증	- 경추관절염, 류마티스성 다발성 근육통

계통	증상	의심 질환
흉부	– 통증	– 협심증, 불안, 대상포진, 위식도 역류, 식도운동장애, 늑연골염
심혈관계	– 식사, 수면장애 – 발작성 야간 호흡곤란증	– 심부전 – 심부전, 위식도 역류
소화기계	– 2~3일에 한번 배변 – 변비 – 통증, 변비, 구토, 설사 – 항문 출혈 – 변실금 – 갑자기 시작되고 심한 하복부 통증 – 식후 복통(식후 15~30분)	– 정상 – 탈수, 약물, 저섬유소 식사, 운동부족, 하제 남용, 갑상선기능저하증, 부갑상 선기능항진증, 대장암 – 변매복 – 치핵, 게실증, 대장암, 허혈성 대장염, 대장 혈관 이형성 – 직장암, 변매복, 척수신경손상, 대뇌손상 – 허혈성 대장염 – 만성 장 허혈증
비뇨기계	– 빈뇨 – 빈뇨, 긴박뇨, 배뇨곤란 – 발열, 배뇨곤란, 빈뇨	– 당뇨 – 전립선비대증, 전립선암 – 요로계 감염, 전립선염
근골격계	– 근위부 근육통 – 요통	– 류마티스성 다발성 근육통 – 골관절염, 압박성 골절, 감염증, 전이성 암, Paget병
신경계	– 실신 – 의식손실이 없는 낙상 – 일과성 언어, 근력, 감각장애 – 손가락 저림 – 미세한 운동장애 – 수면장애 – 정신상태 변화, 발열 – 식사 시 심한 땀	– 기립성 저혈압, 경련, 부정맥, 저혈당, 대동맥 협착증 – 일과성 뇌허혈증 – 일과성 뇌허혈증 – 척수증 경수증 – 척수성 경수증, 관절염 – 생체리듬 장애, 약물, 우울, 불안, 수면중 무호흡증, 파킨슨병 – 뇌막염 – 자율 신경병증
사지	– 발목 부종 – 하지 통증	– 심부전, 정맥순환부전, 저알부민혈증 – 골관절염, 척추관 협착증, 추간판핵 탈출증, 간헐성 파행증
피부	– 가려움증	– 건조한 피부, 황달, 요독증, 알레르기성 반응, 갑상선기능항진증, 옴

Adapted from 노용균

45 요양병원에서의 노인포괄평가(CGA)

- 노인포괄평가(CGA)가 왜 필요한가요?

- 노인은 젊은이에 비해 복잡하고 다양한 문제를 가지고 있으며 임상 증상도 비전형적인 경우가 많아서 전통적인 임상검사만으로는 올바른 노인환자 평가가 곤란한 경우가 많습니다. 따라서 노인을 주로 대하는 의료인은 CGA의 개념을 바탕으로 신체적 문제 뿐만 아니라 정신적, 심리적, 사회적, 영적 문제까지 다루어야 하며 이는 노인병 의사가 갖추어야 할 가장 기본적으로 가치있는 덕목 중 하나입니다.

다양하고 복잡한 문제를 가지며 종종 전형적이지 않은 증상들을 동반하는 노인환자들을 평가할 때에는 병력 청취, 신체 검진, 검사실 검사 등을 통해 특정 질환을 추정하는 고전적인 환자 평가보다는 신체적, 정신적, 사회적인 측면까지 동시에 폭넓게 파악하는 노인포괄평가(CGA; Comprehensive Geriatric Assessment)가 효율적이며 환자들의 예후에도 좋은 영향을 끼친다. 그런데 개별적인 환자의 상태나 진료 환경에 따라 CGA 항목의 종류나 수준은 차별화되어야 한다.

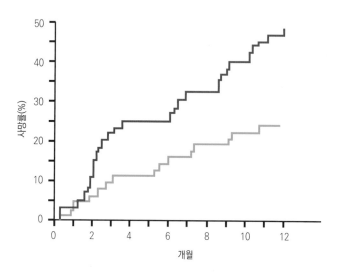

그림 45-1. Geriatric Evaluation Unit(GEU)에 입원한 노인환자들의 사망률이 낮았다는 연구 결과. 즉, CGA의 유용성을 보여주는 연구이다. (출처: N Engl J Med. 1984:27:1664-70)

그림 45-2. 노인환자가 호소하는 증상의 숨겨진 이면을 CGA를 통해 찾아낼 수 있다. 즉, 환자가 호소하는 증상만 듣지 말고, 의료인 스스로 포괄적인 평가를 하여 찾아내야 한다. 그것이 노인병의사의 자질을 판가름하는 기준이다.

I ▶ DEEP-IN 암기법을 이용한 간단한 CGA

노인의 기능평가 항목을 'DEEP-IN'의 머리글자로 요약해 보면 기억하기 좋다. DEEP-IN에 해당되는 노인에게 흔한 문제들 각각에 대해 의사 나름대로 선택한 선별 도구를 이용하여 평가 하다 보면 노인환자 진료에 흥미도 생기고 효율적인 진찰이 됨을 느낄 것이다.

노인환자를 보기 전 머리 속으로 DEEP-IN을 떠올려 포괄적으로 깊이 있게(IN DEPTH!) 평 가하자. 이 파트에서는 DEEP IN 암기법을 이용하여 짧은 시간에 노인에게 흔한 문제들을 선별 하는 방법을 소개하고자 한다.

표 45-1. DEEP IN 노인기능평가

D	Delirium, Dementia, Depression, Drugs
E	Eyes(vision impairment)
E	Ears(hearing impairment)
P	Physical performance, Pain, Ph(F)alls, Ph(F)unction
I	Incontinence
N	Nutrition

Adapted from Sherman FT.

1. 섬망(Delirium)

섬망은 외래에서 보는 경우가 흔하지 않지만 수시로 보호자에게 질문해야 한다. 젊은 사람들에 서 섬망(예, 알콜중독)은 과운동성, 과각성 상태인 경우가 많지만 노인에서는 "조용한" 형태의 섬망 이 많다. 즉, 자극에도 반응이 없고 무기력해 보이는 경우가 많다.

1) 섬망의 원인

약물 부작용, 전해질 이상, 각종 장기(간, 폐, 심장, 신장)의 질환, 감염(폐렴, 담낭염, 요로감염), 저산소증, 영양실조, 분변잠복(stool impaction), 지각박탈(sensory deprivation), 통증 등이 있다.

2) SQUID (Single QUestion to Identify Delirium)

영국노인병학회(British Geriatrics Society)에서 권고한 간단한 섬망 선별도구로써, 다음과 같은 단 하나의 질문으로 섬망을 선별하는 방법이다. 민감도는 80%, 특이도는 71%로 알려져 있다. 숙련되지 않은 조사자도 사용할 수 있는 장점이 있지만, Hypoactive delirium을 놓치기 쉽다는 단점이 있다.

섬망의 선별을 위한 SQUID 질문법

◆ 'OOO 환자분이 평상시보다 최근에 더 혼란스러운(Confused) 상태인가요?
　◇ ('Do you think [name of patient] has been more confused lately?') 라고 친구나 가족(혹은 간병인)에게 질문하기

출처: Sands MB et al. Palliat Med. 2010 Sep;24(6):561-5.

2. 치매(Dementia)

1) 간이정신상태검사(MMSE: mini-mental state exam) (표 45-2)

- 지남력(시간, 장소), 세 단어 기억등록, 집중력과 계산, 세 단어 기억회상, 언어 및 공간구성으로 이루어진 가장 흔히 쓰이는 인지기능 선별검사이다.
- 한국형 간이정신상태검사(MMSE-K; mini-mental state exam - Korean version)는 학력을 교정하기 위해 무학인 경우 시간에 대한 지남력에 1점, 주의집중 및 계산에 2점, 언어 기능에 1점씩 가산을 가산하며 총점이 24점 이상이면 정상, 19점 이하이면 치매의 가능성이 매우 높다고 평가한다.
- 23점 이하를 기준으로 중등도 내지 중증의 알츠하이머병을 진단하는 데는 90%의 민감도를 나타내나, 경도의 알츠하이머병 진단에는 63%, MCI (mild cognitive impairment; MMSE-K 24~27점)를 진단하는 데는 44~68%의 민감도를 나타낸다.

2) Montreal Cognitive Assessment (MoCA) (표 45-3)

경도인지장애의 진단에는 Montreal Cognitive Assessment(MoCA)가 더 정확하다는 보고가 있다. 한국형 MoCA-K도 개발되어 타당도 조사가 되어 있다; 22/23점을 기준으로 경도인지장애

(MCI)의 진단에 대한 민감도는 89%, 특이도는 84%로 매우 높았다.

한국형 MoCA-K 설문지는 http://www.mocatest.org/pdf_files/MoCA-Test-Korean.pdf 에 제시되어 있고 그 지침서는 http://www.mocatest.org/pdf_files/MoCA-Instructions-Korean.pdf 를 참고하면 된다.

표 45-2. 한국판 MINI-MENTAL STATE EXAMINATION(MMSE-K)

지남력(Orientation)
1. 오늘은 □□□□년, □□월, □□일, □요일, □□계절
2. 당신의 주소는 시 군(구) 면, (리, 동)
3. 여기는 어떤 곳입니까? (예. 교회, 식당, 학교, 시장, 가정집 등)
4. 여기는 무엇을 하는 곳입니까? (노인정, 마당, 안방, 화장실 등)

기억등록(Registration)
5. 물건 이름 기억하기 (예. 소나무, 비행기, 기차)

기억회상(Recall)
6. 3분 내지 5분 뒤에 위의 물건 이름들을 회상

주의집중 및 계산(Attention & Calculation)
7. 100-7= -7= -7= -7= -7=또는 ('삼천리 강산'을 거꾸로 말하기 -- 산□강□리□천□삼□)

언어기능(Language)
8. 물건이름 맞추기 연필□□, 시계□□
9. 3단계 명령 -- 오른손으로 종이를 집어서/ 반으로 접고/ 무릎 위에 놓기
10. 5각형 2개를 겹쳐 그리기
11. "간장, 공장, 공장장"을 따라하기

이해 및 판단(Reasoning & Judgment)
12. "옷은 왜 빨아서(세탁해서) 입습니까?"라고 질문
13. "길에서 남의 주민등록증을 주웠을 때 어떻게 하면 쉽게 주인에게 되돌려 줄 수 있겠습니까?"라고 질문

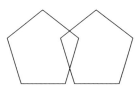

교육을 받지 못했을 경우(무학) : time orientation+1, attention+1, language+1.

Adapted from 권용철, 박종한, 신경정신의학 1989;28:125-135.

표 45-3. 한국판 몬트리올 인지 평가(Korean version of Montreal Cognitive Assessment (MoCA-K))

한국판 몬트리올 인지평가(MOCA-K)		성별: 교육년수: 생년월일:	
		이름: 검 사 일:	

시공간/실행력	정육면체 복사	시계 그리기 (열한시 십분) (3점)	점수
[ ]	[ ]	[ ]윤곽 [ ] 숫자 [ ] 바늘	___/5

어휘력		
[ ]	[ ]	[ ] ___/3

기억력	단어를 듣고 따라 말하기, 2회 실시. 5분 후에 회상.		얼굴	비단	교회	진달래	빨강	점수 없음
		첫 번째 시도						
		두 번째 시도						

주의력	숫자목록을 읽어줌 (초당 숫자 하나씩). 바로 따라 외우기 [ ] 2 1 8 5 4	
	거꾸로 따라 외우기 [ ] 7 4 2	___/2

들려주는 글자에서 '가'가 나오면 책상 두드리기 . 두 번 이상 실수 시 점수 없음 .

[ ] 바 나 가 다 차 파 가 가 사 아 자 나 가 바 가 아 라 마 가 가 가 사 가 차 하 바 가 나 나	___/1

(100 빼기 7)	[ ]93 [ ]86 [ ]79 [ ]72 [ ]65	___/3
	정답이 4-5개: 3점, 2-3개: 2점, 1개: 1점, 0개: 0점	

문장력	[ ] 오늘 나를 도와줄 사람은 철수뿐이다 .	
[따라하기]	[ ] 강아지가 방에 들어오면 고양이는 의자 밑에 숨는다 .	___/2
(유창성)	일 분동안 시장에서 살 수 있는 물건 이름 대기 (11개 이상이면 점수)	___/1

추상력	공통점 찾기 (예: 사과-배=과일) [ ]기차-자전거 [ ]시계-자	___/2

지연 회상력		얼굴	비단	교회	진달래	빨강	단서없이 회상한 단어만 점수
	단서없음						
	범주단서						
	다중선택						___/5

지남력	[ ]년 [ ]월 [ ]일 [ ]요일 [ ]장소 [ ]시(군)	___/6

	총점	___/30

Z.Nastreddline MD. Korean Version. 학력이 6년 이하면 1점 더함. 절단점 22/23(22점 이하면 선별대상자)

Adapted from Lee JY, et al. 2008.

한국판 몬트리올 인지평가(MoCA-K)는 경도인지장애를 평가하고자 만들어졌다. 주의력, 집중력, 실행력, 기억력, 어휘력, 시각 공간력, 추상력, 계산력, 지남력과 같은 인지기능들을 평가한다. 실행시간은 10분 가량 소요된다. 만점은 30점이며, 23점 이상이면 정상으로 간주한다.

a. 길 만들기

시행: 검사자는 피검자에게 다음과 같이 지시한다. "숫자에서 글자로 번갈아 가면서 선을 그어 주세요. 여기에서 시작하고 [(1)을 가리킴], (1)에서 (가)로, (가)에서 (2)로, 이와 같이 순서대로 끝[(마)를 가리킴]까지 선을 그어 주세요".

채점: 피검자가 다음과 같은 순서로 성공했을 경우 1점을 준다 :

1 - 가 - 2 - 나 - 3 - 다 - 4 - 라 - 5 - 마
피험자의 즉각적인 수정이 이루어진 경우를 제외하고는 점수를 주지 않는다.

b. 시각 공간(정육면체)

시행: 검사자는 정육면체를 가리키면서 다음과 같이 지시한다. "이 그림과 똑같이 그려주세요".

채점: 그림이 정확하게 그려졌을 경우 1점을 준다.

☐ 도형이 삼차원이어야 한다.
☐ 모든 변이 그려져야 한다.
☐ 추가로 그려진 변이 있어서는 안 된다.
☐ 상대적으로 변이 평행을 이루고 있어야 하며 길이가 대략 비슷해야 한다.
위에 제시한 기준들이 지켜지지 않았을 경우에는 점수를 주지 않는다.

c. 시각 공간(시계 그리기)

시행: 그릴 곳을 지적해 주면서, 검사자는 다음과 같이 지시한다 : "시계를 그려주세요. 커다랗게 원을 하나 그리고, 숫자를 모두 써 넣고, 시곗바늘이 11시 10분을 가리키도록 그려주세요".

채점: 다음과 같은 기준에 근거하여 각각 1점씩 준다.

☐ 윤곽(1점) : 윤곽은 약간 변형된 것은 괜찮다(예를 들면, 원을 다 그렸을 때 끝이 약간 불완전한 것).
☐ 숫자(1점) : 모든 숫자가 있어야 하며, 다른 숫자가 추가되어서는 안 된다; 숫자들은 순서대로 제대로 된 자리에 있어야 한다.
☐ 시곗바늘(1점) : 두 시곗바늘이 올바른 자리에 있어야 한다; 시침이 분침보다 더 작아야 한다. 시침과 분침이 만나는 곳은 시계 중앙 근방에 위치해야 한다.
위에 제시한 기준들을 만족시키지 못하면 점수를 주지 않는다.

d. 어휘력

시행: 검사자는 피검자에게 각 동물들의 이름을 말하도록 한다.

채점: 바른 답을 말했을 경우 1점을 준다.

(1) 낙타(약대)　　(2) 사자　　(3) 코뿔소(뿔소)

e. 기억력

시행: 음과 같이 지시한 후, 검사자는 5개 단어들을 초당 하나씩 읽는다 :

"이번은 기억력 검사인데요. 제가 이제부터 단어들을 여러 개 불러 드릴 겁니다. 잘 듣고 계시다가 제가 끝까지 다 불러드리면, 그 단어들을 기억해서 말씀해 주세요. 순서는 상관 없습니다".

검사자는 첫 번째 시도에서 피험자가 답한 단어를 정해진 곳에 표시한다. 피험자가 끝냈거나(모든 단어를 기억), 더 이상 기억해낼 수 없을 때, 검사자는 다음과 같은 지시를 준 후, 두 번째로 단어 리스트를 읽는다. "자, 제가 같은 단어들을 다시 한번 읽어 드릴 겁니다. 조금 전에 말했던 단어들도 포함해서 될 수 있는 한 많은 단어들을 기억해내려고 노력해 보세요".

검사자는 두 번째 시도에서 피험자가 답한 단어를 정해진 곳에 표시한다. 두 번째 시도가 끝나면, 검사자는 피험자에게, 모든 검사가 끝난 후 다시 한번 이 단어들을 외워서 말해야 한다고 다음과 같이 알려준다. "검사가 끝난 후에 다시 이 단어들을 외워서 말해야 합니다".

채점: 첫 번째, 두 번째 시도 후의 즉각 회상에 대해서는 점수를 매기지 않는다.

f. 주의력

①-1. 바로 따라 외우기

시행: 검사자는 다음과 같이 지시한다 : "지금부터 제가 숫자를 여러 개 불러 드릴 겁니다. 제가 불러드리는 숫자를 잘 듣고 계시다가, 숫자 부르는 것이 모두 끝나면, 그 때까지 들으신 숫자를 들은 순서대로 그대로 말씀해 주세요". 초당 하나씩 5개의 숫자를 불러준다.

①-2. 숫자 거꾸로 따라 외우기

시행: 검사자는 다음과 같이 지시한다 : "제가 숫자를 여러 개 불러 드릴 겁니다. 하지만, 이번에는 제가 불러드린 순서를 그대로 말씀하지 마시고, 거꾸로 말씀해 주세요". 초당 하나

씩 3개의 숫자를 불러준다.

채점: 각각의 숫자들이 정확하게 반복되었으면 1점을 준다.
  (숫자 거꾸로 따라 외우기의 정확한 답은 2-4-7이다).

② 집중

시행: 검사자는 다음과 같이 지시한 후, 초당 하나씩 글자를 불러준다 :

  "이제부터 제가 몇 개의 글자들을 불러드릴 겁니다. 제가 (가)라고 할 때마다 손으로 책
  상을 한번 치세요. 제가 (가)외의 다른 글자를 부르는 경우에는, 손으로 책상을 치시면
  안됩니다".

채점: 두 번 이상 틀릴 경우 점수를 주지 않는다.
  (예를 들어, 잘못된 글자에 책상을 치거나 혹은 글자 (가)에 책상치기를 빼 먹은 경우)

③ 계산력

시행: 검사자는 다음과 같이 지시한다 :

  "자, 이제부터는 계산인데요. 100에서 7을 빼고, 거기서 또 7을 빼는 겁니다. 이런 식으로
  제가 "그만 하세요"라고 말할 때까지, 계속해서 7을 빼는 겁니다". 필요하다면, 검사자는
  지시를 두 번 반복할 수 있다.

채점: 이번 항목은 3점 만점으로 채점된다. 뺄셈이 정확하게 되지 않았다면 점수를 주지 않는다. 1개의 정답이 있으면 1
  점, 2개 혹은 3개의 정답이 있으면 2점, 4개 혹은 5개의 정답이 있으면 3점. 각각의 뺄셈은 개별적으로 평가한다.

  : 만약에 피험자가 맞지 않는 답을 하고, 그 맞지 않는 답에서 7을 제대로 뺀 경우에는, 정답으로 간주한다. 예를
  들어, 피험자가 "92 – 85 – 78 – 71 – 64" 라는 답을 했을 경우, 여기서 92는 잘못된 답이다. 그러나 이어지는
  나머지 답들은 맞는 것이다. 이런 경우, 1개의 오답과 4개의 정답으로 간주되며 3점으로 채점한다.

g. 문장 따라 말하기

시행: 검사자는 다음과 같이 지시한다 :

  "지금부터 제가 하는 말을 그대로 따라서 말씀해 주세요".

  '오늘 나를 도와줄 사람은 철수뿐이다'. 그리고 나서 검사자는 다음과 같이 지시 한다 :
  "자 이번에도 제가 하는 말을 그대로 따라서 말씀해 주세요 : '강아지가 방에 들어오면
  고양이는 의자 밑에 숨는다'.

채점: 각 문장을 올바르게 따라 말했을 경우 1점을 준다. 따라 말하기는 정확해야 한다. 빠진 부분은 없는지, 줄이거나
  덧붙인 부분은 없는지, 검사자는 주의 깊게 살펴봐야 한다.

h. 단어 유창성

시행: 검사자는 다음과 같이 지시한다.

"지금부터는 시장에서 살 수 있는 물건을 모두 말씀해 주세요. 1분의 시간을 드리겠습니다. 1분 동안 시장에서 살 수 있는 물건을 생각나는 대로 모두 말씀해 보세요. 준비되셨습니까? 시작하세요".

채점: 피험자가 일 분에 11개 이상의 단어들을 말했다면 1점을 준다.

i. 추상력

시행: 검사자는 피험자에게 두 단어의 공통점이 무엇인지를 묻는다. 다음과 같은 예를 든다 : "사과와 배는 어떤 공통점을 가지고 있나요?" 만약 피험자가 구체적으로 답을 한다면, 한번 더 질문한다 : "사과와 배가 둘 다 무엇인가요?" 만약 피험자가 정답을 말하지 못했을 경우, 다음과 같이 말해준다 : "그래요. 그런데 두 개 다 과일이지요" 다른 지시나 설명은 주지 않는다. 연습이 끝나면, 검사자는 다음과 같이 질문 한다 : "자, 그럼 기차와 자전거의 공통점은 무엇이지요?" 그리고나서, 검사자는 다음과 같이 질문 한다 : "그럼, 시계와 자의 공통점은 무엇이지요?" 더 이상의 지시나 단서를 주지 않는다.

채점: 마지막 두 문항을 올바르게 답했을 경우 각각 1점을 준다. 다음과 같은 답은 점수를 준다 :

기차 – 자전거 ; 운송수단, 탈 것, 여행을 위한 것, 바퀴를 가졌다, 굴러간다;
자   – 시계 ; 측량도구, 측량을 위한 것, 재는 것, 숫자 또는 눈금을 가지고 있다.

j. 지연회상

시행: 검사자는 다음과 같은 지시를 준다 : "제가 아까 다섯 개의 단어들을 불러드리고, 그 단어들을 기억하시라고 말씀 드렸었죠. 이제, _____님이 기억하고 있는 그 단어들을 모두 말씀해 주세요". 검사자는 단서 없이 올바르게 회상한 단어마다 정해진 곳에 표시한다.

채점: 단서 없이 자발적으로 회상한 단어들에 대해서 각각 1점씩 준다.

선택사항:

피험자가 자발적으로 회상하지 못한 단어들에 대해서, 검사자는 범주단서를 준다. 그리고 나서, 범주단서로도 단어들을 기억해 내지 못할 경우, 검사자는 다중선택을 제시하고, 피험자가 답을 선택하도록 한다. 각 단어들에 대한 단서는 다음과 같다 :

얼굴 : 범주단서) 신체의 일부분 다중선택) 코, 얼굴, 손

비단 : 범주단서) 옷감 다중선택) 나일론, 면, 비단

교회 : 범주단서) 건물 다중선택) 교회, 학교, 병원

진달래 : 범주단서) 꽃 다중선택) 장미, 진달래, 동백

빨강 : 범주단서) 색깔 다중선택) 빨강, 파랑, 초록

채점: 단서 후 회상한 단어들은 점수를 주지 않는다. 단서 후 회상한 단어들은, 정해진 곳에 표시한다(범주단서 또는 다중선택). 단서를 통해, 기억력 손상에 대한 임상적 정보를 얻을 수 있다. 정보 인출의 문제라면, 단서를 통해 결과는 향상될 수 있다. 그러나, 저장의 문제라면, 단서를 통해 결과가 향상되지는 않는다.

k. 지남력

시행: 검사자는 다음과 같이 지시한다 :

"오늘 날짜를 말씀해 주세요". 만약, 피험자가 답을 하지 못할 경우, 검사자는 다음과 같이 말한다 : "오늘은 몇 년 몇 월 몇 일 무슨 요일이지요?". 그리고 나서, 검사자가 질문한다 : "지금 우리가 있는 이곳의 이름은 무엇이지요? 그리고, 우리가 있는 곳은 무슨 시/군이지요?"

채점: 정확하게 답한 경우, 각각 1점씩 준다. 피험자는 정확한 날짜와 정확한 장소(병원, 클리닉, 사무실, 기타 등)를 말해야 한다. 날짜와 요일에서 하루라도 틀리면, 점수를 주지 않는다.

총합계: 검사지 오른쪽에 매겨진 점수들을 모두 더한다. 만점은 30점이다. 교육연수가 6년 이하일 경우(총점이 30점 미만일 경우), 1점을 가산해준다. 23점 이상은 정상으로 간주된다.

3) Mini-Cog test

Mini-Cog test는 시간이 부족한 외래에서도 짧은 시간(3분) 내에 간단히 인지기능 선별검사를 시행할 수 있는 방법으로 시계 그리기와 세 개 항목 회상(3 item recall)으로 구성되어 있다. 즉, 3개의 단어를 불러주고 기억하게 한 후 '시계 그리기'를 실시하고 그 후에 기억하게 했던 단어들을 회상하게 한다. 시계 그리기는 종이에 원을 그려준 후 환자에게 시계처럼 1에서 12까지 적어보라고 한 후 시간(예를 들어, 11시 10분)을 시침과 분침으로 표시하게 한다.

Mini-Cog test는 MMSE와 비교했을 때, 민감도, 특이도 면에서 유사하거나 오히려 더 정확하다고 보고되었다.

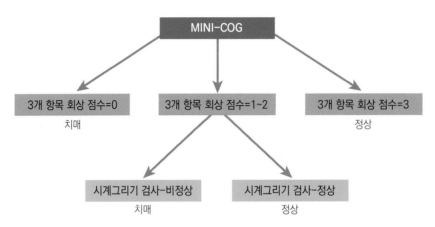

그림 45-3. Mini-Cog test를 이용한 치매의 진단

3. 우울증(Depression)

젊은 환자들은 우울증의 주요 증상으로 다양한 신체증상을 호소하는데 비해 노인에서는 이러한 증상이 진단에 도움을 주지 못한다. 따라서 노인환자의 우울증 평가 도구는 청장년에서 사용하는 것과 다른 내용을 포함하고 연령 증가에 의해 나타나는 증상과 노인성 우울증에 의해 나타나는 증상을 잘 구별할 수 있고 노인들이 보다 쉽게 할 수 있도록 단순화('예' 혹은 '아니오'로 대답하기)시켜야 한다.

1) 간단한 질문

"당신은 흔히 슬프거나 울적한 기분이 듭니까?"의 한 문장으로 선별검사를 할 수도 있다.

2) 노인우울척도 Geriatric Depression Scale (GDS)

- Yesavage가 1983에 만든 노인 우울 척도
- 국내에서는 기백서 등(1995)이 30개 문항의 한국판 노인우울척도(GDS-K)를 개발하였고 1996년에는 같은 저자가 GDS-K의 30문항 중에서 요인 분석을 하여 문항 15개를 선택하여 한국판 노인우울척도단축형(Geriatric Depression Scale Short Form-Korea Version; GDSSF-

K을 개발하였고, 신뢰도, 타당도 조사를 하였다(표 24-1).
- GDSSF-K로 노인 우울증을 측정하는 경우 5점을 절단점으로 하는 경우 민감도가 42.3%, 특이도가 88.7%로 가장 적절한 것으로 나타났다.

4. 약물(Drugs)

4가지 이상의 약물을 복용 중인 노인은 낙상의 위험이 증가한다. 특히 항정신병약, 항우울제, 항고혈압제 등과 작용시간이 긴 벤조다이아제핀 등이 낙상의 중요한 원인이다.

5. 청력(Ears)

- 청력 장애는 인지기능과 정서상태에 직접 영향을 준다.
- 노인성 난청의 양상은 초기에는 고주파영역에 주로 국한되고 모음보다 자음 구분이 잘되지 않는다.

1) 속삭임 검사(Whisper test)

- 환자의 눈을 감게 한 후 30~45 cm 전방에서 1초 간격으로 4개의 숫자를 속삭였을 때 2개 미만으로 맞춘다면 청력 장애가 있을 가능성이 높다(민감도 80~100%, 특이도 80~90%).

2) 손가락 비비기 검사(Finger rub test)

환자의 눈을 감게 한 후 다음의 그림과 같이 검사자가 양 팔을 벌린 후 손가락 비비기를 하여 들리는 쪽의 손을 들도록 한다. 이 단계에서 실패하면 검사자는 팔을 90도 각도로 굽힌 후 반복한다. 만일 양 팔을 벌린 상태에서 성공하면 2점, 90도로 굽힌 상태에서 성공하면 1점, 굽힌 상태에서도 실패하면 0점을 준다.

그림 45-4. **손가락 비비기 검사**(CALFRAST-STRONG 70 vs 35)

6. 시력(Eyes)

1) 간단한 질문

"시력 때문에 운전하거나 TV를 보거나 혹은 다른 일상활동을 하는데 어려움을 겪습니까?"

2) 신문 읽기

신문의 헤드라인과 본문문장 한 줄을 읽어보게 하여 두 가지 모두 읽어내면 정상, 헤드라인만 읽고 본문을 못 읽으면 중등도 시력장애, 두 가지 모두 못 읽으면 심한 시력장애가 있다고 판단하면 된다.

7. 신체활동(Physical performance)

1) 낙상(Falls)

- 낙상의 위험을 평가하는 방법에는 "과거 1년간 넘어지면서 땅에 혹은 의자나 계단에 부딪힌 적이 있나요?"라고 물어보는 것과 균형과 보행, 그리고 하지 근력에 대한 평가를 하는 방법이 있다.
- 하지(대퇴사두근 근력) 조사는 팔걸이가 없는 의자에서 손을 사용하지 않고 5회 일어서게 하는 것으로 평가할 수 있다.

그림 45-5. **대퇴사두근 근력 조사** : 무릎에 손을 짚지 않게 하기 위하여 팔장을 끼게 한 후 시행

a. 보행

- 가장 대표적인 선별검사로 "Timed Up and Go Test (TUGT)"가 있다. 환자가 의자에 허리를 펴고 앉은 상태에서 시작하여 스스로 일어나서 3미터 정도 떨어진 곳까지 걸어갔다가 돌아와 다시 자리에 앉도록 하는 것이다. 검사에 소요된 시간이 20초 이상이면 낙상의 위험이 증가한다.

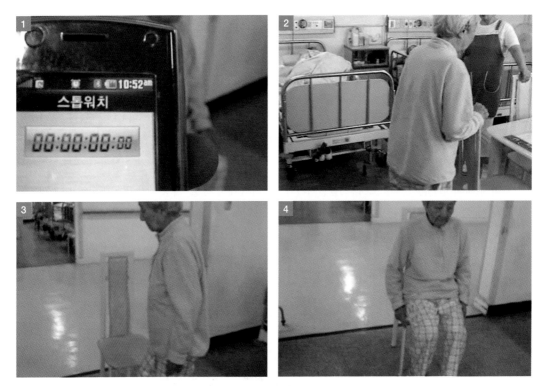

그림 45-6. Timed Up and Go Test : 스톱워치 이용, 3 m 전방에서 뒤돌아 제자리로 돌아와 앉기

b. 균형

– 정적인 균형을 평가하는 방법으로 "modified Romberg test"가 있다. 먼저 눈을 뜨고 다리를 모아보라고 하고 눈을 감게 한다(2). 다음 단계는 양 발을 약간 엇갈려 포개어 보게 하고 눈을 감게 한다(3). 마지막으로 양 발을 일직선상에 놓도록 한 다음 눈을 감게 한다(4). 이러한 자세를 큰 흔들림 없이 10초 이상 지속하지 못하면 낙상의 위험이 증가한다.

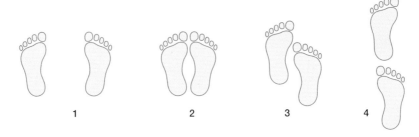

그림 45-7. Modified Romberg test

2) SPPB (Short Physical Performance Battery, 간편 신체 수행평가) : 하지기능 평가

SPPB는 직립균형검사, 보행속도, 의자에서 5회 반복 일어나기 등 총 3가지 항목의 검사를 시행하여 하지 기능을 평가하는 방법이다. 각 항목당 0~4점을 줄 수 있어 모든 항목을 완벽하게 수행하였을 경우 12점 만점을 준다.

● <u>직립균형검사</u> : 그림의 같이 일반자세(side-by side stance), 반 일렬자세(semi tandem stance), 일렬자세(tandem stance)로 구성되어 있으며, 각각의 자세를 순서대로 검사하며 검사자가 피험자에게 시연한 후 평가한다. 일반자세를 10초 이상 유지할 경우는 1점을 주지만 10초 이상 유지하지 못하는 경우에는 다음 검사인 보행속도 검사로 넘어간다. 일반자세에서 1점인 경우 반 일렬자세를 검사하며, 10초 이상 반 일렬자세를 유지할 경우 1점을 주고 일렬자세를 평가한다. 일렬자세는 3초 이상 유지하면 1점, 10초 이상 유지하면 2점을 준다.

● <u>보행속도</u> : 4 m 거리를 평소의 보행속도로 걸으라고 지시하고 4 m를 걷는데 걷는 시간을 측정한다. 다 걷지 못하면 0점, 8.7초를 초과하면 1점, 6.21~8.7초는 2점, 4.82~6.20초는 3점, 4.82초 미만인 경우에는 4점을 준다. 총 2회 측정하여 빠른 시간을 선택한다. 지팡이 등 보행보조기구를 이용하여 보행하는 환자의 경우 보조기구를 이용하여 걷도록 하여 검사를 시행한다.

● <u>의자에서 5회 반복 일어나기</u> : 양팔을 가슴 앞에서 교차하여 팔짱을 낀 채 의자에서 5회 일어서고 앉기를 반복하는데 걸리는 시간으로 측정하여 평가한다. 60초 이내에 검사를 마치지 못하는 경우를 0점, 16.7초 이상인 경우 1점, 13.7초~16.7초인 경우 2점, 11.2초~13.7초인 경우 3점, 11.2초 이하인 경우 4점을 준다. 피검자가 손 또는 팔을 이용하여 일어서기를 하거나, 검사 중 낙상 등 피검자의 안전이 우려된다면 검사를 중단하고 0점으로 평가한다.

(1) 직립균형검사 < 10 sec (+0pt)

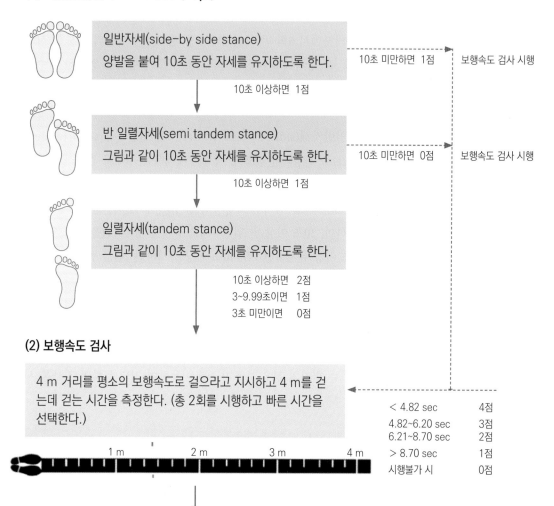

일반자세(side-by side stance)
양발을 붙여 10초 동안 자세를 유지하도록 한다.

10초 미만하면 1점   보행속도 검사 시행

10초 이상하면 1점

반 일렬자세(semi tandem stance)
그림과 같이 10초 동안 자세를 유지하도록 한다.

10초 미만하면 0점   보행속도 검사 시행

10초 이상하면 1점

일렬자세(tandem stance)
그림과 같이 10초 동안 자세를 유지하도록 한다.

10초 이상하면 2점
3~9.99초이면 1점
3초 미만이면   0점

(2) 보행속도 검사

4 m 거리를 평소의 보행속도로 걸으라고 지시하고 4 m를 걷는데 걷는 시간을 측정한다. (총 2회를 시행하고 빠른 시간을 선택한다.)

< 4.82 sec	4점
4.82~6.20 sec	3점
6.21~8.70 sec	2점
> 8.70 sec	1점
시행불가 시	0점

1 m   2 m   3 m   4 m

(3) 의자에서 5회 반복 일어나기

양팔을 가슴 앞에서 교차하여 팔짱을 낀 채 의자에서 일어나기를 하도록 한다.

시행불가 시   0점

10초 이상하면 1점

양팔을 가슴 앞에서 교차하여 팔짱을 낀 채 의자에서 5회 일어서고 앉기를 반복하는데 걸리는 시간으로 측정하여 평가한다.

< 11.19 sec	4점
11.20~13.69 sec	3점
13.70~16.69 sec	2점
> 16.7 sec	1점
60초 이상 or 불가 시	0점

표 45-4. SPPB 결과

검사 항목		평가기준	점수	만점
균형 검사	일반자세 반 일렬자세 일렬자세	> 10초 > 10초 3~10초 > 10초	1 1 1 2	4점
보행속도	4 m 걸음	< 4.8초 4.8-6.2초 6.2-8.7초 > 8.7초	4 3 2 1	4점
의자에서 일어서기	5회 반복	< 11.2초 11.2-13.7초 13.7-16.7초 > 16.7초 > 60초	4 3 2 1 0	4점
			총점	12점

3) 일상생활기능평가

- 노인에서의 일상생활 기능평가는 흔히 기본적인 일상생활활동(ADL: activities of daily living)과 도구적 일상생활활동(IADL: instrumental activities of daily living)을 평가하여 다른 사람의 도움이 필요한지를 판단하고 기능상태를 평가하게 된다.
- 일상생활기능 평가의 목적은 장애 정도를 명확히 하고 돌봄 서비스가 필요한 정도를 판정하거나 치료나 돌봄 서비스의 효과를 판정하기 위한 것이다.
- 원장원 등이 개발한 K–ADL, K–IADL 도구가 가장 대표적이다.

8. 실금(Incontinence)

"지난 1년 동안, 소변이 새어 나와 옷을 젖게 한 적이 있습니까?" 라고 질문한다.

9. 영양(Nutrition)

"과거 6개월 동안 노력하지 않았는데도 5 kg 이상 체중감소가 있었습니까?" 란 질문에 '예'라고 답한다면 물론 각종 암, 갑상선 질환, 당뇨병, 급 만성 질환 등을 찾아봐야 한다. 그러나 그 외에도 알콜 남용, 인지기능 장애, 우울증, 기능 제한(활동 장애), 경제적 어려움, 치아 장애, 사회적 격리 등도 생각해야 한다.

10. DEEP IN 검사 후 평가할 것들

DEEP IN 평가법에 포함되어 있지 않은 다음의 요소들도 추가로 파악하면 좋다.

1) 사회적 지지

– 기능적으로 의존적인 노인을 집에 있게 할 것인지 혹은 입소시킬 것인지 결정하는데 필요하다.
– 환자를 돌볼 수 있는 사람이 있는지 알아본다.

2) 경제력 평가

–보험 상태, 환자의 수입

3) 환경 평가

– 특히 노쇠하여 보행과 균형에 문제가 있는 경우 안전을 위한 실내환경 평가가 필요하다.

4) 정기검진 여부 확인

(1) 혈압(supine and erect) : 방문 시마다

(2) 체중 : 방문 시마다

(3) 신장(키) : 1년마다

(4) 콜레스테롤 선별검사 : 65~75세이면서 흡연, 당뇨, 고혈압 등의 위험요인이 있을 때

(5) 유방조영술 : 1~2년마다

(6) PSA : 환자와 검사의 장단점에 대해 논의 후 시행

(7) 대장내시경 : 5~10년마다

(8) 인플루엔자 백신 : 매년

(9) 폐렴구균 백신 : 평생에 1회; 만성 질환이 있는 경우에는 5년마다 추가접종 고려

(10) 흡연, 운동, 음주에 대한 질문 및 교육 : 매번

(11) 시력 측정 : 1~2년마다 고려

(12) 청력 측정 : 1~2년마다 고려

(13) 요실금에 대한 질문 : 매년

(14) 발기에 대한 질문 : 매년

(15) ADL, IADL 평가 : 수시로

(16) 혈당 : 증상이 없더라도 3년마다

(17) 인지기능 선별검사 : 첫 방문 시

(18) 우울증 선별검사 : 첫 방문 시

(19) 보행과 균형 선별검사 : 첫 방문 시, 그리고 필요시

◆ 만 66세의 생애전환기 건강검진

- 국민건강보험공단에서는 만 19세 이상의 국민에게 2년마다 일반검진을 실시하고, 특히 만 40세와 만 66세가 되는 해에는 '생애전환기 건강검진'을 실시한다. 특히 66세, 70세, 74세에는 인지기능검사를 실시하고 66세 생애전환기 건강검진에서는 일상생활수행능력을 검사한다.

II ▶ 요양병원형 CGA(필자의 제안)

요양병원에 입원하는 환자들의 주된 상병명은 치매, 뇌졸중, 파킨슨병 등의 만성 퇴행성 질환이며, 상당수의 암 환자들은 요양병원에서 대증적 치료를 받고 있다. 한편, 2008년에 도입된 요양병원 수가체계에 따라 요양병원에 입원하는 모든 환자들은 입원 10일 이내와 매달, 담당 간호사로부터 "요양병원형 환자평가표(환자평가표)"라는 포괄적 사정도구로 평가를 받는다. 환자평가표는 환자의 의무기록을 근거로 작성하는 것이 원칙이며, 특히 환자의 의식상태, 질병진단, 영양상태, 말기질환 여부, 피부 궤양 수 및 새로 발생한 욕창 등은 의사의 의무기록에 기반하여야 한다. 즉, 요양병원 입원환자의 평가는 의사와 간호사가 상호 보완적으로 하고 있다. 또한 급성기병원의 입원환자와 달리 대부분의 환자들이 노쇠하며 인지기능이 저하되어 있다. 이러한 요양병원 환경을 고려하여 다음과 같은 원칙으로 요양병원형 노인포괄평가 도구의 항목들을 구성하였다.

- 캐나다 요양시설에서 이미 사용 중이며 유용성이 입증된 도구인 LTC-CGA Tool을 우리나라 요양병원 상황에 맞추어 개선.
- 대부분의 문항은 주치의의 소견에 따라 간단히 유/무 여부를 체크.
- 노쇠한 인지기능 저하자들이 많으므로 IADL(도구적 일상생활수행능력)은 삭제.
- LTC-CGA Tool에 있는 Family Stress 항목은 삭제.
- 요양병원형 환자평가표 항목에 있으므로 삭제한 항목들 : 교육수준, 의사소통 능력, 정서적 문제, 문제행동, MMSE 점수, 일상생활수행능력(ADL), 변실금, 요실금 빈도, 통증, 낙상 여부, 삼킴 장애, 영양 섭취 방법 등.
- 단, 요양병원형 환자평가표 항목에 있는 혼수, 섬망, 질병명, 말기질환 여부, 피부 궤양(욕창) 등은 의사의 의무기록에 따라 환자평가표에 간호사가 기록해야 하므로 제외시키지 않았다.

표 45-5. 요양병원용 입원환자용 노인포괄평가 도구

평가일: 20( )년 ( )월 ( )일   환자이름: 등록번호:

1) 인지기능	2) 감각 기능	3) 구강 상태	4) 사지근력	5) 족부 상태
☐ 정상 ☐ 섬망 ☐ 치매 ☐ 망상 ☐ 혼수	시력 ☐ 정상 ☐ 장애 청력 ☐ 정상 ☐ 장애	☐ 정상 ☐ 틀니 ☐ 치아 ( )개 ☐ 구강 건조 ☐ 구강 궤양	☐ 정상 ☐ 약화 상지: 우/좌/근/원 하지: 우/좌/근/원	☐ 정상 ☐ 감각저하 ☐ 동맥압 약함 ☐ 피부 궤양 ☐ 무좀( )

6) 노쇠(K-FRAIL)	7) 욕창	8) 예방접종	9) 현병력	10) 지참약물[개]
☐ 지난 한달 피로[ ] ☐ 10계단 오름X[ ] ☐ 300 m 걷기X[ ] ☐ *질병 5개 이상[ ] ☐ 5%/1년 체중↓[ ]	☐ 정상 ☐ 부위( ) ☐ 욕창( )단계 ☐ 넓이( )×( )cm	☐ 독감 ☐ 폐렴구균 ☐ Td(파상풍) ☐ 대상포진	1. 2. 3. 4. 5. 6. 7. 8. 9. 10.	1. 2. 3. 4. 5. 6. 7. 8. 9. 10.

11) 말기질환	12) 심폐소생술	13) 주 보호자		
☐ 암성 말기 ☐ 비암성 말기	☐ DNR ☐ CPR	☐ 배우자 ☐ [ ]째 아들 ☐ [ ]째 딸 ☐ 기타:___		

* 고혈압, 당뇨병, 암, 만성 폐 질환, 심근 경색, 심부전, 협심증, 천식, 관절염, 뇌경색, 신장 질환

1. 요양병원 입원환자용 노인포괄평가

요양병원 입원환자용 노인포괄평가 도구의 13가지 평가항목 별 평가방법과 판정 도구 혹은 기준은 다음과 같다.

1) 인지기능

섬망, 치매, 망상, 혼수 여부를 체크. 환자의 인지기능이 저하되어 있다면 우선 최근에 시작된 문제인지를 파악하여 섬망을 선별하고, 섬망이 아니라고 판단되면 환자평가표의 MMSE 점수 등을 고려하여 치매 여부를 판단한다. 이미 치매 판정을 받았다면 치매에 표시한다.

a. 섬망 – 일시적이거나 급성적인 정신적 혼돈상태일 때 의심하며, CAM(Confusion Assessment Method) 으로 평가

b. 치매 – 치매의 과거력이 있거나 [MMSE 26점 이하면서 CDR 1 이상 or GDS 3 이상]

c. 망상 – 최근 1개월간 현실과는 동떨어진 생각으로 그 사람의 교육정도나 환경에 부합되지 않고 이성과 논리적인 방법으로 교정되지 않는 현상이 1회 이상 발생. 치매에서 발생하는 망상은 정신분열병(조현병)에서 발생하는 것과는 달리 정교하지 않고 구체적이지 못하며 내용이 자주 바뀌는 특징을 보인다. 흔히 나타나는 망상으로는 남이 자신의 물건을 훔쳐간다고 말하거나, 배우자가 바람을 피운다고 말하거나, 가족들이 자기를 버리고 갔다고 말함 등이 있음.

d. 혼수 – 요양병원 수가체계에서 "혼수"란 "혼수(coma)", "반혼수(semicoma)", "지속적인 식물인간 상태(vegetative state)"로 정의된다. 이때, coma나 semicoma는 큰 소리나 밝은 빛 자극 등에는 반응하지 않고 통증 자극에만 반응하는 정도이고, 식물인간 상태는 대뇌기능이 상실되어 감각반응이나 운동반응 모두 나타나지 않는 경우이다.

2) 감각 기능

a. 시력 장애 – 소형 Snellen Eye Chart를 약 35 cm에서 보여주고 50% 이하.

b. 청력 장애 – 손가락 비비기 검사에서 이상.

3) 구강 상태

틀니 착용 여부, 치아 개수, 구강 건조, 구강 궤양 여부 등을 파악한다.

4) 사지근력

상, 하지를 근위부, 원위부, 좌,우로 나누어 약화된 부위를 표시한다. 이때 근력평가법에 따라 Grade4(약한 힘에 저항하여 관절의 움직임이 가능) 이하면 "약화"에 표시.

5) 족부 상태

감각저하, 동맥압 약화(좌,우 비교), 피부 궤양, 무좀(발톱무좀, 발무좀) 등의 여부를 표시한다. 족부 검사는 특히 당뇨병 환자에서는 필수이다.

6) 노쇠 점수

악력계가 필요 없는 노쇠평가 도구인 K-FRAIL 도구(정희원 등)를 사용하며, 5가지 항목 중 3가지 이상에 표시되면 노쇠로 판단한다.[4]

K-FRAIL 설문지 (출처: 정희원 등. Korean J Intern Med, 2016)

Fatigue(피로) : 지난 한 달 동안 피곤하다고 느낀 적이 있습니까?
1=항상 그렇다 2=거의 대부분 그렇다 3=종종 그렇다 4=가끔씩 그렇다 5=전혀 그렇지 않다 ⇒ 1, 2로 답변하면 점수는 1점, 이외에는 0점

Resistance(저항) : 도움이 없이 혼자서 쉬지 않고 10개의 계단을 오르는데 힘이 듭니까? ⇒ 예=1점, 아니오=0점

Ambulation(이동) : 도움이 없이 300미터를 혼자서 이동하는데 힘이 듭니까? ⇒ 예=1점, 아니오=0점

Illness(지병) : 의사에게 다음 질병이 있다고 들은 적이 있습니까?
(고혈압, 당뇨병, 암, 만성 폐 질환, 심근 경색, 심부전, 협심증, 천식, 관절염, 뇌경색, 신장 질환) ⇒ 0~4개는 0점, 5~11개는 1점
Loss of weight(체중 감소) : 현재와 1년 전의 체중은 몇 kg 이었습니까? ⇒ 1년 간 5% 이상 감소한 경우에 1점, 5% 미만 감소한 경우에 0점.

7) 욕창

욕창 1단계(손으로 꾹 눌러도 하얗게 변하지 않는 홍반) 이상이면 표시한다. 욕창이 있다면 가장 큰 병변의 부위, 단계, 넓이를 기록하고, 2개 이상의 욕창이 있다면 전체 욕창의 묘사를 의무기록에 추가한다.

8) 예방접종

독감(최근 1년 이내), 폐렴구균, Td, 대상포진 예방접종 맞았다면 표시한다.

9) 현 병력

현재 앓고 있는 병력을 모두 기입한다.

10) 지참약물

복용 중인 모든 약물을 기입한다. 본 CGA 도구에는 10개까지만 기록하고, 11개 이상의 지참약물이라면 개수만 표시하고 따로 의무기록 등에 표시하도록 한다.

11) 말기질환 여부

말기질환의 정의는 보통 6개월 미만의 여명이 예상되는 상태를 의미하지만 정확히 여명을 예측하기란 쉽지 않고, 일반적으로는 환자를 주로 관찰한 의사의 소견에 따른다. 말기질환은 암성 말기질환과 비암성 말기질환으로 분류하는데, 비암성 말기질환의 종류로는 말기치매, 말기심장질환, 말기 HIV 질환(AIDS), 말기 간질환, 말기 폐질환, 말기 신장질환, 뇌졸중과 혼수상태, 전신쇠약, 루게릭병 등이 있다.

12) 심폐소생술

DNR (Do Not Resuscitate)과 CPR 중에서 선택한다. 특히 DNR에 표시하기 전에는 반드시 환자나 보호자와 상담하고 적절한 동의서를 확보해야 한다.

13) 주 보호자

환자의 건강 문제에 대하여 주로 상담할 대리인을 파악하여 표시한다. 간호사에게는 주된 보호자 외에 1인의 대리인을 더 선정하도록 하고 두 명 모두의 거주지와 연락처를 확보하도록 한다.

2. 요양병원 외래환자용 노인포괄평가

표 45-6. 요양병원 외래환자용 노인포괄평가 도구 ("망치 2-1-0 남녀 술통 청소")

평가일: 20(   )년 (   )월 (   )일   환자이름: 등록번호:

문제 항목	질문	Y	N	실패(N) 시 추가 조치
섬망	□ SQUID [최근 정신이 혼란스러움?]	□	□	Y ☞ CAM, 최근 아님 ☞ 치매 질문
치매	□ 년, □ 계절, □ 요일, □ 도시, □ 장소?	□	□	☞ MMSE + GDS (or CDR)
이동(낙상)	□ 혼자 물건 사러 가실 수 있는지?	□	□	☞ TUGT, K-FRAIL
일상생활	□ 혼자 일상생활이 가능한지?	□	□	☞ 환자평가표 D항목
영양 상태	□ 최근 6개월 사이 4.5 kg 체중 변화?	□	□	☞ 삼킴 장애, 구강(이) 상태, MNA
[남] 전립선	□ 소변 볼 때 힘든지?	□	□	☞ PSA, IPSS or 비뇨기과
[녀] 요실금	□ 최근 1년 사이 소변 실수?	□	□	☞ DRIP
우울	□ 자주 우울하거나 슬픈지?	□	□	☞ GDS-15
약물	□ 약물 몇 가지 복용중?	□	□	7가지 이상 ☞ 필수적이지 않은 약물 정리
술	□ 술 때문에 문제 생긴 적 있는지?	□	□	☞ CAGE
통증	□ 아픈 데 있는지?	□	□	☞ FACES or NRS
청력	□ 손가락 비비기 [2, 1, 0]에서 1점 이하	□	□	☞ 이비인후과
[소] 시력	□ Snellen eye chart 50% 이하?	□	□	☞ 안과

CAM: Confusion Assessment Method / TUGT: Timed Up & Go Test – 의자에서 일어나서 3 m 걸어 돌아와 다시 의자에 앉기 / K-FRAIL: Fatigue(피로한가요?), Resistance(10계단 오를 수 없나요?), Aerobic(300 m 걸을 수 없나요?), Illness(고혈압, 당뇨병, 암, 만성 폐 질환, 심근 경색, 심 부전, 협심증, 천식, 관절염, 뇌경색, 신장 질환 중 5가지 이상 질병?), Loss of weight(1년에 5% 이상?) / IPSS: International Prostate Symptom Score / DRIP: Delirium, Drug, Retention of feces, Restricted mobility, Infection, Polyuria, Psychogenic / CAGE: Cut-down(끊으려고 노력?), Annoyed(술 때문에 비난받은 적?) Guilty(죄책감?), Eye-Opener(아침에 눈뜨면 술생각?)

그림 45-8. "망치 2-1-0. 남녀 우물 술통 청소"

우리나라 요양병원에서 외래진료의 비중은 매우 적으며, 실제로 외래진료를 운영하지 않고 있는 요양병원도 상당 수에 이른다. 외래환자의 중증도는 입원환자에 비해서는 경도가 많으며, 병원 인근 노인요양시설 입소자들의 보호자들이 장기 약물처방을 위해 내원하는 경우도 많다. 특히 외래 환자의 경우에는 환자의 포괄적 평가에 대한 수가 책정이 전혀 되어 있지 않으므로 요양병원 외래 환경에서는 매우 간단하고 직관적인 CGA 도구가 현실적으로 필요하다. 본 도구는 기존의 10-Item Geriatric Impairment Inventory 항목에 요양병원 외래에서 감별이 중요한 섬망의 선별과 통증 평가를 추가한 총 13가지 문제(남, 녀 각각 12가지)들을 최소한의 질문으로 선별한 후 문제가 있는 환자에게는 추가적인 조치를 취하는 방식으로 조사항목을 구성하였다.

3. [별책부록] 노인포괄평가(CGA) 포켓카드의 활용

본 책의 별책부록으로 제공되는 노인포괄평가(CGA) 포켓카드에는 요양병원에서 환자를 평가할 수 있는 각종 도구들, 즉 간호사에 의한 환자평가표, 간호초기평가와 의사에 의한 CGA 도구 및 진단기준 등이 포함되어 있어서, 쉽고 효율적으로 일상적인 CGA를 수행하려는 의료진에게 도움을 드리고자 하였으니 이를 잘 활용하기를 바란다.

대만의 노인의학 수련의들을 대상으로 "임상에서의 간단한 CGA 방법"에 대해 강의하는 필자.

강의 직후에 일본 동경대병원 노인병학 교실 Taro Kojima 교수와 함께 Role-Play를 통해 CGA 실습을 하는 모습.

다학제적 접근법 실습: 각 수련의들은 의사, 간호사, 보호자, 약사, 물리치료사 등으로 역할을 나누고 각자의 입장에서 CGA를 하고 발표함으로써 환자의 문제를 해결하는 연습을 한다. 마치 코끼리의 발과 귀, 꼬리 등을 각자 관찰하고 나서 전체적인 코끼리의 모습을 완성하는 것에 비유된다.

그림 45-9. **대만 가오슝 General Veterans Hospital의 노인의학 수련의들을 대상으로 일차의료환경에서의 CGA를 주제로 강의 중인 저자.** CGA는 노인의학 수련 과정의 가장 중요한 파트이다.

그림 45-10. **CGA 관련 교육을 받고 있는 요양병원 의료진들.** 이와 같이 의사, 한의사, 간호사들이 지역별로 환자를 포괄적으로 평가하고 돌본다면 보다 질 높은 환자 관리가 될 것이다. (사진 제공: 전주 효사랑가족요양병원)

46 신경학적 검사

- 1개월 전 우측 중대뇌동맥 경색 발생 후 좌측 편마비, 보행 장애, 삼킴 장애, 구음 장애 발생하여 3차 병원에서 치료 받고 물리치료 등의 보존적 치료 위해 1주일 전 요양병원으로 전원 된 82세 남성이 갑자기 의식 변화를 일으켰다. 환자에게 매우 강한 자극을 주었지만 전혀 반응이 없는 상태였고, 혈압은 190/110 mmHg 였다. 환자의 가족이 3차 병원에서 가져온 소견서 내용으로는 이 환자에게 뇌졸중이 재발되더라도 현재 혈전용해제 사용 등의 적극적 치료는 적응증이 되지 않는다고 하였다. 이런 환자의 예후나 향후 치료 방침을 정하기 위해 어떠한 검사를 해야 할까?

- 혹시 자극이 부족했을 수 있으므로 환자를 큰 소리로 불러보고 환자의 nail bed를 hammer 등의 딱딱한 물체로 꽉 눌러서 충분히 강한 자극을 주어도 환자의 반응이 전혀 없다면 혼수 상태로 정의된다. 우선 A (기도) − B (호흡) − C (순환) 확인 후 필요하면 심폐소생술을 시행한다. 본 환자의 과거력이나 혈압 등의 정황 상 뇌졸중의 재발이 가장 의심되지만 다른 원인을 감별하기 위해 BST 체크 등의 응급 검사를 내보낸다.

- 다음으로 대광 반사(light reflex), 각막 반사(corneal reflex) 등의 뇌간 반사(brainstem reflex)의 유무가 중요한데, 뇌간 반사가 없다는 것은 환자가 이미 비가역적 뇌 손상을 받았고, 의식 회복 가능성은 적어지고, 뇌사 상태로 빠질 위험이 높아진다는 의미이다.

신경학적 병력 – Onset & Time Course, 증상 기술(S)주관적[환자] & O)객관적[보호자]), 과거력, 가족력

기타 신체검사 – Neurovascular Exam. (murmur & bruit), 피부 등.

◆ **정신상태 검사(Mental Status Exam.)**

　　의식(각성Alert, 기면Drowsy, 혼돈Stupor, 혼수Coma, cf)섬망Delirium) / 지남력(시간⇒장소⇒사람)

　　주의력(Digit span) / 기억력(3 items, 등록, 즉각적, 최근, 오래된 기억) / 계산력(Serial 7 or 돈 계산)

　　판단력(Judgment) / 추상적 사고(Abstract thinking) / 정서(Mood & Affect) / 지능 / 병식(Insight)

　　언어(Comprehension, Spontaneous speech, Repetition, Naming, 읽기, 쓰기), Visuospatial perception

◆ **뇌 신경 검사(Cranial Nerve Exam)**

　　Ⅰ. 후각신경 – 커피, 비누. 양쪽이 모두 냄새를 맡지 못하면 감기 등 이비인후과적 질환

　　Ⅱ. 시신경 * 시력, 시야, 대광반사, 안저검사(망막, optic disc 관찰, Papilledema)

　　Ⅲ. 동안신경, Ⅳ. 활차신경, Ⅵ. 외전신경 * 안구운동, 안진, 안검하수

　　Ⅴ. 삼차신경 * 얼굴 감각, Ⅶ. 안면신경 * 얼굴 표정, 안면 마비

　　Ⅷ. 청신경 * 청각(Weber, Rinne)

　　Ⅸ. 설인신경, Ⅹ. 미주신경 * 구역반사, 연구개 움직임, Articulation, 삼킴

　　Ⅺ. 부신경 – 머리 회전(SCM), 어깨 움츠림(Trapezius)

　　Ⅻ. 설하신경 – 혀 운동. 혀를 쑥 내밀어 보게 하면 마비된 쪽으로 혀가 치우침.

◆ **운동계 검사(Motor Exam)**

　　Dyskinesia : ① Tremor, ② Chorea, ③ Athetosis, ④ Ballism, ⑤ Myoclonus. cf)Fasciculation

　　M Bulk(Atrophy, Hypertrophy) / M tone(Flaccid,Spastic,Rigid,Paratonia(Gegenhalten), Dystonia, Myotonia

　　M Power – MRC Grading: 각 관절, Proximal & Distal, *Pronator Drift – for mild weakness.

　　(G 0–No contraction, I–No movement, II–w/o Gravity, III–Anti–Gravity, IV–Some Resistance, V–Normal)

　　용어 : Monoplegia, Hemiplegia, Paraplegia, Quadriplegia, *Diplegia

◆ **감각계 검사(Sensory Exam)**

　　분포 – Mono–, Poly–neuropathy(Stocking–Glove), Hemisensory 변화, Sacral sparing, Sensory level

　　* Radiculopathy(Dermatome)

　　형태 – Touch, Pain & Temperature(Spinothalamic Tract), Position & Vibration(Posterior Column)

　　용어: Paresthesia, Dysesthesia, Anesthesia, Hypesthesia, Analgesia, Hypalgesia, Hyperalgesia, Hyperpathia

◆ **반사(Reflex)**

　　Frontal lobe releasing sign : Grasp, Rooting, Snout, Glabellar, Palmo–mental reflex

　　DTR : Jaw jerk, Biceps reflex, Brachioradialis r(C 5,6), Tricpes r(C 7,8), Knee jerk(L 3,4), Ankle jerk(L5, S1)

　　Superficial reflex : ASR(Abdomial superficial reflex), Cremasteric reflex

　　Pathologic reflex : Hoffmann/Tromner reflex, Babinski sign, Ankle clonus(과장된 ankle jerk)

◆ **소뇌 기능 검사(Cerebellar Function Test)**

　　Rapid alternating movement(RAM), Finger to nose test(FTN), Heel to shin test(HTS), Rebound phenomenon

◆ **자세와 걸음걸이(Gait & Posture)** : Tandem Gait, Romberg Test

◆ **뇌막 자극 증후(MIS : Meningeal Irritation Sign)**: Neck Stiff.,Brudzinski Sg,Kernig Sg, cf)Lhermitte Sg, SLR

그림 46–1. 신경학적 검사 프로토콜　　　　　　　　　　　　　　　　　　　Modified from 나정호, 1997

1. 정신상태 검사(Mental Status Exam)

정신과 영역의 정신상태 검사와 일치한다. 보통 별 이상이 없는 경우는 간단히 마칠 수 있으나 기질성 뇌 증후군(Organic brain syndrome)처럼 고 피질 기능(higher cortical function)의 장애가 의심되는 경우는 철저히 시행하여야 한다. 일반적으로 환자와의 면담(interview)을 통하여 질문하고 관찰하며 대략 다음과 같은 항목을 검사하게 된다.

1) 의식(Consciousness)

의식은 일반적으로 깨어 있는(arousal) 정도 및 그 내용(contents)으로 구분된다. 신경과 영역에서는 이 중에서 깨어있는 정도 즉 의식 수준(consciousness level)이 더 중요한데, 가장 많은 오류를 범하는 부분이기도 하다. 의식 수준은 보통 다음과 같이 구분 된다.

표 46-1. 의식 수준의 구분

의 식 수 준	내 용
각성(Alert)	환자의 의식 내용에 상관없이, 환자가 깨어있는 상태
기면(Drowsy)	환자가 자는 듯 보이나 깨우면 곧 각성 상태로 돌아오는 상태
혼돈(Stupor)	환자를 깨워도 온전한 정신상태로 돌아오지 않고 부분적인 반응만 보이는 상태
혼수(Coma)	환자에게 아무리 강한 자극을 주어도 반응이 없는 상태

Cf〉섬망(Delirium) : 환자가 제 정신이 아닌 상태에서 횡설수설하거나 하는 흥분 상태를 말한다.

⇒ 가장 주의 하여야 할 점은 환자가 반응하기에 충분한 자극을 주어야 한다는 점이다. 실제로 자극이 약해서 Coma와 Drowsy를 구별 못하는 경우가 흔하다. 강한 자극을 주는 방법으로는 일반적으로 손으로 눈 위의 Spupraorbital notch를, 또는 Reflex hammer의 손잡이로 사지의 nail bed를 꾹 누르는 방법을 많이 사용한다.

2) 지남력(Orientation)

환자가 기본적인 주변 상황을 인식하고 있는지를 보는 것으로 통상 다음 세 가지를 질문한다.
① 시간(Time) : 오늘이 몇 년 몇 월 며칠인가? 지금은 어느 계절인가? 지금은 낮인가 밤인가?
② 장소(Place) : 여기는 어디인가? 무엇을 하는 곳인가? 몇 층인지 알겠는가?
③ 사람(Person) : (질문하는) 나는 누구인가? 무엇을 하는 사람인가? 옆 사람은 누구인가?
* 대부분의 환자들은 "시간⇒장소⇒사람"의 순으로 지남력을 잃게 된다.

3) 주의력(Attention)

환자가 얼마나 집중할 수 있는지 보는 것으로 주로 Digit span을 사용한다. 예를 들어 3, 7, 4, 1, 8을 따라 할 수 있는지 보고 다음에는 이를 거꾸로 나열 할 수 있는지(8, 1, 4, 7, 3) 시켜본다

4) 기억력(Memory)

기억력은 Registration, immediate recall, recent memory, remote memory 등으로 나눌 수 있는데 보통 서로 관련이 없는 세 가지 항목을 주고서(예: 사과, 호수, 시계) 잠시 후 기억할 수 있는지(immediate recall) 물어보고, 기억할 수 없다면 예를 들어 주었을 때(감자, 배, 수박, 사과, 참외) 찾을 수 있는지 여부를(registration) 본다. 아침에 무엇을 먹었는지, 어제 오후에 무엇을 했는지는 recent memory의 영역이며, 집 주소, 어릴 적 살던 동네 이름 등은 remote memory에 해당한다.

　* anterograde amnesia: 기억등록이 되지 않아 어느 시점 이후에는 기억을 못 하는 것
　* retrograde amnesia: 어느 시점 이전의 기억을 상실하는 것

5) 계산력(Calculation)

100에서 7을 계속해서 빼게 하거나(Serial 7: 93, 86, 79…) 간단한 돈 계산 등을 시켜본다.

6) 판단력(Judgement)

길에서 돈이 든 지갑을 주웠을 때 어떻게 해야 하나? 극장 안에서 불이 났을 때 어떻게 해야 하나? 등을 물어 보아 판단력을 검사한다.

7) 추상적 사고(Abstract thinking)

보통 속담풀이를 많이 쓴다. 예를 들어 '발 없는 말이 천리 간다'는 말이 무슨 뜻인지 물어본다.

8) 정서(Mood & Affect)

면담 도중 환자가 대답을 잘하려 하는지, 아무런 의욕도 없는지(Abulia), 아니면 들떠서 시키지도 않은 말을 하려 하는지 등을 관찰하여, 우울증이나, 조증 등이 있는지를 본다. 우울증 척도(Depression scale)를 사용하는 경우도 있다.

9) 병식(Insight)

환자가 자신의 병을 자각하고 있는 것이다. 우측 대뇌기능에 이상이 있으면(Right hemisphere dysfunction) 좌측을 무시하여(Hemineglect) 환자 자신의 운동 마비를 인식 못하는 경우가 있다. 이를 병 부정증(Anosognosia)이라고 한다.

10) 언어(Language)

오른손잡이의 99%, 왼손잡이의 50% 이상이(나머지 왼손잡이도 양측에 있는 경우가 많다) 좌측 대뇌 반구에 언어 중추가 있다. 언어 중추는 다시 둘로 나뉘는데, 보거나 들어서 인식한 문자나 음성을 언어로서 인식하게 하는 감각 언어 중추(Sensory speech center; Wernicke area, posterior temporal lobe)와 말을 할 수 있게 하는 운동 언어 중추(Motor speech center; Broca area, frontal lobe)이며, 감각중추의 정보를 운동중추로 연결하는 fiber를 arcuate fasciculus라고 한다.

언어를 검사할 때는 주로 다음과 같은 세 가지를 간단히 살펴본다.

① Comprehension : 환자가 언어를 이해할 수 있는지, 아니면 전혀 못하는지를 관찰한다.

② Spontaneous speech : 환자가 말을 할 수 있는지, 아니면 전혀 못하는지를 관찰한다.

③ Repetition : 환자에게 간단한 문장을 불러주고 따라 하라고 시켜본다.

　환자의 언어기능에 이상이 있다면 이상의 세가지 검사를 통하여 어떠한 유형의 실어증인지를 판별할 수 있게 되고 이는 국소진단에 유용하게 사용된다.

＊ 이 외에 이름대기(Naming), 읽기, 쓰기(Reading & Writing) 등을 검사하기도 한다.

＊ 실어증(Aphasia)은 대뇌 기능 이상으로 언어장애가 생기는 것이고, 구음 장애(Dysarthria)는 입 주위의 움직임에 장애가 있어 발음을 제대로 하지 못하는 것을 뜻한다. 또한 Dysphoria는 성대(Vocal cord)의 이상으로 발음이 되지 않는 것을 말한다.

11) 지적 능력(Intellect)

적절한 일반 상식을 물어본다. 예를 들어, 지금 대통령 이름은 무엇인지 등

2. 뇌 신경 검사(Cranial Nerve Exam)

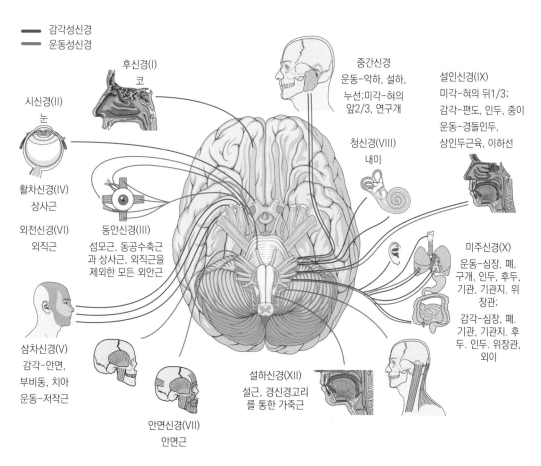

그림 46-2. **뇌 신경(운동 및 감각분포)**

1) 후각신경(CN I. Olfactory Nerve)

강한 향을 가진 물건(담배, 커피, 비누 등)을 반대편을 막고서 왼쪽, 오른쪽 코에 각각 갖다 대어 눈을 감고 맞추어 보게 한다. 양쪽이 모두 냄새를 맡지 못하는 경우는 일반적인 감기 등 이비인후과적 질환이 가장 흔한 원인이나, 한쪽만 이상이 있는 경우는 후각신경 경로의 이상을 의심하여 보아야 한다.

2) 시신경(CN II. Optic Nerve)

우선 시력(Visual acuity)을 측정하고, 대면검사(confrontation test)로 간단히 시야(Visual field)에 이상이 없는지 살펴본다. 한쪽 눈에 강한 불빛을 비추어 동측과 반대 측의 동공이 축소되는지 확인하여 직, 간접 대광반사(Direct & consensual light reflex)를 본다. 안저경(fundoscopy)을 통하여 망막, Optic disc 등을 관찰한다. 뇌압이 상승되어 있는 경우는 부종으로 인해 Optic disc의 경계가 불분명해지는 유두부종(papilledema)을 관찰할 수 있다. 또한 우리 몸에서 혈관을 직접 관찰할 수 있는 부위도 안저 밖에 없으므로 혈관도 살펴보도록 한다.

3, 4, 5) 동안신경(CN III. Oculomotor Nerve), 활차신경(CN IV. Trochlear Nerve), 외전신경(CN VI. Abducens Nerve)

위의 세 뇌신경은 함께 안구운동(EOM: extraocular movement)을 담당하므로 통상 같이 검사한다. 동안신경은 medial rectus, superior rectus, inferior rectus, inferior oblique 등의 extraocular muscle을 담당하며, 그 외에도 levator palpabrae, constrictor puillae muscle(parasympathetic)에 분포하므로 3rd nerve palsy때 눈은 바깥쪽으로 치우치게 되고(Abduction) 동공은 확대되며(Mydriasis), 안검하수(Ptosis)가 생긴다.

활차신경은 superior oblique, 외안신경은 lateral rectus를 각각 담당한다. 이 밖에 안구가 저절로 반복하여 튀듯이 움직이는 안구진탕(Nystagmus)이 있는지도 관찰한다.

6) 삼차신경(CN V. Trigeminal Nerve)

Ophthalmic, maxillary, mandibular, 세 개의 분지가 합류하여 trigeminal ganglion을 형성하므로 삼차신경이라고 부른다. 주로 안면의 감각을 담당하며, 그 외에도 씹는데 필요한 근육(masticatory muscle : masseter, pterygoid) 등을 담당한다. 각 분지의 감각을 양쪽을 서로 비교하며 검사한다.

7) 안면신경(CN VII. Facial Nerve)

주로 안면의 여러 근육들을 담당하며, 그 외에도 침, 눈물 등의 분비(Parasympathetic) 및 혀 앞 2/3의 맛을 느끼는 데에도(Solitary nucleus) 관여한다. 여러 가지 얼굴 표정(이빨을 보이거나 입에 바람을 집어넣거나 이마에 주름살을 만들어 보거나 눈을 아주 세게 감아 보거나 등)을 지어 보이게 하여 검사한다. 이때 얼굴 상부와 하부가 모두 이상이 있으면 말초성 안면마비(Peripheral facial palsy), 얼굴 하부에만 이상이 있는 경우에는 중추성(Central) 안면신경 마비이다.

8) 청신경(CN IIX. Acoustic or Vestibulo-Cochlear Nerve)

청각 및 중심 잡는데 필요한 전정기능(Vestibular function)을 담당하는 뇌신경이다. 청력은 일반적으로 25 6Hz.의 소리굽쇠(Tuning fork)를 사용하여 검사한다. 머리 한가운데에 소리굽쇠를 놓고 울리는 소리 즉 골 전도(Bone conduction)가 어느 한쪽으로 치우치는지 보는 것을 Weber test라 하고 mastoid area에서의 골 전도와 공기전도(Air conduction)를 비교하는 것을 Rinne test라 한다. 손가락 비비는 소리를 양측에서 비교하여 간편하게 검사하기도 한다.

9) 설인신경(CN IX. Glossopharyngeal Nerve)
10) 미주신경(CN X. Vagus Nerve)

위 두 뇌신경은 구강 내의 맛 및 감각을 담당하는 solitary tract & nucleus를 main afferent로, 삼키거나 소리 내는(Branchial efferent) 기능을 담당하는 nucleus ambiguus 및 여러 장기에 분포하는 parasympathetic fiber를 main efferent로 함께 공유하므로 같이 검사한다. 환자가 삼키는데 이상이 없는지 보고 "아~" 하고 소리를 낼 때 목젖(uvula)의 치우침(Deviation to healthy side)이 없는지, 연구개(Soft palate)가 대칭적으로 올라가는지 등을 살핀다. Gag reflex는 설압자(tongue pressor)로 인두 후벽(Posterior pharyngeal wall)을 자극할 때 토할 것 같은 반응을 보이는 것으로 IX이 main afferent, X이 main efferent 이다.

11) 부신경(CN XI. Accessory Nerve)

이 뇌신경은 spinal nerve C1, 2, 3와 함께 형성되어 SCM (sternocleidomastoid muscle), trapezius muscle에 분포한다. SCM은 손으로 얼굴을 밀면서 고개를 그에 저항하여 돌려보도록 하여 검사한다. 이때 우측으로 고개를 돌리게 하는 것은 좌측 SCM을 검사하는 것이다(SCM은 특이하게 ipsilateral hemisphere와 연결되어 있다). Trapezius는 양쪽 어깨를 손으로 누르면서 어깨를 위로 움츠리게 하여 그 힘을 비교하여 검사한다.

12) 설하신경(CN XII. Hypoglossal Nerve)

혀의 움직임을 담당하는 신경. 혀를 쑥 내밀어 보게 한다. 마비된 쪽으로 혀가 치우치게 된다.

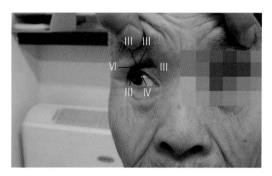

CN III 동안신경, IV 활차신경, VI 외전신경 : 안구운동 검사. 각 신경별 운동방향을 표시함

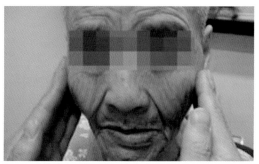

CN V. 삼차신경 : 양쪽 얼굴 감각 비교

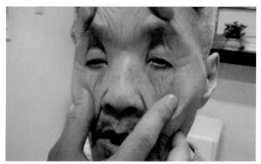

CN VII. 안면신경 : 눈을 세게 감는 능력 평가

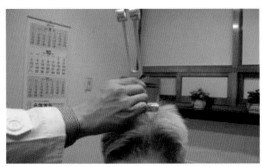 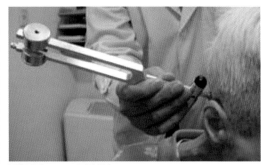

CN IIX. 청신경 : Weber 검사(左)와 Rinne 검사(右)

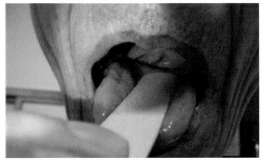 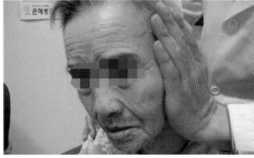

CN IX. 설인신경, X. 미주신경 : 목젖의 치우침 CN XI. 부신경 : 저항을 주면서 우측 SCM 검사

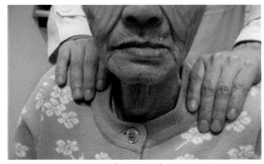 

CN XI. 부신경. 양쪽 어깨(Trapezius) 움츠리는 힘 비교 CN XII. 설하신경 : 마비된 쪽으로 혀가 치우침

그림 46-3. **뇌 신경 검사**

3. 운동계 검사(Motor Exam)

1) 이상운동(Dyskinesia)

① Tremor(진전) : 손이나 발, 머리 등이 빠른 주기로 반복해서 덜덜 떨리는 것
② Chorea(무도증) : 환자는 가만히 있으려 하는데 불수의적으로(Involuntary) 팔, 다리가 움직여서 마치 춤을 추는 것 같은 동작을 하는 것
③ Athetosis : 무도증과 비슷하나 동작이 마치 뱀이 움직이는 것처럼 느리고 연속적으로 움직이는 것. Chorea와 실제 구분이 어려워 choreo-athetosis 등으로 표현하기도 한다.
④ Ballism : 아주 격렬하게 움직이는 불수의 운동
⑤ Myoclonus : 하나 또는 일단의 근육이 반복, 간헐적으로 갑자기 수축하는 것
* Fasciculation : 하나의 muscle fiber 또는 group이 부르르 떨리듯이 움직이는 것

2) 근육 크기(Muscle bulk)

비대(Hypertrophy)나 위축(Atrophy) 등이 있는지 본다.

3) 근 긴장도(Muscle tone)

매우 중요한 검사이다. 환자에게 힘을 빼라고 한 다음 팔, 다리를 이리저리 움직여 긴장도를 느껴 보도록 한다.
① Flaccid : 힘이 완전히 빠져서 마치 인형 팔처럼 아무런 긴장도가 느껴지지 않을 때
② Spastic : 긴장도가 높아져 있으나 일정하게 유지되지 않고 불안정한 상태. 팔을 구부려 보면 마치 재크 나이프 접히는 듯한 느낌을 준다.
③ Rigid : 높은 긴장도가 일정하게 유지 되는 상태. 팔, 다리를 움직일 때 마치 납 파이프를 구부리는 듯한 느낌이 든다.
④ Paratonia(Gegenhalten) : 노인환자에서 흔히 볼 수 있는 것으로 검사자가 팔, 다리를 움직일 때 힘을 빼지 못하고 자신이 움직이거나 힘을 주는 상태
⑤ Dystonia : 환자가 저절로 얼굴, 팔, 다리나 몸통에 힘이 주어져 뒤틀리거나 꼬인 자세로 스스로 힘을 뺄 수가 없다.

※ Myotonia : 근육을 살짝 두드리면 갑자기 수축하는 상태

4) 근육 힘(Muscle power)

일반적으로 각각의 관절에서 각각의 운동력을 순서대로 진행하여 근육 힘을 평가한다(예를 들면 손가락 쥐는 힘 → 손목에서 extension, flexion → 팔꿈치에서 extension, flexion 등). 상지의 힘이 아주 경미하게 약해져 있다고 의심되면 팔을 앞으로 쭉 펴서 손바닥을 위로 향하게 하고 눈을 감도록 시켜본다. 점차로 힘이 마비된 쪽의 팔이 쳐지거나 아니면 pronation 되는 것을 관찰 할 수 있다 (Pronator drift). 근육 힘의 정도는 통상 MRC Grading에 따라 표기하는데 다음과 같이 6단계로 구분한다.

표 46-2. **근육의 힘을 평가하는데 이용하는 MRC Grading**

Grade 0	전혀 근육 수축이 없는 상태(No contraction)
Grade I	근육 수축은 있으나 운동은 없는 상태(No movement)
Grade II	중력을 이기지 못하고 수평으로만 움직일 수 있는 상태(Without gravity)
Grade III	중력을 이겨내고 들 수 있는 상태(Against gravity)
Grade VI	어느 정도 저항을 이겨 내고 움직일 수 있는 상태(Some resistance)
Grade V	정상(Normal)

* Grade 0, I은 -plegia, II 이상은 -paresis 등으로 표시한다.

운동 마비의 분포에 따라서는 다음과 같은 용어를 사용한다.

Monoplegia : 한 팔이나 한 다리의 운동 마비

Hemiplegia : 한쪽 팔, 다리의 운동 마비

Paraplegia : 양쪽 다리의 운동 마비

Quadriplegia : 네 팔, 다리의 운동 마비

*Diplegia : quadriplegia와 유사하나 상지의 운동마비는 심하지 않은 상태

4. 감각계 검사(Sensory Exam)

환자의 판단에 의존해야 하는 경우가 많기 때문에 가장 어렵고 힘든 검사이다. 감각 기능에 이상이 있다고 판단되면 그 분포가 어떠한가가 가장 중요하며, 다음으로는 감각 중 어느 부분 (Modality)이 침범되었는지를 알아야 한다.

1) 분포(Distribution)

감각 이상의 분포는 그 원인이 되는 병태생리에 따라 달라지게 되는데 대략 다음과 같다.

① 하나의 말초신경(Peripheral nerve) 분포 부위의 감각 이상은 mononeuropathy, 하나의 신경근(Nerve root) 분포 부위(Dermatome)의 감각 이상은 radiculopathy 를 시사한다. 양자는 비슷하지만 자세히 보면 분포에 있어 약간의 차이가 있다.

② Stocking-glove pattern : 장갑과 양말 부위를 따라 발생한 감각이상은 다발성 말초신경질환(Polyneu-ropathy)을 시사하는 소견이다.

③ Hemisensory change : 한쪽 팔, 다리의 감각이상으로 뇌간이나 대뇌, 특히 시상(Thalamus)의 병변을 시사한다.

④ Sensory level : 척수 병변(Myelopathy)을 시사하는 소견으로 해당 척수 level 이하부터 감각이 변하기 시작한다. 예를 들어 젖꼭지부터 그 아래로 감각이 변하면 T4 level, 배꼽 아래부터 감각이 변하면 T10 level의 병변이다.

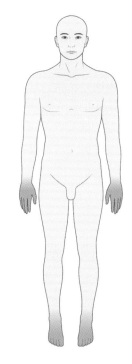

그림 46-4. Stocking-glove pattern (Polyneuropathy)의 감각이상

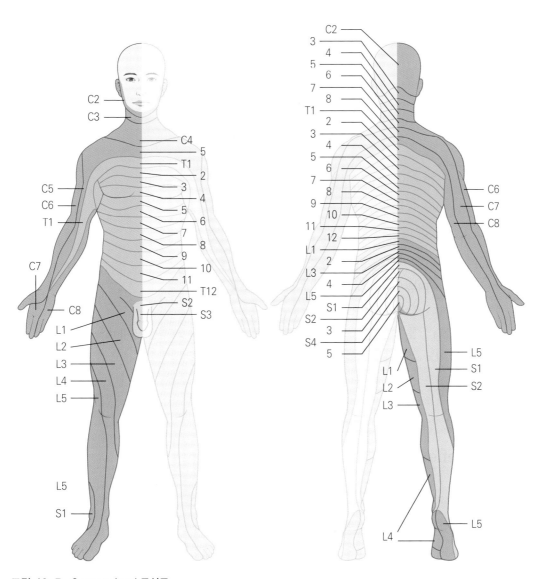

그림 46-5. **Sensory level 모식도**

2) 양상(Modality)

Pain & temperature는 해당 척수 level에서 이미 교차한(cross) spinothalamic tract를 통해서 전달되고, position & vibration sense는 posterior column을 따라 올라가다 medulla level에서 교차하므로 양자 간에 차이가 있는지 반드시 확인하여야 한다. Pain sense는 바늘이나 핀으로, vibration sense는 소리굽쇠(128 Hz)로 주로 검사하며, position sense는 환자로 하여금 눈을 감게 하고 손가락이나 손목, 발목 등을 움직여서 그 위치를 맞추어 보게 하여(예를 들면, 굽혔는지 폈는지) 검사한다.

3) 감각 소멸(Sensory Extinction)

고피질 기능(higher cortical function), 특히 parietal lobe의 기능으로 2-point discrimination, stereognosis(예를 들면 손바닥에 쓴 글씨를 알아냄) 등의 기능이 쇠퇴함을 의미한다.

* Paresthesia : 이상 감각(저리거나, 화끈거리거나, 등등)
* Dysesthesia : 이상 감각 중 통증과 같이 기분 나쁜 감각
* Anesthesia, hypesthesia : 모든 감각이 없거나 저하된 상태
* Analgesia, hypalgesia : 통증이 없거나 저하된 상태
* Hyperalgesia : 통증이 증가된 상태
* Hyperpathia : 통증이 실제로 증가되지는 않았으나 통증을 느끼는 역치(threshold)가 낮아져 약한 자극에도 통증을 느끼는 상태

5. 반사(Reflex)

반사란 특정 자극에 특정 반응을 보이는 것을 말한다. 반사에는 건반사 말고도 여러 가지 종류가 있는데 나열해 보면 다음과 같다.

1) 전두엽 해리 증후(Frontal lobe releasing sign)

평소에 전두엽에 의해 기능이 억제되고 있다가(inhibition) 전두엽 기능의 장애로 인해 그러한 억제가 풀리면서(release) 나타나는 증후이다.

① Grasp reflex : 손바닥에 손을 대면 저절로 잡으려 하는 현상
② Rooting reflex : 입 주위에 손을 대면 아기가 엄마 젖을 찾듯 고개를 돌려 빨려고 하는 현상
③ Snout reflex : 인중(윗입술과 코 사이)을 살짝 두드리면 입술을 쑥 내미는 현상
④ Glabellar reflex : 눈을 뜨고 있으라고 한 다음 glabella를 reflex hammer로 두드릴 때 눈을

뜨지 못하고 있는 현상

⑤ Palmo-mental reflex : 손바닥을 뭉툭한 둔기로 긁으면 턱 끝의 근육이 움찔하고 움직이는 것

2) 심부 건반사(DTR : deep tendon reflex)

근육의 tendon을 갑자기 stretch시키면 spinal reflex arc에 의해 해당 근육이 contraction하는 것. neuron 이하의 장애 시에는 감소된다.

DTR을 검사할 때 가장 중요한 것은 환자의 muscle tone을 충분히 relax 시키는 것이다. 그렇지 않으면 건반사가 잘 나오지 않는다. 여러 종류가 있으나 대표적인 것만을 열거하면 다음과 같다.

① Jaw jerk : Masseter muscle의 건반사로 건반사 중 가장 상위 level에 해당한다. 입을 반쯤 벌리고 힘을 빼게 한 다음 손가락을 턱에 대고 reflex hammer로 두드리면 턱이 저절로 닫히는 반사이다. Bilateral corticobulbar tract의 장애가 있을 때에는(pseudobulbar palsy) 증가된다.

② Biceps reflex(C5, 6) : 손가락으로 Biceps tendon을 대고 reflex hammer로 두드리면 biceps muscle이 contraction 하는 반사이다. 움직임이 없더라도 대고 있는 손가락으로 tendon이 contraction하는 것을 느낄 수 있어야 한다.

③ Brachioradialis reflex(C5, 6) : Hammer로 brachioradialis muscle을 두드리면 contraction되어 손목이 extension되는 것이다.

④ Triceps reflex(C7, 8) : Hammer로 팔꿈치의 triceps tendon을 살짝 두드리면 contraction되어 손목이 extension되는 반사로 환자의 팔을 손으로 받치고 손을 늘어뜨려 충분히 relax시킨 후 시행하여야 한다.

⑤ Knee jerk(L3, 4) : Patellar tendon을 두드리면 무릎이 extension되는 것이다.

* Jendrassik maneuver : 환자가 relax를 잘하지 못해서 reflex가 잘 나오지 않을 때 환자를 distraction시키기 위해서 양 손을 깍지 끼고 다른 곳을 보게 한 다음 하나, 둘, 셋 하고 두드리는 순간에 힘껏 잡아 당기게 하여 reflex를 reinforcement 시키는 방법이다.

⑥ Ankle jerk(L5, S1) : 환자의 발꿈치를 충분히 dorsiflexion시킨 후 Achilles tendon을 두드리면 ankle이 plantar flexion되는 반사

3) 표재성 반사(Superficial reflex)

DTR과 마찬가지로 spinal reflex arc에 의해 나타나는, 피부자극에 대한 반사이다.

① ASR(Abdominal superficial reflex) : 뾰족한 물건으로 배꼽 주위를 긁으면 주위 근육이 수축해서 배꼽은 긁은 쪽으로 끌려가게 된다. 주로 젊고 민감한 사람에게서만 볼 수 있다.

② Cremasteric reflex : Thigh의 inner side를 살살 긁으면 cremasteric muscle이 수축하면서 testis가 위로 끌려 올라가는 것을 볼 수 있다.

4) Pathologic reflex

원칙적으로 정상인에서는 나타나면 안 되는 반사이나, 갓난 아기나 노인 등에서 보일 수도 있다. 대개 pyramidal system(corticospinal tract)의 장애로 나타나므로 long tract sign이라고도 하며 upper level의 장애를 의미한다.

① Hoffmann/Tromner reflex : 손가락으로 환자의 검지나 중지 손끝을 튕기거나(Hoffmann), 두드릴 때(Tromner) 환자의 엄지가 flexion하는 반사이다.

② Extensor plantar reflex : 가장 대표적인 것이 Babinski sign으로 끝이 비교적 뾰족한 것으로 lateral side에서부터 엄지 발가락 쪽으로 발바닥을 그으면 발가락이 벌어지면서 엄지 발가락이 dorsiflexion하는 반사이다. 발 등의 lateral side를 긁으면 Chaddok, Achilles tendon을 꽉 잡으면 Gordon, Tibia의 anterior margin을 무릎에서 발목까지 꾹 누르면서 내리면 Oppenheim sign이라고 한다.

③ Ankle clonus : 과장된 ankle jerk라고 할 수 있다. 누운 상태에서 다리를 약간 구부리고 갑자기 발목을 dorsiflexion 시키면 앞뒤로 덜덜 떨리게 된다.

6. 소뇌 기능 검사(Cerebellar Function Test)

엄밀한 의미에서 본다면 운동계 검사의 일부이나 통상 따로 분류한다. 따라서 운동 마비가 심하게 있는 환자에서는 검사하기 어렵다. 일반적으로 cerebellar vermis(midline structure)의 병변은 중심을 잡지 못하는 truncal ataxia가 주 증상이고, cerebellar peduncle이나 hemisphere의 병변은 사지의 움직임이 부자연스러운 limbal dymetria가 주 증상이 된다. 또한 소뇌기능 이상은 병변과 동측(ipsilateral side)에서 나타난다.

1) Rapid alternating movement (RAM)

손을 빨리빨리 돌려보라던지 한 손을 다른 손 위로 반복해서 두드려 보라는 등, 기본적인 동작을 빨리 반복해서 시키는 것으로 이를 잘하지 못하는 것을 교호운동장애(dysdiadochokinesia)라고 한다.

2) Finger to nose test (FTN)

손가락을 자신의 코 끝에 대었다가 검사자의 손 끝에 대어 보게 하는 것을 반복하는 것으로 소뇌기능 이상이 있으면 목표물에 가까워질 때에 떨리는 현상을 볼 수 있다. 이를 intention tremor라고 한다.

3) Heel to shin test (HTS)

하지에서 소뇌기능을 보는 방법으로 누운 상태에서 한쪽 발을 높이 들었다가 발꿈치를 반대편 무릎에 대게 한 다음, 발목까지 tibia를 따라 죽 내려보게 한 다음 거꾸로 다시 무릎까지 올렸다가 들게 하는 동작을 반복해서 시키는 검사이다. 소뇌 기능 이상이 있으면 무릎을 제대로 대지 못하거나 tibia 위에서 움직일 때 발이 흔들리는 것을 관찰할 수 있다.

7. 자세와 걸음걸이(Gait & Posture)

두 발을 모으고 환자를 똑바로 세워 보면 truncal ataxia가 있는 환자는 비틀거리며 자세를 유지하기 힘들다. 증상이 심하지 않은 경우는 발의 앞꿈치와 뒤꿈치를 번갈아 가면서 붙여서 걸어보라고 하면(tandem gait) ataxia가 잘 나타나게 된다. 눈을 뜨고 있을 때에는 잘 서 있다가 눈을 감으면 visual compensation이 없어지면서 비틀거리는 것을 Romberg sign(+) 라고 하는데 proprioception의 장애로 인해 생기는 sensory ataxia를 시사하는 소견이다. 환자가 걸어서 진찰실에 들어오는 순간에 진단이 내려지는 경우도 흔하다. Parkinson disease 환자는 종종걸음으로 앞으로 넘어질 듯이 걸으며, multi-infarct이나 frontal lobe lesion이 있는 경우는 일단 걷기 시작하면 어느 정도 걸을 수 있으나 첫 걸음을 떼기가 어려운 magnetic foot의 양상을 보인다.

8. 뇌막 자극 증후(MIS : Meningeal Irritation Sign)

뇌막염(Meningitis) 같은 뇌막 자체의 염증이나, 지주막하 출혈(subarachnoid hemorrhage)처럼 뇌척수액 안에 뇌막을 자극하는 성분이 있으면 뇌막이 자극되어 환자의 목이 통증으로 인한 reflex spasm으로 뻣뻣해지는데 이를 경부강직(neck stiffness or nuchal rigidity)라고 한다. 누운 상태에서 뒷목을 들어 올릴 때 both hips & knee joints가 flexion되는 것을 Brudzinski sign이라 하며, hip flexion 상태에서 무릎을 구부렸다 펼 때 움직임이 제한되면서 pain을 느끼는 것은 Kernig sign이라 고 한다. 경부 염좌(cervical sprain) 때 나타나는 rigid neck이나 고열이 있을 때 나타나는 meningismus와는 감별을 요한다.

* Lhermitte sign : 환자의 목을 갑자기 누르면 온몸에 전기가 오는 것 같은 느낌이 드는 것으로 MIS는 아니며 cervical myelopathy를 시사한다.
* Straight Leg Raising(SLR) test : 환자의 다리를 쭉 편 상태에서 들어 올리는 검사로 herniated lumbar disc가 있으면 통증을 느껴서 운동이 제한된다.

9. 신경혈관 검사(Neurovascular Exam)

뇌졸중처럼 뇌혈관 질환이 의심되는 경우는 먼저 안저(fundus)에서 혈관을 관찰하여 동맥경화 증이 있는지 살펴보고, 환자의 경동맥, 안와(orbit) 등에서 잡음(bruit)이 들리는 지 관찰하고 좌우 측 상지의 pulse가 다르게 느껴질 때는 혈압을 따로 재어 보아야 한다.

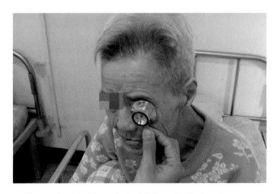

그림 46-6. 안와(orbit)의 잡음(bruit) 청진 모습

10. 혼수환자의 신경학적 검사(Neurologic Exam of Comatose Patients)

혼수환자는 검사가 더 복잡하고 어려울 것이라고 생각하기 쉬우나, 환자가 의식이 없어 검사가 불가능한 항목이 많으므로 실제로는 그 반대로 더 빨리 간단하게 마칠 수 있다.

1) 응급처치

응급상황인 경우 필요하면 물론 심폐소생술(cardio-pulmonary resuscitation)을 해야 하고 airway, breathing, circulation 등의 활력증후(vital signs)를 점검해야 한다.

2) 의식상태

환자를 검사하는데 있어서 가장 중요한 것은 의식의 정도(consciousness level)이다. 큰 소리로 불러보거나 환자의 nail bed를 hammer로 꽉 누르거나 해서 충분히 강한 자극을 주어야만 제대로 환자의 의식상태를 평가할 수 있다.

그림 46-7. **강한 통증 자극을 위해 딱딱한 물체로 nail bed를 꽉 누른다.**

3) 뇌간 반사(brainstem reflex)

일단 환자의 의식이 혼수로 확인되면, 다음으로는 뇌간 반사(brainstem reflex)의 여부가 중요하다. 뇌간 반사가 없다는 것은 환자가 이미 비가역적 뇌손상(irreversible brain damage)을 받았을 가능성이 많다는 것을 시사하며, 의식을 되찾을 가능성은 적어지고, 뇌사 상태로 빠질 위험이 높아진다. 뇌간 반사는 reflex arc가 주로 뇌간에서 이루어지는 반사를 말하므로 대개 뇌신경과 밀접한 관계가 있다. 대표적인 것들을 열거하여 보면 다음과 같다.

① 대광 반사(light reflex) : 보통 먼저 없어지기 시작하는 뇌간 반사이다. 자신의 눈에 비추어 보아 눈이 부셔 감아버릴 정도의 강한 빛으로 비추어야 light reflex가 sluggish하더라도 놓치지 않고 확인할 수 있다. 또한 동공(pupil)의 크기는 정상인지, 확대되거나 아니면 pin-point로 축소 되었는지, 양쪽 크기가 다른지(anisocoria) 등을 검사한다.

② 각막 반사(corneal reflex) : 솜이나 휴지 같은 부드러운 물건으로 환자의 cornea (sclera가 아님)를 살짝 건드리면 눈을 찡그리며 감는 것으로 afferent는 CN V, efferent는 CN VII이다.

③ Caloric Test (oculo-vestibular reflex) : 늦게까지 남는 뇌간 반사이다. 환자의 귀를 otoscope으로 들여다 보아 tympanic membrane이 intact한 지 확인한 다음, 30°정도 고개를 세우고 찬 물(4℃)로 ear canal을 번갈아 가면서 irrigation시켜 본다. 세반고리관(semi-circular canal)이 excitation되면 vestibular nucleus에서 MLF (medical longitudinal fasciculus)를 거쳐 동측의 CN III, 반대 측의 CN VI nucleus로 연결되므로 눈동자는 반대쪽으로 돌아가게 되고(tonic deviation), 이의 correction을 위해 nystagmus는 fast component가 그 반대쪽, 즉 동측으로 향하게 된다. 더운물은 irritation, 찬물은 inhibition 시키므로 nystagmus의 방향은 각각 동측, 반대 측이 된다(COWS : Cold-Opposite Warm-Same).

④ Doll's eye reflex (oculo-cephalic reflex) : Cervical injury가 의심되는 환자에서는 이 검사를 시행해서는 안 된다. 무의식 환자의 머리를 좌우 또는 상하로 세차게 돌려보면 눈동자는 인형의 눈처럼 그 반대로 움직여서 결국 앞만 보고 있는 것처럼 보이게 된다. 의식이 있는 사람은 사물을 본인이 직접 주시하므로 이 검사를 시행할 수 없다.

⑤ Cilio-spinal reflex : 목 주위를 꼬집거나 자극하면 sympathetic stimulation이 되어 동공이 산대(mydriasis)된다.

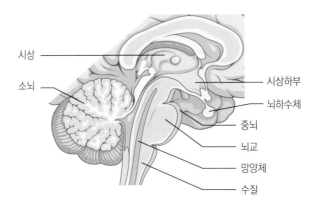

그림 46-8. 뇌간(brainstem)

4) 호흡 패턴(Respiratory Pattern)

환자가 자발적으로 호흡을 하고 있는지, 있다면 그 pattern은 어떠한지 관찰한다.

① Cheyne-Stokes Respiration : 거칠게 숨을 몰아 쉬었다가 다시 약하게 숨을 쉬는 pattern을 수분 간격으로 서서히 주기적으로 반복하는 것이다. 대뇌의 이상(cerebral dysfunction)을 시사한다.

② Central Neurogenic Hyperventilation : 기계처럼 거칠게 지속적으로 숨을 몰아 쉬는 것으로 midbrain이나 upper pons의 lesion을 시사한다.

③ Apnestic Breathing : 환자가 숨을 쉬다가 일정 기간(수십 초) 숨을 멈추었다가 다시 숨을 쉬는 pattern으로 pontine level의 dysfunction을 시사한다.

④ Ataxic Breathing : 환자가 불규칙적으로 숨을 쉬는 것으로 곧 호흡이 정지될 위험이 높다(impending respiratory arrest). Medulla level의 이상이다.

그림 46-9. Cheyne-Stokes Respiration: 대뇌 이상 (cerebral dysfunction)

그림 46-10. Central Neurogenic Hyperventilation: 중뇌(midbrain)나 상부 뇌교(upper pons)의 이상

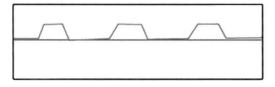

그림 46-11. Apnestic Breathing: 뇌교(Pons)의 이상

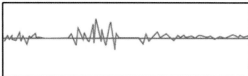

그림 46-12. Ataxic Breathing: 수질(Medulla)의 이상

5) 운동 반응과 자세(Motor Response & Posture)

환자의 팔 다리에 차례대로 통증 자극을 가한 다음 환자의 반응을 본다. 예를 들어 우측 팔을 자극 했을 때 좌측 손이 와서 치운다면, 우측 팔의 감각은 남아 있는 상태이나 움직일 수는 없는 상태이다. 이렇게 해서 환자가 hemiplegia 상태인지, hemisensory change 등이 있는지 본다(①

localization). 또한 자극을 받은 extremity의 반응 양상도 관찰한다. 통증 자극을 물리치거나 도망가거나(② withdrawal)하면 어느 정도 대뇌 기능이 남아있는 것이고 점차 상태가 나빠짐에 따라 통증자극에 ③ flexion하다가 더 나빠지면 ④ extension, ⑤ 나중에는 전혀 반응이 없게 된다. 환자의 자세 또한 진단에 중요한 단서가 되는데, 일반적으로 운동마비가 온 하지는 external posture 된 상태가 된다. 환자의 양팔이 flexion 되어있고 다리는 쭉 뻗은 상태를 decorticate posture라고 하고 양팔, 다리를 모두 쭉 뻗은 상태로 있는 것을 decerebrate posture라고 하는데 각각, thalamus level, midbrain-pons level의 이상을 시사한다. Medulla level의 이상 시에는 사지의 긴장도가 떨어져 flaccid해진다.

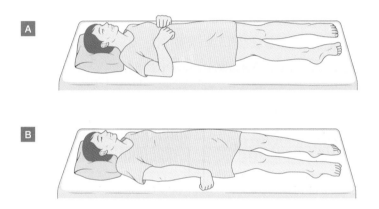

그림 46-13. (A) Decorticate posture(시상의 이상) : 양팔이 flexion, 다리는 쭉 뻗음, (B) Decerebrate posture(중뇌-교뇌의 이상) : 양팔, 다리 모두 쭉 뻗음.

6) 이 외에도 DTR이나 pathologic reflex, meningeal irritation sign 등의 의식 없는 환자에게서 시행할 수 있는 검사들을 시행한다. 또한 Fundoscopic exam은 매우 중요해서 papilledema가 있는지, retinal hemorrhage 등이 있는지 잘 살펴보아야 한다.

* IICP(Increased Intracranial Pressure) sign : headache, vomiting, papilledema
* Cushing's triad : IICP 때 blood pressure가 올라가고(맥압증가), 호흡이 불규칙해지며, pulse rate가 떨어지는 것

7) Rostro-Caudal Deterioration

이상의 정보를 종합하면 혼수 환자의 신경학적 검사를 통해 환자의 병변이 어느 level인지 알 수 있다. 대뇌에 커다란 병변이 생겨서 뇌압이 상승하면 결국 대뇌는 두개강 내에서 밑으로 빠져 나오게 되는데(뇌 탈출, herniation) 이때 brainstem을 누르게 되며 시간이 지남에 따라 중뇌(midbrain), 뇌교(pons), 수질(medulla) 순으로 증상이 나타나게 된다.

8) 뇌사의 진단(Diagnosis of Brain Death)

a. 뇌사 : 뇌의 비가역적인 손상(Irreversible damage)을 뜻하는 것으로 뇌의 기능 및 뇌간의 기능이 모두 없어야 한다(단, 척수반사는 나올 수 있다.).⇒ 뇌사 상태에서는 자발 호흡 및 자발 운동이 없어야 하고 뇌간 반사가 나오지 않는다.

b. 식물인간 상태(Persistent vegetative state): 대뇌 기능은 없으나 뇌간 기능은 남아 있어서 의식 없이 숨만 쉬는 상태

47 노인환자의 임상 검사 결과 해석하기

- 노인환자의 검사 결과는 젊은이와 정상 범위가 다른가요?

- 어떤 것은 감소하고 어떤 것은 증가하기도 합니다.

    노인환자는 두 가지 이상의 질병을 가지고 있는 수가 많으므로 주요 호소 증상과 관계 없는 질병이 공존할 가능성을 항상 염두에 두고, 보다 광범위한 검사를 실시하여야 한다. 노인환자의 검사는 혈압 측정에서 특수 촬영에 이르기까지 협조를 구하기가 곤란한 상황들이 많아 실시하기가 어렵다. 보다 인내를 가지고 충분한 설명을 함으로써 협조를 구하는 노력을 반복해야 한다.

    노인환자의 검사 결과는 연령, 개개인의 생활력, 과거 병력, 경제 형편 등에 의한 개인 차이가 크다. 일상생활 활동에 따라서도 검사치가 다르다. 즉 활발한 사회활동을 계속하는 노인, 요양시설 거주노인, '몸져누움(bed-ridden)' 노인들 사이에 정상치가 다르다. 노인환자의 검사치는 아래의 표와 같이 5가지 유형으로 나뉜다.

표 47-1. **노인환자 검사치의 5가지 유형**

변하지 않는 것	확장기 혈압, 백혈구 수, Thrombin Time 등
감소하는 것	심장 박동 수, 혈청 총단백 등
증가하는 것	혈당, 수축기 혈압, BUN 등
증가하다가 70세 이후 변화지 않는 것	베타지질단백, 총콜레스테롤 등
증가하다가 감소하는 것	혈중 요산, 알칼린 포스파타제 등

* Adapted from 최현림

이처럼 노인환자의 검사는 검사의 선정, 실시, 판정에 걸쳐 '더 자세하고 광범위하게', '사회경제적 조건도 고려하여', '청장년과 다른 기준으로' 이루어지는 특성을 가지고 있다. 많은 임상 검사에서 연령을 보정한 정상 값과 범위가 만들어지고 있다.

노화에 따른 생리적 변화

① 체성분 조성의 변화(근육량 및 총수분량 감소, 지방의 증가)
→ 노화에 따른 신기능 저하에도 혈중 creatinine은 증가하지 않음. 약물 분포에도 영향
② 노화에 따른 호르몬의 변화(폐경으로 인한 성호르몬의 변화)
– 골 흡수 증가 → 혈중 alkaline phosphatase 증가
– 에스트로겐 감소 → 혈중 콜레스테롤 증가
③ 자극에 대한 반응의 지연 및 감소(dynamic test > static test)
– 공복 혈당보다 식후 혈당의 증가가 현저함
– 안정 시 맥박보다 최대맥박수가 노화에 따라 감소함

1. 혈액검사(골수의 조혈 면적 감소와 기능이 감소)

– 헤모글로빈(혈색소)↓ : 60세 이후 10년간 1 g/dL 비율로 감소(남성 > 여성 ∵ 폐경)
– MCV↑ : MCV > 100 fL인 경우는 만성 간질환이나 비타민 B12, folate 결핍을 고려
– 혈중 철분과 TIBC는 건강한 노인에서도 다소 감소할 수 있다.

2. 적혈구 침강속도(ESR) ↑

– 연령이 증가할수록 약간 증가(∵ fibrinogen의 증가)

- 남성 ESR 상한치 = 연령/2
- 여성 ESR 상한치 = (연령+10)/2
- 감염, 악성종양, 관절염 등에서도 증가할 수 있으며 특히 노인에 특이적인 류마티스성 다발성 근육통(Polymyalgia rheumatica), 다발성 골수종 등의 가능성을 고려해야 한다.

3. 신장 기능 검사(GFR=Ccr)↓

- GFR : 젊은 성인 120 mL/min, 노인 80 mL/min 이상

- Cockroft-Gault: 공식 GFR $= \dfrac{(140 - 연령) \times 체중(kg) (\times 0.85 : 여성)}{72 \times 혈중\ Creatinine(mg/dL)}$

- 한국인을 대상으로 조사된 신기능 공식은 아래와 같다.

$$Ccr(남) = \frac{(260-연령) \times 체중(kg)}{160 \times 혈청\ Cr}$$

$$Ccr(여) = \frac{(230-연령) \times 체중(kg)}{180 \times 혈청\ Cr}$$

- 근육질이 없거나 비만한 노인의 경우 혈중 creatinine이 상대적으로 낮아 실제 Ccr보다 높은 수치로 계산되어질 수 있다.
- 약 1/3정도의 노인에서 GFR이 젊은 성인 수준으로 유지되기도 한다(약 용량 과소 투여).
- 마른 노인의 신장 평가에는 BUN도 고려해야 한다.

4. 간기능 검사 →

노인에서 간기능 검사의 정상 기준은 차이가 없다.
- 약물대사과정의 변화 : phase I은 노화에 의해 감소, phase II는 변화가 없으므로 first pass 과정을 거치는 약물(예 : inderal)을 제외하고는 용량 변화를 줄 필요는 없다.
- 혈중 빌리루빈 다소 감소

- 비포합성 빌리루빈의 경미한 증가
- 혈중 alkaline phosphatase의 증가 : 정상 범위의 20% 이하의 증가 시는 원인을 찾기 위한 다른 검사를 할 필요는 없다(폐경 직후 여성은 젊은 여성보다 20~25% 높다).

5. 알부민 ↘

일반 성인에 비해 약간 감소하나 정상 범위
- 정상 범위를 벗어날 정도로 낮아도 원인이 특정 질병보다는 전반적 영양 저하 상태를 나타내는 것을 우선 고려해야 한다.
- 노인에서 혈중 알부민 저하는 간질환 등 한 가지 특정 질병의 진단적 의미보다 현재 복합적 질환 상태의 심각도를 반영하며 그 예후가 좋지 않다.
- 저알부민혈증이 있는 노인의 경우 알부민 결합 약물의 독성에 유의

6. 혈당 ↑

증가 : 공복혈당 < 식후혈당
- 연령이 10년 증가시마다 공복혈당 약 1~2 mg/dL, 식후 2시간 혈당 4~5 mg/dL 증가
- 인슐린 분비의 변화보다는 말초 인슐린 저항성이 증가하기 때문
- 초기 당뇨병의 경우 당에 의한 신장의 역치가 높아져 요당검사가 정상인 경우도 있으므로 주의

7. 혈중 콜레스테롤 ∧

- 남성은 60세까지 증가하다가 감소, 여성은 70세까지 증가하다가 감소
- 폐경 이후 여성호르몬의 감소로 인한 혈중 콜레스테롤의 증가
- 40대 초반까지는 남자가 더 높으나 40대 후반부터는 여자가 더 높다 : 이는 폐경 후의 에스트로겐 부족 때문으로 생각

8. 호르몬 ↘

내분비기능은 연령이 증가함에 따라 일반적으로 감소
- 갑상선 호르몬 : 분비 감소 – 따라서 T3 감소, 그러나 말초조직에서 T4에서 T3 로 전환되는 과정도 억제되어 혈중 T4는 정상일 수 있음.
- 노인에서 갑상선기능항진증은 갑상선기능저하증처럼 흔하지 않다.
- 섬망이나 신체적 기능저하의 원인으로 갑상선 질환인 경우를 고려해야 한다.
- 입원하는 노인환자나 특히 우울 증세를 보이거나 식욕저하를 보이는 노인의 경우 TSH와 T4 검사가 일반적으로 권유된다.

9. 자가 항체 ↑

자가 항체 위양성의 증가
- rheumatoid factor, ANA, 갑상선 항체 등 자가 항체와 VDRL 양성 증가
- VDRL : 70세 이상 10%, rheumatoid factor : 65세 이상 10~20%, 80세 이상 25% 이상 양성
- 항체 생산을 조절하는 억제 T세포(suppressor T cell)의 활성화가 감소하고, 숨어있는 항원에 노출되기 때문
- 노인에서 앓고 있는 만성 질환이 증가해 위양성이 증가한다는 주장도 있다.

48 노인환자 외래진료

- 외래진료 시에 노인환자들로부터 신뢰를 받을 수 있는 진료 요령이 따로 있나요?

- 의사 뿐만 아니라 외래 직원들의 자세도 중요합니다.

1. 노인 진료 의사들에게 권하는 12가지 권고사항

마치 우리가 방 안으로 들어가서 라디오를 듣고 싶을 때 우선 전원에 플러그를 연결해야 하듯이, 진찰실에서 노인환자를 처음 대하는 경우에 가장 먼저 해야 하는 일은 육체적, 감정적으로 환자와 "플러그를 연결하는" 일이다. 일단 이러한 연결 관계가 이루어지고 난 후에 필수적인 정보와 지시 사항에 관한 상호간의 의사소통이 이루어지는 것이다. 이러한 의사소통을 원활히 하기 위한 요령들을 아래에 제시한다.

1) 충분한 시간을 할애한다.

노인환자들이 젊은 환자들에 비해 의사들로부터 정보를 덜 얻는다고 한다. 노인들이 의사소통 능력이 떨어지고 집중력이 떨어지기 때문에 보다 많은 시간의 할애가 필요하다.

2) 주변을 혼란스럽지 않게 하고 환자에게 집중한다.

환자들은 의사들이 본인을 위해 집중해주고 있고 본인이 중요시되고 있다는 느낌을 받기를 원한다. 연구에 의하면 의사가 "처음 60초 동안만" 환자에게 끊임없는 집중을 해주면 환자는 "충분히 의미 있는 시간을 상담했다"는 느낌을 받는다고 한다.

또한 다른 사람들이나 시끄러운 소리 등이 환자와의 소통을 방해하지 않도록 해야 한다.

3) 얼굴을 맞대고 앉아서 이야기한다.

노인환자에게는 시력과 청력의 장애가 많고, 의사의 입술을 보고 말을 이해하는 경우도 있다. 바로 환자 앞에 다가가 앉으면 집중력이 증강되며, 그러한 행동만으로도 의사의 말이나 환자의 말이 그만큼 중요하다는 메시지를 전달해주는 효과가 발생한다.

의사가 병에 대한 정보를 제공할 때에 얼굴과 얼굴을 맞대고 이야기한 경우에 순응도가 높았다는 연구 결과도 있다.

4) 눈마주침(eye contact)을 유지한다.

눈마주침은 가장 직접적이고 위력적인 형태의 비언어적 소통 방식이다. 의사의 그러한 행동이 환자에게 관심 있다는 표시가 되며, 환자는 그러한 의사를 더욱 신뢰하게 된다. 눈을 마주침으로써 보다 긍정적이고 편안한 분위기가 만들어지며 환자의 마음을 열게 하여 보다 많은 정보를 얻을 수 있다.

5) 환자의 말을 듣는다.

환자들이 의사들에 대해 터뜨리는 가장 많은 불만은 "의사가 내 말을 듣지 않는다"는 것이다. 좋은 대화가 되려면 좋은 청취가 수반되어야 한다. 순응도 저하로 인한 많은 문제들이 단순히 환자의 말을 집중하여 듣는 것만으로도 해결되기도 한다. 조사에 의하면 의사들은 평균적으로 환자의 말을 18초 듣고 나서 환자의 말을 끊어 버린다고 한다. 즉 환자가 말하려는 중요한 정보를 놓치게 된다는 말이다.

6) 천천히, 명확하게, 그리고 큰 목소리로 이야기한다.

노인들의 이해 속도는 젊은이에 비해 느리다. 그러므로 의사가 하는 말의 속도에 따라 노인환자들이 받아들이고 기억하는 내용의 양이 다르게 된다.

목소리는 명확하고 크게 하되 소리치지(shouting)는 말 것

7) 짧고 간단한 단어나 문장을 사용한다.

단순하거나 쉽게 이해할 수 있는 말을 사용해야 보다 많은 정보를 전달할 수 있다. 아무리 기본적인 단어라도 의학 용어나 기타 전문적인 용어는 자제할 것

8) 한 번에 하나의 주제를 다룬다.

지나치게 많은 정보는 환자들을 혼란스럽게 할 수 있다. 길고 세세한 설명보다는 단계적으로 차근 차근 설명해 준다.

㉕ 첫 번째 – 심장에 대해, 두 번째 – 혈압에 대해, 세 번째 – 혈압의 조절에 대해 이야기하기

9) 지시를 요약하여 환자에게 적어준다.

환자에게 지시를 할 때에 너무 복잡하거나 혼란스럽지 않게 한다. 말로 하는 것보다 종이에 써주는 것이 보다 쉽고 영구적이며 나중에 리뷰하기도 좋다.

10) 챠트나 모형, 그림 등을 이용하여 설명해 준다.

시각적 보조장치는 환자들의 이해를 돕는다. 특히 그림은 환자에게 복사해 줄 수도 있어 나중에도 활용할 수 있다.

11) 중요한 사항들은 그때 그때 정리해 준다.

중요한 사항을 환자에게 전달한 후에 환자로 하여금 의사의 지시를 따라 해 보도록 한다. 만일 환자가 잘 이해하지 못했다고 판단된다면, 지시 사항을 그대로 반복시킴으로써 효과를 얻는다.

12) 환자들로 하여금 질문을 하거나 자신을 표현할 수 있는 기회를 준다.

환자의 이야기를 들음으로써 환자들이 의사의 말을 잘 이해했는지 여부도 파악할 수 있다. 만약 의심스럽다면 직원을 통해 24시간 후에 환자가 의사의 지시사항을 잘 이해했는지 확인하도록 한다.

2. 외래에 근무하는 간호사/간호조무사들에게 요구되는 8가지 권고사항

내가 라디오를 듣고 싶어 방에 들어갔는데 이미 전원에 플러그가 꼽혀 있고 음악까지 흐르고 있다면 이 얼마나 멋진 일인가? 이러한 도움을 주는 것이 바로 병원에서 의사를 도와주는 직원들의 역할이라고 할 수 있다. 그들은 노인환자들에게 안정감을 주고 진찰을 효과적으로 받을 수 있도록 도와주는 역할을 한다. 그 방법들은 아래와 같다.

1) 진료예약은 이른 시각으로 잡아준다.

노인환자들은 하루 중 오후부터 지치는 경향이 있다. 또한 진료실은 오후에 접어들면서 바빠지게 마련이다. 그러므로 노인환자들의 진료를 오전 이른 시각에 보도록 함으로써 노인들을 보다 조용한 환경에서 여유 있게 의사를 만나볼 수 있게 한다.

2) 환자가 진료실에 들어설 때 인사를 한다.

노인환자들로 하여금 편안함과 자존감을 느낄 수 있게 해주는 중요한 과정이다. 직원은 따뜻하게 인사해야 하고 본인의 직위와 이름을 밝혀야 한다.

3) 조용하고 안락한 곳에 환자를 앉힌다.

대기실이 시끄럽고 혼란스러울 수 있으므로 노인환자들을 가능한 한 조용하고 편안한 곳으로 안내한다.

추가 사항) 대기실 의자는 움직이지 않는 고정식이어야 하고 적당한 높이이며, 노인들이 도움 없이 쉽게 이동할 수 있도록 손잡이가 달린 의자여야 한다.

4) 글씨를 읽기 쉬운 환경을 만들어 준다.

밝은 조명을 유지하고 진료실 전체에 골고루 빛이 가도록 한다. 반짝이는 빛은 없애야 하고 노인환자들을 어두운 곳에 앉히지 말 것. 조명이 밝아야 환자가 인쇄물을 읽을 수 있고, 얼굴 표정이나 입술의 모양을 읽을 수 있다.

추가 사항) 직원 명함이나 예약증, 브로셔 및 교육 자료 등의 크기는 크게 하고 읽기 쉬운 글씨체를 사용한다.

5) 환자를 언제든지 신체적으로 부축할 수 있도록 대기한다.

특히 계단 등을 환자가 이동할 경우에 부축은 필수이며, 필요한 경우 언제든지 환자에게 달려간다.

6) 항상 환자에게 관심을 두고 소외되지 않도록 한다.

만일 노인환자가 진찰실이나 검사실 등에 혼자 남겨져 있는 시간이 오래 되었다고 판단되면 환자에게 말을 붙인다든가 하여 소외감을 느끼지 않게 한다. 진료 대기 시간이 길어지는 경우에도 대기 시간 등을 알려준다든가 하여 지속적인 관심을 보인다.

7) 환자가 편안함과 신뢰감을 느끼도록 한다.

가볍게 환자의 어깨나 팔, 손 등을 만져주는 행동이 환자를 편안하게 하고 신뢰감을 증진시켜준

다. 또한 환자의 호칭은 이름(~님)을 불러준다. 이러한 행동들은 환자로부터 믿을만한 정보를 얻는
데에 매우 중요하다.

8) 환자가 진료실을 나설 때에 인사를 한다.

수납을 마친 환자에게 뒤따르며 인사한다. 이런 행동은 환자로 하여금 진료 행위 자체에 대한 만
족감까지 증진시켜 준다.

그림 48-1. 노인환자에게는 은은한 조명보다는 밝은 조명이 좋다. 글씨는 눈에 띄고 커야 좋다.
(포근한가정의원 백희진 선생님 제공)

다약제복용과 부적절한 약물처방

- 요양원 입소 중인 72세 남성. 5일 전부터 삼킴 장애로 식사량이 줄고 졸린 상태가 지속되다가 내원 당일 오전에는 깨워도 안 일어나고 세게 꼬집어야 눈 찡그리는 정도의 의식변화를 보여 입원함. 과거력상 5년 전에 뇌경색이 있었고 대학병원 신경과, 소화기내과 등에서 약물처방을 받아오고 있었음. 요양병원에 입원하여 L–tube 삽입 후 경관급식 시행함. 다음 날 환자의 상태는 의식이 명료해졌고 의사소통도 가능해짐. 환자의 보호자는 이제 드시던 약을 다시 드셔도 되겠느냐고 질문하심.

– 보호자가 가져온 약물 리스트는 다음과 같았다.
〈아침약〉 Astrix 100 mg, Tenormin 50 mg, Lexapro 15 mg, Xanax 0.25 mg, Neuromed 800 mg
〈저녁약〉 Mucosta 100 mg, Gasmotin 1T, Phazyme 1T
〈취침전〉 Seroquel 25 mg, Zolpid 10mg 2T, Xanax 0.5 mg, Neuromed 800 mg

START LOW & GO SLOW

요양병원에 입원하는 순간에 기존에 복용하던 약물의 종류와 개수를 보고 놀라게 되는 경우가 있다. 심지어 20가지 이상의 약물을 처방받아 하루에 40알 이상의 약물을 복용하는 경우도 있다.

다약제복용은 보통 '5개(가지) 이상의 약물 복용'으로 정의되는데, 아무리 좋은 의도를 가지고 처방된 약물도 노인환자에서는 해가 될 수 있다. 그러나 입원 직전까지 복용하고 있던 약물을 요양병원에 입원하게 되면서 중단시키는 것이 환자나 보호자의 저항을 유발할 수 있기에 담당 의료진은 노인에서의 다약제복용 및 부적절약물처방에 대한 정확한 지식을 가지고 적절하게 설명 후 대처할 필요가 있다.

@ 노인환자에서의 약리작용

약동학적(pharmacokinetics) 측면 – 흡수, 분포, 대사, 배출

- 체지방 증가, 수분량 감소, 제지방 체질량 감소 : 지용성 약물의 분포는 늘어나고 수용성 약물의 분포는 줄어든다.
- 지용성약물(amiodarone, desipramine, diazepam, haloperidol)은 분포용적이 커져 약물의 혈중농도가 낮아지고 반감기가 길어지며 작용시간이 연장된다.
  # Diazepam의 분포량은 2배로 증가, 반감기는 20세 20시간, 70세 75~80시간.
- 수용성약물(대부분의 약물 : procainamide, propranolol, atenolol, 테오필린, 다이크로짓, 항생제, 안정제, 수면제, digoxin 등)은 분포용적이 작아지므로 약물투여 후 초기의 혈장농도는 증가한다.
- 약물의 제거 능력 저하 : 사구체여과율과 세뇨관 기능이 감소. 평균 크레아티닌 청소율은 25세에서 85세까지 50% 줄어든다. 신기능 감소 시에는 수용성약물의 용량 감소가필요.
  # Digoxin: 0.125 mg/d 초과하면 부작용이 흔하다.
- 간기능의 저하

표 49-1. 약물반응과 관련된 노화에 따른 생리적 변화의 의미

약동학적 과정	생리적변화	임상적의미
흡수	흡수면적감소, 내장혈행감소, 위내 산도증가, 위장관 운동변화	연령증가에 따른 흡수 차이는 없음
분포	체내 총 수분량 감소, 제지방 체질량 감소, 체지방 증가, 혈청 알부민 감소, 단백결합 변화	지용성 약물의 반감기 및 분포 증가, 일부 단백결합 약물의 유리형 증가
대사	간 중량 감소, 간 혈류량 감소, 제1상 대사(청소율) 감소	1차 통과 대사 감소, 약물의 생물학적 전환 감소
제거	신장 혈류량 감소, 사구체 여과율 감소, 세뇨관 분비기능 감소	신장의 약물 제거능력 감소, 약물 제거의 개인차 증가
수용체 감수성	수용체 수의변화, 수용체결합변화, 2차 전령물질 기능의 변화, 세포 및 핵의 반응 변화	약물에 대한 과대반응 및 반응 저하

약력학적(pharmacodynamics) 측면 – 약물의 생리학적 영향

1. Adverse Drug Events

Adverse Drug Events(ADE)란 처방오류, 약물 자체의 부작용, 약물 알러지 반응 및 약물과용으로 인한 손상을 의미한다. 노인환자에게서 무언가 새로운 증상이 발생했다면 다른 원인이 규명되기 전까지는 '약물 관련성'을 의심해야 한다.

@ Prescribing cascades

Prescribing cascades란 어떤 약물의 부작용을 새로운 건강상의 문제로 잘못 진단하여 또 다른 처방을 하게 되는 상황을 의미한다. 이로 인해 또 다른 약물의 부작용이나 잘못된 진단, 예상치 못했던 약물상호작용을 유발하기도 한다.

표 49-2. **Prescribing cascades 사례**

처음 처방 약물	부작용	추가된 약물 치료
항정신병약(antipsychotics)	Extrapyramidal signs & symptoms	항파킨슨 약물
콜린에스테라제 억제제(도네페질,아리셉트)	요실금	요실금 치료
Thiazide 이뇨제(다이크로짓)	고요산혈증	통풍 치료
NSAIDs	혈압 상승	고혈압 약물

출처: BMJ 1997; 315:1096 & Arch Intern Med 2005; 165:808

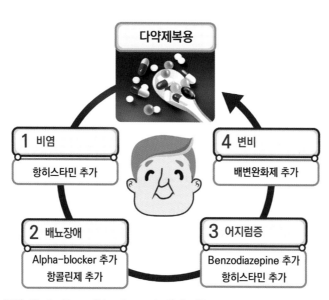

그림 49-1. **Prescribing Cascade 사례.** (출처: 이미리내. 2019)

1. 노인에게서 문제가 되는 약물 처방(다약제처방)

1) 다약제의 처방(보통 2-9종 이상)
2) 임상 적응증 이외의 약물 투여 – 불필요 혹은 부적절 처방(Beers Criteria)

2. 노인에서 다약제처방에 의한 부작용이 빈번한 원인

1) 만성 복합질환
2) 노화 관련 생리 변화(약동학, 약력학, 신체구성 변화)
3) 비처방약물, 대체 요법제 겸용

3. 노인에서 부작용이 흔한 약물(미국에서의 조사 결과)

항정신병약물(23%) 〉 항생제(20%) 〉 항우울제(13%) 〉 안정제(13%) 〉 항응고제(9%) 〉 항경련제(9%) 〉 심혈관 약제(6%) 〉 혈당강하제(5%) 〉 비마약성 진통제(4%) 〉 마약성 진통제(2%) 〉 파킨슨병약(2%) 〉 위장관약(2%)

4. 빈도

1) 다약제 처방
   a. 미국에서 65세 이상 보행 가능 노인의 57%가 5종 이상, 12%가 10종 이상의 약물을 복용
   b. 유럽 가정 진료 노인의 51%가 6종 이상 약물 복용
   c. 비처방약품 : 미국 지방 거주 노인의 90% 이상이 1종 이상, 절반이 2~4종 복용
   d. 다빈도 처방약 순서(미국 Medicare 환자) : 심혈관계 〉 항생제 〉 이뇨제 〉 아편류 〉 항고혈압제

2) 불필요 혹은 부적절 처방 빈도
   a. 미국에서 65세 이상 보행 가능 노인 처방의 60%가 용량 부족 혹은 임상 적응증이 아님.

　　b. 효과적이지 못한 약물 처방 : 1/3

　　c. 중복 처방 : 16%

　　d. 불필요 처방 : 환자 1인당 0.65건, 44%가 1종 이상

　　e. 부족한 처방 용량 : 64%

　　f. 부적절한 처방 : Beers 기준에 따르면 단일 처방은 4.45%로 혈소판억제제와 진경제가 가장 흔하고, 복합 처방은 44.5%로 베타억제제와 항부정맥제 처방이 가장 흔하다.

5. 다중 약물처방의 결과

1) 약물복용 순응도 저하(정작 필요한 약물의 복용을 안하게 됨) : 50%

2) 부적절한 처방과 약물-질환, 약물-약물 상호작용 증가

3) 약물 유해 반응, 병원 방문 횟수 증가, 입원, 손상, 기능저하, 사망까지도 초래

4) 노인 증후군 증가

6. 노인에서 신중히 투여해야 하는 약물 리스트

1) Beers Criteria

a. Beers 등에 의해 1991년에 개발됨

b. 노인의학, 약물역학 등 관련 분야의 전문가 집단에서의 수정된 델파이기법 이용

c. 미국의 외래 및 요양기관 노인 대상

d. 2019년 Beers Criteria 주요 내용 요약

　　*PIM = 잠재적 부적절 약물(Potentially Inappropriate Medication)

표 49-3. **잠재적 부적절 약물(PIM) [권고등급: Avoid]**

구분	노인부적절 약물	근거	대체약물
항콜린성 약물 :1세대 항히스타민제	Chlorpheniramine, Dimenhydrinate, Diphenhydramine, Hydroxyzine(유시락스, 아디팜)	항콜린 부작용; 혼돈, 입마름, 변비...	intranasal steroid, intranasal NS, 2세대 항히스 타민제
심혈관계 : peripheral 알파-1 차단제	Doxazosin(카두라), Terazosin	기립성 저혈압 위험	심혈관계 : peripheral 알파-1 차단제
Digoxin (심방세동/심부전 초기치료제로서)		1st line으로 비추천. 신장제거율 감소로 독성 작용. 0.125 mg/d 이하로.D	
Amiodarone		sinus rhythm 유지에는 효과적이나, 심방세동에서 다른 항부정맥제에 비해 독성 증가; 1st line으로 금기. 심부전이나 심한 좌심실비대 동반 시 사용 가능.	
Megestrol		노인에서 혈전 생성/사망 위험 증가	
Long-acting sulfonylureas	Glibenclamide, Glimepride	노인에서 심각한 저혈당 지속 위험 높음	Short-acting SU; glipizide (다이그린), gliclazide, Metformin
위장관계 약물	Metoclopramide	EPS 유발, 노쇠노인에서 위험성 증가; 위마비 치료 목적 이외 금기	
	PPI	C.Difficile 감염, 골밀도 감소, 골절위험 8주 초과사용 금기 예외; 경구 steroid, 만성 NSAIDs 사용시, Erosive esophagitis, Barrett's esophagitis, H2-blocker 실패	
진통제	Meperidine	섬망 등의 신경독성	Tramadol, 몰핀, 옥시코돈, 아세트아미노펜
	SAIDs; 아세클로페낙, 이부 프로펜, 케토프로펜, 나프록 센, 피록시캄...	고위험군(75세 이상, 스테로 이드, 항응고제/항혈전제 병 용)에서 장출혈, 궤양 위험. PPI나 misoprostol 병용은 위험을 감소시키거나 없애지 는 못함.	Celecoxib 등의 COX-2 selective NSAIDs

표 49-4. **약물-질병, 약물-증상 상호작용 [권고등급: Avoid]**

구분	노인부적절 약물	근거	대체약물
심혈관계(Cardiovascular)			
심부전	Non-DHP CCP, Pioglitazone, Cilostazol, NSAIDs, COX-2 inhibitor	체액저류 촉진 심부전 악화	
실신	AChEIs (도네페질, 리바스티그민, 갈란타민)	서맥위험 증가	
	알파-1 차단제 (doxazosin, prazosin, terazosin), 항정신병약	기립성 저혈압 위험	
중추신경계(Central Nervous System)			
섬망	Glibenclamide, Glimepride	섬망 유발 및 악화	특히 항정신병약은 뇌졸중, 사망률 증가시킴. → 행동심리증상 치료를 위해서는 비약물 치료가 실패/불가능하고 자기/타인에게 위험이 되는 경우에만 사용할 것.
치매, 인지기능저하	항콜린성약물, 항정신병약, H2-수용체 차단제, 벤조디아제핀, 졸피뎀	중추신경계 부작용 증가	
낙상,골절 이력	항전간제(anticonvulsants), 벤조디아제핀, 졸피뎀, 항정신병약, 오피오이드, TCAs, SSRIs, SNRI	Ataxia, psychomotor function 저하로 실신 및 낙상 유발	• New-onset epilepsy: Lamotrigine, levetiracetam & Ca/vitD +/- bisphosphonate • 신경통증: 가바펜틴, 외용제 • 우울증: Buspirone • 섬망, BPSD: 필요시 최단기간 저용량 Risperidone or Quetiapine
신장			
CKD 4단계 이상	NSAIDs (non-COX, COX selective)	AKI, 신기능 악화 위험	통증: 아세트아미노펜, 외용제(topical capsaicin, lidocaine patch)

표 49-5. 약물-약물 상호작용

약물	약물	근거	권고사항
오피오이드	벤조디아제핀	Overdose 위험 증가	병용 금기
오피오이드	가바펜틴, 프레가발린	호흡부전, 사망 등 sedation 관련 위험 증가	병용 금기 Gabapentinoid 사용 시 오피오이드 감량
CNS-active한 다음의 약물을 3가지 이상 병용 → 항우울제, 항정신병약, 항전간제, 벤조디아제핀, 졸피뎀, 오피오이드		낙상 및 골절 위험 증가	최소한으로 사용 3가지 이상 병용 금기
페니토인	TMP/SMX(박트림)	페니토인 독성 증가	병용 금기
테오필린	Ciprofloxacin	테오필린 독성 증가	병용 금기

표 49-6. 신장 기능에 따른 약물용량 감량

약물	CrCl (mL/분)	근거	권고사항
Gabapentionoid	< 60	중추신경계 부작용	감량
H2-수용제 억제제	< 50	의식 변화	감량
Ciprofloxacin	< 30	간질, 혼동 등 중추신경계 부작용	감량
TMP/SMX	< 30	신기능저하, 고칼륨혈증 위험	감량 (CrCl < 15 – 금기)
Duloxetine	< 30	위장관계 부작용 (오심,설사)	금기
Dabigatran	< 30	효과/안전성 불충분	금기
Apixaban	< 25	효과/안전성 불충분	금기 (우리나라 기준 < 15)

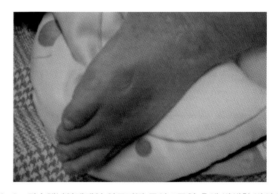

그림 49-2. 칼슘채널억제제인 암로디핀 투여 1주일 후에 발생한 발의 부종

2) STOPP-START criteria

a. 미국의 Beers criteria에 부족함을 느낀(유럽에서 사용하지 않는 약물들이 많은 점 등) 유럽 지역 노인의학자들에 의해 개발됨.

* STOPP : Screening Tool of Older Person's Prescriptions

* START : Screening Tool to Alert doctors to Right Treatment

b. 노인환자에게 부적절하게 처방되는 약물(PIM; Potentially Inappropriate Medicaion)뿐만 아니라 처방되어야 함에도 불구하고 처방되고 있지 않은 약물(PPO; Potentially Prescribing Omissions)까지 포함한 기준. 예를 들어 심방세동 환자에게 와파린이나 아스피린을 사용하지 않고 있으면 PPO에 체크한다.

● STOPP-START 기준을 이용한 우리나라-일본-대만 3개국의 처방 실태 비교

본 저자는 2013년에 우리나라 4개의 요양원, 일본 30개의 노인병원, 대만 4개의 요양원 입소자 총 521명을 대상으로 그들이 복용하고 있는 약물들이 STOPP-START 기준을 적용했을 때 얼마나 적절히 처방되고 있는지를 조사하였고, 다음과 같은 결과를 얻었다.

a. 3개국 모두 만성 변비 환자에게서 칼슘채널억제제(혈압약)을 사용하는 경우가 두드러졌다. 이는 요양병원 환자들에게서 만성 변비가 많으므로, 만성 변비 환자에게 혈압약을 처방할 때에 신중해야 함을 시사한다.

b. 3개국 모두 특별한 적응증이 없는 경우에 아스피린을 처방하고 있는 경우가 두드러졌다. 특히 고령의 환자들에게서는 출혈의 부작용이 치명적일 수 있으므로 불필요한 아스피린 처방은 최소화해야 한다.

c. 3개국 모두 PPO, 즉 적응증이 됨에도 불구하고 처방하고 있지 않은 약물들이 많았는데, 장기 요양환경에 있는 노인환자들에게는 젊은 환자들에 비해 비교적 덜 적극적인 약물처방이 이루어지고 있음을 암시한다. 그중에서 우리나라 요양원 입소 노인들의 약물복용 특징 중 하나는 우울증과 골다공증 약의 처방 비율이 다른 나라에 비해 현저히 낮았는데, 아마도 항우울제 처방과 골다공증 처방 시의 엄격한 보험 기준이 하나의 원인이 될 것으로 짐작된다. 특히 우리나라는 노인 자살율이 세계 1위 수준이므로 항우울제 처방의 기준은 완화되어야 할 것이다.

그림 49-3. 2013년 세계노년학-노인의학 연합 (IAGG) 학술대회에서 한국-일본-대만-인도네시아 각 국의 노인약물 처방실태를 비교연구 발표한 심포 지움. 필자는 한국-일본-대만의 노인병원-요양원에서의 처방 실태를 발표함.

@ 한국형 노인부적절약물 리스트(Ann Geriatr Med Res 22(3):121-129, 2018)

우리나라에서는 2018년에 김무영 및 필자를 포함한 노인의학 전문가 의견에 따라 우리나라 노인에 적합한 부적절약물 리스트를 만들었다. 이 리스트는 기존의 Beers criteria 및 STOPP 기준과는 달리 우리나라 상황에 맞는 약물들로 압축하여 만들어 좀 더 실용적이다.

표 49-7. Potentially inappropriate medications in older adults

Organ system, drug category, drugs	Rationale	Comments
Central nervous system		
Antipsychotics (1st generation) Chlorpromazine (2nd generation) Haloperidol Risperidone, Olanzapine, Quetiapine	Increased mortality and stroke risk in dementia patients	Exceptions: schizophrenia, bipolar disorder Short-term and low-dose antipsychotic (such as haloperidol, risperdone, quetiapine) use might be appropriate for delirium or dementia if nonpharmacological options (e.g., behavioral interventions) have failed or are not possible and the older adult is threatening substantial harm to self or others
Antidepressants Amitriptyline Amoxapine Clomipramine Doxepin (>6 mg/day) Nortriptyline Imipramine	Highly anticholinergic, sedating, and cause orthostatic hypotension	Possible alternatives: SSRIs, SNRIs or mirtazapine Short-term and low-dose amitriptyline might be appropriate for neuropathic pain control

Organ system, drug category, drugs	Rationale	Comments
Bensodiazepines (Short-and intermediate-acting) Alprazolam Lorazepam Temazepam Triazolam (Long-acting) Chlordiazepoxide Clonazepam Diazepam Flurazepam Bromazepam Clobazam Flunitrazepam	High risk of dependence Increased risk of cognitive impairment, delirium, dizziness, falls, fractures, and motor vehicle crashes in older adults	Exceptions: seizure disorders, rapid eys movement sleep disorders, myoclonus, benzodiazepine withdrawal, ethanol withdrawal, severe generalized anxiety disorder, and periprocedural anesthesia Try tapering if an older patient has been administered benzodiazepines This drug list is not exhaustive, and other benzodiazepine drugs would be also inappropriate for older patients If prescription is inevitable, prescribe short-acting agents such as alprazolam or lorazepam for a short duration
Zolpidem	Similar safety profile to benzodiazepines	If prescription is inevitable, prescribe medication for a short duration
Antiparkinsonian agents Benztropine Trihexyphenidyl	Risk of anticholinergic side effects such as confusion, dry mouth, constipation, etc.	Possible alternatives: levodopa for the treatment of Parkinson's disease
First-generation antihistamines Chlorpheniramine Dimenhydrinate Diphenhydramine Hydroxyzine Triprolidine	Risk of anticholinergic side effects such as confusion, dry mouth, constipation, etc.	Possible alternatives: second-generation antihistamines This drug list is not exhaustive and other first-generation antihistamines are also inappropriate for older patients
Cardiovascular system		
Antiarrhythmics Dronedarone Amiodarone Flecainide	Worse clinical outcomes or higher adverse events than those of other antiarrhythmics	Rate control (with beta blockers or calcium channel blockers) is preferred over rhythm control in atrial fibrillation of older patients unless patients have heart failure or substantial left ventricular hypertrophy
Digoxin	May be associated with increased mortality in older adults with atrial fibrillation or heart failure	Avoid as a first-line therapy for atrial fibrillation or heart failure Avoid dosage > 0.125 mg/day
Ticlopidine	Altered blood counts and weak evidence	Possible alternatives: aspirin, clopidogrel

Organ system, drug category, drugs	Rationale	Comments
Gastro-intestinal system		
Metoclopramide	Extrapyramidal effects including tardive dyskinesia	Short-term use might be appropriate
Cimetidine	Can cause confusion and delirium	Possible alternatives: proton pump inhibitors (short-term)
Antispasmodics Clidinium-chlordiazepoxide Scopolamine	Risk of anticholinergic side effects such as confusion, drt mouth, constipation, etc. Uncertain effectiveness	

표 49-8. Potentially inappropriate medications in older adults with specific conditions

Organ system, disease, syndrome or condition	Drug category, drugs	Rationale	Comments
Central nervous system			
Delirium, dementia or cognitive impairment	Anticholinergics* Antipsychotics Benzodiazepines zolpidem H$_2$-receptor antagonists Pethidine	Potential of inducing or deteriorating delirium, dementia and cognitive impairment	Short-term and low-dose antipsychotic use might be appropriate for delirium or dementia if non-pharmacological optiond (e.g., behavioral interventions) have failed or are not possible and the older adult is theratening substantial harm to self or others
History of falls, fractures, syncope or postural hypotension	Anticholinergics* Anticonvulsants Antipsychotics Benzodiazepines Zolpidem Opioids Peripheral alpha-1 blockers	May cause ataxia, impaired psychomotor function, syncope, or additional falls	Exceptions for anticonvulsants: seizure, mood disorders Short-term opioid use with caution might be appropriate for moderate to severe pai management
Tnsomnia	Caffeine Methylphenidate Phenylephrine Pseudoephedrine Theophylline	CNS stimulant effects	

Organ system, disease, syndrome or condition	Drug category, drugs	Rationale	Comments
Parkinson disease	Antipsychotics Metoclopramide	Potential to worsen Parkinsonian symptoms	Exceptions: aripiprzole, quetiapine, clozapine (less likely to worsen Parkinson disease)
Cardiovascular system			
Heart failure	Verapamil Diltiazem NSAIDs COX-2 inhibitors Pioglitazone TCAs	Potential to worsen heart failure	Verapamil and diltiazem can be used in mild heart failure with caution
Arrhythmia	TCAs	Pro-arrhythmic effects	
Hypertension	NSAIDs	Riskof of exacerbation of hypertension	Short-term use might be appropriate for mild hypertension (<160/90 mmHg) Possible alternatives: acetaminophen
Primary prevention in adults ≥ 80 years of age	Aspirin	Lack of evidence of benefit versus risk in this age group	Use with caution in adults ≥ 80 years of age
Secondary stroke prevention	Aspirin plus clopidogrel	Lack of evidence of added benefit over clopidogrel monotherapy	Exceptions: coronary stent(s) inserted in the previous 12 months, concurrent acute coronary syndrome, or highgrade symptomatic acrotid arterial stenosis
Gastro-intestinal system			
History of gastic or duodenal ulcers	Aspirin (> 325 mg/day) Non-COX-2 selective NSAIDs	Exacerbate existing ulcers or cause new ulcers	If other alternatives are not effective, gastroprotective agents(i.e., PPI or misoprostol) should be coperscribed
Chronic constipation	Anticholinergics* Opioids	Exacerbete constipation	Short-term (< 2 weeks) opioid use with laxatives might be appropriate for moderate to severe pain management
Kidney and urinary tract			

Organ system, disease, syndrome or condition	Drug category, drugs	Rationale	Comments
Chronic kidney disease (CrCl <30 mL/min)	NSAIDs COX-2 inhibitors	Incrased risk of acute kidney injury and further decline of renal function	Possible alternatives: acetaminophen, corticosteroids
Lower urinary tract symptoms, BPH	Anticholinergics*	Decreased urinary flow and cause urinary retention	Exceptions: antimuscarinice for urinary incontinence
Peripheral alpha-1 blockers Doxazosin Prazosin Terazosin		High risk of orthostatic hypotension Alternative agents have superior risk-benefit profiles	Not recommended as routine treatment for hypertension Possible alternatives for BPH treatment: tamsulosin, alfuzosin, naftopidil, silodosin
Desmopressin		High risk of hyponatremia	Exception: diabetes insipidus
Oxybutymin		Risk of anticholinergic side effects such as confusion, dry mouth, constipation, etc.	
Endocrine system			
Estrogens ± progestins		Evidence of carinogenic potential (breast and endometrium) Lack of cardiovascular or cognitive protection	Especially contraindicated for patients with a history of breast cancer or venous thromboembolism
Growth hormone		Impact on body composition is small and associated with edema, arthralgia, carpal tunnel syndrome, gynecomastia, and impaired fasting glucose	Exception: hormone replacement after pituitary gland removal

Organ system, disease, syndrome or condition	Drug category, drugs	Rationale	Comments
Insulin, sliding scale		Higher risk of hypoglycemia without improvement in glucose control	Refers to the sole use of short- or rapid-acting insulins to manage or avoid hyperglycemia in the absence of basal or long-acting insulin Less stringent HbA$_{1c}$ targets (<7.5% or higher) are appropriate for older patients with diabetes according to their comorbidities and functional status
Glibenclamide		Increased risk of hypoglycemia	Possible alternatives: other oral hypoglycemic agents such as metformin
Musculoskeletal system			
Opioid analgesics Pethidine Pentazocine		More commonly causes adverse CNS effects than other opioid analgesics	Possible alternatives: acetaminophen, oxycodone, buprenorphine patch

NSAIDs
  Aspirin (>325 mg/day)
  Diclofenac
  Indomethacin
  Ibuprofen, Dexibuprofen
  Ketorolac, includes parenteral
  Mefenamic acid
  Naproxen
  Piroxicam
  Sulindac
		Increased risk of GI bleeding, peptic ulcer disease and kidney injury
		Indomethacin is more likely to have adverse CNS effects than other NSAIDs
			This drug list is not exhaustive and other NSAIDs are also inappropriate for older patients
			Can be used for a short duration (<3 months) with proton-pump inhibitor or misoprostol but they do not completely eliminate GI bleeding risk
			Possible alternatives: acetaminophen, COX-2 inhibitors

Skeletal muscle relaxants
  Methocarbamol
  Orphenadrine
		Poorly tolerated by older adults because of sedation and increased risk of fractures
		Uncertain effectiveness	

BPH, benign prostatic hyperplasia; CNS, central nervous system; COX, cyclooxygenase; GI, gastrointestinal; HbA$_{1c}$, glycated hemoglobin; NSAID, nonsteroidal anti-inflammatory drug; SSRI, selective serotonin reuptake inhibitors; SNRI, serotonin-norepinephrine reuptake inhibitors.

표 49-9. Continued

Organ system, disease, syndrome or condition	Drug category, drugs	Rationale	Comments
SIADH or hyponatremia	Diuretics	May exacerbate hyponatremia	Antipsychotics[†], antidepressants' and some other drugs[‡] should also be used with caution
Chronic obstructive pulmonary disease	Theophylline as monotherapy	More effective agents (inhaler) are available	Theophylline is generally considered as a third-line bronchodilator after inhaled anticholinergics and beta-2 agonists
Concurrent bleeding disorder or high bleeding risk situation	Aspirin Clopidogrel Ticlopidine NSAIDs Warfarin Direct oral anticoagulants[§]	Increased bleeding risk	High bleeding risk includes uncontrolled severe hypertension, bleeding diathesis, or recent non-trivial spontaneous bleeding
Diabetes	Beta-blockers	Masking of hypoglycemic symptoms	Exceptions: heart failure, ischemic heart disease Avoid in diabetic patients with frequent hypoglycemic episodes (>1 episode per month)
	Corticosteroids	May worsen diabetes	Avoid long-term use
Glaucoma	Anticholinergics*	Risk of acute exacerbation of glaucoma	If other alternatives are not available, discuss with ophthalmologists

BPH, benign prostatic hyperplasia; COX, cyclooxygenase; COPD, chronic obstructive pulmonary disease; CrCl, creatinine clearance; NSAID, nonsteroidal anti-inflammatory drug; PPI, proton-pump inhibitor; SIADH, syndrome of inappropriate antidiuretic hormone secretion; TCA, tricyclic antidepressant.

* Anticholinergics include first-generation antihistamines, bladder antimuscarinics, antidepressants (tricyclic antidepressants and paroxetin), antipsychotics (chlorpromazine, clozapine, olanzapine, perphenazine), antispasmodics (belladonna alkaloid, clidinium-chlordiazepoxide, dicyclomine, scopolamine), antiparkinsonian agents (benztropine, trihexyphenidyl), skeletal muscle relaxants (cyclobenzaprine, orphenadrine), etc.

† Antidepressants include selective serotonin reuptake inhibitors, serotonin-norepinephrine reuptake inhibitors, tricyclic antidepressants, mirtazapine, and bupropion.

‡ Some other drugs include carbamazepine, oxcarbazepine, carboplatin, cyclophosphamide, cisplatin and vincristine.

§ Direct oral anticoagulants include dabigatran, rivaroxaban, apixaban, and edoxaban.

@ 항콜린성 부작용을 일으키는 약물들

항콜린성 부작용이란 "피부와 점막의 건조, 땀의 감소, 동공 확장, 장 운동 감소, 소변 축적, 부정맥, 고체온"과 같은 증상으로서, 노인환자, 녹내장환자, 전립선비대증환자, 심장병 환자 등은 특히 주의해야 한다. 이러한 항콜린성 부작용을 일으키는 약물로는 다음과 같은 것들이 있다.

표 49-10. **중추성 항콜린성 약물**

항콜린성 부작용이 분명한 약물들	항콜린성 부작용 가능성 있는 약물들
imipramine, doxepin, loxapine, nortriptyline(센시발), amitriptyline(에나폰), amoxapine(아디센), chlorpromazine(네오마찐), clozapine, quetiapine(쎄로켈), chlorpheniramine, hydroxyzine(아디팜, 유시락스), meclizine, oxybutinin, meperidine, paroxetine	haloperidol, olanzapine, alprazolam(자낙스), diazepam(디아제팜), bupropion hydrochloride(웰서방정), codeine, colchicine, coumadin, dipyridamole, hydralazine, captopril, isosorbide, nifedipine, furosemide(라식스), digoxin, prednisolone, theophyline, cimetidine, ranitidine

\# 항콜린성 부작용이란?
피부와 점막의 건조, 땀의 감소, 동공 확장, 장 운동 감소, 소변 축적, 부정맥, 고체온
⇒ 노인환자, 녹내장환자, 전립선비대증환자, 심장병 환자 등은 특히 주의해야 함.

7. 증례

1) 78세 여자, 10일 전 시작된 어지럼증, 전신쇠약, 식욕부진

- 과거력 : 심부전, 고혈압, 당뇨, 관절염
- V/S : 100/60−45−20−36.5
- Lab : e') 133−2.8−101−24.5, s−digoxin) 3.8 ug/dL(nl:1−2 ug/dL)
- Chest X−ray : cardiomegaly
- EKG : 1st degree AV block, bradycardia
- 복용 약물 : amlodipine, hydrochlorothiazide (DCZ), ramipril, glimepiride, aspirin, carverdilol, naproxen, digoxin, thioctacid, ranitidine
- Dx : 1. 이뇨제(DCZ)에 의한 hypokalemia, 2. Digoxin 과량 복용에 의한 EKG 이상 소견

2) 83세 여자, 의식 혼탁과 식욕부진

- 현병력 : 20년 전부터 고혈압, 1주일 전부터 감기로 누워 지내고, 식사량 감소, 3일 전부터 헛소리, 사람을 못 알아 보는 등의 의식 혼탁이 심해짐.
- V/S : 150/80-120-24-37
- e' : 108-31.5-87-22.8, s-Cr : 0.8, u-Na : 120 mEq/L, u-Cr 2.1 mEq/L, FeNa=42.3%
* FeNa = (u-Na/s-Na) / (u-Cr/s-Cr) × 100
- 복용 약물 : atenolol, hydrochlorothiazide (DCZ), lercanidipine, aspirin, mecobalamin, 한약
- Dx : 이뇨제(DCZ) 과다 복용에 의한 hyponatremia, 의식 장애(대개 동반된 급성 질환에 의하여 기능 감소 시에 오는 경우가 많음)

3) 87세 여자, 혈변

- 현병력: 약 5년 전 고혈압, 치매진단
- 3년 전부터 요양원 입소 중이었는데, 치매에 의한 행동심리증상이 심해져서 약물조절 위해 요양병원 입원했음. 입원 전날부터 기저귀에 혈변이 묻어나오더니, 입원 다음 날 새벽 다량의 혈변 발생하여 상급병원 응급실로 전원함.
- 헤모글로빈 10.0 g/dL(입원 당일) - 8.6 g/dL(입원 2일째 다량 혈변 후)
- 복용 약물: 아스피린, 아세클로페낙, 시메티딘, 알프람, 쿠에타핀, 졸피뎀
- Dx : 아스피린과 아세클로페낙 장기복용에 의한 위장관 출혈

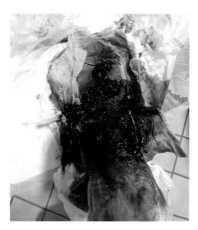

그림 49-4. 87세 여성의 다량 혈변(hematochezia).
아스피린과 아세클로페낙 장기복용 결과

4) 78세 남자, 좌측 엉덩이 통증

- 현병력 : 전립선비대증, 고혈압 약물 복용 중. 1주일 전부터 감기 기운이 있어 일반 종합감기약을 먹은 이후로 배뇨장애 및 식욕부진 발생. 야간에 소변 보러 가다가 어지러워서 화장실에서 넘어져 의식 소실, 이후 좌측 엉덩이 통증 발생
- Hia AP X-ray : 좌측 대퇴골 골절
- V/S : 90/40-119-20-36.5
- e' : 158-3.5-110-21, BUN/Cr : 30/1.5
- 복용 약물 : amlodipine, terazosin, hydrochlorothiazide (DCZ)
- Dx : 고혈압약 및 탈수(감기 자체 및 감기약의 부작용)에 의한 기립성 저혈압 ⇒ 어지럼증 ⇒ 낙상 ⇒ 대퇴골절

5) 82세 여자, 기운이 없고 우울하다

- 현병력 : 5년 전부터 심방세동과 고혈압으로 약물 치료 중, 최근 돈 문제로 스트레스를 받은 이후 발생한 불면증이 있었고, 근처 신경정신과에서 우울증 치료 중이었으나 호전이 없었음. 1개월 전부터는 외출하기 싫고, 몸이 붓고, 기운이 없으며, 피로하고, 다리가 저리고 추위를 타는 증상 발생
- V/S : 110/40-54-20-36
- TSH 75 (0.4-5.0), fT4 0.4 (0.4-1.9)
- 복용 약물 : amiodarone, aspirin, losartan, escitalopram, alprazolam
- Dx : Codarone(amiodarone)에 의한 갑상선기능저하증(우울증으로 오진)

8. 약물 복용 순응도 높이기

외래 처방을 받아 집에서 약을 복용 중인 노인들에게 약을 처방하고 약효를 판단할 때 놓치지 말아야 하는 것은 '과연 이 환자가 내가 처방한 대로 약을 드시고 계실까?'하는 의문을 늘 품어야 한다는 것이다. 특히 인지기능이 저하된 환자의 경우에는 보호자가 없을 때 혼자서 약을 드시는지 와, 보호자가 노인인 배우자인 경우에 약물 복용의 순응도를 고려해야만 한다. 만일 보호자가 노인 배우자라면 그 배우자의 인지능력도 한 번쯤은 의심해 보아야 한다. 약물 복용의 순응도를 높이기 위한 방법으로는 "투약 캘린더"를 이용하거나 "과자 상자"에 요일별, 시간대별 약물을 넣어 복용하는 방법 등을 고려할 수 있다.

그림 49-5. **약물 복용 순응도를 높이기 위한 '약 달력'. (인천서구치매안심센터 제공)**

9. 노인 약물 처방 시 권고 사항들

1) 새로운 약물을 처방하기 전, 자세한 병력과 약물 리스트 및 부작용의 과거력을 조사한다; 처방, 비처방 약물 포함
2) 임상 적응증을 판단해서 필요 약물을 추가한다. 위험-이득 고려 + 비약물적 요법 고려⇒ Beers Criteria가 적절한 가이드가 될 수 있다.
3) 환자의 신장과 간기능 상태 파악 후, 약물의 약동학적 특징과 약력학적 특성, 부작용을 고려하여 처방한다.
4) 최초 용량은 가능한 한 적은 용량으로 시작한다(일반용법의 1/4~1/2 부터 시작).
5) 약물-질환, 약물-약물 상호 작용을 고려한다.

6) 환자와 보호자에게 약물의 필요성, 부작용, 가격, 적응증, 증상 호전 등을 교육한다. ⇒ 순응도 증가

7) 보조 도구(약물 복용 통, 약물 복용 달력, 큰 글씨로 적은 봉투)가 도움이 된다.

8) 필요한 약만 처방한다.

9) 하루 1회, 혹은 2회로 복용 방법을 단순화한다.

10) 주기적으로 남은 약물을 확인한다.

10. 일본의 다약제복용 해결을 위한 정책

일본에서는 2016년부터 6가지 이상의 약물을 복용 중이던 환자에게 2가지 이상의 약물 처방을 줄이면 환자 1인 당 2,500엔(2만5천원)의 지원금이 병원에 지원되며, 2018년부터는 약국에서 2가지 이상의 약물을 줄일 것을 제안하면(제안서 제출) 그 약국에 1,250엔(1만2천5백원)씩 지원한다.

11. 의약전문가용 노인주의약물 리플릿(식품의약품안전처, 한국의약품안전관리원 제작)

노인주의 성분

노인환자에서 부작용 발생 빈도 증가 등의 우려가 있어 삼환계 항우울제, 장기 지속형 벤조다이아제핀, 정형 항정신병제는 다른 약으로 대체하거나 저용량으로 투여되는 것이 좋습니다.

약물계열	성 분 명		노인 주의사항
삼환계 항우울제	아미트리프틸린 아목사핀 클로미프라민 이미프라민 노르트립틸린	**Amitriptyline*** Amoxapine Clomipramine **Imipramine*** **Nortriptyline***	노인에서 기립성 저혈압, 비틀거림, 항콜린작용에 의한 구갈, 배뇨곤란, 변비, 안내압항진 등이 나타나기 쉬우므로 소량으로 신중투여
장기 지속형 벤조다이아제핀	클로르디아제폭시드 클로바잠 클로나제팜 디아제팜 에틸로플라제페이트 플루니트라제팜 플루라제팜 쿠아제팜	**Chlordiazepoxide*** Clobazam **Clonazepam*** **Diazepam*** **Ethyl loflazepate*** **Flunitrazepam*** Flurazepam Quazepam	노인에서 운동실조, 과진정 등이 나타나기 쉬우므로 소량부터 신중투여
정형 항정신병제	클로르프로마진 할로페리돌 레보메프로마진 몰린돈 페르페나진 피모지드	Chlorpromazine Haloperidol Levomepromazine Molindone **Perphenazine*** Pimozide	노인에서 추체외로증상, 항콜린성 부작용 등이 나타나기 쉬우므로 신중 투여

※ 2019.6.21 식품의약품안전처 공고 기준
※ 현재 유통되고 있지 않는 성분(Dothiepin, Quinupramine, Chlorazepate, Mexazolam, Pinazepam, Molindone, Thiothixene) 제외

* 다빈도 노인주의 처방 의약품
(자료출처: 건강보험심사평가원 2018년 DUR 점검현황)

1 | 삼환계 항우울제
항콜린작용, 진정작용 주의

삼환계 항우울제는 serotonin 및 norepinephrine 재흡수뿐만 아니라 histamine, muscarinic acetylcholine, α-1 adrenergic 수용체도 억제하여 항히스타민작용 및 항콜린작용이 나타날 수 있으며, 이는 노인환자에서 더 두드러집니다.

 특히 녹내장, 불안정협심증, 부정맥, 전립선 비대증 환자는 증상이 악화될 수 있으므로 투여하지 말아야 합니다.

주의해야 할 부작용	졸림, 진정작용	반사성 빈맥, 부정맥	구강건조	기립성 저혈압, 어지러움
	흐린 시야	변비, 요저류	착란, 섬망, 환각	낙상 및 골절위험

삼환계 항우울제 다빈도 보고 이상사례

※ 단위 : 건수
※ 1989년~2019년 4월 30일 기준

졸림 871
구강건조 707
어지러움 645
변비 307
오심 142
두통 139
소화불량 136
불면증 109
발진 107
구토 90
가려움증 84
무력증 75
배뇨곤란 72
두근거림 67
체중증가 63

대상성분
Amitriptyline
Amoxapine
Clomipramine
Imipramine
Nortriptyline

처방 시 권고사항

* 한국형 우울장애 약물치료 지침서 2012 (대한우울조울병학회, 대한정신약물학회)
** 신경병증성 통증의 약물학적 관리 (국제통증학회: IASP Vol.18, Issue 9 Nov. 2010)

1. 노인 우울장애 1차 치료제로 전문가들은 SSRI(escitalopram, sertraline 등), SNRI, mirtazapine을 추천하였습니다.
2. 노인에서 특히 인지장애, 착란, 보행장애 등을 야기할 수 있으며 노인 신경병증성 통증약물로 사용시 저용량(취침시 1회 10-25mg)에서 시작해 천천히 증량해야 합니다. 유효 투여량은 환자마다 상이합니다. (예. amitriptyline 25-100mg)

2 | 장기 지속형 벤조다이아제핀 운동실조, 과진정 주의

노인환자는 체지방 증가로 장기 지속형 벤조다이아제핀의 체내 축적에 의한 약물 부작용 위험(운동실조, 과진정 등)이 상승합니다.

 벤조다이아제핀 등을 복용한 노인에서 입원·사망으로 이어지는 자동차 사고, 낙상, 고관절 골절의 위험이 대규모 연구 결과 두 배 이상 증가함이 나타났습니다.

주의해야 할 부작용	인지장애	진정, 어지러움	섬망	낙상, 골절, 자동차 사고

▲ 벤조다이아제핀 약물의 반감기

순서	성분명	반감기(시간)	순서	성분명	반감기(시간)
1	Diazepam	근육주사: 60~72 (대사체: 152-174)	4	Flurazepam	2.3 (대사체: 74-90)
		정맥주사: 33-45 (대사체: 87)	5	Clobazam	36-42 (대사체: 71-82)
		경구: 44-48 (대사체: 100)	6	Quazepam	39 (대사체: 73)
2	Ethyl loflazepate	122	7	Clonazepam	17-60
3	Chlordiazepoxide	6.6-28 (대사체: 14-95)	8	Flunitrazepam	16-35

* 약물의 반감기는 복용량 및 개인에 따라 변동 폭이 크기 때문에 이는 가능한 범위에 대한 대략적 기준입니다.

 장기 지속형 벤조다이아제핀 **다빈도 보고 이상사례**

※ 단위 : 건수
※ 1989년~2019년 4월 30일 기준

졸림	어지러움	변비	발진	오심	구강건조	소화불량	가려움증	구토	두통	불면증	무력증	두드러기	설사	진전
1.151	647	212	207	204	202	177	154	143	143	116	95	95	82	70

대상성분

Chlordiazepoxide
Clobazam
Clonazepam
Diazepam
Ethyl loflazepate
Flunitrazepam
Flurazepam
Quazepam

* Beers Criteria 2019 (미국노인의학회)
** 한국형 노인 잠재적 부적절 약물 합의 목록 (대한노인병학회지 2018:22(3):121-129)

 처방 시 권고사항

1. 노인의 약물 감수성 증가, 대사 감소로 벤조다이아제핀계 약물의 사용은 피해야 합니다.
2. 이미 투여 중일 경우, 용량을 점점 줄이는 것을 시도할 수 있습니다.
3. 피할 수 없다면 alprazolam과 lorazepam과 같은 작용시간이 짧은 약물을 단기간 처방할 수 있습니다.

3 | 정형 항정신병제
추체외로장애, 항콜린작용 주의

정형 항정신병제는 dopamine, muscarinic acetylcholine 수용체 등을 차단하여 추체외로증상(정좌불안, 파킨슨증상, 지연성 운동이상증 등)과 항콜린부작용 등이 나타날 수 있습니다.

- 추체외로증상은 치매가 동반된 노인 환자의 약 20%에서 나타나고 빈도는 젊은 환자보다 3~5배 높았습니다.
- 지연운동이상증은 장기간 정형 항정신병약물 사용 시 발생하는데 젊은이에서 3~5%의 발생률을 보이나 노인환자에서는 10배 이상 높습니다.

 노인환자는 추체외로증상과 신경인지장애와 같은 부작용에 취약하여 회복이 늦거나 치료가 어려울 수 있어 예방이 중요합니다.

| 주의해야 할 부작용 | 정좌불안 | 지연성 운동이상증 (입 오물거림, 눈 깜박임, 불수의운동 등) |
| | 파킨슨 증상 (동작이 느려짐, 경직, 진전) | 항콜린작용 (졸음, 어지러움, 체위성저혈압, 변비, 요저류, 체중증가) |

정형 항정신병제 다빈도 보고 이상사례

※ 단위 : 건수
※ 1989년~2019년 4월 30일 기준

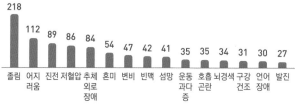

졸림	어지러움	진전	저혈압	추체외로장애	혼미	변비	빈맥	섬망	운동과다증	호흡곤란	뇌경색	구강건조	언어장애	발진
218	112	89	86	84	54	47	42	41	35	35	34	31	30	27

대상성분

Chlorpromazine
Haloperidol
Levomepromazine
Molindone
Perphenazine
Pimozide

 ### 처방 시 권고사항

*노인건강 지킴이를 위한 노인병 약물요법(정형 항정신병제 투약 지침 p.107~108)

1. 이미 파킨슨병을 앓고 있는 환자에는 비정형 항정신병 약제(quetiapine, aripiprazole 등)를 사용하는 것이 낫습니다.
2. 용량을 주의해야 합니다.
   - ✔ 소량을 분복하고 서서히 증량하는 것이 안전합니다.
   - ✔ 통상 젊은 성인 용량의 1/3 또는 그 이하가 적절합니다.
   - ✔ 장기간 투여 시 가능한 용량을 줄여서 유지 치료를 하는 것이 필요합니다.
   - ✔ 약물 적정 속도가 빠를수록 급성 추체외로계 증상과 기립성 저혈압에 의한 낙상 위험성이 커집니다.

노인 특정연령대 금기 성분

> 노인환자에서 심각한 부작용 발생 등의 우려가 있어 원칙적으로 사용하지 않아야 하는 유효성분입니다.

분류	성분명		연령기준	노인 주의사항
해열, 진통, 소염제	시녹시캄	Cinnoxicam	80세 이상	고령자는 중대한 위장관계 이상반응의 위험이 더 클 수 있음.
해열, 진통, 소염제	피록시캄	Piroxicam	80세 이상	고령자는 중대한 위장관계 이상반응의 위험이 더 클 수 있음.
기타의 중추신경계용약	아캄프로세이트	Acamprosate	65세 이상	65세 이상에서 안전성 및 유효성 미확립. 연령이 높아질수록 신장기능이 저하되어 이 약이 축적될 수 있음.
골격근이완제	시클로벤자프린	Cyclobenzaprine	65세 이상	고령자에서는 성인에 비해 혈장 약물농도 및 반감기가 상승함.
자율신경제	날트렉손 + 부프로피온	Naltrexone + Bupropion	75세 이상	고령자에서 이 약의 중추신경계 이상반응에 대한 민감성이 더 크게 나타날 수 있음. 신기능이 감소되어 있을 가능성이 큰 고령의 환자는 이상반응의 위험성이 더 클 수 있음.
기타의 비뇨생식기관 및 항문용약	리토드린	Ritodrine	65세 이상	
백신류	인플루엔자 백신 (점비제)	Live attenuated influenza virus type A (H1N1) + type A (H3N2) + type B	50세 이상	고위험의 기저질환이 있는 피험자에 대해 이 약의 안전성을 평가한 결과 위약대비 동제제 투여군에서 인후염이 발생함.

※ 2019.5.22 식품의약품안전처 고시 기준

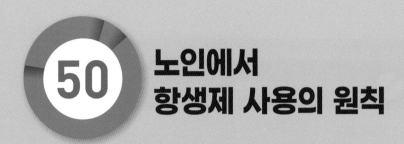

50 노인에서 항생제 사용의 원칙

- 72세 남자, 2일 전 시작된 혈변 및 발열
  ▷ 2주 전부터 소변이 잘 안 나오고 소변을 봐도 시원치 않은 증상으로 요로감염 진단 후 항생제 복용 중이었음. 2일 전 다시 발열과 함께 설사, 혈변 발생.
  ▷ CBC : 15,200-13.8-220 K, electrolyte : 152-4.5-118-19.8
  ▷ 복용 약물 : ciprofloxacin, ramipril, metformin, terazosin, finasteride, aspirin

- 진단 : 항생제(Ciprofloxacin)에 의한 위막성 대장염(Pseudomembranous colitis)
- 치료 : Metronidazole 치료 후 호전

1. 발열(Fever)의 정의

1) 구강 온도: AM 6시 37.2도, PM 4시 37.7도 이상
   - 24시간 정상 체온 변화는 0.5도(열성 질환 회복 시 최대 1.0도까지 가능)
2) 직장 온도 = 구강 온도 + 0.4도
3) 기전: 외인성 발열 물질 침입 → macrophage, monocyte에서 발열성 cytokine(인터루킨-1a, 1b, 6, TNF, IFN) 생성 → 시상하부에서 프로스타글란딘-E2 (PGE2) 분비 → 체온조절중추 자극
   - Cytokine : 식욕부진, 피로감, 허리통증, 전신근육통, 관절통, 두통, 의식장애 유발

2. 감염 질환에서 열은 왜 날까?

1) 생체의 방어기전(좋은 점)

- 몇몇 세균의 성장을 억제
- 호중구의 탐식 능력 및 살균력을 항진
- 림프구의 세포 살해능 증진

2) 환자에게는 부담이 된다(나쁜 점)

- 체온이 1도 상승하면, 산소소비량은 13% 증가
- 열량 소비 및 수분의 증발이 증가 : 신체 장기에 부담
- 인터루킨-1, TNF 등이 근육의 대사를 촉진시킴(근육 소모)
- 체중의 감소
- 뇌의 지적 활동 지장
- 임신 초기에 37.8도 이상이면 신경관결손의 위험이 2배라는 보고도 있다.

3. 발열의 종류

1) 간헐열(intermittent, hectic, septic fever)

- 체온 변화 폭 〉 1.4도
- 24시간 동안 적어도 한 번은 정상 체온
- 불규칙한 해열제 투여, 화농성 농양, miliary Tb, bacteremia 동반된 APN, 말라리아

2) 지속열, 계류열(sustained, continuous fever)

체온변화 거의 없이(〈 0.3도) 지속적으로 상승

– 장티푸스, 브루셀라증, Streptococcal pneumonia, 중추성 열이 동반된 혼수 환자

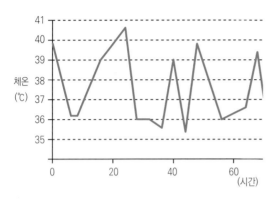

그림 50-1. **간헐열**

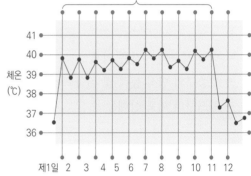

그림 50-2. **지속열**

3) 오르내림열(remittent fever)

– 체온 변화가 간헐열보다 적으나(0.4~1.3도), 정상 회복이 안됨.
– 바이러스성 폐렴, 마이코플라스마 폐렴, 4일열 말라리아

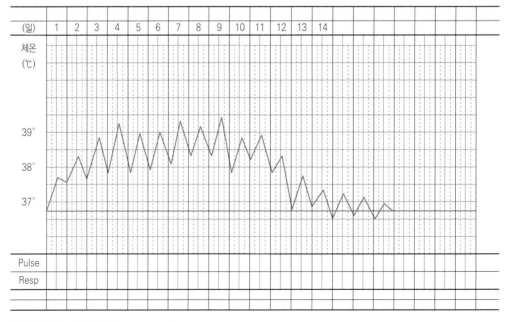

그림 50-3. **오르내림열**

4) 재발열(relapsing fever)

- 발열과 정상 체온이 주기적으로 번갈아 발생
- 임파종(Lymphoma), 서교열(rat-bite fever)

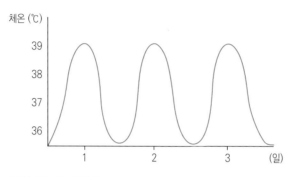

그림 50-4. **재발열**

4. 일반적인 항생제 치료의 원칙(Step-down, Streaming, Switching, Sequential)

표 50-1. **항생제 치료 원칙**

단계	환자의 상태	항생제 요법
1단계(1~3일)	불안정	광범위 적응증 약으로 경험적 치료(병원에서)
2단계(3~7일)	안정화되기 시작	특정한 한가지의 좁은 항균범위를 가진 경구제, 혹은 작용 시간이 긴 비
3단계(7일 이후)	안정	경구약(외래/가정 가능)

- 항균범위가 작을수록, 비경구보다 경구일수록 부작용(superinfection, IV 관련 감염 등)이 적다.
- 1단계 : 임상진단 부정확
- 2단계 : Gram 염색 결과 나오고, 환자상태 호전 시작, 항균제 범위를 좁게 switching
- 3단계 : 배양 결과 나오거나, 한가지 항균제로 바꿔, 임상적으로 원인균까지 추정 가능. 많이 호전되어 식사 가능. 경구항균제로 바꿈. 불가능하면 주사 치료.

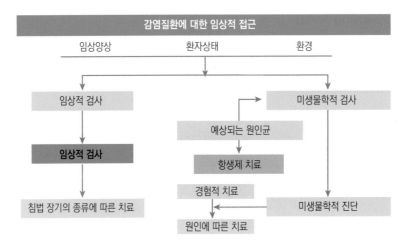

그림 50-5. **감염질환에 대한 임상적 접근**

1) 농도-의존적 vs 시간-의존적 ← 항생제의 투여 횟수 및 용량의 결정 요인

표 50-2. **항균력의 약력학적 양상**

양상	약물	투약목표	효능과 관련된 지표
농도-의존적 살균 및 긴 postantibiotic effect	Aminoglycoside, quinolone	농도의 최대화	AUC/MIC 및 Peak/MIC
시간-의존적 살균 및 짧은 postantibiotic effect	Penicillin, cephalosporin, carbapenem, clindamycin, macrolide	폭로기간의 최적화	T>MIC
시간-의존적 살균 및 긴 postantibiotic effect	Vancomycin, azithromycin, tetracycline	1일 용량의 최적화	AUC/MIC 및 T>MIC

MIC, minimum inhibitory concentration; AUC, area under the curve; T>MIC, time above MIC

Adapted from 대한감염학회

2) 일반적으로는 아래의 그림과 같이 MIC의 4배 농도까지 도달하면 항균 작용이 더 이상 농도 증가에 영향을 받지 않지만, 농도-의존적 약물들은 농도에 비례하여 항균 능력이 강해진다 (그래서 Aminoglycoside나 Quinolone 등은 하루 한번 준다).

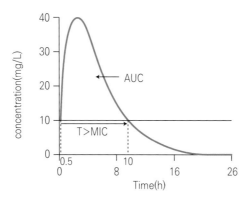

그림 50-6. **약력학적 지표**

위 그림에서 AUC, MIC, peak:MIC (=40:10=4:1), T 〉 MIC (=10-0.5=9.5 h) 등을 알 수 있다.

AUC, area under the serum concentration-time curve; MIC, minimum inhibitory concentration; T 〉 MIC, time that the serum concentration exceeds the MIC.

Adapted from 대한감염학회

3) 대표적 감염질환 별 항생제 사용 기간
- 패혈증 : 10~14일
- 폐렴(Streptococcal pneumonia) : 5~7일
- Cystitis : 3일
- APN : 14일
- Cellulitis : 10일

5. 노화에 따른 생리학적 변화

1) 노화에 따라 신기능저하가 지속되므로, 노인에서는 신장을 통해 주로 배설되는 항생제의 체내 농도가 예상치보다 높을 수 있다.

2) 혈중 크레아티닌(Cr)치가 신기능을 반영하지만, 노인에서는 근육량이 적기 때문에 정상으로 나오더라도 신기능을 정상이라고 볼 수 없는 경우가 많다(그래서 노인에서 Cr치가 1.0 mg/dL

이하면 그냥 1.0 ㎎/dL를 공식에 대입한다).

3) 사구체여과율을 추정하기 위해 아래의 **Cockcroft and Gault** 등식을 흔히 사용

사구체여과율(㎖/min) = [(140 − 나이) × 표준체중(㎏)] / [72 × 혈청 Cr(㎎/d㎗)] × 0.85(여자)

4) 혹은 알부민 치를 이용한 아래의 등식도 있다.

남자: 사구체여과율 = (19 × 혈청알부민 + 32) × 체중 / (100 × 혈청크레아티닌치)

여자: 사구체여과율 = (13 × 혈청알부민 + 29) × 체중 / (100 × 혈청크레아티닌치)

표 50-3. 노화에 따른 생리학적 변화와 그에 따른 항생제의 약동학적인 변화

	생리학적 변화	항생제의 약동학적 변화
흡수	위장내 산도 저하 소장의 흡수면적 감소 소장에의 혈류 감소 위배출시간 지연 및 위장관운동 저하	산도에 영향을 받은 항생제의 흡수 변화 흡수 저하 흡수 저하 흡수 저하 내지 지연
분포	체지방 비율 증가 체내 수분량 감소 혈중 알부민치 감소 혈중 알파-1 산성 당단백질 증가	지용성 항생제의 반감기 증가 수용성 항생제의 농도 증가 산성항생제의 유리농도 증가(penicillin, ceftriaxone, sulfa, clindamycin 등) 염기성항생제의 유리농도 감소(macrolides)
대사	1단계 대사효소 활성(cytochrome P-450) 저하 간혈류 감소	1단계 효소로 대사되는 항생제의 반감기 증가 일차통과 대사의 감소
배설	신혈류 및 사구체여과율 감소	신장으로 배설되는 항생제의 반감기 증가

Adapted from 김성민, 2010

6. 다른 약물과의 상호 작용

노인은 다른 질환으로 인해 여러 가지 약물을 사용하기도 하고 한약 및 건강보조식품도 많이 복용하기 때문에 약물 상호간 작용으로 인해 항생제의 부작용이나 다른 약제의 부작용이 증가할 가능성이 많다. 따라서 의료진은 이러한 약물 및 기타 제제의 복용력을 꼼꼼히 파악해야 한다.

표 50-4. 항생제의 부작용에 영향을 끼치는 약제들

항생제	영향을 주는 약제	부작용
Aminoglycoside	Amphotericin B, cyclosporin, cisplatin, 고리형이뇨제, tacrolimus, vancomycin	신독성 추가
Fluoroquinolones	Aluminium, 철분, magnesium, 아연이 포함된 약제, 제산제, sucralfate	Fluoroquinolone 흡수 감소
	항부정맥약	심실성 부정맥
Ciprofloxacin	Calcium 보충제	Ciprofloxacin 흡수 감소
	Theophylline	Theophylline 농도 증가
	Warfarin	항응고 효과 증가
Linezolid	Serotonin 약제(SSRI, TCA, MAOI 제제)	Serotonin 증후군
Macrolides Azithromycin Clarithromycin, Erythromycin	1) Aluminium, magnesium 함유약제	1) Azithromycin 흡수 감소
	2) Calcium 통로차단제, HMG-CoA-환원효소 억제제, cyclosporine, digoxin, theophylline, warfarin	2) 약제농도 또는 효과 증가 macrolides 농도 증가
Metronidazole	Warfarin	항응고효과 증가
	Alcohol 또는 alcohol 함유 약제	Disulfiram 유사 반응
Rifampin	제산제	Rifampin 흡수 감소
	항부정맥제, benzodiazepines, calcium 통로 차단제, 부신피질호르몬제, digoxin, enalapril, estrogens/progestins, methadone, phenytoin, tamoxifen, theophylline, valproate, voriconazole, wafarin	약제농도 감소
Tetracyclines	Aluminium, calcium, 철분, magnesium 함유약제, 제산제, bismuth subsalicylate	Tetracycline 흡수 감소
Triazole 항진균제	Carbamazepine, Phenobarbital, phenytion, rifampin	항진균제 농도 감소
	항부정맥제, benzodiazepines, calcium 통로차단제	약제농도 또는 효과증가
	부신피질호르몬제, digoxin, HMG-CoA 환원 효소억제제, sulfonylureas, warfarin	항진균제 흡수 감소
Itraconazole, Ketoconazole	제산제, H_2-수용체억제제, propton pump 억제제	약제농도 또는 효과 증가
Trimethoprim –sulfamethoxazole	Phenytoin	Phenytoin 농도 증가
	Sulfonylureas	저혈당
	Warfarin	항응고 효과 증가

7. 항생제의 흔한 부작용들

항생제 투여 중 이상 증세가 보이면 늘 항생제와의 연관성을 염두에 두어야 한다. 다음의 표에 항생제의 흔한 부작용을 정리해 놓았지만 이에 포함되지 않은 여러 가지 부작용들이 발생할 수 있다. 예를 들어 Clindamycin을 사용할 때 Clostridium difficile 연관 장염이 자주 발생하는 것으로 알려져 있지만, 요즈음은 Clindamycin의 사용은 줄고 다른 항생제의 사용량이 늘면서, 이 부작용이 오히려 다른 항생제와 관련되어 많이 발생하고 있다.

표 50-5. 각 항생제의 흔한 부작용

항생제	부작용
Aminoglycoside	신독성, 이독성
항결핵제	
Isoniazid	말초신경증, 간독성
Rifampin	소변, 눈물, 침의 적색변화, 약물상호작용
Beta-lactams	설사, 약열, 간질성신염, 발진, 혈소판 감소, 빈혈, 백혈구 감소
Carbapenems	경련
Clindamycin	설사, Clostridium difficile 연관 장염
Fluoroquinolones	구역, 구토, 중추신경반응, 경련유발, QT 간격 연장
Linezolid	혈소판감소, 빈혈
Macrolides	
Erythromycin, Clarithromycin, Azithromycin	담즙정체성 간염, 약물상호작용, 위장관불편감, QT 간격연장, 이독성
Amantadine, Rimantadine	중추신경반응
Tetracyclines	
Minocycline	어지럼증, 과민반응증
Triazole 항진균제	
Voriconazole, Itraconazole, Voriconazole	위장관불편감, 간독성, 약물상호작용
	광과민반응, 시력장애
Trimethoprim-sulfamethoxazole	혈액질환, 약열, 저칼륨, 발진

8. 우리 병원만의 항생제 리스트 만들기

　　대학병원이 아닌 이상, 병원에서 모든 종류의 약물을 처방할 수는 없다. 우선 각 병원에 구비되어 있는 항생제 리스트를 확보한 후, 다음과 같이 균주별 항생제 리스트를 만들어 놓는다면 감염질환의 치료에 큰 도움이 될 것이다.

우리 병원만의 항생제 리스트 만들기 ["SANFORD GUIDE(熱病)" 이용]

- a. 세로축에는 각 균주들을 계통 별로 나열
- b. 가로축에는 각 항생제들을 계통 별로 나열
- c. "균주 vs 항생제"별로 감수성(sensitivity)의 정도를 "+", "±", "0" 등으로 표시
- d. 가로축 중, 우리 병원에 있는 항생제만을 남기고 나머지는 오려버린다.

9. 노인에서의 항생제 사용의 원칙

1) 노인에서 항생제 내성균이 많이 발현한다는 보고도 있다. 따라서 항생제의 경험적 사용을 최대한 자제하고, 경험적으로 광범위 항생제를 사용하더라도 원인균이 밝혀지는 경우에는 좁은 항균범위를 지닌 항생제로 바꾸어주는 것이 항생제 내성균의 발현을 막는데 도움이 될 것이다.

2) 치료 농도에 미달하는 부족한 양의 항생제를 투여할 때 항생제 내성균이 흔히 발현하므로, 살균속도를 빠르게 항생제 치료를 하는 것이 내성균의 발생을 막을 수 있다고 여겨진다.

　　　　찔끔 찔끔 쓰는 것이 가장 안 좋다. 가능하면 자제하고, 써야 할 때는 확실히 강하게 쓸 것.

51 다빈도 질환 처방 및 간단한 수기

요양병원 외래에 반드시 노인환자만 찾아오는 것이 아니며, 노인환자라고 해서 모두 노인성 질환만을 가지고 있는 것도 아니다. 따라서 일차의료에서 흔한 질환들에 대한 기본적인 처방 및 외래에서 시행할 수 있는 간단한 수기의 습득이 필요하다.

◇ 단순히 흔한 질병에 대한 약 이름만을 나열한 것임을 고려할 것.
◇ 각 병원의 조건에 맞추어 검사나 약의 종류를 달리 할 것.
◇ 용량은 일반 성인 기준이므로, 노인의 경우는 신기능 등을 고려하여 감량할 것.

1. 합리적인 처방 내리기

1) 합리적 처방 과정

a. 환자의 문제 정의
b. 치료목적의 구체화
c. 효과와 안전성이 입증된 치료법의 선택
d. 정확한 처방
e. 환자에 대한 정보 제공과 교육을 통한 치료의 시작
f. 치료 결과의 모니터 및 치료에 대한 추후 방침의 결정(중단 포함)

2) 자신만의 약제 처방 목록 만들기

a. 진단을 내린다.
b. 치료의 목표를 정한다.
c. 그 질환에 효과가 있는 약물의 목록을 작성한다.
d. 기준(효능, 안정성, 적정성, 의료비)에 따라 가장 효과적인 약을 고른다.
e. 활성형과 제형의 선택, 표준 투약 계획의 선택, 표준 치료 기간의 선택

3) 처방 후 환자 교육 및 관리의 내용

a. 약물의 효과 : 소실될 증상, 소실 시기, 약물 복용의 중요성, 비복용 시의 결과 등 정보 제공
b. 부작용 : 부작용의 내용, 발견 방법, 지속 기간, 심각성, 처치 방법 등 제공
c. 복약 지시 : 복약 시기, 복약 방법, 보관 방법, 복용 기간, 문제 발생 시 대처 등 정보 제공
d. 경고 : 금기 사항(운전 등), 최고 용량, 치료의 필요성(항생제) 등 정보 제공
e. 추적 방법 : 다음 진료실 방문 여부 및 시기, 조기 방문 여부, 남는 약의 처리 등 정보 제공
f. 환자의 이해 정도 확인 : 필요시 정보 제공의 반복, 궁금한 점은 질문하도록 함.

4) 약물 처방에 대한 최신지견 유지하기

a. 약리학, 임상 약리학 서적
b. 약물 일람표 : 일반명, 상품명, 화학성분, 적응증, 금기, 경고, 약물상호작용, 부작용, 투여 방법, 권장 용량 등이 수록된 자료
c. 의학 잡지 : 특정 질병에 대한 보다 자세한 약물 치료를 다룬다. Lancet, NEJM 등이 대표적
d. 각종 학회 및 연수 강좌 참여
e. 약물 정보 센터
f. 제약 회사에서 제공하는 정보 : 과장 광고 등의 가능성이 있으므로 주의

2. 심혈관계

1) 고혈압

- 목표 혈압 : 140/90 mmHg (60세 이상은 150/90 mmHg, JNC-8) 이하. 당뇨 또는 만성 신장 질환 동반 시 130/80 mmHg 이하
- routine tests : EKG, CBC, Admission panel, Lipid panel, UA
- 처음 처방 시 저용량으로 시작
- 약효가 24시간 지속되어 1일 1회 복용이 가능한 약제를 선택
- 동반된 위험 인자나 질환에 따라 약제를 선택(JNC-7)
- 3개월 후 목표 혈압 도달 실패 시 ⇒ 약물 교체 또는 저용량 병합 요법
- 한 가지 약제로 혈압이 적절하게 조절되지 않는 경우 병합 요법
- [ACEI+BB]와 [CCB+이뇨제]는 피함.
- ACEI와 BB는 모두 rennin-angiotensin 억제 작용과 교감신경 억제 작용이 있어서 중복되므로 병합 효과가 크지 않아 최초 병합 요법으로 추천되지 않는다.
- CCB도 이뇨 작용이 있어서 처음부터 이뇨제와 병합 요법 하는 것을 추천하지 않는다.

표 51-1. **피부질환의 부위별 국소치료제의 처방 용량**

	이뇨제	BB	ACEI	ARB	CCB	Aldo X [1]
심부전	O	O	O	O		O
Post-MI		O	O			O
CAD 고위험	O	O	O		O	
당뇨병[2]	O	O	O	O	O	
만성신질환			O	O		
뇌졸중 예방	O		O			

---

1) Aldosterone antagonist; spironolactone이 대표적
2) ACEI, ARB가 당뇨병의 합병증 예방에 도움이 되는 것으로 밝혀져 있어서 1차 약제로 선택하고 이후 목표 혈압인 130/85 mmHg 에 도달하지 못하면 CCB를 추가하고 그래도 조절되지 않으면 BB를 추가한다.

◆ 베타차단제
  - Atenolol(Tenormin 50 mg/T)
  - Bisoprolol(Concor 5 mg/T)
◆ 알파-베타차단제
  - Carvedilol(Dilatrend 12.5, 25 mg/T)
◆ ACEI(안지오텐신 억제제)
  - Captopril(Capril 12.5, 25 mg/T)
  - Enalapril(Alphrin 10 mg/T, Univasc 15 mg/T)
  - Perindopril(Acertil 4 mg/T)
  - Ramipril(Tritace 2.5, 5 mg/T)
◆ ARB(안지오텐신 수용체 차단제)
  - Losartan(Cozaar 50 mg/T)
  - Valsartan(Diovan 80 mg/T)
  - Irbesartan(Aprovel 150 mg/T)
  - Candesartan(Atacand 8 mg/T)
◆ CCB(칼슘 수용체 차단제)
  - Amlodipine(Norvasc, AM 5 mg/T)
  - Nicardipine SR(Adalat oros 20 mg/T)
◆ 혈관확장제
  - Hydralazine(Hydralazine 25 mg/T)
◆ 복합제제
  - Cozaar plus(Losartan 50 mg + Hydrochlorothiazide 12.5 mg)
  - 아모잘탄 5/50 mg, 5/100 mg(Amlodipine 5mg + Losartan 50/100 mg)

2) 심부전

- 원인질환 교정 + 저염식이요법
- 이뇨제 + ACEI(or ACEI가 기침 발생 시 ARB) + BB + Digoxin

ex) Lasix 40 mg + Aldactone[3] 25 mg + Enalapril 5 mg + Concor(bisoprolol)[4] 5 mg ± Digox-in[5] 0.125 mg

---

3) Aldosterone antagonist 가 NYHA class 4의 심부전에서 사망률, 입원율을 감소시키는 효과가 보고됨
4) 심부전 환자에서 사용하면 증상 감소와 사망률 감소가 알려진 베타차단제는 metoprolol, carvedilol, bisoprolol이 있다. 소량으로 시작해 서서히 증량한다. 그러나 NYHA class 4(중증)의 심부전에서는 금기이다.
5) 이뇨제, ACEI(ARB), BB의 병용요법에 효과가 없는 경우에 사용함. 증상 감소에 도움이 되나 사망률 감소 효과는 없음. 심박출량이 정상인 이완성 심부전에서는 사용하지 않는다.

3) 협심증

- 고혈압, 당뇨, 흡연 여부 확인
- lab − Chest PA, EKG, Treadmill test[6], CBC, Admission panel, Cardiac enzymes
- 혈관확장제(Nicorandil; 시그마트 1T tid) + BB + CCB + 항혈소판 약제(아스피린 100 mg qd)

4) 기립성 저혈압

- 스테로이드 − 신장에서 Na 저류 효과, 노르에피네프린에 대한 세동맥의 민감도를 증가시킴.: Fludrocortisone(플로리네프) 0.1~0.6 mg
- K 공급 − 심부전 치료 등으로 인해 hypo-K 발생한 경우 보충이 필요할 수 있음.
- 알파−1 agonist : Amezinium(리스믹), Midodrine(미드론)
- NSAIDs − 신장에서 Na 저류 효과, 프로스타글란딘에 의한 혈관 확장을 막음 : indomethacin
- Dopamine antagonist : Domperidone(모틸리움−엠)

5) 고지혈증

- T.chol 〉 240 mg/dL이면 lipid 검사
- DM 및 말초 혈관 질환은 관상동맥질환과 동등한 위험성으로 본다.
- LDL 〉 190 mg/dL ⇒ Statin제제 : 금주 교육(간독성)
- TG 〉 400 ⇒ Lipidil Micro 200 mg (Fenofibrate) qd (식후 즉시)
- 총 치료 기간 3~6개월
- 약물 치료 후 6주 간격으로 2회 추적검사를 한 후에도 호전되지 않으면, 약의 용량을 올리거나 병합 고려
- LFT F/U 필요함(3배 이상 증가하면 중지)
- 근육통시 myopathy 의심
- Statin + Fibrate 가능, 근육 손상 위험 증가(5%) → 특히, 신장 기능 안 좋은 사람은 주의

---

6)   불안정형협심증(unstable angina) 혹은 심근경색이 의심되는 경우는 시행해서는 안 된다.

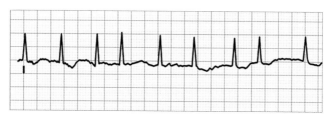

그림 51-1. **심방세동. 불규칙한 리듬에 대한 패턴이 없다("Irregularly irregular" pattern).**

- 비류마티스성 심방세동(non-rheumatic Atrial Fibrillation) 환자의 뇌졸중 위험도를 추정
- 와파린(Warfarin) vs 항혈소판제제(Aspirin) 처방 여부 결정
- 와파린을 복용한 적 없는 65~95세의 비류마티스성 심방세동 환자들에 대해 타당도 검증

표 51-2. CHADS$_2$ 점수

	환자의 임상적 상태	점수
C	Congestive heart failure	1
H	Hypertension: 지속적으로 > 140/90 mmHg or 혈압약 투여 중	1
A	Age ≥ 75years	1
D	Diabetes Mellitus	1
S2	prior Stroke or TIA	2

Adapted from Gage BF, et al., JAMA 2001

표 51-3. CHADS$_2$ 점수에 따른 뇌졸중 위험도

CHADS$_2$ 점수	뇌졸중 위험도(%)	95% CI
0	1.9	1.2-3.0
1	2.8	2.0-3.8
2	4.0	3.1-5.1
3	5.9	4.6-7.3
4	8.5	6.3-11.1
5	12.5	8.2-17.5
6	18.2	10.5-27.4

표 51-4. CHADS$_2$ 점수에 따른 심방세동의 치료 방침

CHADS$_2$ 점수	뇌졸중 위험도	항응고 요법	비고
0	낮다	Aspirin	매일 Aspirin 복용
1	중간	Aspirin or Warfarin	매일 Aspirin 복용 or 환자선호도 등에 따라 Warfarin(INR 2.0-3.0)
2 or greater	중간~높다	Warfarin	특별한 금기사항(임상적 위장관 출혈, 규칙적인 INR 검사 불가능 등)이 없다면 Warfarin(INR 2.0-3.0)

3. 소화기계

1) 소화성 궤양

- H2-receptor blockers : Cimetidine, Ranitidine, Famotidine
- 프로스타글란딘 : Misoprostol
- PPI : Omeprazole, Lansoprazole, Pantoprazole, Rabeprazole, Esomeprazole
- Antacids : Aluminum hydroxide, Magnesium hydroxide
- 위점막 보호제 : Bismuth, Sucralfate

2) 헬리코박터 제균 요법(H.pylori eradication)

- 1차 치료 : PPI bid + AMOX 1,000 mg bid + CLA 500 mg(or metronidazole 500 mg) Bid × 7d
- 2차 치료 : PPI bid + Bismuth 300 mg qid + Tetra 500 mg qid + METRO 500 mg tid × 7d ⇒ 일부에서 10~14일 치료를 권유하기도 함.

3) 위-식도 역류 질환(GERD)

- Step-Up(처음 치료 시): H2 수용체 차단제 표준 용량 → H2 수용체 차단제 증량 or PPI 절반용량 → PPI 표준용량

- Step-Down(반복성 GERD 혹은 합병증 동반 시) : PPI 표준용량 → PPI 절반용량 → H2RA 표준용량
- LA A or B : 처음에 PPI 4~8주 → On-demand 요법(증상 있을 때 1~2주씩 투여 혹은 절반용량
- LA C or D : PPI 8주 → 증상 호전되면 하루 1회, 호전 없으면 2배 용량 하루 1회

4) 변비

- Mago 2.0 g/day
- Alaxyl 1P qd-bid
- Dulcolax oral : 2t hs
- Mutacil 1P qd-tid
- Duphalac syr 30 mL qd-tid
- Dulcolax rectal supp : 2t qd

5) 설사

- Lab : CBC diff, CRP, Widal test, routine stool ex, stool WBC/Gram stain/Cul., parasite, Abd X-ray
- Hydration
- Smecta/Loperin/BTK powder
- Antibiotics : cipro 500 mg bid 1-3ds or norfloxacin 400 mg bid
- Tiropa/Buscopan
- Lacteol

6) 간염(Hepatitis)

- Lab : HAV IgM, HBs Ag/HBs Ab, HBc IgM/IgG, HBeAg/HBeAb, HBV DNA(quan), HBC Ab
- 모든 viral marker가 (−)로 나올 경우 → Wilson's ds(age ⟨ 35), EBV, CMV infection, auto-immune hepatitis (ANA, antimitochondrial Ab for primary biliary cirrhosis − PBC), biliary tract ds, meta 등을 의심
- Livital 1t Tid, Hepatofolk 1t Tid
- 황달을 동반한 가려움증 → Cholestyramine(Bitran.tid)

- Legalon 1P bid, Livital 1t Bid
- 만성 B형 간염 → 3~6개월마다 AST/ALT, AFP, USG
- B형 간염 치료제 – 각각의 용량, 적응증, 보험 기준 확인 후 처방할 것
  : Lamivudine(제픽스, 컴비비어), Adenofir(헵세라), Entecavir(바라크루드), Celvudine(레보비르)

4. 호흡기계

1) URI(상기도 감염)

- 해열진통제 : Tylenol ER, Pontal Tid
- 거담제 : 비졸본, Erdos, Rhinathiol
- 기관지확장제(meptin, atock)는 감기에는 도움이 되지 않음
- 기침약 : 네오메디코푸, 코푸시럽, Cofrel, Codeine 20 mg tid
- 콧물약 : Actifed
- 진통제 IM : Tridol, Diclofenac
  기침, 가래가 주 증상인 경우 : (레보투스 3T, 뮤코펙트 3T) #3
  콧물, 코막힘이 주 증상인 경우 : 액티피드 1.5T #3

URI에서 항생제 처방 적응증

1) 폐렴이 의심되는 침윤
2) 중이염 혹은 부비동염
3) Group A streptococcus 감염이 증명된 인후염 혹은 편도염
4) APT(Acute Pharyngotonsilitis) 중 다음과 같은 증상 – 기침이 없다, 발열, tonsilar exudate, 경부임파선염
5) 10일 이상 증상이 지속되어 sinusitis 합병증이 의심되는 경우
6) 10일 이상 증상이 지속되거나 상태가 나빠지는 기관지염
7) 만성폐질환에 병발된 기관지염

2) 만성 기침

- X-ray : PNS Waters' view/Chest PA
- cough variant asthma 의심되면 → PFT [routine spirometry c reversibility, provocation test(Methacholine)]
- GERD evaluation : 24 hr pH monitor
- Actifed/Rhinathiol/Cofrel/Meptin
- Codeine 20 mg tid
- sinusitis → Augmentin/Gomcillin
- cough variant asthma : pulmicort inhaler, Prednisolone 30~40 mg qd 고려

3) 폐렴

- Chest X-ray, CBC, adm-P, ESR, CRP, mycoplasma-Ab, eletrolyte, U/A, microscopy
- sputum G/S & culture(2 times), AFB smear & culture(2 times), 노인은 cytology
- Tx : Macrolide(Azithromycin, Clarithromycin, Erythromycin, Roxithromycin) & Cefa(Cefpodoxime, Cefditoren) or Augmentin
  기타 - Tylenol-ER, mucolytics, bronchodilator…

4) 결핵 처방(6개월 요법 기준)

- 2HERZ/4HER(2개월/4개월)
  : 보통 다음의 용량으로 아침 한번 투여
- 결핵에서 Steroid 투여의 적응증
  - 기관지 내 결핵
  - 속립성 결핵(Military Tbc)
  - 결핵성 뇌막염
  - 흉수

표 51-5. **결핵의 6개월 표준 처방(체중 50 kg 이상)**

2 HERZ	4 HER
H: 유한짓 400 mg	H: 400 mg
E: 에탐부톨 800~1200 mg	E: 800 mg
R: 리팜피신 600 mg	R: 600 mg
Z: 피라진아미드 1500 mg	

5) 고립성 폐결절(SPN; solitary pulmonary nodule)

- 악성종양의 가능성이 높은 경우?
  - calcification ; speckled, eccentric
  - spiculatory margin
  - doubling ; 28% of diameterdoubling time ; 25~450일 − 악성 가능, 〉2yr − 양성, 〈 20d − 염증
  - size 〉 1.5 cm
  - old, smoker
  * HRCT가 도움이 될 수도 있다.
  # F/U
  CXR 4wk → 6wk → 3mo → 4−6mo for 2yr (if any growth ⇒ thoracotomy or needle Bx)

5. 내분비계

1) 당뇨병

- Lab : FBS/PP2, HbA1c, Lipid panel, creatinine, C−peptide basal/120 min, 24 hr−urine, LFT, UA, EKG
- Biguanide
  - Metformin 1000−1500(2500) mg/d − 신기능저하 시 주의(s−Cr 〉 1.5 mg/dL)
- Sulfonylurea
  - Diamicron 0.5~3T/day
  - Daonil 0.5~3T/day
  - Amaryl 1~8 mg/day
- Glucosidase inhibitor
  - Acarbose(Glucobay bid−tid[최대 200 mg])
  - Voglibose(Basen) ⇒ GI 부작용이 비교적 적다.
- TZD(Thiazolidinedione)
  - Rosiglitazone(Avandia 4~8 mg/day)
  - Pioglitzaone(Actos 15~45 mg/day)
- Meglitinide
  - Novonorm 1 mg/T
  * 병합요법 : Sulfonylurea + [Biaguaide or Thiazolidinedione or Glucosidase inhibitor] 등

2) 골다공증

- Fosamax 70 mg/w
- Adcal 2T hs
- Menocal spray
- Evista(raloxifen) 1T (60 mg) qd

3) 갑상선기능항진증

- Initial order : TSH/T3/Free T4
- TSH Rec. Ab./anti-thyroglobulin Ab/Microsomal Ab(모두 RIA), thyroid uptake I-131,
- thyroid imaging Tc-99 m
- thyroid palpation : nodule → imaging
- Antiroid 50 mg/Tab 4(3)TB Bid
  - T3, fT4가 정상이 되면 2T Bid
  - TSH 변하기 시작하면 2T qd
  - TSH 정상화 되면 1T qd ⇒ 100(50) mg Qd 까지 줄임
- Tremor → propranolol 40 mg bid, atenolol, Metoprolol, nadolol : 1개월 정도만 투여
- LFT 1~6개월 정도마다 F/U
- TFT는 2~3개월 마다 F/U
- 총 6개월~2년 정도 치료
- 완해 후 1년간 세밀하게 추적 검사
- 치료 지표 : free T4

4) 갑상선기능저하증

- TFT, thyroid Ab
- thyroid palpation
- Synthyroid 1/2(1/4)T 로 시작, 2(3)-4(6)주 간격으로 증량
- 노인, 심장질환자는 천천히 증량

6. 신경계

1) 뇌졸중

- 2차 예방이 중요 / 위험 인자 교정
- Aspirin (Astrix 100 mg/C, Aspirin protect 100 mg/T Qd)
- Ticlopidine (Ticlopidone 250 mg/T bid)
- Clopidogrel (Plavix 75 mg/T Qd)
- Dipyridamole (Persantin 75 mg/T tid−qid)

2) 두통

- 위험 신호 : 당뇨, 고혈압, 고령, 신경학적 이상, 매우 심한 두통
* Tylenol ER 1T tid, Naproxen 1T bid, Pontal 2T tid → 1주일에 2회 이하 복용
* 기타 : Valium 2 mg tid, Enafon 10~75 mg, Macperan 1T tid, CafergotPRN > Imigran
  (sumatriptan 1T=50 mg, Max 30 0mg/day)Diclofenac 1A IM

3) 편두통

- Naxen−F 500 mg bid, propranolol 40 mg bid, Imigran (sumatriptan) 50 mg prn

4) 어지럼증, 현훈; BPPV

- 중추성/말초성 구별할 것
- Black out/ 청력 장애 여부 면담
- 검사 : 일자 걷기, Romberg test, FTN (Finger−To−Nose) test, AHM (Alternative Hand Movement) test, HTS (Heel−To−Shin) test, 기립성 저혈압 검사
- 필요하면 MRI
  - Dramamine + 기넥신 → 효과 없으면 Xanax 0.25 mg tid (bid) + 기넥신

7. 정신계

1) 불면증

- Stilnox 0.5~1 T hs
- Trazodone 25 mg hs

2) 불안증(Anxiety)

- Xanax (alprazolam) 0.25 (0.5) mg tid : 금단현상 때문에 천천히 감량(tapering)
  - 보통 2~6 주간 치료를 지속하여 1~2 주간 서서히 감량하여 끊는다.
- Buspar. 1T (5 mg) Tid
  - Dependency, Tolerance 없다.
  - Benzodiazepine을 30일 이상 사용했을 경우는 효과 없다.
  - 5 mg Bid로 시작하여 하루 15~60 mg까지 증량한다.
  - 치료 효과를 나타내는데 1~3주까지도 걸릴 수 있다.

3) 우울증

- 치료 기간 : 6개월-2년
- DSM-IV 기준 : D/SIGECAPS (Depressed mood/Sleeping 패턴 변화, Interest 감소, Guilty 혹은 낮은 자존감, Energy 감소, Concentration 불량, Appetite 변화, Psychomotor agitation, Suicide 생각) 9개 항목 중 5개 이상의 증상이 2주 이상 나타날 때 주요우울장애로 진단
  - Paroxetine (Seroxat) (20 mg/T) : 20 mg/day start. 식후 바로 복용, 20~40 mg/day로 유지
  - Sertraline (Zoloft) (50 mg/T) : 25 mg/day로 시작, 50~200 mg/day로 유지. 식후 바로
  - Fluoxetine (Prozac) (10 mg, 20 mg/T) : 20 mg/day로 시작, 20~60 mg/day로 유지. 하루 두 번이면 아침과 정오에 투여
  - Venlafaxine. effexor XR (37.5 mg/C) 1T Qd wm : 75 mg (max 225 mg) qd 식후 즉시 2~3times/day dosing도 가능 ⇒ Cimetidine 은 clearance를 감소시킴 : 37.5 mg bid로 시작하는 경우도, 대개 75 mg에서 호전보임.

— Mirtazepine(Remerone) (30 mg/T) : 15 mg/day hs로 시작하여 증량. 용량 15~45 mg/day
— Trazodone(25 mg/T) : 50 mg qd 저녁 식후로 시작

8. 비뇨생식계

1) 혈뇨(Hematuria)

- Routine UA
- Microscopy
- PT/aPTT/bleeding time
- BFC, Urine voided/cystoscopy
- Dysmorphic RBC/PSA
- IVP
- serology : ANA for SLEcryoglobulins for cryoglobulinemiaantineutrophil cytoplsmic Ab for Wegener's vasculitis,antiglomerular basement membrane Ab for Goodpasteure's ds,Complement : C3, C4HBs Ag
- USG
- 24-hr urine study, Cr, Ccr, protein, microalbumin
- biopsy
* isolated hematuria → 초음파 검사 → 1~6개월마다 추적검사

2) 단백뇨(Proteinuria)

- 재검 → (+) → 아침 첫 소변 채취해서 (−)면 기립성 단백뇨, (+)면 24 hr-u prot. 시행해서 〉 3.5 g 이면 nephrotic range 〈 150 mg 이하면 transient
- GFR(Ccr) = (140−나이) × 체중(kg) / (72 × s−Cr) [여자는 0.85를 곱한다]
- 염증이나 신장 질환 증거 없으면 1개월 후 F/U(적어도 2회 이상)
- Lab : ANA, ASO, C3/C4, ESR, glucose, CBC, Admission−P, e, HIV, VDRL, HBsAg/Ab, USG, Chest X−ray, 24 hr−urine

3) 요로 감염

a. 방광염(cystitis)
- 여성의 급성 단순 요로감염 → ciprobay 250 mg bid 3days
  * 보통 urine culture 시행하지 않는다.

b. 급성 신우신염(APN)
- UA c m., urine G/S & culture, CBC c diff, CRP, (adm-P)
- Ciprobay 500 mg bid for 14 days(+ Tylenol ER 650 mg tid)
- 초음파 검사의 적응증 : 당뇨병, 신경성 방광 이상, Cr의 상승, 지속적인 혈뇨, 요로결석의 병력, 비뇨생식기계의 수술력, 재발성 요로 감염, 항생제 치료 후에 지속적인 발열

4) 임질(Gonorrhea)

a. 반드시 chlamydia를 같이 치료
- Ceftraixone 125 mg IM, single dose(or Ciprofloxacin 500 mg, po, single dose, Cefixime 400 mg, po, single dose)
- Doxycycline(비브라마이신) 100 mg bid 7 ds(Azithromycin 1 g po single dose)

b. NGU 치료
- Azithromycin 1 g po, single dose(Doxycycline 100 mg bid 7ds)
- 치료 안되거나, 재발 잘하는 NGU는 → PCR 검사를 해봐야 함.

5) 매독(Syphilis)

- VDRL(+) → VDRL quan.(serum), FTA-ABS (IgG) (FTA-ABS Syphilis IgM)
- FTA-ABS IgG(+), IgM(-) → Tx Hx 물어봐서
  - Tx Hx없으면 PCN
  - Tx Hx있으면 VDRL titer봐서Tx
- Benzathin Penicillin (Mycin) 240만 U. Im. 1/wk. 3주

6) 질염(Vaginitis)

- Cervix − gram stain (slide smear. Dry) : gram(−) diplococci → gonorrhea
- Vagina − wet smear (면봉 + 2 cc normal saline)
- gram (+) bacilli. Large → lactobacilli
- Gram (+) cocci → normal flora
- Bacterial : metronidazole (Flasinyl), 500 mg Bid PO 7days
- Candida : Canesten (Clotrimazole) v/s. 1t 7 daysDiflucan (Fluconazole) 150 mg PO as single dose
- Trichomonas : Metronidazole (Flasinyl) 500 mg Bid 7days

7) 폐경기 여성호르몬 대체요법(HRT)

− 골다공증 치료 목적으로 복용하지 말아야 하며, 5년 이상 장기 복용 시 유방암 발생 증가
− 폐경 증상이 심할 때 1~2년 정도만 단기 복용 권유
− 시작 전 검사 : BMD, mammogram, Pap smear, 혈액검사(일반화학 검사, CBC, TSH, EKG)
a. 자궁이 있는 여성
　① 주기 요법 : 폐경된 지 1~2년 내 또는 주기적인 생리를 원하는 경우
　　− 경구제 : Premarin(에스트로겐) 0.625 mg 21일 + Cycrin(프로게스테론) 5 mg 11일
　* 위 두 제제를 합쳐놓은 제제가 Premele cycle 5.
　* Nuvelle (= Levonorgestrel + Estrogen) : 1 Pack = 28 tab
　　− 비경구제(패취) : 위장장애, 고중성지방, 간질환 있는 경우. 주로 하복부, 엉덩이에 부착: 한독 에스트란 50 패취(E2 1.5 mg/매) − 1회 1매씩 주 3회(3~4일 마다), 3주 부착 후 1주 휴약
　② 지속 요법 : 생리를 원하지 않는 경우(단, 첫 3개월은 break−through bleeding 있을 수 있다)
　　= Premarin(에스트로겐) 0.625 mg + Cycrin(프로게스테론) 2.5 mg 매일 복용
　　−경구제 기본형 : Premelle 2.5 (28 tab/pack), * Premelle 5 (28 tab/pack)
　* Activelle (estradiol+norethisterone) 28/pack
　* Libial (tibolone : estrogen이나 progesterone을 함유하지 않은 합성 호르몬) (28 tab/pack)
　　− 비경구제(패취) : 한독 콤비트란 0.2 패취 : 에스트란 50 패취를 2주간 적용 후 이 약을 주 2회 (3~4일 마다) 2주간 부착

b. 자궁이 없는 여성(자궁적출술 시행 후)

　－경구제 : Premarin 0.625 mg (1 tab~2 tab) 이나 estradiol 1~2 mg을 매일 복용한다.

　　＊ Tibolone (Libial 2.5 mg Qd) : 폐경 전후 안면홍조에 효과

9. 기타

1) 피로(Fatigue)

- CBC, Chemistry, electrolyte, UA c Microscopy, TSH, PSA, Chest PA, 위내시경 등

2) 체중 감소

- CBC, ESR, Chemistry, electrolyte, UA c Microscopy, TSH, PSA, Chest PA, 위내시경, 초음파, Stool OB or Barium-enema, 유방촬영, Pap smear, HIV

3) 빈혈

- Lab: CBC, s-iron, ferritin, TIBC, reticulocyte count, PBS
- IDA (3~6개월 치료)
  - Feroba (Feroba-you) 1 T qd-bid
  - Hemo Q-syr (ferritin < 12 ng/mL 필요) - 15 mL Qd-bid
  - Ferrumate-syr 5 mL qd (GI trouble시 보험 인정) Ferritin < 12 ng/mL 시 보험

4) 유행성 결막염(EKC)

a. 성인

　－ tarivid (ocuflox, ofloxacin) 점안액 1방울씩 tid + Tobrex (tobramycin) 안연고 1일 2~3회

1 cm 짜서 점안 + PO (cepha, NSAIDs)

b. 소아

　−Tobramycin 점안액 4시간마다 1~2방울씩

5) HBV(+) 환자의 주사 바늘에 찔림-공상

a. Lab : HBV Ag/Ab, anti−HCV, anti−HIV, VDRL

b. 항체 없으면 hepa−big 5−10 v IM(1 v =200 IU/1 mL) B vaccination

　− First dose of HBV vaccine at different sites on the body as soon as possible (preferably within 48 hours but no more than 7 days following exposure)

　− 3 & 12개월 후 재검

c. 항체 있는 것 같으면 → HBsAb titier 〉 10 IU/mL ; no therapy 〈 10 IU/mL ; HBIG, & booster

6) Malaria 예방

- Lariam (mefloquine) 250 mg/wk
  - 식후 복용(after dinner)　− 떠나기 1주 전 1회
  - 여행지에서 1주에 1회씩　− 여행 후 1주 1회씩, 4주 ⇒ 중추신경계, 심장에 문제 있으면 금기
- Doxycyclin 100 mg qd
  - 떠나기 1~2일 전 시작　− 여행지에서 매일 복용
  - 여행 후 매일 4주 복용
- 임신한 여성 : Aralen (Chloroquine phosphate)
  - 500 mg PO, once
    ⇒ 떠나기 1주 전 1회 / 여행지에서 1주에 1회씩 / 여행 후 1주 1회씩, 4주
    ⇒ 어린이나 임신부에 안전함
  - 소아 : 5 mg/kg, Max 300 mg

10. 간단한 치료적 수기들

1) 귀에 이물질이 들어갔을 때

- 보통 면봉으로 귀지를 제거하다가 끝 부분의 솜이 빠지는 경우가 많다.
- Crocodile forceps로 이물질을 제거한다(그림 51-2).

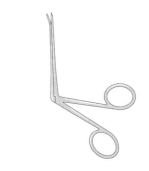

그림 51-2. **Crocodile forceps**

2) 귀에 살아있는 벌레가 들어갔을 때

a. 올리브유나 95% 알코올을 넣어서 벌레를 죽인다.
b. 주사기로 미지근한 물을 발사해서 죽은 벌레를 뽑는다.

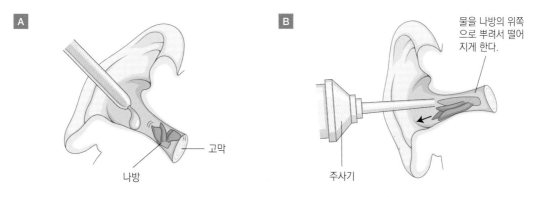

물을 나방의 위쪽으로 뿌려서 떨어지게 한다.

고막

나방

주사기

그림 51-3. (A) 올리브유 떨어뜨려서 나방 죽이기 (B) 미지근한 물을 발사해서 죽은 나방을 제거하기

3) 남성의 음경이 지퍼에 끼었을 때

- 환자가 스스로 빼 보려 하면 오히려 더 조이게 된다.
- 첫 번째 방법(그림 51-4)
  a. 일단 바지에서 지퍼를 잘라낸다.

　　b. 지퍼에 물린 포피 또는 음경의 base에 국소 마취를 한다.

　　c. 펜치 등으로 지퍼 손잡이를 잡아 망가져서 떨어질 때까지 힘을 가하여 떨어뜨린다.

• 두 번째 방법(그림 51-5)

　　a. 수술용 칼을 이용해서 가능한 한 지퍼 손잡이에 가깝게 지퍼를 다음의 그림과 같이 자르면 지퍼가 분리되어 떨어져 나간다.

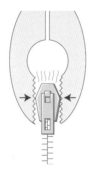

그림 51-4. **펜치로 힘을 가해 지퍼 손잡이를 망가뜨림**

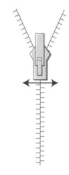

그림 51-5. **가능한 한 손잡이 가까이에서 자른다.**

4) 턱관절이 탈골되었을 때

• 음식을 먹으려고 입을 크게 벌리다가 발생하는 경우가 흔하다.

그림 51-6. **63세 치매 여성.** 평소 입을 벌리고 있는 경우가 잦아 턱관절 탈골의 진단이 다소 늦어짐

양쪽 엄지손가락을 환자의 아래 어금니에 댄다.

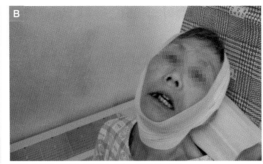

정복 후에는 탄력 붕대로 하루 동안 감싼다.

도수정복 후 치료된 모습

그림 51-7. **턱관절 탈골의 치료 방법**

- 도수정복 방법
  a. 치료자의 엄지손가락을 환자의 아래 어금니에 댄다.
  b. 치료자의 나머지 손가락은 환자의 하악골 각(angle) 부분을 감싸듯이 잡는다.
  c. 치료자는 환자의 아래 및 뒤쪽 방향으로 힘을 가한다. 이때 치료자의 체중을 싣는 것이 편하다.

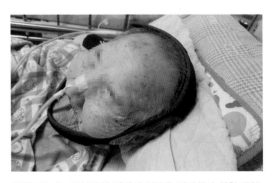

그림 51-8. **반복적인 턱관절 탈구를 예방하기 위한 장치.** 소위 'V-line 밴드'를 적용함. 주기적으로 풀어주어 욕창을 예방해야 함.

5) 어깨 관절이 탈골되었을 때

- 다음과 같은 Milch 수기를 먼저 시도해 볼 수 있다. 환자에게 큰 고통 없이 도수정복이 된다.
- 도수정복 방법
    a. 상체를 30도 정도 올린 상태로 누워서 팔꿈치를 천천히 90도 굴곡시킨다(그림 51-9(A)).
    b. 이 상태에서 팔을 천천히 들어서 손이 환자의 머리에 닿을 정도로 올린다.
    c. 이 위치에서 상완골의 방향을 따라 견인한다(그림 51-9(B)).

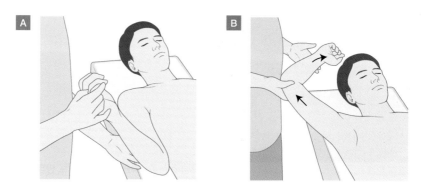

그림 51-9. Milch method : 머리 위로 손을 "밀치기"

6) 팔꿈치 관절이 탈골되었을 때

- 보통 손을 뻗친 상태에서 넘어지면서, 전완이 뒤쪽 방향으로 힘을 받게 될 때 발생(그림 51-9).
- 도수정복 방법
    a. 환자를 Prone position으로 엎드리게 하고, 전완을 바닥에 늘어뜨린다.
    b. 환자의 손목을 꼭 잡고 전완의 장축 방향으로 천천히 견인한다(그림51-11).
    c. 근육이 이완되었다고 느껴지면(수 분 정도 걸림), 다른 손 엄지와 검지로 팔꿈치 머리를 잡고 정복되는 위치로 이동시킨다.

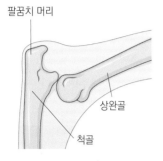

그림 51-10. 전완이 뒤쪽으로 탈골된 모습

팔꿈치 머리

상완골

척골

그림 51-11. 한 손으로는 손목을 당기고 다른 한 손으로는 팔꿈치 머리를 잡는다.

7) 치아(영구치)가 빠졌을 때

- 즉각적으로 원래 자리로 원위치 시킨다(그림 51-12).
- 30분 이내에 원위치 시키면 회복률은 90% 이상이다.
- 치아의 뿌리 부분을 닦거나 만지면 안 된다.
- 요구르트의 알루미늄 뚜껑이나 쿠킹호일로 틀처럼 싸서 치과로 이송한다.

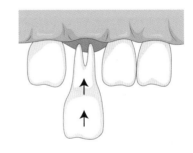

그림 51-12. 원래 위치로 즉시 끼워 넣는다.

8) 눈다래끼(속다래끼) 절제법

- clamp와 curette을 이용하여 절제 후 내용물을 제거한다(그림 51-13).

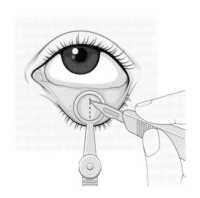

그림 51-13. 속다래끼 절제법

9) 발톱(조갑) 주위 염증 시 조갑절제술

- 대부분 엄지 발톱 내측이 살을 파고 들면서 심한 통증을 유발한다.
- 이때에는 forcep과 scissors를 이용하여 파고든 발톱(조갑)을 절제해주면 된다.

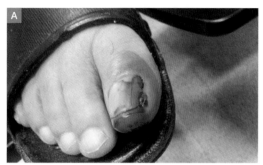

염증 부위를 중심으로 소독한다.

forcep을 이용해 발톱을 들어올린다. 이 과정에서 통증이 유발되므로 미리 국소마취를 한다.

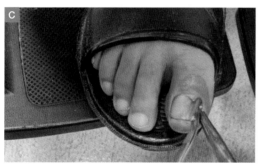

가위로 절제한다.

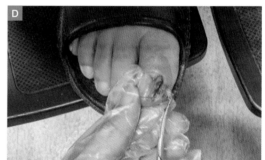

절제된 발톱 조각

그림 51-14. **오른쪽 엄지발가락 내측에 생긴 염증에 대한 조갑절제술**

보완대체요법에 관한 질문을
받을 때 - 근거중심의학에
기반한 권고

- 68세 남성. 당뇨병이 있으며 환자의 보호자가 당뇨병에 좋다는 홍삼을 환자가 드
   셔도 되냐고 질문함.

- 홍삼이 당뇨 수치를 떨어뜨려도 문제!

요양병원에서 근무하다 보면 각종 다양한 건강보조식품을 환자가 먹어도 되는가에 대한 질문을 심심치 않게 받게 된다. 체계적인 임상 연구 결과에 따른 근거에 입각하여 환자를 치료하고 간호하는 것을 당연한 직업적 윤리로 삼아야 하는 의료진의 입장에서는 의료진 본인이 특정 건강보조식품의 효능이나 부작용 등에 정확히 인지하고 있지 않은 상황에서 그에 대한 검토도 해보지 않고 환자에게 복용해도 괜찮다고 말하는 것은 직업적 책임이 결여된 행동이다. 그렇다고 무조건 복용을 금지시키는 것도 바람직한 자세는 아니며 오히려 원만한 환자−의료진 관계를 저해시킬 수도 있다. 건강보조식품이나 침술, 동종요법, 바이오피드백, 각종 척추 교정 수기 등을 포함하는 개념인 보완대체의학(Complementary and Alternative Medicine, CAM)은 정통(Conventional, Allopathic), 주류(Mainstream), 제도권(Orthodox), 정규(Regular) 등으로 표현되고 있는 정통의학에 속하지 않는 모든 것으로 지칭되나, 한의학이 또 하나의 주류의학으로 인정되고 있는 우리나라에서는 CAM의 정의를 달리할 수 있다.

외국의 경우 CAM에 대한 이용 정도는 상당히 대중적이라고 할 수 있다. 전체 인구의 30~50%

는 보완대체의학을 이용해 본 적이 있고, 의사 중 상당수는 CAM에 대한 지식을 가지고 있으며 실제 시술에 이용하고 있는 경우가 50%를 넘는 나라도 있다. 우리나라 환자들이 어느 정도 CAM을 이용하고 있는지에 대한 전국적인 자료는 아직 없으며 일부 환자군에서 조사한 자료만 있다. 그 결과 암 환자의 53%, 당뇨 환자의 65%, 류마치스 질환자의 34%가 보완대체요법을 받은 적이 있었다. 의사에 대한 조사에서 가정의학과 의사들의 상당수(40% 이상)는 환자가 CAM에 대해 질문할 때 긍정적으로 답변한다고 하였다.

악성종양, 만성통증, 생활습관 질환(당뇨병 등) 등 여러 질환에 대해 서구의학이 만족할 만한 치료 수단을 제공하지 못한다는 인식이 있고, 그런 경우에 CAM에 대한 관심이 높아지고 있다.

대한의학회에서는 2005년에 처음으로 기존의 다양한 CAM이 표방하고 있는 효능에 대한 근거 수준이 어느 정도인지를 근거중심의학(Evidence Based Medicine, EBM) 차원에서 검증하는 '틀'을 개발하고, 개발된 '검증 틀'을 우선 72개 CAM에 적용하여 근거 수준을 결정하게 되었다. 그러나 72개 검증 목록 중 근거 자료가 불충분하여 권고 수준을 평가하기 어려운 34개를 제외한 38개에 대해서만 권고를 도출하고 각 권고문에 대한 권고 등급을 결정하였다. 본 장에서는 이 검증 결과를 토대로 각종 보완요법의 효능에 대한 근거수준을 제시함으로써 상담 시에 도움을 주고자 한다.

근거로 삼은 논문들의 근거수준은 다음과 같은 기준으로 결정하였다.

표 52-1. 논문들의 근거수준

근거수준	근거가 된 논문의 내용
1++	높은 질의 무작위대조연구(RCT), 무작위대조연구의 체계적 고찰(SR)
1+	중등도 질의 무작위대조연구, 무작위대조연구의 체계적 고찰
1-	낮은 질의 무작위대조연구, 무작위대조연구의 체계적 고찰
2++	높은 질의 환자-대조군연구, 코호트 연구 혹은 이들에 대한 체계적 고찰
2+	중등도 질의 환자-대조군연구, 코호트 연구
2-	낮은 질의 환자-대조군연구, 코호트 연구
3	비분석적인 연구, 증례보고, case series
4	전문가 의견

Adapted from 대한의학회, 대한의사협회

"SIGN의 근거수준 정의"에 따라 근거로 삼은 논문들의 4가지 요소들, 즉 연구 디자인(무작위대조연구가 최선의 디자인), 연구의 질, 일관성, 직접성(연구 결과와 실제 적용하려고 하는 곳의 사람,

중재, 결과변수 등이 서로 유사한가)을 가지고 근거의 질을 평가하여 일반인에 대한 "권고사항"을 A, B, C, D의 네 등급으로 도출하였으며, 각 등급의 내용은 다음과 같다.

표 52-2. **권고안 등급체계**

등급	등급의 내용
A	질 높은 무작위대조연구로 자료가 풍부하고, 근거가 직접적이며 일관성이 있다.
B	무작위대조연구로 자료가 빈약하거나 직접성 혹은 일관성에 문제가 있음. 혹은 관찰 연구로 자료가 풍부하고 근거가 직접적이며 일관성이 있다.
C	중등도 질의 관찰연구로 자료가 풍부하고, 근거가 직접적이며 일관성이 있음. 혹은 높은 질의 관찰 연구로 일반화 가능성이 떨어짐.
D	비분석적 연구, 전문가의 의견 혹은 중등도 질 관찰 연구로서 일반화 가능성이 떨어짐. 외부전문가 검토

Adapted from 대한의학회, 대한의사협회

1. Alternative Medical Systems

1) 동종요법-두통

- 이 주제와 관련된 4편의 무작위대조연구 중에서 연구의 질이 낮은 한 연구를 제외하고 나머지 세 연구에서 모두 부정적인 결과를 보였으므로, 판단 근거가 충분하지는 않지만 편두통 혹은 두통 예방을 목적으로 동종요법을 실시하는 것은 효과가 없다고 할 수 있다.

* 근거문 : 편두통 혹은 두통 예방을 목적으로 동종요법을 실시하는 것이 효과적이라는 근거는 없다(1+).

* 권고 : 편두통 혹은 두통 예방을 목적으로 동종요법을 실시하지 않을 것을 권고한다(B).

2. Mind-Body Interventions

1) 바이오피드백(Biofeedback)-고혈압

- 현재까지 발표된 RCT들 대부분은 고혈압 환자에서 바이오피드백(±이완요법)을 적용할 경우 긍정적인 혈압강하효과를 보였다. 하지만 효과의 크기는 크지 않다.

* 근거문 : 고혈압 환자에서 기존 정통의학적 치료에 추가적으로 바이오피드백(±이완요법)을 적용할 경우 경미한 혈압강하 효과를 기대할 수 있다(1+).

* 권고 : 고혈압 환자에서 기존 치료에 부가적으로 바이오피이드백의 사용을 고려해 볼 수 있다(B).

2) 인지행동요법(Cognitive Behavior Therapy, CBT)-암성 통증(Cancer Pain)

– 체계적 고찰 1편과 무작위대조군연구 1편에서 암 환자를 대상으로 이완요법 위주의 인지행동요법이 통증 경감에 효과가 있었으며 효과의 크기는 경도 정도였다.

* 근거문: 암 환자에서 인지행동요법(±이완요법, 유도, 심상, 최면 등)을 기존의 약물 혹은 방사선 치료 등에 추가하였을 때 경도의 효과를 기대할 수 있다(1++).

* 권고: 암 환자에서 통증 완화를 위해 인지행동요법(±이완요법, 유도, 심상, 최면 등)을 기존의 약물 혹은 방사선 치료 등에 추가로 권고할 것을 고려해 볼 수 있다(B).

3) 최면요법-비만

– 비만환자에서 인지행동요법에 최면요법을 추가한 경우 체중감량에 도움이 된다는 연구는 많지 않다. 메타분석과 무작위대조군연구에서 최면요법이 체중감량에 미치는 효과는 미미하였다.

* 근거문 : 비만 환자에서 인지행동요법에 최면요법을 추가한 경우 추가적인 체중감량의 효과는 미미하였다(1++).

* 권고 : 비만 환자에서 기존의 치료에 최면요법을 권고하지 않는 것이 현명할 것이다(B).

4) 이완요법-만성 두통

– 성인의 경우 재발성 긴장성 두통 환자나 편두통 환자에서 이완요법을 시행한 경우 증상 호전이나 예방 효과가 있었다. 소아나 청소년의 경우에도 만성 재발성 두통환자에서 이완요법과 인지행동치료를 했을 경우 대조군보다 통증 강도와 빈도가 경감되었다.

* 근거문 : 만성 재발성 두통의 경감이나 편두통 예방 목적으로 이완요법(±바이오피이드백)을 시행하면 중등도 효과를 기대할 수 있다(1++).

* 권고 : 재발성 긴장성 두통의 통증 완화나 편두통의 예방에 이완요법(±바이오피드백)의 권고를 고려할 수 있다(B).

5) 태극권(Tai Chi)-노인의 균형 기능(balance)

– 검토한 체계적 고찰(SR)과 이후 이루어진 추가 무작위대조연구(RCT) 모두에서 태극권은 노인의 균형 기능 향상에 도움을 주며 아마도 낙상 방지에까지 긍정적인 영향을 줄 것으로 보인다.
* 근거문 : 노인에서 태극권은 균형 기능 향상에 도움을 준다(1+).
* 권고 : 노인에게서 균형 기능 향상을 통한 낙상 방지를 위해 태극권을 권고할 수 있다(A).

3. Biologically Based Therapies-식물 성분 추출물(Herb)

1) 아로마 오일(Aromatherapy)-불안

– 체계적 고찰의 경우 약간의 이득이 있지만 논문의 질이 매우 낮으며 효과의 정도도 크지 않았다. 추가로 시행한 무작위대조연구(RCT)의 결과 아로마 치료는 불안증에 효과가 없었으며 오히려 향기나 마사지의 효과일 가능성이 크다.
* 근거문 : 불안증 환자 혹은 불안이 예상되는 상황에서 아로마 오일을 사용한 치료는 불안감소에 효과가 없다(1+).
* 권고 : 불안감소를 목적으로 아로마 오일을 통한 마사지나 흡입 요법을 실시하지 않는 것이 현명할 것이다(B).

2) '악마의 발톱'(Devil's Claw)-만성 근육통(chronic muscular pain)

– 근골격계 질환에 대한 Harpagophytum procumbens (Devil's claw;악마의 발톱)의 효과를 살펴본 1편의 체계적 고찰이 있었다. 이들을 종합하여 질적으로 평가한 결과 특정 제제와 특정 용량의 Harpagophytum procumbens는 여러 가지 형태의 근골격계 증상에 효과가 있었지만 연구의 규모나 질에서 확정적 연구는 아직 없었다.

＊ 근거문 : 골관절염이나 요통 환자에게 악마의 발톱 추출물을 사용하였을 때 통증 완화 효과
  가 있지만 그 크기는 불확실하다(1+).
＊ 권고 : 골관절염이나 요통 환자에서 악마의 발톱 권고를 고려할 수 있다(B).

3) 에키나시아(Echinacea)-감기(Common cold)

－ 에키나시아의 감기 예방 효과에 대해서는 SR에서는 비교적 긍정적인 결과가 있었지만 그 이
  후에 발표된 연구는 모두 부정적인 결과를 보였다. 치료에 있어서도 SR에서는 자료의 이질성
  으로 분석이 힘들었지만 그 후 발표된 결과는 대부분 부정적인 결과를 보였다.
＊ 근거문 : 에키나시아의 감기 예방 효과는 있어도 미미하다. 에키나시아가 성인 혹은 소아에서
  감기 치료에 효과가 있다가 근거는 없다(1++).
＊ 권고 : 성인이나 소아에서 감기의 예방이나 치료를 목적으로 에키나시아를 사용하지 않는 것
  이 현명하다(B).

4) 마늘(Garlic)-고콜레스테롤혈증(hypercholesterolemia)

－ 2000년 이전에 발표된 13편의 메타분석 결과는 총콜레스테롤의 감소가 있었으나 그 정도는
  미미했다. 2000년 이후에 발표된 RCT들은 소규모 RCT 1편을 제외하고는 유의한 차이가 없
  었다.
＊ 근거문 : 고콜레스테롤혈증 환자에서 투여 시 콜레스테롤 강하 효과가 있으나 효과의 크기는
  미미하다(1+).
＊ 권고 : 고콜레스테롤혈증 환자에서 콜레스테롤 강하 목적으로 마늘이나 마늘 추출물 투여 권
  고 여부를 결정할 수 없다(B).

5) 은행잎(Ginkgo)-절뚝거림(파행, claudication)

－ 해당 주제에 대한 두 편의 체계적 고찰 모두 은행잎이 절뚝거림에 위약에 비해서 긍정적인 효
  과가 있었다는 결과를 보여주었다. 하지만 효과의 크기가 그리 크지 않아서 임상적 의미가 있
  는지는 불확실하다.

* 근거문 : 절뚝거림(파행) 환자에서 은행잎을 투여하면 보행거리 향상에 도움이 되지만 효과의 크기는 크지 않다(1+).

* 권고 : 절뚝거림(파행) 환자에게 은행잎 사용을 고려할 수 있다(B).

6) 은행잎(Ginkgo)-귀울림(이명, tinnitus)

– 체계적 고찰(SR)에 포함된 RCT와 추가 RCT 모두에서 귀울림에서의 투여 효과는 없었다. 제한된 근거지만 대부분의 연구가 일관된 결과를 보여주고 있어 귀울림 환자에게 은행잎을 투여하는 것은 효과적이라 말할 수 없다.

* 근거문 : 귀울림(이명) 환자에서 은행잎의 투여는 효과적이라는 근거가 없다(1+).

* 권고 : 귀울림(이명) 환자에게 은행잎을 투여하는 것을 권고하지 않는다(B).

7) 산사나무(Hawthorn)-심부전(heart failure)

– 산사나무 추출물은 경, 중등도의 만성심부전 치료에 경미한 효과를 발휘하며 유의한 부작용은 없다. 그러나 사망률 감소에 대하여는 장기적인 연구가 더 필요하고 한국에서 주로 사용되는 국산 약제는 주로 열매에서 추출한 추출물이므로 이에 대한 연구도 더 필요하다.

* 근거문 : 중등도 이하 만성 심부전 환자에게 산사나무 추출물은 기존 치료에 추가하면 운동 부하 능력이 의미 있게 호전된다(1+).

* 권고 : 중등도 이하 만성 심부전 환자에게 운동 부하 능력 상승과 증상 호전을 목적으로 산사나무 추출물의 투여를 고려할 수 있다(B).

8) 마로니에 열매(Horse chestnut)-정맥부전(venous insufficiency)

– 만성 정맥부전(Chronic Venous Insufficiency, CVI)은 만성적으로 정맥혈 배출이 되지 않아서 부종, 피부 경화, 통증, 피곤 등이 생기는 상태이다. 현재 기계적 압박이 선택적 치료 방법이지만 불편함이 심하여 환자가 따라 하기 힘들다.

– 만성 정맥 부전 환자에서 마로니에 열매를 투여 후 효과를 알아본 2편의 SR 모두에서 대체로 긍정적인 결과를 보고하고 있다. 하지만 대규모 연구가 없는 문제가 있다.

* 근거문 : 만성 정맥부전 환자에서 마로니에 열매를 투여하면 중등도 정도의 효과를 기대할 수 있다(1+).
* 권고 : 만성 정맥부전에서의 사용 권고를 고려할 수 있지만 아직은 적용 가능하지 않다(B).

9) KAVA-불안증(anxiety)

– kava는 미국에서 가장 많이 팔리는 약초 중 하나이지만 우리나라에서는 현재 판매 금지된 상태이다. 미국 FDA와 NCCAM은 현재 소비자 경고만을 시행하고 있다.
– 메타분석에서 다양한 원인에 의한 불안에서 효과가 있었다. 그 이후 발표된 RCT의 경우 대부분 의미 있는 호전이 있었지만 용량이 적은 경우는 효과가 적거나 없었다.
* 근거문 : 불안이 있는 성인에서 Kava는 불안 증상 완화에 단기간 중등도 효과를 기대할 수 있지만 장기간 안전성에 대한 주의가 필요하다(1+).
* 권고 : 불안이 있는 성인에서 Kava는 안전성 문제가 명백해지기 전에는 권고하지 않는 것이 현명할 것이다(B).

10) 미슬토(Mistletoe)-암(cancer) 치료

– 미슬토 추출액의 투여 후 생존율을 본 논문에서 생존율 증가에 도움이 된다는 논문은 질이 낮았고, 최근에 시행된 질 높은 RCT는 대부분 생존율을 증가시키는 효과를 보여주지 못했다. 암 환자의 삶의 질 개선 효과에 대한 연구에서는 대부분 개선 효과가 있었다.
* 근거문 : 암 환자에서 미슬토 추출액의 투여는 생존율을 증가시키는 효과가 없으며, 항암 화학요법을 시행 받는 경우에 암 환자의 삶의 질을 개선하는 효과가 있다(1+).
* 권고 : 암 환자에게 삶의 질 개선을 목적으로 기존 치료에 부가적으로 미슬토 투여 권고를 고려할 수 있다(B).

11) 톱 야자(Saw Palmetto)-전립선비대증(BPH)

– American saw palmetto 혹은 dwarf palm plant의 추출물인 Serenoa repens는 전립선비대증의 치료에 가장 광범위하게 사용되고 있는 물질이다. 1편의 체계적 분석과 1편의 RCT에서

Serenoa repens는 하부요로증상이 있는 전립선비대증 환자의 증상 점수, 야뇨증 횟수, 최대 요속 등에서 finasteride와 비슷하게 경도의 호전이 있었다. 또한 3개월 이상 장기간 사용 시 특히 방광자극 증상의 개선이 알파 차단제에 비해 더 나을 가능성이 있다. 따라서 현재의 근 거로 전립선비대증에서 Serenoa repens를 단독 혹은 기존의 치료에 추가로 투여하였을 때 경 도(mild)의 효과가 있다고 볼 수 있다.

* 근거문 : 전립선비대증에서 American saw palmetto 혹은 dwarf palm plant의 추출물인 Sere-noa repens를 단독 혹은 기존의 치료에 추가로 투여하였을 때 경도(mild)의 효과가 있다(1+).

* 권고 : 하부요로증상이 있는 전립선비대증 환자의 증상 개선을 위해 saw palmetto 권고를 고 려할 수 있다(B).

12) 성 요한 풀(St John's wort)-우울증(depression)

– 총 4편의 체계적 고찰에서 후반에 발표된 메타분석일수록 치료 반응에 대한 상대 위험비가 지속적으로 감소하였다. 위약과 비교한 RCT의 경우 최근에 발표된 대규모 RCT 연구에서는 효과가 미미하였다. 하지만 표준 치료와 비교한 경우에는 치료 효과가 거의 유사하고 부작용 이 적어서 치료 효과가 있을 가능성이 크다.

* 근거문 : 우울증에 성 요한 풀은 위약과 비교해서 심한 우울증의 경우는 치료 이득이 적다. 그러나 TCA나 SSRI와 같은 기존의 치료와 비슷한 정도의 항 우울 효과를 나타낸다(1++).

* 우울증에서 성 요한 풀의 사용을 고려해 볼 수 있다(B).

4. Nutrition과 기타 Biologically Based Therapies

1) Acetyl-L-carnitine(ALC)-치매

– 치매에서 ALC의 효과를 본 두 편의 체계적 고찰이 있다. 중등도 이상의 심각한 치매에 대한 메타분석에서는 치료 효과가 없었고, 경도 혹은 경도 인지장애 환자에 대한 메타분석에서는 미미한 효과를 보여주었다.

* 근거문 : 중등도 이상의 심각한 치매의 치료에 ALC는 효과가 없다. 경도의 치매나 경도 인지 장애에 다소 효과가 있지만 그 크기는 미미하다(1+).

* 권고: 중등도 이상의 심각한 치매에 ALC를 권고하지 않는 것이 현명할 것이다(B).

2) 콘드로이틴(Chondroitin)-무릎 골관절염(osteoarthritis)

– 무릎 골관절염에서 콘드로이틴의 효과를 조사한 체계적 고찰 3편과 추가로 발표된 RCT 1편 모두 중등도 이상의 효과를 보고하고 있지만, 대부분의 연구들이 100명 이하의 소규모로 진 행되었기 때문에 확실한 효과를 보기 위해서는 대규모 연구가 필요하다.
* 근거문 : 무릎 골관절염 환자에서 콘드로이틴을 투여하면 통증 완화나 기능 개선 효과가 있다 (1+).
* 권고 : 무릎 골관절염 환자에게 콘드로이틴 사용을 고려해 볼 수 있다(B).

3) 식이섬유(Fiber)-과민성대장증후군(Irritable Bowel Syndrome, IBS)

– 식이섬유는 수용성(soluble : 차전자 씨[psyllium, ispaghula], 폴리카보필[polycarbophil] 등) 과 불용성(insoluble : 옥수수, 밀기울[wheat bran] 등)으로 구분된다. IBS에 대한 식이섬유의 효과를 본 체계적 고찰에서 수용성 식이섬유의 섭취 시에 증상이 전반적으로 호전되고 변비 도 호전되었다. 따라서 IBS 환자에서 여러 종류의 식이섬유를 사용하였을 때 수용성 식이섬 유의 섭취가 IBS 환자의 전반적인 증상과 변비 증상의 호전에 도움을 주었다.
* 근거문 : 수용성 식이섬유 사용이 과민성대장증후군 환자의 증상을 호전시킬 수 있다(1+).
* 권고 : 과민성대장증후군 환자에서 수용성 식이섬유의 사용을 고려할 수 있다(B).

4) 오메가-3 지방산(Omega 3 fatty acid)-심혈관 질환

– 생선에서 얻는 오메가-3는 EPA와 DHA, DPA 등을 함유하고 있다. alpha-linolenic acid(ALA)는 식물성 오메가-3의 성분이다. 2003년 대규모의 DART2 연구가 발표되기 전까지 의 연구들에 의하면 정상인, 고위험군, 심혈관 질환자에서 오메가-3를 식이 혹은 보충제로 투여하면 총 사망률을 줄이는데 도움이 되었다. 하지만 DART2 연구 결과, 전체적으로 비균 질성이 생기고 연구 결과도 의미가 없다고 밝혀졌다. DART2 연구의 경우 협심증 환자를 대 상으로 한 것이어서 오메가-3와 항협심증 약제 사이의 상호작용 등이 문제가 될 수는 있지

만 명확한 결론을 내리기는 힘들다.

* 근거문 : 정상인, 고위험군, 심혈관 질환자에서 오메가−3를 식이 혹은 보충제로 투여하면 전체 사망 위험 감소나 심혈관사건 발생의 예방에 도움이 되지도 해롭지도 않다(1++).

* 권고 : 전체 사망 위험 감소나 심혈관사건 발생 예방을 목적으로 정상인, 고위험군, 심혈관 질환자에서 오메가−3를 보충제 형태로 투여할 지의 권고 여부에 대해 결정할 수 없다(B).

5) 어유(Fish oil)-당뇨(DM), 고지혈증

− 당뇨 환자에게 어유를 보충한 2편의 체계적 고찰과 1편의 추가 RCT 결과에 의하면 당뇨 환자가 어유를 보충하면 혈중 TG는 감소하고 LDL 콜레스테롤 농도는 다소 증가한다. 하지만 공복 혈당에는 대체로 영향이 없다.

* 근거문 : 당뇨 환자가 어유를 섭취하면 혈중 TG는 다소 감소하지만 LDL 콜레스테롤 농도는 다소 상승한다(1+).

* 권고 : 당뇨 환자에게 혈당 조절이나 지질 대사 조절을 목적으로 어유 섭취를 권장하지 않는 것이 현명할 것이다(B).

6) 엽산(Folic acid)-인지기능(cognition)

− 비교적 최근에 행해진 체계적 고찰(SR) 1례에서 엽산 투여군과 비투여군의 인지기능의 차이는 없었다. 그러나 포함된 RCT가 4편으로 데이터가 너무 적어서 엽산 투여가 인지기능의 개선 혹은 유지에 도움이 되는지에 대한 명확한 결론을 내기는 어렵다. 향후 질 높은 대규모 연구가 장기간 지속되어야 할 것이다.

* 근거문 : 정상인 혹은 인지기능장애 환자에서 엽산 투여의 효과는 판단 근거가 불충분하여 추가적인 근거가 필요하다(1++).

* 권고 : 정상인 혹은 인지기능장애 환자에서 엽산의 섭취는 권고 여부가 불분명하다(B).

7) 엽산(Folic acid)-심혈관계 질환(cardiovascular disease)

− 호모시스테인은 혈전 경향을 증가시키고, 혈전 용해를 방해하며, 산화물질의 발생을 증가시

키고, 혈관내피세포의 기능을 방해하는 것으로 추정되며, 엽산은 이러한 호모시스테인의 혈중 수치를 감소시킨다고 알려져 있다. 심혈관계 질환자에서 엽산을 고용량 투여할 경우 심혈관계 질환의 감소나 사망률을 감소시킨다는 증거는 없다. 향후 대상자를 달리하여, 특히 고호모시스테인혈증 환자를 대상으로 보다 장기간의 엽산 관련 연구가 필요하다.

* 근거문 : 뇌, 심혈관계 질환자에게 엽산을 투여할 경우 뇌, 심혈관계 질환의 재발과 발생을 저하시키는 효과가 없었다(1++).
* 권고 : 뇌, 심혈관 질환자에게 재발 방지 목적으로 엽산 투여를 권고하지 않는다(B).

8) 글루코사민(Glucosamine)-무릎 골관절염(osteoarthritis)

– 2000년 이전에 발표된 RCT는 대부분 긍정적인 결과를 발표하는 경향이 있고, 이후 발표되는 연구 특히 제약회사의 후원 없이 발표된 논문들은 대부분 그렇지 않다. 최근에 이루어진 연구와 과거에 이루어진 연구를 결합한다면 기존 체계적 고찰(SR)의 결과가 '부정적'으로 바뀌지는 않겠지만 효능의 크기는 크게 줄어들 것으로 예상된다.

* 근거문 : 결과에 다소 비균질성이 있지만 무릎의 골관절염에서 글루코사민을 단독 혹은 기존의 치료에 추가로 투여하였을 때 긍정적인 효과를 기대할 수 있으며 효과의 크기는 중등도 이하였다(1+).
* 권고 : 무릎 골관절염 환자에게 글루코사민 권고를 고려할 수는 있다(B).

9) 마그네슘(Magnesium)-천식발작(asthma attack)

– 3편의 체계적 고찰과 추가 무작위대조연구에서 중증 천식 발작이 있을 때 기존 치료에 정맥주사 혹은 네뷸라이저로 마그네슘을 추가하면 폐기능 향상이나 입원 감소에 도움을 주었다.

* 근거문 : 중증 천식 발작이 있는 성인 혹은 소아에서 기존 치료에 정맥 주사 혹은 네뷸라이저로 마그네슘을 추가하면 폐기능 향상이나 입원 감소에 도움을 준다(1++).
* 권고 : 중증 천식 발작이 있는 성인 혹은 소아에서 기존 치료에 정맥 주사 혹은 네뷸라이저로 마그네슘을 추가할 수 있다(B).

10) Probiotics-급성 감염성 설사(Acute infectious diarrhea)

- Probiotics는 미생물로서 숙주의 건강 혹은 안녕에 좋은 영향을 미치는 물질로 정의할 수 있다. Probiotics가 급성 감염성 설사에 효과를 나타내는 기전은 균주가 숙주 체내에 있는 장애세균과 경쟁하여, 숙주의 특이적 혹은 비특이적 면역기전을 증강시키는 것으로 알려져 있다. 3개의 체계적 고찰에서 다양한 probiotics에 대하여 아동 및 성인의 급성 감염성 설사 증상을 완화하는 치료 효과가 있었지만 추가 RCT 1개에서는 Lactobacillus[LB] casei strain GG(LGG)의 효과가 확실하지 않았다. 추가 RCT의 경우 로타바이러스 이외 장내 세균 감염이 다른 연구보다 많은 점과 유당 불내성 등의 이유일 가능성이 크다.

* 근거문 : Probiotics는 급성 감염성 설사를 앓고 있는 성인과 아동에게 탈수 치료와 함께 보조적으로 사용할 때 증상을 개선하는 효과가 있다(1+).

* 권고 : 성인 및 아동의 급성 감염성 설사에서 probiotics를 보조치료로 사용할 수 있다(B).

11) 콩(Soybean)-고콜레스테롤혈증(Hypercholesterolemia)

- 1편의 체계적 고찰은 Isoflavones(IF) tablet과 콩 단백을 나누어 분석하였고, 1편은 고용량/저용량 IF로 나누어 분석하였다. 콩의 제형(음식 형태 vs 추출물 형태), 용량, IF 함량 등이 다양하여 연구 결과를 통합하는데 문제가 있고 연구의 질이 낮아 포함된 논문들의 질 평가가 제대로 이루어지지 않았다. 추가 RCT도 soy의 제형, 용량 등이 다양하고 연구 결과의 일관성은 없었다.

* 근거문 : 정상인 혹은 고콜레스테롤혈증 환자에서 콩탄백질 혹은 이소플라본 형태로 보충하였을 때 콜레스테롤 강하 효과는 미미한 수준이다(1+).

* 권고 : 정상인 혹은 고콜레스테롤혈증 환자에게 콜레스테롤 강하 목적으로 콩 단백질 혹은 이소플라본 보충을 하지 않는 것이 현명할 것이다(B).

12) 항산화 비타민제(비타민 A, 비타민 C, 비타민 E)-암 예방(cancer prevention)

- 현재까지의 근거로 위험 인자 보유 여부에 관계없이 암 예방을 목적으로 항산화제를 복용한 연구에서 의미 있는 결과가 나온 경우는 거의 없다.

* 근거문 : 암(주로 위장관계 암과 폐암) 예방을 목적으로 비타민 A, 비타민 C, 비타민 E 등 항

산화 비타민을 복용하는 것이 효과적이라는 근거는 없다(1++).

* 권고 : 건강인 혹은 고위험군이 암 예방을 목적으로 항산화 비타민을 복용하는 것은 권고되지 않는다(B).

13) 비타민 A(Vitamin A)-홍역(measles)

– 비타민 A 200,000 단위(IU) 1회 투여는 홍역 환아의 사망 위험을 낮춘다는 근거는 없었고, 2일에 걸쳐 총 2회 투여 시에는 전반적인 사망률 및 폐렴 특이 사망률의 위험이 감소되었으며, 특히 2세 이하의 소아에서는 그 효과가 더 컸고 홍역의 2차 합병증(크룹, 폐렴, 설사, 중이염 등)의 감소를 보였다.

* 근거문 : 홍역 환아에서 비타민 A를 200,000 단위씩 2일간 사용하면 총 사망 위험, 폐렴 사망 위험, 2차 합병증이 감소하며 특히 2세 이하의 소아나 비타민 A 결핍 환아에서 도움이 된다 (1++).

* 권고 : 홍역에 걸린 소아에게 비타민 A(200,000 단위씩 2일간) 투여를 고려할 수 있다(B).

14) 비타민 C(Vitamin C)-감기(common cold)

– 비타민 C가 감기 예방 혹은 치료 효과가 있는지에 대한 52개 RCT에 대해 분석한 1편의 체계적 고찰이 있었다. 우선 정상 성인에서 비타민 C 고용량 요법은 급격한 신체적 활동이나 추위에 노출되는 경우가 아니면 감기 발생을 예방하지는 못하였지만 정기적으로 비타민 C를 먹는 사람에서 감기의 심각도나 유병 기간은 다소 줄어들었다. 감기가 시작되었을 때 비타민 C를 하루 4 g까지 먹을 때에는 전혀 이득이 없었고, 한 대규모 연구에서 8 g을 복용했더니 경미한 이득이 있었다.

* 근거문 : 정상 성인이 매일 비타민 C를 복용하면 감기의 심각도가 다소 줄며 극한 상황이 예상되는 경우에 일부 감기의 발생을 막을 수 있지만 임상적 효과는 크지 않다. 감기 치료를 목적으로 복용하는 것은 효과가 없다(1++).

* 권고 : 감기 예방이나 치료를 목적으로 비타민 C를 복용하는 것은 권고되지 않는다(B).

15) 비타민 E(Vitamin E)-심혈관계 합병증(cardiovascular outcome)

– 심혈관계 질환의 과거력이 있거나 위험 인자가 있는 환자에게 비타민 E의 단독 사용이나 베타 카로틴과의 병용은 심혈관계 합병증이나 관련된 사망률, 전체 사망률에 영향을 주지 않는다.

* 근거문 : 심혈관계 질환의 과거력이 있거나 위험 인자가 있는 환자에게 비타민 E를 투여하여도 심혈관계 합병증이나 사망률, 전체 사망률 감소에 효과가 없다(1++).

* 권고 : 심혈관계 질환의 과거력이 있거나 위험 인자가 있는 환자에게 심혈관계 합병증 감소를 위해 비타민 E를 사용해서는 안 된다(B).

16) 비타민 E(Vitamin E)-모든 사망 양상(all cause mortality)

– 건강인 혹은 질병 위험이 있는 사람에서 비타민 E를 보충하면 사망 위험을 줄이는데 도움을 주는지에 대해 규명한 1편의 SR(RCT 19편에 대해 분석)이 있다. 여기에 포함된 대부분의 RCT들이 질이 매우 높고 상당히 대규모 연구들이기 때문에 비뚤림 가능성은 거의 없다. 여러 질병 예방을 목적으로 고용량 비타민 E를 보충하면 사망 위험이 증가한다. 하지만 고용량 비타민 E에 대한 임상 시험 대상자가 만성 질환자가 많았기 때문에 그러한 결과가 나왔을 가능성을 배제할 수는 없다.

* 근거문 : 건강인 혹은 고위험군이 질병 예방을 목적으로 고용량 비타민 E를 복용하면 사망 위험이 증가한다(1++).

* 권고 : 건강인 혹은 고위험군이 질병 예방을 목적으로 고용량 비타민 E를 복용해서는 안 된다(A).

17) 아연(Zinc)-성장(Growth)

– 2002년에 발표된 체계적 고찰 1편과 그 이후 발표된 RCT 결과를 종합해 볼 때 해당 지역의 아연 결핍 정도와 대상군이 어느 정도 발육 부전이 있는가가 결과를 예측하는데 중요한 역할을 한다고 할 수 있다. 또한 같이 공급한 영양분(철분 포함 여부), 모유 수유 여부, 투여한 기간 등이 결과에 영향을 미친다는 사실을 알 수 있다.

* 근거문 : 아연 결핍이 있는 지역에서 발육부전아를 대상으로 아연을 보충하면 키나 체중의 증가에 도움이 되지만 효과의 크기는 그다지 크지 않다(1+).

* 권고 : 발육부전아를 대상으로 아연 보충 권고를 고려할 수 있다(B).

18) 아연(Zinc)-감기(common cold)

- 아연의 감기 치료 효과에 대해 1999년에 발표된 체계적 고찰 1편의 결론은 대체로 부정적이었고 검토한 연구들의 질도 그다지 높지 않았다. 그 이후 이루어진 3편의 RCT에서 생산자가 지원한 소규모 1개 연구를 제외하고는 2편의 대규모 무작위대조연구에서 부정적인 결과를 보임으로써, 현재까지는 부정적인 결과가 훨씬 더 우세하다고 할 수 있다.
* 근거문 : 아연을 이용한 치료로 감기의 심각도 완화 및 증상의 기간 단축을 가져올 수 없다(1+).
* 권고 : 감기 치료를 목적으로 아연을 투여하지 않는 것이 현명할 것이다(B).

5. Manipulative and Body-Based Methods

1) 척추 도수 치료(Spinal manipulative therapy)-요통(low back pain)

- 4편의 체계적 고찰과 추가 RCT 3편에서 급성 및 만성 요통 모두에서 가짜 치료나 비치료에 비해서는 효과를 인정할 수 있지만 기존 치료에 비해서 더 효과적이라고 보기는 어렵다.
* 근거문 : 만성 혹은 급성 요통 환자에서 척추도수치료는 가짜 치료나 비치료에 비해 통증 완화나 기능 개선에 중등도 효과가 있지만 기존의 치료보다 더 효과적이지는 않다(1++).
* 권고 : 만성 혹은 급성 통증 환자에서 기존 치료에 잘 반응하지 않는 경우 단독 혹은 기존 치료에 병행해서 척추도수치료 권고를 고려할 수 있다(B).

6. Energy Therapies

1) repetitive Transcranial Magnetic Stimulation(rTMS)-우울증(depression)

- 가짜 TMS와 비교하여 우울증에 대한 효과는 체계적인 연구에서 경미한 효과를 보여주었지만 대체로 이득이 없었다. 이후 발표된 RCT 연구에서도 일관성을 보여주지 못하였다.
* 근거문 : 가짜 TMS와 비교하여 rTMS의 우울증에 대한 효과는 있더라도 매우 미미하다(1++).
* 권고 : 기존 치료에 반응이 없는 우울증에 대해서 rTMS를 권고하지 않는 것이 현명할 것이다(B).

이상의 결과들에 따르면, 널리 알려진 72개 항목의 보완 요법 중에서 효과가 있다는 결론을 보여서 권고할 만한 항목은 19개에 불과했다. 결과가 좋지 않게 나온 보완 요법들부터 순서대로 요약해 보면 다음과 같다.

표 52-3. 오히려 안전성에 문제가 있다고 발표된 3개 항목의 보완 요법들

보완요법	기대했던 효과	부작용
KAVA	불안증상 감소	간 손상의 가능성
어유(魚油, fish oil)	당뇨 호전	LDL 콜레스테롤 수치를 높임
비타민 E	모든 원인에 의한 사망	고용량 비타민 E는 사망 위험을 증가시킴

표 52-4. 효과가 없거나 미미하다고 발표된 16개 항목의 보완 요법들

보완요법	기대했던 효과	항응고 요법	비고
동종요법(Homeotherapy)	두통	칼슘	관절염
최면요법(Hypnosis)	비만	오메가-3 지방산	심혈관계 질환
아로마테라피	불안	엽산(Folic acid)	인지기능
자기장치료(rTMS)	우울증	엽산(Folic acid)	심혈관계 질환
에키나시아(Echinacea)	감기	콩(Soybean)	고콜레스테롤혈증
은행잎	귀울림(tinnitus)	비타민 E	심혈관계 질환
카르니틴(L-Carnitine)	치매	비타민 C	감기
항산화제(Antioxidant)	암 예방	아연(Zinc)	감기

표 52-5. 판단의 근거 자료가 불충분하여 권고 수준을 평가하기 어려운 34개 항목의 보완 요법들

보완요법	기대했던 효과	항응고 요법	비고
알로에(Aloe)	창상 치유	근육자극요법(IMS)	허리 통증
항산화제(Antioxidant)	암의 치료	카르니틴(L-Carnitine)	피로
아로마테라피(Aromatherapy)	암의 증상	마그네슘	자폐증
아보카도(Avocardo)	관절염	마사지	성장과 발달
블랙코호쉬(Black Cohosh)	폐경후 증후군	마사지	허리 통증
인지행동요법	배변 장애	태반요법	창상 치유
DHEA	인지기능	프롤로테라피(Prolotherapy)	허리 통증
영국아이비(English Ivy)	천식	이완요법	급성 통증
화란국화(Feverfew)	편두통	셀레늄(Selenium)	암
오메가-4 지방산	천식	콩	갱년기 증후군

보완요법	기대했던 효과	항응고 요법	비고
오메가-5 지방산	당뇨	태극권	고혈압
마늘	대장암, 위암	차나무(Tea tree)	여드름
은행잎	치매	비타민 A	불임
인삼(Panax ginseng)	암	비타민 C	불임
녹차	관상동맥질환	자기장치료	욕창
녹차	비염	도수치료	경추성 두통
동종요법(Homeotherapy)	알레르기 천식	아연(Zinc)	불임

표 52-6. 효과가 있다는 연구 결과를 보인 19개 항목의 보완 요법들

보완요법	기대했던 효과	보완요법	기대했던 효과
바이오피드백(Biofeedback)	고혈압	성요한풀(St. John's wort)	우울증
인지행동요법(CBT)	암성 통증	콘드로이틴(Chondroitin)	무릎 관절염
이완요법(Relaxation Technique)	만성 두통	식이섬유(Fiber)	과민성대장(IBS)
태극권(Tai Chi)	균형 기능	글루코사민(Glucosamine)	무릎 관절염
'악마의 발톱'(Devil's Claw)	만성근육통	마그네슘	천식 발작
은행잎(Ginkgo)	절뚝거림	Probiotics	급성감염성 설사
산사나무(Hawthorn)	심부전	아연(Zinc)	홍역(measles)
마로니에열매(Horse chestnut)	정맥부전	아연(Zinc)	성장
미슬토(Mistletoe)	암, 삶의 질	척추도수치료	허리 통증
톱야자(Saw Palmetto)	전립선비대		

이상 Adapted from 대한의학회, 대한의사협회

참고문헌

44 노인환자의 진찰 요령

1. 대한노인병학회. 노인병학. 개정판. 서울: 의학출판사; 2005.
2. Gallo JJ, Reichel W, Andersen LM. Handbook of geriatric assessment. An Aspen Publication, 1995, Maryland.

㊺ 요양병원에서의 노인포괄평가(CGA)

1. 노용균. 노인 정신기능 평가. 가정의학회지 2004;25:S625-634.
2. 문호성. 노인기능평가. 가정의학회지 2004;25:S605-610.
3. 원장원, 노용균, 김수영, 조비룡, 이영수. 한국형 일상생활지표(K-ADL)의 타당도 및 신뢰도. 노인병 2002;6:98-106.
4. 원장원, 노용균, 선우덕, 이영수. 한국형 도구적 일상생활활동 측정도구의 타당도 및 신뢰도. 노인병 2002;6:273-280.
5. 정선영, 권인순, 조비룡, 윤종률, 노용균, 이은주, 원장원, 최윤호, 선우덕, 박병주. 한국형 외래용 포괄적 노인평가도구의 신뢰도 및 타당도. 노인병 2006;10:67-76.
6. Lachs MS et al. A simple procedure for general screening for functional disability in elderly patients. Am College of Physicians 1990;112:699-706.
7. Lee JY, Lee DW, Cho SJ, Na DL, Jeon HJ, Kim SK, et al. Brief screening for mild cognitive impairment in elderly outpatient clinic: validation of the Korean version of the Montreal Cognitive Assessment. J Geriatr Psychiatry Neurol. 2008;21:104-10.
8. Reuben DB. Principles of geriatric assessment. In: Hazzard WR et al. Principles of geriatric medicine and gerontology. 4th ed. New York: McGraw-Hill; 1999; p. 467-481.
9. Sherman FT. Functional assessment. Geriatrics 2001;56:36-40.
10. Rubenstein LZ, Josephson KR, Wieland GD, English PA, Sayre JA, Kane RL. Effectiveness of a geriatric evaluation unit. A randomized clinical trial. N Engl J Med. 1984;27:1664-70.
11. 가혁, 원장원. 의사, 간호사를 위한 노인요양병원 진료지침서 2판. 서울:군자출판사;2013.
12. 의료정책연구소. 요양병원의 운영현황 및 실태조사에 관한 연구. 서울:대한의사협회 의료정책연구소;2015.
13. Marshal EG, Clarke BS, Varatharasan N, Andrew MK. A Long-Term Care Comprehensive Geriatric Assessment (LTC-CGA) Tool: Improving Care for Frail Older Adults? Can Geriatr J. 2015;18:2-10.
14. Morley JE, Vellas B, Abellan van Kan G, Anker SD, Bauer JM, et al. Frailty consensus: a call to action. J Am Med Dir Assoc. 2013;14:392-397.
15. Old JL, Swagerty D. 대한노인요양협회(역). 노인요양병원 완화의료 임상지침서. 서울:메디마크; 2014.
16. Börm Bruckmeier Publishing company. Geriatrics pocketcard Set. CA: Brm Bruckmeier Publishing company;2015.

㊻ 신경학적 검사

1. 나정호. The Neurologic Examination for Students & Interns. In: 인하대학교 의과대학 신경과학 교실. 신경과학 강의록. 인천: 인하대학교 의과대학 신경과학 교실; 1997. p. 1.
2. Bickley LS. Bates' Guide to Physical Examination and History Taking. 7th edition. Philadelphia: Lippincott Williamns & Wilkins; 1999.

㊼ 노인환자의 임상 검사 결과 해석하기

1. 최현림. 노인 환자의 특성 및 진료 접근법. In: 대한노인병학회. 노인병학 개정판. 서울: 의학출판사; 2005. p. 118-124.
2. 이상현. 노인에서의 임상 검사의 해석. In: 대한임상노인의학회. 임상노인의학. 서울: 한우리; 2003. p. 33-37.
3. 원장원, 신동훈, 이행. 건강한 노인과 청장년간의 임상병리검사 결과 비교. 가정의학회지1997;18(1):29-38
4. 원장원. 임상검사 결과의 올바른 해석. 가정의학회지1997;18(11):1247-1.

㊽ 노인환자 외래진료

1. Robinson II TE, White Jr. GL, Houchins JC. Improving communication with older patients: Tips from the literature. Family Practice Management 2006;13:14-20.

49 다약제복용과 부적절한 약물처방

1. 권인순. 노인 약물 처방의 원칙. 노인병 2010;14(Suppl. 1):173-174.
2. 유준현. 노인 환자의 약물요법. In: 대한노인병학회. 노인병학. 개정판. 서울: 의학출판사; 2005. p. 154-160.
3. 박병주. 노인에서 주의가 필요한 처방 약물. 노인병 2009;13(Suppl. 1):265-270.
4. Fick DM, Cooper JW, Wade WE, Waller JL, Maclean JR, Beers MH. Updating the Beers Criteria for Potentially Inappropriate Medication Use in Older Adults: Results of a US Consensus Panel of Experts. Arch Intern Med 2003;163:2716-2724.
5. 이은주. 임상에서 흔히 볼 수 있는 약물 부작용(증례). 노인병 2010;14(Suppl. 1):177-180.
6. 이상화. 노인에서 약동학적 특징과 다약제 사용시 주의점, In: 2008 대한임상노인의학회 추계학술대회, 2008.
7. 이미리내. 서울아산병원 '약물조화클리닉' 활동내용, In: 서울대학교병원 약제부, 공공보건의료사업단. 다약제사용 환자의 약물사용최적화를 위한 약사의 역할 Symposium, 2019.
8. 손아름. 노인환자의 약 줄이기, In: 서울대학교병원 약제부, 공공보건의료사업단. 다약제사용 환자의 약물사용최적화를 위한 약사의 역할 Symposium, 2019.
9. Kim M, Etherton-Beer C, Kim C, Yoon JL, Ga H, Kim HC, et al. Development of a Consensus List of Potentially Inappropriate Medications for Korean Older Adults. Ann Geriatr Med Res 22(3):121-129, 2018.
10. 이홍수. 섬망, In: 대한임상노인의학회. 노인의학. 개정2판. 서울: 닥터스북; 2018. P.157-162.

50 노인에서 항생제 사용의 원칙

1. 조주연. 흔한 감염성 질환의 증상. In: 대한가정의학회. 가정의학 교과서 임상편. 서울: 계축문화사; 2002. P. 3-7.
2. Al-Eidan FA, McElnay JC, Scott MG, Kearney MP, Troughton KE, Jenkins J. Sequential antimicrobial therapy: treatment of severe lower respiratory tract infections in children. J Antimicrob Chemother 1999;44:709-715.
3. 김성민. 노인에서 항생제 사용. 노인병 2010;14(Suppl. 1):143-146.
4. 정문현. 감염질환에 대한 접근. 인천: 인하대병원 내과; 2002.
5. 정문현. Lecture note on infectious diseases. 인천: 인하대병원 내과; 2000.
6. Gilbert DN, Meillering Jr RC, Sande MA. The SANFORD Guide to Antimicrobial Therapy. VT: Antimicrobial Therapy Inc.; 2002.

51 다빈도 질환 처방 및 간단한 수기

1. 가인의 매뉴얼 [Internet]. 서울: 프리챌; [cited 2010 Jul 22]. Available from: http://home.freechal.com/inhafm2/.
2. 대한내과학회. 일차진료의를 위한 약처방 가이드. 서울: 한국의학원; 2000.
3. 오창석, 김영재, 김일봉, 김철환, 박병강, 양동훈 등. 2008 처방가이드. 서울: 한우리; 2008.
4. 가정의학과 개원의 협의회 역. PRACTICE TIPS. 서울: 한우리; 2002.
5. Chobanian AV, Bakris GL, Black HR, Cushman WC, Green LA, Izzo JL Jr, et al.; National Heart, Lung, and Blood Institute Joint National Committee on Prevention, Detection, Evaluation, and Treatment of High Blood Pressure; National High Blood Pressure Education Program Coordinating Committee. The Seventh Report of the Joint National Committee on Prevention, Detection, Evaluation, and Treatment of High Blood Pressure: the JNC 7 report. JAMA 2003;289:2560-72.
6. Gage BF, van Walraven C, Pearce L, Hart RG, Koudstaal PJ, Boode BS, et al. Selecting patients with atrial fibrillation for anticoagulation: stroke risk stratification in patients taking aspirin. Circulation 2004;110:2287-92.
7. Gage BF, Waterman AD, Shannon W, Boechler M, Rich MW, Radford MJ. Validation of clinical classification schemes for predicting stroke: results from the National Registry of Atrial Fibrillation. JAMA 2001;285:2864-70.

52 보완대체요법에 관한 질문을 받을 때 - 근거중심의학에 기반한 권고

1. 대한의학회, 대한의사협회. 보완요법 근거수준 결정 방법론 개발과 적용 -요약본-. 서울: 대한의학회; 2005.

요양병원 입원환자
진료의 팁

53 요양병원 의사의 자질

- 요양병원 의사의 역할을 한 마디로 표현하자면?

- 요양병원의 Director, 즉 '감독'과 같은 존재라고 생각합니다. 영화에서 주인공 배우와 같은 화려한 역할은 아닐지라도 의료의 질 전반을 감시하고 관리자로서의 역할에서 보람을 찾을 수 있겠습니다.

1. 노인병 의사의 적성?

1) 병력 청취 할 때의 주의사항

- 노인을 이해하고 존경심과 감사하는 마음의 소유자
- 치매 노인을 어린아이 취급하듯 하며 Ageism(노인차별주의)의 소유자라면 노인병 의사로서 본인의 직업에 자부심을 가지기 어렵다.
- 의사의 자질은 어떤 환자를 대하는 것이 아니라, 어떻게 대하는 가가 기준이 된다.

2) 성급하거나 다혈질 성격보다는 차분하고 꼼꼼한 성격이 적합하다.

- 노쇠한 노인의 느린 걸음걸이나 말씨, 청력 저하 및 알아들을 수 없는 발음 등에 대해 답답해
하며 대충 진료해도 되겠다는 마음가짐은 금물이다.

3) 내 환자는 우선 내가 책임진다는 일차 진료 의사의 자세를 갖도록 한다.

- 노인들은 보통 그 연세에 비례해서 누적되어온 질병이나 수술력, 사회력 등의 여러 요소들이
복잡하게 얽혀 있으므로, 한 노인에게서도 매우 다양한 임상적 문제들이 발생하게 되므로 노
인환자의 주치의라면 내과, 외과, 산부인과, 정형외과, 피부과, 신경과 관련 문제 등 어지간한
일차의료 수준의 문제들은 다른 의사에게 의뢰하기 전에 주치의 스스로가 해결할 수 있는 능
력을 배양해 놓아야만 한다.

4) 만성기 관리의 개념을 가질 것

- 젊은이의 건강 관리는 '건강 증진'이 목표인 반면, 노인은 '건강의 유지 또는 감소 속도의 극소
화'가 그 구체적인 목표가 된다. 즉 특정한 질병을 치료하여 환자를 더 나은 건강 상태로 회
복시키는 '급성기 관리'를 담당하는 의사라기보다는 '만성기 관리'가 목표이다.

5) 병원 직원들과의 원활한 관계가 매우 중요하다.

- 특히 요양병원의 경우는 환자의 치료를 위해 간병인, 간호사, 물리치료사, 약사, 임상병리사,
간호보조원 등 수많은 인력이 필요하며, 이러한 모든 과정을 감독하고 조율해 가는 것도 의
사의 주요 역할 중 하나이므로 각 직원들과의 원만한 관계가 결국은 환자의 질 높은 관리와
연관이 깊다.

2. 요양병원 의사의 역할

1) 요양병원에 입원하게 된 주된 이유인 치매, 뇌졸중, 압창, 식사 장애, 거동 장애 등 노인증후군 및 말기 질환 등에 의한 일상생활수행능력(ADL)의 감퇴에 대한 장기적인 치료와 관리가 필요한 환자들을 돌보는 일

2) 각 환자 별 특성에 따라 적합한 간병 및 간호 업무들이 의학적인 근거에 의거하여 지속적, 합리적으로 이루어지는가를 감독하는 업무

3) 양질의 노인환자 관리를 위해 병원 직원들에 대해 교육 : 회진 시간 등 기회가 닿는 대로 수시로 이루어져야 한다.

4) 고혈압, 당뇨 등 기존 질환들에 대한 정기적인 진찰, 검사 및 지속적인 치료와 합병증 여부 감시

5) 환자의 보호자와의 면담 : 환자의 상태, 진단 계획 및 치료 계획에 대한 논의

6) 노인 외래환자 진료와 개별화된 예방적 건강 검진 및 예방 접종

7) 지역사회 노인들의 건강 관리를 위한 교육

8) 젊은이 대상으로 건강한 노화를 위한 교육

9) 노인병 관련 연구 및 저널 투고, 저술 활동 등을 통한 노인의학 정보 공유

10) 관공서 등에 노인의학 관련 지식 제공을 통한 자문

　　ex) 노인장기요양보험 등급 판정 위원회 위원으로 참석 등

그림 53-1. **제58회 일본노년의학회학술집회에서 일본, 대만의 노인의학 관련 교수들과 함께한 심포지움.** 세계적으로 가장 급격히 노령화되고 있는 동아시아 지역 중에서도 특히 우리나라 요양병원의 현황과 의료인의 역할에 대해 주변 국가에서의 관심이 많다.

3. 입원 환자 회진 진료시의 의사의 업무

1) 환자들의 무엇을 살펴봐야 하나?

- ADL은 괜찮은지 확인 : 잘 드시는지, 잘 주무셨는지, 잘 걸어 다니시는지…
- 치매환자의 지남력 확인 : 성함이 어떻게 되세요? 제가 누구에요? 여기가 어디에요?
- 피부 질환 확인 : 압창(등, 미골 부위 등 자주 확인), 감염성 질환(옴)

2) 병동 간호사에게는 무엇을 물어야 하나?

- V/S : 혈압, 발열 등 확인
- 환자의 ADL 변화 여부 확인
- 치매환자의 행동심리증상 발생 여부 및 변화사항

3) 의무기록의 작성

- 경과기록지는 보통 1주일 단위로 작성
- 특이 사항이 있는 경우는 그 때 그 때 기록 : 특히 압창, 폐렴, 패혈증 등
- 약물 처방 시에는 주말을 고려하여 투여 일수를 결정

  ex) 금요일에 새로운 약물을 처방한다면 최소 3일치 약물을 처방한다.

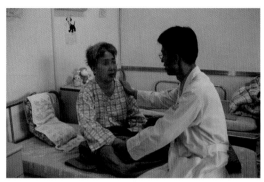

그림 53-2. **회진 시에 환자와 면담하기.** 주치의가 직접 침상에 앉아서 환자와 눈높이를 맞추고 면담하면 환자는 실제보다 더 긴 시간 동안 의사와 면담한 것으로 착각했다는 연구결과도 있다.

그림 53-3. **보행 상태 확인하기.** 보행 장애가 있는 환자는 수시로 보행 상태를 확인하여 변화 정도를 기록하는 것이 좋다. 이 때 환자의 곁에서 환자의 낙상을 대비하여 환자의 옷자락 등을 잡고 같이 옆에서 따라가며 관찰해야 한다.

4. 회진 시에 치매 노인환자와 자연스러운 대화 하기

1) 침상에 누워있는 사람을 위에서 내려다보는 방식으로는 원활한 의사소통이 불가능하다.

2) 얼굴을 상대의 머리 옆에 가깝게 하고, 귀에 대고 말하는 듯한 느낌으로 천천히 말한다.

3) 항상 온화한 어조로 자신을 소개하고, 환자의 상태를 물어본다.

4) 난청이라면 다소 큰 목소리로 말하고, 귀가 잘 들리는 사람이라면 조용히 속삭이는 편이 소통이 더 잘 된다.

5) 항상 미소와 여유로운 태도를 보인다.

6) 노인에게 질문할 때에는 "밤에 잘 주무셨어요?"나 "아픈 데는 없으세요?" 등, 원칙적으로 "네", "아니오"로 대답할 수 있는 질문부터 시작한다.

7) 특히 환자와의 첫 접촉에서는 '높임말'을 사용한다. 높임말 사용은 인지능력 저하로 불안을 느끼는 사람에게 자연치료 효과가 있다.

54 보호자 면담을 통한 입원 결정 과정

입원 시에 보호자에게 설명할 내용

◆ 보호자의 특성 및 요구사항 파악 ⟸ 제일 중요!!!
- 요양병원의 한계 설명 : "저희는 대학병원 수준의 병원이 아닙니다."
- 보호자들은 그러한 한계를 각오하고 요양병원을 찾는 경우가 대부분이다.
- 실제로, 요양병원에서 이것저것 검사하는 것을 꺼리는 보호자들도 종종 있다.

◆ 가능하면 미리 DNR 여부 확인 후 입원해야 추후에 혼란이 적어진다.

◆ 골절의 가능성 설명

◆ 급사(Sudden Death)의 가능성 설명

◆ "고령"이 여러 가지로 안 좋아지는 상황에 가장 위험한 요소임을 주지시킴.

1. 보호자 면담의 사례

: COPD로 대학병원 입원 중인 72세 남자환자

1) 면담 전 단계(전화를 통한 입원 가능 여부 상담)

병원의 입원 담당 원무과 직원을 통해 전화로 입원 문의를 받은 72세 남성. 팩스로 보내온 의사소견서의 내용은 다음과 같음.

"72세 남성으로서 현재 만성폐쇄성폐질환(COPD) 및 심방세동(Atrial Fibrillation)으로 서울의 모 대학병원 일반 병실에 입원 중이시며, 과거력으로는 2007년 7월에 대장암 수술력이 있음. 현재 Symbicort 하루 2회 흡입 및 [atrovent + ventolin] 하루 4회 네뷸라이징 중. 심방세동에 대해 와파린을 하루에 2 mg씩 투여 중"

  a. 위 소견서만을 보고 주치의가 떠올리는 생각들(잘 모르는 내용들은 보호자 면담 전에 미리 공부할 것)

    – 왜 이 환자는(보호자는) 대학병원에서 요양병원으로 옮기시려는 것일까?

    – COPD, 심방세동, 및 대장암 등의 임상 증상 및 병태생리, 치료방침, 예후 등…

    – COPD라면 담배를 많이 피우셨겠네.

    – 심방세동은 COPD가 유발했을 가능성이 높겠다.

    – 심방세동은 색전증을 유발하여 뇌경색, 심근경색 발생 가능성도 있겠다.

    – 대장암이면 식생활이 문제?

    – 대장암이면 가족력도 물어보자

    ⇒ 이렇게 떠올린 생각들을 정리하여 보호자 면담시에 조리있게 질문하고 교육한다.

2) 입원 허가 단계

직원을 통해 입원이 가능하다는 연락을 드리도록 한다. 다만, 요양병원의 경우는 대학병원에 비해 급성기 치료 등에서 한계가 있음을 보호자에게 반드시 주지시킬 것을 요구한다(어차피 면담 과정에서 보호자에게 직접 이야기할 것이지만 중요한 사항은 반복해서 주지시키는 것이 중요하다).

3) 환자 및 보호자가 병원을 내원했을 때

  a. 우선 환자를 먼저 찾아가 인사를 건네고 주치의 이름과 직위를 소개한 후, 환자로부터 불편한 점이나 바라는 점 등을 묻는다.

  b. 머리에서 발 끝까지 꼼꼼히 환자를 진찰

  c. 보호자와 면담

그림 54-1. 입원 상담을 위해 내원한 보호자와의 면담. 요양병원 입원 시에 대부분의 문제에 대한 결정은 보호자와의 면담을 통해 이루어진다.

의사 :	"안녕하세요, 저는 김xx 환자분의 주치의를 맡게 된 진료부장, 가정의학과 전문의 가혁이라고 합니다. 환자분 상태는 대략 소견서를 통해 미리 전해 들었습니다. 그런데 이번에 어떻게 저희 병원으로 오실 생각을 하신 건가요?"
부인 :	"지금은 숨쉬는 것도 괜찮고, 대학병원에서 요양병원을 권하셔서 오게 되었어요"
의사 :	"우선 환자분의 지병에 대해서 정리해 보겠습니다. 만성폐쇄성폐질환은 소위 '말기 질환'에 속할 수 있는 병입니다. 말기 질환이라고 해서 말기암만 있다고 흔히 생각하시지만 이 병과 같이 정상으로 회복될 가능성이 희박하고 점점 나빠질 수 밖에 없어 장수하실 수 없는 질환은 말기 질환에 속합니다. ← 질병에 대한 설명
부인, 아들 :	"네"
의사 ::	"환자분이 앓고 계신 만성폐쇄성폐질환은 대부분 담배가 원인이라고 알려져 있습니다. 혹시 환자분께서 담배를 많이 피우셨나요?"
부인, 아들 :	"네, 젊으실 때 엄청나게 많이 피우셨는데 5년 전 쯤 끊었어요."
의사 :	"그럼 5년 전에 만성폐쇄성폐질환 진단 받으시고 끊으신 거네요?"
부인, 아들 :	(웃으면서) "네"
의사 :	"음…다음은 심장 부정맥인데요. 아마도 이 병은 환자 분이 가지고 계신 폐질환이 원인이 되었을 가능성이 큽니다. 폐가 안 좋으신 분들은 그 합병증으로 심장에 문제를 일으키기도 하거든요. 그런데 사실 알고 보면 이 심장병이 폐병보다 더 무서울 수 있어요. 왜냐하면 폐질환은 그 때 그 때 상황에 따라 증상이 바로 바로 나타나기 때문에 나름대로 대비를 하고 치료를 할 여지가 있지만, 심장은 달라요. 심장병은 한번 악화되면 바로 심장마비 등을 일으킬 수가 있어서 더 위험할 수 있습니다." ← 급사에 대한 경고
부인, 아들 :	(고개를 끄덕이며) "네…"
의사 :	"그리고 대장암은 완치되신 건가요?"
부인, 아들 :	"네, 얼마 전까지 인공항문 가지고 계시다가 지금은 다시 봉합 수술 하시고 괜찮아요"
의사 :	"아시고 계시겠지만, 대장암 수술 하신 지가 얼마 안되셨기 때문에 아직은 더 두고 봐야 할 것 같습니다. 원래대로라면 암의 재발 여부 등에 대해 자주 검진을 하셔야겠지만 현재 다른 문제들이 있으셔서 여의치 못 할 수도 있겠습니다." ← 진단의 한계 및 재발 가능성 "아무튼 환자분은 심장과 폐가 안 좋으셔서 저희도 마음을 놓을 수가 없습니다. 아까 전화로 직원을 통해서도 말씀 드렸듯이 요양병원의 여건이 대학병원에 비해서 많은 차이가 있습니다. 간병인 문제라든가 주변 환경, 자유로운 면회시간 같은 것들이 좋은 점이긴 하지만 아무래도 환자분 상태가 갑자기 안좋아지시던가 했을 경우에는 빠른 대처가 힘들 수도 있습니다. 이런 제한점들을 잘 아시고 입원을 결정하셔야 합니다." ← 요양병원의 한계 설명
부인, 아들 :	"네, 다 알고 있어요"
의사 :	"입원하신 후에 무슨 문제가 생기면 저희가 그 때 그 때 보호자분께 연락드리도록 하겠습니다. 우선 어떤 분께 가장 먼저 연락을 드릴까요?" ← 주 보호자 확인
아들 :	"저한테 연락주세요"
의사 :	"뭐 더 궁금하신 것은 없으세요?" ← 보호자들의 요구사항 파악
부인 :	"많이 좀 먹게 해주세요, 너무 못 먹어서…"
의사 :	"네, 일단 현재 드시던 대로 저희도 드려보고 상황 봐가면서 섭취량은 조절하겠습니다. 하지만 너무 무리하지는 않도록 하겠습니다."

d. 입원기록지는 다음과 같이 작성하였다.

〈입원기록지〉

72/M 김 XX

주된 증상〉 1. 만성호흡곤란2. 음식을 못 드신다.

현병력〉 이 분은 젊은 시절 은행원이셨으며, 담배를 많이 피우셨고 술도 즐겨 드시던 분으로서, 5년 전부터 호흡곤란이 있어 오셨고, 당시에 병원에서 COPD로 진단 받으신 후 담배는 즉시 끊으셨고 그 이후로 줄곧 가정에서 네뷸라이저와 산소흡입기로 치료하시던 분이었음. 그러던 중 약 6개월 전(1월 중순)에 호흡곤란이 악화되어 오늘까지 대학병원에 입원 중이셨음. 현재 호흡은 안정화 되었으나 산소는 2L/min씩 흡입 중이시고 최근에 식욕저하로 식사량이 줄어든 상태임. 현재 식사는 하루에 죽 조금 + 그린비아 3캔(600kcal)을 드시고 계심.

과거력〉 고혈압 – 2000년 진단   당뇨 – 2009년 진단
만성폐쇄성폐질환 – 2005년 진단   대장암 수술 – 2007년 7월
심방세동 – 2009년 진단(대장암 재수술 당시)

가족력〉 부인 및 4남(부인 및 막내 아드님과 면담)주 보호자: 막내 아들

신체검진〉 V/S : stableCBS s r, RHB s m대장암 수술 후 설치한 인공장루 – 현재는 sealed

진단명〉 1. COPD   2. Atrial fibrillation   3. HTN
4. DM   5. s/p rectal CA – OP 시행

치료 계획〉 1. 지속적 저농도의 산소 공급 및 네뷸라이저 시행. 응급 시에 스테로이드 주사.
2. 와파린 등 투여
3. 혈압약 복용
4. BST check 하며 당뇨약 복용
5. 장출혈 등 대장암 재발 가능성 염두

e. 그 밖에 입원 상담시에 확인할 사항들

- 소견서(특별 관리(항암치료) 등 요양병원의 범위를 넘어서는 요구 사항은 없는 지 꼼꼼히 살핀다, CT, MRI 등(DVD))
- 드시고 계시던 약물들(약 이름 – 약국)
- 사용하던 의료 기기들(산소발생기, 네뷸라이저)
- 주된 보호자 파악
- 최근에 받은 정기검진 항목은? 그 결과는?
- 챙겨야 할 예방접종 항목은?
- TUGT (Timed Up & Go Test) 등 ADL 관련 검사 → 낙상 위험도 파악

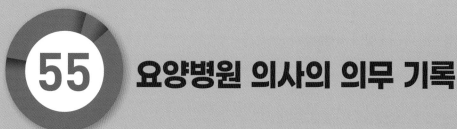

55 요양병원 의사의 의무 기록

 • 요양병원에서 의사의 경과기록지 내용은 일반 병원과 무엇이 다른가요?

– 특정 질병 상태에 대한 기록보다는 일상생활수행능력 및 의존도 등의 기록이 중요.
– 환자평가표 내용 중 '의사의 기록'이 필요한 사항은 반드시 기록할 것.

1. 입, 퇴원 결정서(그림 55-1)

1) 병명 : 입원하는 주된 이유가 되는 상병명을 적는다.
2) 입원지시일 : 일반병실인지 ICU 입원인지를 구분해서 표시해준다.
3) 주치의사란에 서명을 한다.

HOSP NO.

입 · 퇴 원 결 정 서			
환자성명　　직업　　성별　　연령			
병　명			
입원지시일 20 . . . □General □Isolation □ICU □First Admission □Re-admissaion			
진료과			
입원일자 20 . . . 병동　호　병상			
입원수속	주치의사	원 무 과	수간호사	참고사항

퇴 원 연 락			
퇴원일자 20 . . . 오전 · 오후 퇴원			
처 리 전 표	□있음 □없음	X - R A Y	□있음 □없음
약 처 방	□있음 □없음	주 사 전 표	□있음 □없음
검 사 전 표	□있음 □없음	특 수 검 사	□있음 □없음
수술마취유무	□있음 □없음	물 리 치 료	□있음 □없음
입원수속	주치의사	수간호사	원 무 과	CONSULT 과

그림 55-1. **입, 퇴원 결정서(인천은혜병원의 예)**

2. 입원 초기평가지(Admission Note)

등록번호			
환 자 명			
나 이		성 별	
입원일시			

입 원 초 기 평 가

입원일시: 년 월 일 시

[주호소]

[현병력]

[입원 전 거주장소]
☐ 자택 ☐ 요양원 ☐ 병원 ☐ 기타( )

[과거력]

당 뇨 ☐	고혈압 ☐	치 매 ☐
간 염 ☐	폐결핵 ☐	뇌졸중 ☐
알레르기 ☐	약물부작용 ☐	
악성종양 ☐ (부위:) 기 타_____		
입원경력_____		

[복용약물]

[가족력](필요시기재)	**[가계도]**

[문진소견]

☐ 두통 ☐ 발열 ☐ 오한 ☐ 기침 ☐ 객담 ☐ 객혈 ☐ 호흡곤란
☐ 복통 ☐ 흉통 ☐ 소화불량 ☐ 식욕부진 ☐ 복부 팽만감 ☐ 변비 ☐ 설사
☐ 배뇨곤란 ☐ 혈뇨 ☐ 체중변화(증가,감소) ☐ 부종(부위:)
☐ 기타_____

신체검진	**[전신외관]** 외 관 ☐ 병색없음 ☐ 만성병색 ☐ 급성병색 ☐ 기타_____ 영양 상태 ☐ 정상 ☐ 부족 ☐ 비만 ☐ 기타_____ **[피 부]**(발진, 발색, 수포, 두드러기 등 이상징후) 욕 창 ☐ 무 ☐ 유 (부위 :) 기타이상 ☐ 무 ☐ 유 ( )

<table>
<tr><td rowspan="7">신
체
검
진</td><td colspan="2">

[머리 눈 귀 코 및 인후]
□ 정상　□ 이상 (　　　)

[경부]
□ 정상　□ 이상 (　　　)
</td></tr>
</table>

신 체 검 진	**[머리 눈 귀 코 및 인후]** □ 정상　□ 이상 (　　　)	**[경부]** □ 정상　□ 이상 (　　　)

[가슴 및 폐]
시　　진　　□ 대칭팽창　□ 비대칭팽창　□ 흡기시함몰　□ 기타
촉진 및 타진　□ 정상　　　□ 이상
청　　진　　□ 정상　　　□ 이상

[심　장]
심 박 동　　□ 규칙　　　□ 불규칙
잡　　음　　□ 무　　　　□ 유

[복　부]
시　　진　　□ 편평　　　□ 함몰　　　□ 팽창
청　　진　　□ 정상잡음　□ 이상
촉진 및 타진　□ 유연　　□ 강직　　　□ 이상

[등 및 사지]
압　　통　　□ 무 □ 유
부　　종　　□ 무 □ 유
늑골척추각압통　□ 무 □ 유 (우 / 좌)
(CVAT)
운 동 제 한　□ 무 □ 유

[신경계]　　　　　　　　　　　　사지근력
의식상태　□ 정상　　□ 몽롱　　□ 혼미
　　　　　□ 반혼수　□ 혼수　　□ 기타
보　　행　□ 혼자가능 □ 약간의 도움 □ 전적인 도움
TUGT(timed up & go time) : (　　초)
　－ 일어나서 3미터 왕복 시간
　〈20초이상 낙상 위험 있음〉

（　）（　）
（　）（　）

[기타]

[추정진단]

[치료계획]

작성일 :　　년　　월　　일　　시　　　　　　작성자 :　　　　　　　서명

그림 55-2. 입원 초기평가지(인천은혜병원의 예). 이와 같이 객관식 형태로 구성하면 효율적이고 일관된 초기평가 기록이 이루어지며 미비기록도 줄어드는 효과가 있다. 특히, 신체검진 항목에서는 정상인 항목을 가장 왼쪽 열에 배치함으로써 의사가 용이하게 표시할 수 있게 해 놓았다.

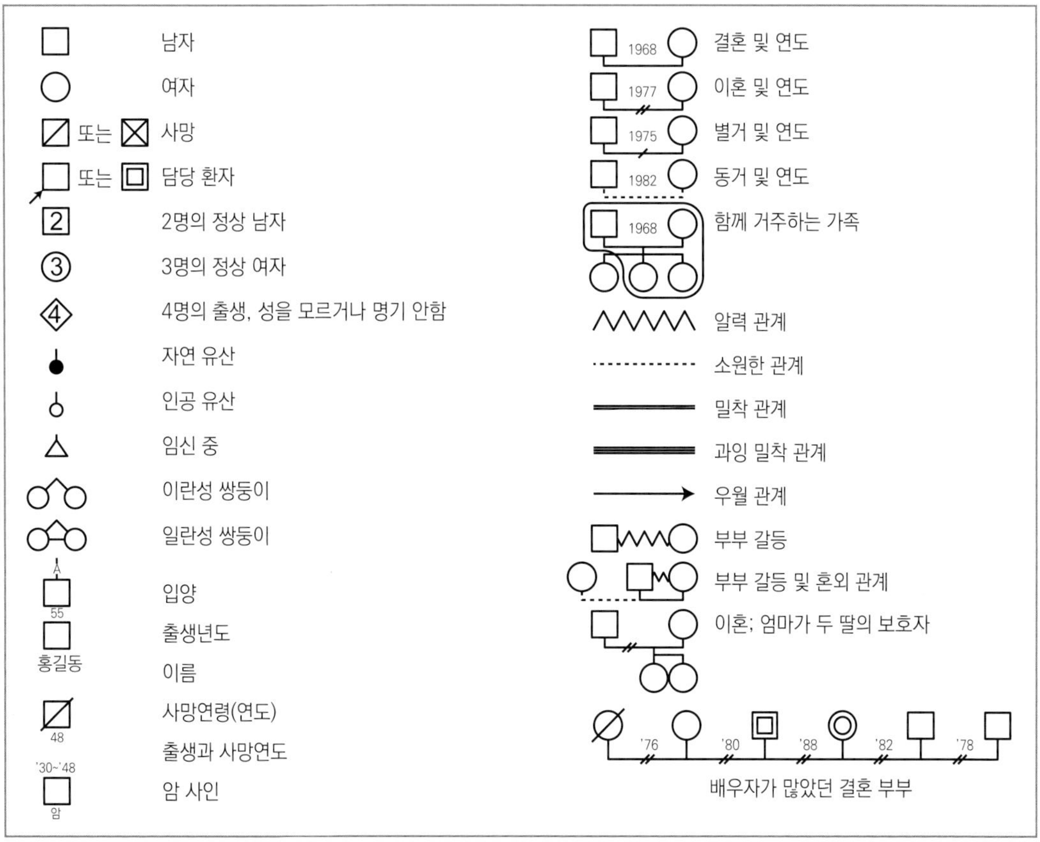

그림 55-3. 가계도에 사용하는 기호들. Adapted from 박기흠

3. 입원 초기평가지 (Admission Note)

Social work consultation

Hosp.NO :
Name :
Age & Sex : 세(송/우)

상기 환자는 20　년　월　일 본원 (입원/외래) 환자로 진단명은

(　　　　　　　　　　　　　　　　　　　　　　　)입니다.

다음과 같은 문제로 사회사업과에 의뢰하오니 선처바랍니다.

1. 입원 상담	7. 각종검사	
2. 퇴원계획 및 상담 _____	1) 치매 검사 – MMSE-K _____	
3. 사회사업상담 _____	– K-DRS _____	
4. 가족 상담 _____	2) 우울검사 – SDS – K _____	
5. 경제적 문제평가 · 상담 _____	3) 알코올 의존증 검사 _____	
6. 집단요법 _____	4) 후각 검사	
* 기타	5) 치매척도검사 – GDS _____	
	– CDR _____	

Date of referral :　　　　　　　　　　　Referred by :

Social worker report

Date of report :　　　　　　　　　　　Social worker :

그림 55-4. **사회사업과 의뢰 서류(인천은혜병원의 예)**

4. 경과기록지(Progress Note) 작성법 : SOAP

환자평가표 항목에서 의사의 기록이 필요한 항목들

◇ 혼수
◇ 섬망
◇ 배변조절 프로그램 order
◇ 질병명
◇ 말기질환
◇ 피부 궤양(욕창 등) : 부위, 넓이, 깊이, grade 기록

*환자평가표 항목에서 의사기록이 필요한 항목은 반드시 기술할 것
*보통은 1주일마다 기록하지만 폐렴, 패혈증, 집중치료실로의 전실, 압창 등이 발생하면 좀 더 자주 기록한다.

1) S(Subjective data; 주관적인 정보)

• 환자 자신이나 환자의 가족들을 통해 얻는 자료, 즉 증상과 감정 등을 기록

주관적인 정보의 예

◇ 섬망 혹은 기분(불안, 우울, 안절부절, 분노 등), 환각(환시, 환청), 흥분 상태
◇ 거동상태 : ABR state, ward ambulation, wheel chair ambulation
◇ 식사 : 삼킴 장애, L-tube feeding
◇ ADL 상태 : 세수, 양치질, 목욕, 스스로 식사, 화장실 가기 등
◇ 수면 상태 : 불면증, 낮시간 졸려함
◇ 대소변 : 요실금, 변실금
◇ 통증 : VAS, FPS 점수
◇ 치매환자의 BPSD : 망상, 환각, 초조/공격성, 우울/낙담, 불안, 들뜬 기분, 무감동/무관심, 탈억제, 과민/불안정, 반복적 행동, 수면장애, 식욕, 식습관 변화, 배회 등

2) O(Objective data; 객관적인 정보)

• 의사나 간호사가 얻는 객관적인 정보 및 다양한 검사 결과를 기록

주관적인 정보의 예

◇ V/S, 의식상태(Alert/Drowsy/Stuporous/Coma), MMSE, CDR, GDS 점수, I/O 상태, 탈수, 체중, 욕창(Site, Grade, Size, depth, 진행 정도), 새로운 Lab 결과, 새로운 X-ray, CT, MRI 결과, 골다공증 검사 결과

3) A(Assessment; 평가)

- 현재 Active한 치료 중인 진단명 위주로 기술한다.
- 말기질환, 폐렴, 패혈증 진단 시 반드시 기록

4) P(Plan; 계획)

- 현재 가장 중요한 치료계획 및 진단계획
- 3주기 인증평가 기준에 따르면 최소 1개월마다 치료계획을 기록해야 한다.

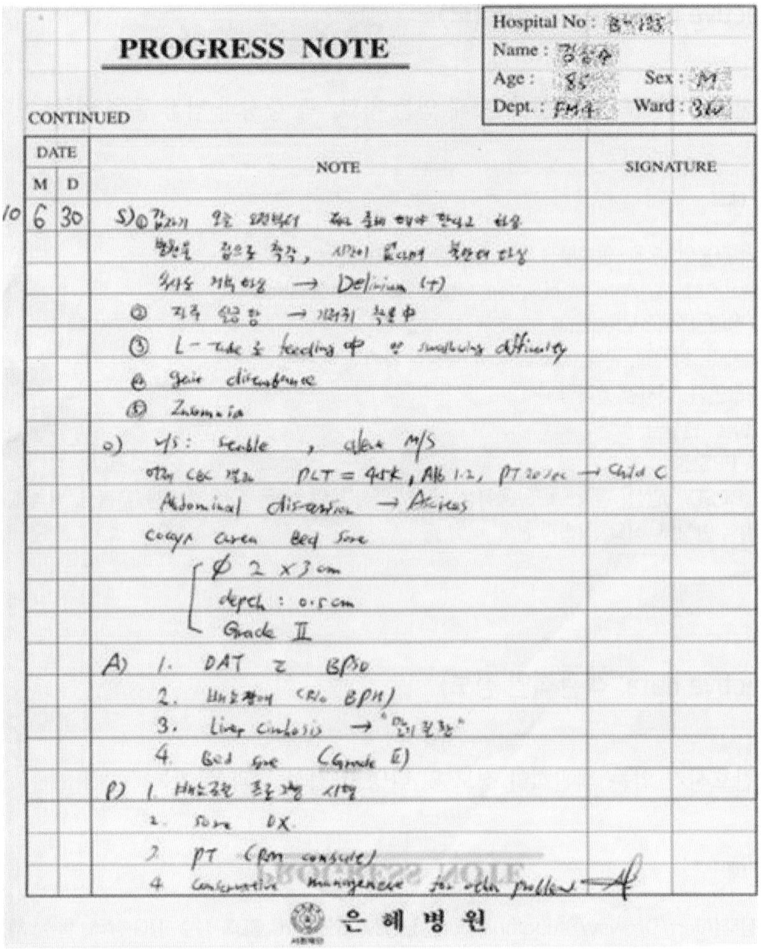

그림 55-5. 실제 경과기록지 작성의 예

5. 입원 시 의사지시 기록지(Admission Order)

1) Check V/S
2) Diet : TD, GD, SD, LD, CD (kcal)
3) L-tube feeding
4) Foley catheterization
5) Wheel Chair ambulation
6) BR c frequent suction and position change
7) PT
8) 사회사업과 요법
9) 검사
      – CBC c ESR, Chemistry c e', UA c microscopy, HbA1C(당뇨환자)
      – EKG, Chest PA, L-S spine AP, Lat
      – PT/aPTT/fibrinogen
      – S-VDRL, HBsAg/Ab, TFT, CRP RA(qual), CK-MB, AFP
      – EEG, Brain CT, TCD
      – BMD or QCT
      – SNSB or MMSE, CDR, GDS
10) PRN
      – insomnia → trazodone 25mg, zolpid 1T
      – constipation for 3 days → Dulco 2P or glycerine enema 100cc
11) Lindane 도포

그림 55-6. **요양병원 입원시 의사지시 기록지의 예**

6. 퇴원 요약(Discharge Summary) : SOHP

등록번호			
환자명			**퇴원요약**
나 이		성 별	
입 원 일	년 월 일	퇴 원 일	년 월 일

[퇴원 시 진단명]

[입원사유]

[경과요약]

[검사결과/처치명]

[퇴원약]

[추후관리계획]
☐ 외래진료   ☐ 일정기간 후 재입원   ☐ 해당사항 없음
☐ 전원_____   <소견서 ☐ 유 ☐ 무>

[퇴원 시 환자상태]
☐ 호전   ☐ 상태악화   ☐ 변화없음   ☐ 사망

작성일 :   년   월   일
담당의 :   서명

그림 55-7. 실제 경과기록지 작성의 예

1) S (Subjective on admission) : 입원 당시의 주관적인 정보
2) O (Objective on admission) : 입원 당시의 객관적인 정보
3) H (Hospital course) : 입원 기간 중 진단과 치료 과정을 포함하여, 질병의 임상 경과와 치료 결과 등을 요약하여 기록.
4) P (Plan) : 퇴원 이후 외래에서 이루어질 치료 계획, 즉 추적검사나 처치, 치료, 교육 등을 기록

56 인공 튜브 관리(L-tube, G-tube, Foley, 인공항문, T-tube)

- 요양병원 의사로서 숙지하고 관리해야 할 카테터는 어떠한 것들이 있을까요?

- 요양병원 환자들은 기본적인 일상생활수행능력이 감퇴된 경우가 많으므로 먹고 (L-tube, PEG), 싸고(Foley catheter, 인공항문) 숨쉬는(T-tube) 데에 필요한 카테터 관리 능력이 필수입니다.

1. 경비위관(L-tube) 관리

일반적으로 젊은 환자에서 Levin Tube의 삽입 적응증으로는 장 폐색의 치료, 위장관 출혈 시 진단 및 치료 목적, 위장관 수술 전후, 여러 가지 이유들로 인해 구강을 통한 음식 섭취가 불가능한 경우 등이다. 노인환자들에게 L-tube를 삽입하는 경우는 대개 음식 섭취의 문제 때문인 경우가 많다.

1) 치매가 심각해지면 음식 섭취에도 문제가 생긴다.

L-tube의 삽입과 이를 통한 영양 공급은 치매환자들이 많이 입원해 있는 요양병원에서 이루어

지는 여러 수기들 중에서도 가장 흔하고도 중요한 것이라 할 수 있겠다. 치매가 진행되면서 와상 (bed-ridden) 상태가 지속되고 여타 모든 일상생활수행능력(ADL)이 의존적으로 변하면서 결국 음식 섭취에도 어려움이 생기기 시작한다. 중증의 치매환자들은 음식 섭취를 거부하거나 무관심해지고, 입 안에 있는 음식물 덩어리들을 식도로 넘기지 못하거나(oral phase dysphagia), 삼키는 과정에서 사레가 들기도 한다(pharyngeal phase dysphagia).

2) 중증 치매환자에서 L-tube(or PEG) 삽입의 효과?

Finucane 등은 중증의 치매환자들에게 L-tube의 삽입이 어떠한 영향을 미치는지에 대해 조사한 연구 결과들(1966~1999)을 체계적으로 분석하여 1999년 미국의사협회지(JAMA)에 발표하였는데 의외의 결과들이 많았다. 그 결과를 요약하면 다음과 같다.

a. 흡인성 폐렴을 오히려 유발한다.
　－ 특히 gastrostomy(PEG)를 시행하면 식도의 하부 조임근을 약화시키는 효과를 가져온다.
　－ 경비위관이나 PEG 여부에 관계없이 입으로 섭취하는 경우보다 흡인성 폐렴을 더 많이 유발한다.
b. 삼킴 장애 시에 L-tube 삽입이 생존률을 높여준다는 증거가 없다.
　－ 특히 PEG 시술은 시술 관련 합병증으로 인한 사망률이 6%-24%에 이른다는 보고도 있다.
c. 압창을 예방하거나 치료해 준다는 증거가 없다.
d. 감염을 줄여준다는 증거가 없다.
e. 환자의 기능 상태를 증진시켜준다는 증거가 없다.
f. 환자를 편안하게 해준다는 증거가 없다.

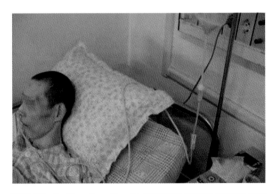

그림 56-1. Feeding Bag을 이용해서 천천히 유동식 공급

3) L-tube 삽입 방법

a. 우선 환자를 바로 앉힌다.

b. 환자 턱을 숙여서 가슴에 붙인다.

c. 삽입 후에는 주사기로 공기를 넣으면서 배에서 '꼬르륵' 소리가 들리는지 확인한다.

d. L-tube 삽입 길이는 NEX 측정법, 즉 Nose-Earlobe-Xiphoid를 잇는 길이로 한다.

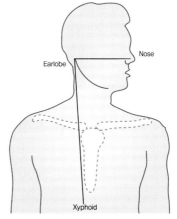

그림 56-2. NEX 측정법. 환자의 코 (Nose)-귓볼(Earlobe)-칼돌기(Xiphoid process)를 잇는 선의 길이를 L-tube 삽입 길이로 정한다.

4) L-tube feeding시 주의사항

a. 환자의 자세는 45도 이상 앉히거나, 누워있을 때에는 오른쪽으로 고개를 돌린다.

b. 처음 식사 시에는 적은 양부터 시작해서 늘림.

c. 보통 상업용 유동식 한 캔의 칼로리는 200kcal

d. 식사 도중 L-tube를 잡아 빼는 치매환자가 있을 때, 식사를 위해 바로 다시 삽입하면 구토로 인한 흡인성 폐렴의 위험이 있다!

5) 중증 치매환자에서 L-tube 삽입과 관련된 부작용들

a. 흡인성 폐렴(0%~66%)

b. PEG 시술한 자
   - 튜브의 막힘(2%~34.7%)
   - 삽입 부위 주변으로 내용물이 샘(leakage) (13%~20%)
   - 국소적 감염(4.3%~16%)

c. 기도에 삽입되기도 함
   - 경비위관 삽입 시에 약 2/3에서 재 삽입 필요

d. 기타의 문제들

- 코, 식도, 위장관 점막 손상 및 출혈 유발
- 환자를 irritable하게 만듦.
- L-tube 유지를 위해 환자를 물리적으로 억제

6) L-tube 삽입은 다른 방법이 없을 때에만 신중하게 하자!

중증의 치매환자에게 L-tube의 삽입은 여러 가지 요인들에 의해 합리화되고 있다. 특히 환자가 먹는 행위에 어려움이 생길 때에 L-tube 삽입을 섣불리 결정하는 경우가 흔하다. 환자 관리의 용이함이나 의료진 혹은 보호자들의 L-tube에 관한 여러 가지 오해들도 L-tube의 이용을 쉽게 결정하는 요인이 된다. 그러나 여러 연구들에서 밝혀진 바와 같이 L-tube의 삽입이 실제로 환자의 임상적 상황에 어떠한 도움이 된다는 근거는 없다.

가능하다면 끝까지 환자에게 음식을 숟가락으로 떠서 먹이는 것이 환자의 건강과 인권을 위한 최선의 방법이 될 것이다.

다시 입으로 먹는 게 소원이다

◆ L-tube 환자가 다음의 3가지 조건을 만족하면 입으로 하는 식사를 시도해 볼 수 있다.
 1) 의식이 분명할 것
  - 말을 걸었을 때 얼굴이나 눈을 돌려 분명하게 반응
 2) 입을 다물고 있을 수 있어야 한다.
  - 음식을 삼킬 때에는 반드시 입술을 다물고 넘긴다.
  - 빨대 같은 것으로 물을 1~2방울 혀 위로 떨어뜨렸을 때 입술을 다무는 정도라면 안심
 3) 음식을 삼킬 때 목이 확실하게 위아래로 움직이는지 확인한다.
  - 남성은 갑상연골때문에 쉽게 눈으로 확인
  - 여성은 목에 가볍게 손을 대어 상하 움직임을 확인
◆ 처음에는 젤라틴 젤리부터
 1) 오랫동안 입으로 먹지 않았던 사람은 갑자기 물을 꿀꺽 마시거나 고형 음식물을 먹을 수 없다.
 2) 처음에는 차나 물을 젤라틴 젤리로 굳힌 것부터 시도
 3) 젤라틴 젤리: 흐리지 않고 삼키기가 쉬우며, 만일 기도로 넘어가도 18℃ 이상에서는 녹기 때문에 안전
 4) 농도는 1.6%: 수저로 떴을 때 살랑살랑 흔들리는 정도의 굳기
 5) 푸딩은 젤리와 유사하나 한천이 들어 있어 녹지 않으므로 위험

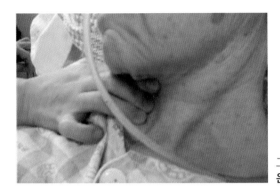

그림 56-3. 여성 환자는 목에 손을 대어서 삼킬 때 상하 운동이 있는지 확인한다.

젤라틴 분말을 물(혹은 녹차 등)에 섞는다.

스푼으로 1~2분 간 젓는다.

고형화 된 것을 눈으로 확인한다.

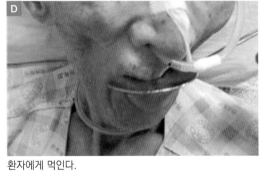

환자에게 먹인다.

그림 56-4. **L-tube** 제거 전에 젤라틴 젤리로 경구 투여를 시도해 본다.

2. G-tube 관리

1) PEG(경피적내시경하위루) 시술의 적응증

a. 연하곤란 : 뇌졸중, 외상에 의한 뇌손상, 뇌종양 등에 의함
b. 안면 손상
c. 식도천공
d. 인후두와 식도의 악성종양에 의한 협착
e. 신경근 장애 등으로 경구섭취 불가능할 때
f. 기타의 이유로 장기간 L-tube 적용 필요한 경우

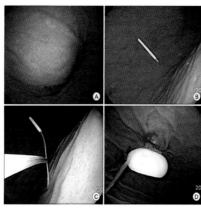

Figure 1. Techniques of percutaneous endoscopic gastrostomy (pull type). (A) Digital indentation is seen in the insufflated stomach. (B) Needle is passed through the nearest site of abdominal wall. (C) Guidewire is being grasped with snare. (D) Internal bolster of PEG is fixated in the stomach.

출처: 임윤정, 양창헌. The Korean J of Gastrointestinal Endoscopy, 2009.

2) G-tube 관리의 요점

a. 시술 후 약 2~4주 후에 영양관 통로가 성숙하게 됨.
b. 통로 성숙 전에 환자 등이 영양관을 잡아 뽑으면 출혈, 감염 우려가 높다.
c. 의사소통이 안되거나 인지기능이 저하된 환자의 경우는 필요 시에 신체보호대(장갑 등) 필요하기도 함.
d. PEG 교환은 대개 6개월 간격을 권장하나, 4시간 간격으로 영양관을 20~30 mL 정도 따뜻한 물로 씻어 음식물 찌꺼기, 약제 등이 관에 끼지 않도록 잘 관리해서 관의 손상만 없다면 1년 이상 사용할 수 있다.

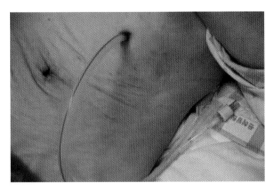

그림 56-5. **PEG 시술을 통한 G-tube 유치**

3. 도뇨관(Foley catheter)

1) 도뇨관 삽입의 적응증

a. 소변 배출이 안되어 방광에 축적될 때
  - 기술 부족이나 인지 기능저하로 간헐적 도뇨(clean intermittent catheterization; CIC)가 어려울 때
  - 소변 축적의 원인들로는 신경인성 방광(neurogenic bladder; 충분한 배뇨 작용에 문제)이나 방광의 출구가 막혔을 때(bladder outlet obstruction) 등이 있다.
  - 장기간 소변 축적이 되는 자들 : 척수손상 환자, 다발성 경화증, 전립선비대, 뇌졸중
b. 관리가 안 될 정도의 심각한 요실금
c. 말기환자
d. 압창 치료를 위한 단기간의 도뇨관 삽입
e. 기타 단기간의 도뇨관 삽입이 필요한 경우들 : 수술 후 관리, 방광 내 약물 주입, 배뇨량 체크 (신부전 등)

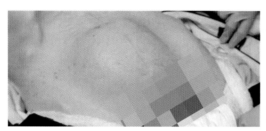

그림 56-6. 소변 배출이 안 되어 방광이 부풀어 오르는 경우가 자주 발생하면 도뇨관 적응증

치골 상부를 가볍게 두드린다.

허벅지 안쪽을 부드럽게 문질러준다.

그림 56-7. 소변 배출이 되지 않는 환자에게 소변을 스스로 보도록 하는 비약물적 처치들

장기적 도뇨관(Foley catheter) 유치

a. 장기적 도뇨관(Foley catheter) 유치의 적응증
- 요폐
  - 계속적인 일류성 요실금의 원인이 되는 경우
  - 증상을 동반한 감염, 신기능 이상
  - 수술적, 내과적으로 치료되지 않는 경우
  - 간헐적 도뇨로 처치될 수 없는 경우
- 피부상처, 압창, 요 누출에 따른 자극
- 심한 신체적 장애
- 환자의 선호(patient preference)

b. 유치된 장기적 도뇨관의 제거 원칙
- 요정체의 가역적인 원인을 교정
- 섬망, 우울증, 위축성 질염, 요로감염 등이 존재하면 치료
- 제거 전에 Training 하는 것은 효과 없다는 연구 결과가 있다.
- 요 배출의 기록을 정확히 하고 배뇨 후 재 도뇨를 해야 하는 시간에 도뇨관을 제거한다.
- 환자가 배뇨할 수 없는 경우, 적절하다면 재평가를 위탁하고 적절하지 못하면 영구적 도뇨를 해야 함.

c. 도뇨관의 재 삽입은 다음의 경우에만 시행한다.
- 환자가 배뇨한 후에 배뇨 후 잔뇨를 결정하기 위한 경우
- 예상 방광 용량이(요 배출 기록에 근거) 이전에 설정한 한계(예: 600~800 ㎖)를 초과
- 배뇨를 복돋우기 위한 여러 방법들(수돗물 틀기, 치골 상부 두드리기, 대퇴 내부 문지르기 등)에도 불구하고 배뇨를 하지 못하거나 불편한 경우

d. 잔뇨량에 따른 대처
- > 400 ㎖ → 도뇨관을 재 삽입하고 적절하다면 평가를 더 시행
- 100~400 ㎖ → 지연성 요 정체를 감시하면서 적절하다면 평가를 더 시행
- < 100 ㎖ → 지연성 요 정체를 감시

2) 도뇨관 삽입 시 주의할 점

a. 노인환자들의 경우도 동성(同性)의 의료인으로부터 도뇨관 삽입 처치를 받을 권리가 있다. 따라서 요양병원에서도 일반적으로 여성의 경우는 간호사가, 남성의 경우는 의사가 시행한다.

b. 특히 남성의 경우에 도뇨관의 앞쪽 1/3까지 젤을 충분히 발라야 요도와 도뇨관과의 마찰로 인한 출혈을 예방할 수 있다.

그림 56-8. **PEG 시술을 통한 G-tube 유치**

c. 도뇨관을 충분히 밀어 넣은 후에 바로 5ml 이상의 멸균식염수로 풍선 부풀리기(ballooning)를 하고 약간 잡아당겨서 방광이 걸리는 느낌을 확인 후에 집뇨주머니(urine bag)와 연결해야 안전하다.

d. 여성의 외뇨도구(external urethral orifice)가 잘 보이지 않으면? (소위 '이쁜이 수술' 시행한 경우)
  - Kelly 겸자를 질 속에 넣고 질을 후방으로 당겨 내리듯 누르면 잘 보이게 된다.

e. 요도 협착(urethral stricture)이 있어 도뇨관 삽입이 어려울 때
  - 무리하게 삽입을 시도하지 말고 비뇨기과에 의뢰한다.
  - 중증도에 따라 요도확장(urethral dilatation)이나 치골상부 도뇨관 유치(suprapubic catheter insertion) 등을 고려할 수 있다.

f. 도뇨관이 질(vagina)로 들어갔을 때
  - 실수로 질로 삽입된 도뇨관을 바로 빼내어 요도로 삽입하면 요로감염을 유발할 수 있다.

- 질에 삽입된 도뇨관은 그대로 두어 marker로 삼고, 그 상태에서 새로운 도뇨관으로 요도 삽입을 성공시킨 이후에 질에 삽입된 도뇨관을 제거한다.

g. 포경수술을 하지 않은 남성의 포피(foreskin)가 귀두(glans penis)를 덮고 있을 때
- 포피를 살짝 뒤로 젖히고 도뇨관을 삽입한 후에 포피를 원래대로 위치시킨다. 만일 무리해서 포피를 뒤로 젖혀 놓으면 음경감돈증(paraphimosis; 귀두 뒤로 통증을 유발하는 tightening band)를 유발할 수도 있다.

3) 도뇨관 삽입을 하였으나 소변이 나오지 않을 때

a. 우선 50 ml의 멸균식염수로 세척해본다. 주입된 액이 자연히 흘러나오면 도뇨관의 앞 끝이 방광 속에 들어간 것이다.

b. 처음으로 도뇨관을 삽입하는 환자라면 방광 내에 일정량의 소변이 있으므로 쉽게 배출되는 소변을 봄으로써 삽입 성공 여부를 쉽게 알 수 있지만, 기존에 도뇨관 유치를 하고 있던 환자의 경우는 방광 내 저류된 소변이 거의 없으므로 확인이 되지 않는다. 이러한 어려움을 방지하기 위해서 기존에 도뇨관을 유치하고 있는 경우에는 새로운 도뇨관 교체 전에 미리 도뇨관 밸브를 잠가놓으면 도뇨관 교체 시에 방광 안에 저장되어 있던 소변이 흘러나옴을 확인할 수 있다.

c. 도뇨관을 끝까지 밀어 넣고도 소변이 나오지 않는다면?
- ballooning을 천천히 해보고 환자가 통증을 호소하면 ballooning을 풀고 도뇨관 삽입을 다시 한다. 통증을 호소하지 않으면 생리식염수를 이용하여 천천히 세척을 해서 blood clot 등의 찌꺼기가 관을 막고 있지 않은지 확인한다.

d. 가장 좋은 도뇨관 교환 방법은, 기존의 도뇨관을 이용해서 방광 내로 세척용 생리식염수를 주입한 후에 도뇨관을 제거하는 것이다.

4) 도뇨관 유치 후의 합병증

a. 요로감염(Urinary Tract Infection, UTI)
- 30일 이상 도뇨관을 유치하고 있는 경우에 대부분 환자의 소변에서 세균이 검출되지만 무증상인 경우가 많다.
- 도뇨관의 제거가 가장 확실한 UTI의 예방법이다.

- 도뇨관 유치자에게 예방적인 항생제 투여는 오히려 항생제 내성을 쉽게 유발하므로 무증상의 경우에는 고려하지 말아야 하며, 임상적 증상을 동반한 UTI의 경우에만 항생제 치료를 시행한다.
  b. 신우신염(pyelonethritis)
  c. 세균혈증(bacteremia)
  d. 방광암
  e. 요석이나 요도주위 감염 등에 의해 만성적 요로 폐쇄 유발
  f. 보라색 소변주머니 증후군(Purple Urine Bag Syndrome; PUBS)

5) 도뇨관의 관리

a. 일반 원칙
  - 요도 자극과 오염을 피하기 위해 도뇨관을 대퇴 상부 혹은 복부에 고정한다.
  - 집뇨주머니는 방광보다 낮게 위치시킨다.
  - 부착 부위를 수일마다 교체한다.
  - 8시간마다 소변을 비운다.
  - 도뇨관을 일상적으로 세척하지 않는다.
  - 요도 주위에 항생제 연고를 바르는 것은 효과적이지 않다. 비누와 물로 하루 한 번 씻으면 충분.
  - 무증상 세균뇨의 항생제 치료는 효과도 없고 대개 저항 균주의 출현을 야기한다.
b. 교체 주기
  - 주기적인 도뇨관의 교체가 도뇨관의 폐쇄나 요로감염을 예방할 수 있다는 근거는 없다.
  - 다만 지나친 biofilm 등에 의해 도뇨관이 자주 막힌다면 도뇨관을 교체해 주어야 한다.
  - 특별한 문제가 없는 환자라면 동일한 도뇨관을 수년 동안 사용할 수 있다.
  - 일반적으로는 1~2개월에 1회씩 도뇨관을 교체해 준다.

 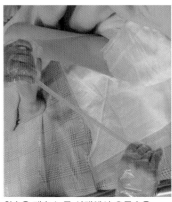 

양 손으로 도뇨관을 꽉 누른다. | 왼손은 계속 누른 상태에서 오른손을 집뇨주머니 쪽으로 훑어 내린다. | 오른손은 계속 꽉 누른 상태에서 왼손을 뗀다.

그림 56-9. **도뇨관 Squeezing(훑어주기). 이 과정을 통해 도뇨관에 찌꺼기가 끼지 않도록 한다.**

4. 인공항문

1) 인공항문 착용환자 교육

a. 채소, 과일을 포함한 균형잡힌 식습관.

b. 하루에 6-8잔 이상의 수분 섭취.

c. 천천히, 꼭꼭 씹어서 먹을 것.

d. 껌 씹기, 흡연, 빨대로 먹기 등은 공기를 삼키는 효과로 인해 복부 팽만을 유발하므로 삼가할 것.

e. 요구르트는 가스로 인한 복부팽만을 줄여 준다.

f. 저녁 8시 이후로는 식사 삼가.

g. 생선, 양파, 마늘, 브로콜리, 양배추 등은 안 좋은 변 냄새를 유발한다.

2) 급성기병원으로 전원이 필요한 상황

a. stoma 주변 변색 (보라, 흑색, 흰색 등으로)

b. 6시간 이상 지속되는 심한 복통

c. 6시간 이상 지속되는 심각한 watery discharge

d. 3일 이상 변 배출 없을 때

e. 대량 출혈

f. stoma가 평소보다 0.5인치 이상 Swelling

g. stoma가 피부 아래로 말려들어갈 때

h. 심한 피부자극 혹은 깊은 피부 궤양

I. 복부가 불룩해짐(bulging)

5. 기관카테터(T-tube)

T-tube는 공기의 흐름을 가능하게 하고 기관지 분비물들을 제거하기 위해 삽입한다. 흔히 사용하는 T-tube의 종류에는 Koken tube와 James' tube가 있다.

1) Koken tube(이중내관 기관절개관)

a. 내,외관이 분리되는 double cannula

b. 세척 시 내관만 빼내에서 세척 후 다시 사용

c. 장기간 사용 가능

d. Size는 외경(O.D.: Outer Diameter)을 기준으로 함

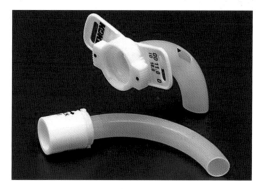

그림 56-10. Koken tube. 2개의 관이 있고 내관을 교체할 수 있는 구조이다.

2) James'tube(단순 기관절개관)

a. 내관이 없는 single cannula

b. 단기간 사용 가능

c. 풍선 부풀리기(Cuffed) : 인공호흡기 사용하는 경우, 객담 많은 경우

d. 풍선 부풀리지 않기(Un-cuffed) : 환자 스스로 호흡 가능, 발성연습 필요로 하는 경우

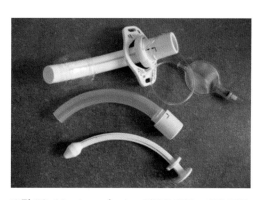

그림 56-11. James' tube. 내관이 없고 cuff가 있다.

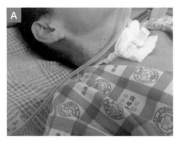

우선 베고 있는 베개를 빼서 고개가 뒤로 젖혀지도록 한다(기도 확보).

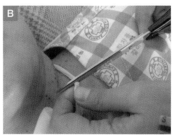

Tube를 고정하고 있는 끈을 자른다(접착식이라면 접착 부위를 떼어낸다).

손위생을 시행한다.

미리 T-tube의 한 쪽 끈 연결 고리 부분에 끈을 연결한다(환자에게 삽입 후에 끈을 묶으려면 시간이 지체됨).

풍선을 부풀리지 않는 환자의 cuff 선은 가위로 자른다.

기존 tube를 뺄 때에는 tube의 커브를 따라 부드럽게 빼내야 환자의 기도에 자극이 적다. 빼낸 거즈와 tube는 의료폐기물함에 버린다.

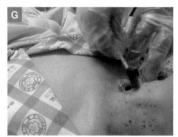

삽입할 구멍 주위를 소독한다. 이 때 환자의 객담이 튈 수 있으므로 주의한다(다른 한 손으로 막을 준비!)

삽입 부위에 소독겔이나 생리식염수를 묻혀서 마찰력을 줄여야 원활히 삽입이 된다.

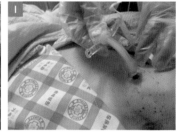

Tube를 삽입한다(tube 제거 시와 반대). 이 때 관 안에 있는 가이드를 재빨리 빼주어야 한다. 가이드를 뺀 직후에는 환자가 다시 한번 큰 기침과 더불어 객담을 배출할 수 있으니 주의해야 한다.

Y-거즈를 대서 피부를 보호하고 분비물도 흡수하도록 한다.

그림 56-12. James' tube (풍선 부풀리지 않는 환자)의 실제 교환 모습

3) T-tube의 관리

a. 목을 둘러싸는 줄을 느슨해지지 않도록 관리한다.

b. 끝부분에 풍선이 달린 경우 풍선을 지나치게 팽창시키면 기관점막의 괴사를 초래할 수 있으므로 지나친 압력이 가해지지 않게 주의하며, 매시간 약 15분 정도 주기로 풍선 압력을 줄여준다.

c. 삽입 후 36시간 내에 튜브가 빠지면 개구부(開口部)가 협착되어 재삽입이 어려우므로 주의한다. 만약을 대비하여 침상 위에 같은 치수와 한 치수 작은 튜브를 준비해둔다.

d. 튜브의 내관을 처음 2~3일간은 1~2시간마다 꺼내 소독하여 마른 점액에 의해 튜브가 폐쇄되는 것을 방지한다.

e. Y형 거즈를 이용하여 매일 소독을 시행한다.

f. 교체 주기 : 통상적으로 1개월마다

g. 가습기구(아쿠아팩)을 통한 건조 방지 : T-tube가 건조해지거나 자주 막히는 환자에게 수분을 공급하는 장치로서, 병실의 산소 배출구에 연결 후 5 L/min 정도의 세기로 산소를 공급하고 마스크 부분을 T-tube 입구에 감싸고 하루 20분 정도 가습함.

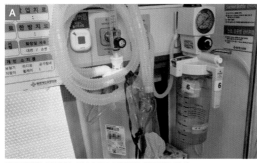

아쿠아팩 세트를 산소공급 장치에 연결한 모습

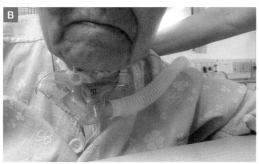

마스크로 T-tube 입구 부분을 감싼다.

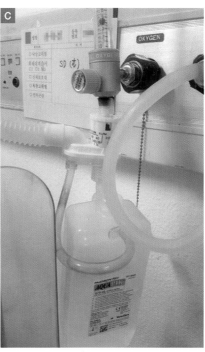

산소공급장치를 5 L/min 정도로 맞추면 산소가스와 함께 가습된다.

그림 56-13. **가습장치(아쿠아팩 세트)를 이용한 T-tube 가습**

4) T-tube 주변의 소독

a. 매일 1회 이상 시행하되 분비물로 인해 지저분한 경우에는 더 자주 소독한다.
  - 준비물 : 소독셋트, 멸균장갑, 10% 베타딘 솜 또는 0.5% 클로르헥시딘, 멸균생리식염수 솜, 소독 Y거즈, 고정용 끈, 가위
b. 소독방법
  ① 손을 씻고 기관흡입으로 가래를 제거한다.
  ② 기존의 거즈를 제거하고 장갑을 낀 후 소독액으로 기관절개 부위를 닦는다.
   (분비물이 많이 붙어있는 경우 멸균생리식염수로 적신 솜으로 닦은 후 베타딘 솜으로 소독함)
  ③ 소독 Y거즈를 튜브 밑에 넣어준다.
  ④ 기관절개 튜브 고정용 끈을 교환해준다. 이 때 손가락 하나 정도의 여유를 두고 끈을 묶어주어야 한다.
c. 사용한 솜을 새 것으로 교환하는 동안 기관지튜브가 과도하게 움직이지 않도록 손가락으로 튜브를 잘 지지하며 관이 빠지지 않도록 한다.

57 보라색 소변 증후군 (Purple Urine Syndrome; PUS)

 • 3년 전부터 집뇨주머니로 배뇨 중인 81세 여성 환자의 집뇨주머니와 집뇨관의 색이 지난 주부터 갑자기 선명한 보라색으로 변하였다. 이러한 현상의 원인은 무엇인가? 복용 중인 약물 때문인가, 요로감염 때문인가, 아니면 치료가 필요 없는 현상인가?

그림 57-1. **보라색 집뇨주머니 증후군(Purple Urine Bag Syndrome).** 집뇨주머니와 집뇨관이 선명한 보라색으로 변하였다. 하지만 소변의 색은 그대로이다.

그림 57-2. Purple Urine Bag Syndrome에서 'Purple'의 정의는 'bluish to purple'로 **정의된다.** 즉, 위 그림처럼 푸른 빛을 띄어도 보라색으로 정의한다.

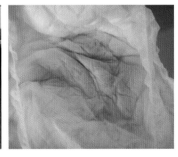

그림 57-3. **보라색 기저귀 증후군 (Purple Diaper Syndrome).** 보라색 집뇨주머니 증후군(Purple Urine Bag Syndrome)

1. 보라색 소변 증후군(PUS; Purple Urine Syndrome)

집뇨(集尿) 주머니(urine bag)나 집뇨관(集尿管)(Foley catheter), 혹은 환자의 소변에 젖은 기저귀(diaper)가 보라색 혹은 파란색으로 변하는 현상으로서, 이러한 특이한 현상을 처음 접하게 되는 환자나, 환자의 보호자, 특히 노인병원에서의 진료 경험이 적은 의사들을 당황하게 만든다. 이와 유사한 현상에 대한 문헌으로는 1812년에 "미친" 왕("Mad" King)으로 알려질 정도로 건강이 좋지 않았던 영국 왕 조지 3세에 대한 주치의들의 기록이 최초인 것으로 알려져 있다. 조지 3세는 심각한 변비와 구토 증세를 보이고 있었는데, 당시 그의 소변을 받은 유리 그릇의 표면이 푸른 빛으로 착색되었다고 한다. 공식적으로는 1978년에 Barlow와 Dickson에 의해 이분척추증을 가지고 요로전환술을 시행한 후 일회용 집뇨주머니를 착용하였던 어린이 환자들에게서 처음으로 PUS가 보고되었다. 그들은 이러한 변색이 소변 내에 존재하는 indigo blue에 의한 이차적인 반응이라고 기술하였다. 그로부터 수개월 후에 Sammons 등과 Payne과 Grant는 도뇨관을 유치하고 있으면서 변비나 변실금을 보인 5명의 여성 노인에게서 발생한 PUS에 대한 분석을 통해 역시 소변 내에 indigo blue의 존재를 밝혔고, 특히 실험적으로 sodium hypochlorite와 같은 산화제를 첨가하여 푸른 색으로 변색됨을 기술하였다. 이들은 또한 소변의 알칼리화가 indigo의 침착에 중요하다고 주장하였다. 이후로도 PUBS에 관한 사례 보고는 여러 연구자들에 의해 이루어 졌고, Dealler 등은 그 기전을 다음과 같이 정리하였다:

a. 아미노산의 일종인 <u>트립토판(음식물을 통해 장내 흡수)</u>이 장내 세균에 의해 indole로 대사된 후 문맥 순환계로 흡수된다.

b. 간에 의한 접합(conjugation) 과정에 의해 indole은 <u>indoxyl sulfate (IS)</u>라는 물질로 변환되어 소변 내에 고농도로 배출된다.

c. 소변 내의 IS는 Klebsiella pneumoniae나 Enterobacter 등과 같은 <u>그람음성간균(Gram negative bacilli)</u>에 의해 indoxyl로 변환된다.

d. 집뇨관 내의 알칼리성 환경하에서 두 개의 indoxyl 분자는 <u>공기 중의 산소에 의해 산화되어</u>, 그 결과 <u>파란색을 띄는 indigo</u>와 <u>자주색을 띄는 indirubin</u>을 생성한다.

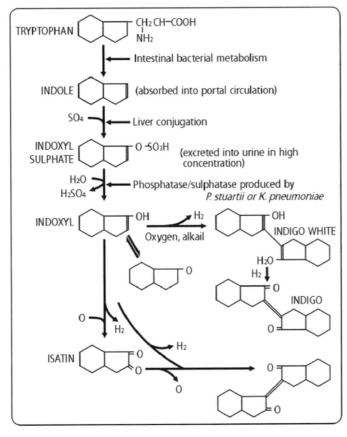

그림 57-4. **보라색 소변 증후군의 발생 기전**

그러나 몇몇의 다른 연구들에서는 착색의 원인이 되는 물질을 indigo가 아닌 steroid 혹은 bile acid라고 결론 짓기도 하였다.

2. 보라색 소변 증후군의 위험 인자 및 빈도

기존의 증례 보고 연구들에서 PUS의 위험 인자로 거론되고 있는 것들로는 잦은 변비, 여성, 노령화, 반복적인 요로 감염, 알칼리성 소변, 장기간의 도뇨관 유치, 일상생활활동(ADL)의 감소, 와상 상태, 인지 능력의 감퇴 등이 제기되고 있다. 결국 정신적, 신체적으로 취약한 노인환자들이 장기간 입원해 있는 요양병원에서 PUS가 호발할 수 있음을 알 수 있다. 장관 운동의 저하 등으로 인해 변비가 발생하면, 이로 인해 장내 세균총의 변화가 오고, 그에 따라 트립토판의 대사에 관여하는 세균이 많아짐으로써 PUS가 유발되는 것으로 생각된다. 최근에는 장기간 치골 상부 도뇨관 유치를 하고 있던 노인 여성에서 장중첩증의 발생과 더불어 PUBS가 발생한 사례 보고도 있었다. Mantani 등은 남성의 경우에는 아연(zinc)과 같이 잠재적인 항균 작용을 하는 물질들이 전립선으로부터 배출되며, 여성의 경우에는 요도가 짧고, 항문에 가까워서 대장 내 그람음성간균이 요도로 접근하기가 용이한 것도 여성에서 PUS가 호발하는 원인들 중 하나일 것으로 가정하였다.

한편, 장기간 도뇨관 유치를 하고 있는 노인환자들을 대상으로 하여 조사한 외국의 환자-대조군 연구는 3건을 찾을 수 있었고, 연구에 따라 PUS의 발생 빈도는 8~29%에 달했다. 그 중, Mantani 등의 연구에서는 PUS의 발생에 가장 중요한 위험 인자로서 소변에서 고농도의 세균이 검출됨을 밝혔고, 여성 및 소변의 알칼리화도 위험 인자로 작용한다고 하였다. 또한 Su 등의 연구에서는 특히 잦은 변비가 중요한 위험 인자임을 지적하였고, 그 중에서도 bisacodyl 좌약의 투여가 직장 점막에 상처를 주어 이것이 장내 세균총을 변화시킴으로써 PUS를 유발하는 것으로 가정하였다.

우리나라에서는 2002년에 이광우 등에 의해 처음으로 PUS의 증례 보고가 있었다. 2007년에는 필자(가혁)가 인천은혜병원에 입원하여 장기간 도뇨관 유치를 하고 있는 60명의 65세 이상 환자들을 대상으로 하여 3개월간 관찰한 결과, PUS의 발생 빈도는 27%(16/60)였고, 16명의 PUBS 환자가 모두 여성이었으며, 기존의 연구와 마찬가지로 장기간 도뇨관을 유치한 자, 잦은 변비, bisacodyl 좌약의 사용 빈도가 높을수록 PUS가 호발함을 밝혔다. 또한 모든 PUS 환자들의 소변 pH는 7.0 이상이었다. 특히 그들은 최근 1개월 이내에 그 이유에 관계없이 항생제를 사용하지 않은 환자들에게서 PUS의 발생이 많음을 관찰함으로써, 오히려 PUS의 발생은 최근에 임상적으로 현격한 감염 질환이 없었음을 반증하는 지표로도 사용될 수 있음을 처음으로 제시하였다.

3. PUS와 관련된 세균들

그간의 연구들에서 PUS를 나타내는 환자들의 소변을 배양해 본 결과, 다양한 세균들이 검출되었고, PUS가 발생하지 않은 환자들에 비해 그 농도도 높은 것으로 알려졌다. 배양된 균주들은 주로 그람음성간균들이었다(표 57-1). 전술한 바와 같이 착색 물질로 알려진 indigo나 indirubin의 전구체인 소변 내 IS는 장내 세균에 의한 트립토판의 대사 산물이므로 이에 관여하는 장내 세균들이 PUS의 발생과 관련이 있을 것으로 추측되었다. 그러나 아직까지 PUS와 직접적인 인과관계를 보이는 세균은 밝혀지지 않았으며, 따라서 PUS 환자의 소변검체에서 배양된 세균들이 그 환자의 PUS

를 직접적으로 야기한 원인인지의 여부도 확실하지 않은 상태이다.

표 57-1. **보라색 소변 증후군 환자의 소변 배양에서 흔히 검출되는 세균들**

Citrobacter freundi	Proteus mirailis
Citrobacter koseri	Proteus vulgaris
Enterobacter spp	Providencia stuartii
Excherichia coli	Pseudomonas aeruginosa
Klebsiella pneumoniae	Pseudomonas spp
Morganella morganii	Serratia marcescens

4. PUS의 임상적 의의 및 대응 방안

PUS는 집뇨주머니와 집뇨관에 특이한 착색을 일으키는 것 외에는 특이한 임상적 증상을 나타내지 않는 것으로 알려져 있다. PUBS를 보인 환자에게서 심각한 요로 감염이나 패혈증을 보인 사례 보고들도 있었지만, 이들 역시 PUS와 직접적인 연관 관계를 보이지는 못했다. 다만 PUBS가 발생한 환자들에 대해 도뇨관을 교체하거나, 그람음성간균에 효과를 보이는 퀴놀론계 약물을 단기간 사용하였더니 대부분의 경우에 착색 현상이 사라졌음이 보고되었다. 그러나 무증상의 PUBS 환자에게 단지 착색을 없애기 위하여 항생제를 사용한다면 오히려 항생제 내성 균주에 의한 요로 감염의 유병률을 높임으로써 향후 요로 감염에 대한 경험적 치료를 어렵게 만들 수도 있다. 그보다는 도뇨관을 유치하고 있는 다른 환자들과 같은 원칙을 가지고, 환자의 임상 상태를 면밀히 관찰하는 것이 합리적인 대처 방법이라고 사료된다.

결론적으로 장기 노인 입원 시설에서 주로 발생하는 PUBS는 환자나 보호자, 심지어 경험이 적은 의료진들을 매우 당황하게 만드는 현상이다. 물론 환자의 임상적 상황이나 불안정도 등에 따라 도뇨관을 교체하거나, 경험적 항생제 치료를 시작할 수도 있겠으나, 그 보다는 노인환자를 다루는 주치의로서 PUS의 기전과 임상적 경과 및 의의를 불안해하는 환자나 보호자들에게 교육시키고, 특히 이러한 현상은 최근의 항생제 사용 경험이 적었다는 반증임을 이해시키는 등 그들을 안심시키고, 격려함으로써 오히려 환자-의사 관계를 긍정적으로 만들 수 있는 계기가 되도록 하여야 할 것이다.

Purple Urine Bag Syndrome

To the Editor: Purple urine bag syndrome (PUBS) is a unique phenomenon mostly seen in patients with dementia, and in 1 report, 27% of the elderly patients in a geriatric hospital who required urinary catheterization for a long period developed PUBS.[1] Thus, it is not rare for geriatric clinicians to encounter PUBS, and confirming the management of this phenomenon is important. Drs Ben-Cherit and Munter[2] presented a case of PUBS in which urine culture was ordered and replacement of the catheter was recommended.

그림 57-5. 보라색 집뇨주머니 증후군(Purple Urine Bag Syndrome)의 임상적 의의에 대한 필자의 JAMA(미국의사협회지) 투고 논문. 필자는 이 현상은 무증상 세균뇨의 일종이므로 물론 소변검사도 필요 없다고 주장하였다.

Purple diaper syndrome self remitted <u>without</u> antibiotic treatment

Hyuk Ga

Institute of Geriatric Medicine, Incheon Eun-Hye Hospital, Incheon, Korea

Dear Editor,

Purple diaper syndrome (PDS) is an uncommon metabolic phenomenon characterized by a purple discoloration of a diaper, and the first case was reported in 2006, which was treated with antibiotics for fear of a subsequent urinary tract infection.[1] Here we report a PDS case that disappeared after several days without antibiotic treatment.

The patient, an 86-year-old, female, long-term care

suggested that long-term use of this suppository can change the normal intestinal microorganism flora leading to a PDS-prone environment.[4,5]

Then, what are the differentiating features of PDS from purple urine bag syndrome (PUBS)? First, there could be less chance of discoloration, because indoxyl oxidations occur in urine, and diapers are usually kept dry (urine-free environment). Second, PUBS can be more easily noticed by medical staff than PDS. Third, no PDS cases for male patients have been reported so

그림 57-6. 보라색 기저귀 증후군 (Purple Diaper Syndrome) 증례가 실린 일본노년노인의학회지(GGI). 항생제 치료 없이 자연 치유된 증례

58 다른 병원에 진료의뢰하기

• 68세 남성. 최근 객혈 발생하여 촬영한 흉부 X-ray 검사 결과, 전에 없던 solitary pulmonary nodule이 발견되었다.

– 다른 병원에 어떻게 의뢰해야 하며 진료의뢰서에는 어떤 내용을 써야 하나?

요양병원 체계의 특성 상, 일반 종합병원과는 달리 의료진의 구성 및 의료 장비의 제한 등으로 인해 환자의 건강 문제가 해결되지 않는 경우에는 타 병원 의사에게 자문 혹은 의뢰를 하게 된다. 자문과 의뢰는 일차진료를 담당하는 의사로서 불가결한 행위 중의 하나이며, 의료전달체계의 핵심 과정이기도 하다.

1. 자문 및 의뢰의 정의

1) 자문(Consultation) : 담당의사가 자신의 책임 하에 환자 치료를 위해 다른 의료인에게 진료에 대한 지원이나 견해를 물어보는 과정
  – 환자문제의 해결을 위해 동료의사나 타 분야 의사에게 진단과 치료에 대한 조언을 구하는 것

2) 의뢰(Referral) : 환자의 특별한 문제 해결을 위해 문제가 해결될 때까지 다른 의료인에게 진료에 대한 책임을 넘겨주는 것
- 담낭절제술을 위해 외과의사에게 의뢰하거나, 심혈관 조영술을 위해 심장내과의사에게 의뢰하는 것 등

3) 의뢰의 : 자문이나 의뢰를 한 의사

4) 자문의 : 자문이나 의뢰를 받은 의사

2. 자문과 의뢰의 이유

1) 질병의 정확한 진단을 위해서

   예 복부 CT나 애매한 X-ray 소견 등에 대해 영상의학과에 자문하기

2) 환자의 질병 치료를 위해서

   예 낙상에 의한 대퇴 골절의 수술을 위해 정형외과에 의뢰하기

3) 보다 전문적인 진단기구나 치료가 필요할 때

   예 급성으로 발생한 편마비 환자의 CT 결과 뇌출혈 소견 없을 때, MRI 및 급성기 뇌경색 치료를 위해 3차 병원 신경과에 의뢰하기

4) 환자의 요구에 의해서

   예 원내에서 위내시경 및 조직검사를 통해 위암이 진단되었으나, 보호자가 큰 병원에서 다시 검사해보고 싶다고 하여 대학병원에 의뢰

5) 이미 내려진 진단이나 치료방침의 확인을 위해서

   예 옴 치료를 했으나 피부 병변의 호전이 없어 피부과 의사에게 정확한 진단명 및 치료 방침에 대해 자문을 구함

3. 의뢰의에게 필요한 기본 원리

1) 자문과 의뢰를 하기 전 단계

a. 적당한 시기를 선택해야 한다.
- 어떤 의사들은 의뢰를 하면 환자나 보호자로부터 신뢰를 잃거나 실력 없는 의사로 여겨질 것 같거나 자신의 실수가 밝혀질 것 같은 패배감에 의뢰를 꺼려하나, 실제 환자들은 적절한 시기에 자문을 받거나 의뢰를 하여 치료 방향에 최대한 도움을 주려는 의사의 마음을 이해하고 존경하며, 반면 적절한 시기에 의뢰하지 않는 의사를 신뢰하지 않게 된다.
  - ㉠ 특히 급성충수염 등 수술이 필요한 경우는 가능한 한 빨리 의뢰해야 한다.
- 오히려 너무 일찍, 혹은 너무 쉽게 의뢰하는 것도 좋지 않다.
  - ㉠ 폐렴 진단 하에 2일간 항생제 치료 했으나 증상 호전이 없다고 3차 병원 응급실로 전원.

b. 환자에게 도움이 될 만한 적절한 자문의를 선정해야 한다.
- 환자의 성격과 잘 맞는 자문의인가?
- 적절한 시기에 의뢰에 응해 줄 수 있는가? (인터넷 등으로 진료시간표 확인)
- 실력은 뛰어나나 환자를 냉대하는 의사는 아닌가?

c. 환자 및 보호자에게 설명해 주어야 한다.
- 자문이나 의뢰 시 환자 및 보호자가 반드시 동의해야 한다.
- 환자에게 충분한 설명을 함으로써 환자는 의뢰의가 '자신을 보내버린다', '자신을 버린다'는 느낌을 받지 않는다.
- 자문의를 고를 때에 환자의 사정도 고려

d. 자문의와 사전 접촉을 통해 정보를 교환하는 것이 도움이 된다.
- 특히 환자, 보호자 앞에서 전화로 자문의와 진료 계획을 세우면 의뢰의와 자문의에 대한 신뢰가 높아진다.
- 진료의뢰서에 환자의 병력, 진찰 소견, 실험실 검사 소견, 방사선 소견, 검사소견, 환자의 경과기록 등을 요약하여 서면으로 보내는 것이 좋다.

2) 자문이나 의뢰를 하는 단계

a. 환자나 가족에게
- 자문이나 의뢰를 하는 정확한 이유나 예상되는 결과에 대해 잘 설명한다.

b. 자문의에게
- 적절한 정보를 제공한다.
※ 이러한 과정이 없으면 의사소통에 지장이 생기고 문제가 발생하게 되어 의뢰에 실패할 수 있다.

3) 자문이나 의뢰를 마친 단계

a. 다시 방문한 환자에게 새롭게 나타난 결과에 대해 설명해 주어야 하며, 자문의가 환자에게 처방한 치료계획에 대해서도 환자와 상의하여 순응도를 높이도록 한다.
b. 자문의의 자문 결과 환자의 진료에 별로 도움을 주지 못하는 경우, 다시 한 번 자문을 구하는 것이 바람직하다. 이를 통해 자문의도 자신의 자문이 얼마나 도움이 되었는지를 알 수 있다.

4. 자문 또는 의뢰서 작성 방법

1) 자문 또는 의뢰서에 포함되어야 할 내용

a. 환자의 문제 목록
b. 환자의 병력
c. 진찰 소견, 검사실 및 방사선 검사 소견
d. 현재까지의 치료 내용
e. 자문이나 의뢰하는 구체적 목적
f. 자문이나 의뢰를 구하는 수준(단순조언인지 전문치료를 원하는지 등)
g. 자문이나 의뢰의 회신에 대한 요청
h. 의뢰의의 서명

2) 자문 또는 의뢰서 작성의 실제

환자명 : 김XX (68세 남성)

_____ 선생님 귀하

\# Solitary Nodule on Right Chest
\# Hemoptysis

상기 환자는 Lt. MCA infarct 진단 하에 3개월 전부터 본원에 입원 중이신 분으로서, 오늘 시행한 Chest PA 검사 결과 우측 상폐에서 병변을 발견했습니다. 80 PY의 흡연력이 있으며 최근 혈액 섞인 객담도 동반되어 악성종양으로 의심되어 의뢰하오니 검사를 부탁드립니다. 이외 검사에서는 이상 소견이 없었습니다.

환자에게는 아마도 조직검사가 필요할 것이라는 이야기도 해 두었습니다. 환자는 조직검사 결과에 대하여 제가 설명해 주기를 바라고 있습니다.

2010년 9월 1일
인천은혜병원   담당의사 : 가 혁 (인)
전화 : 032-562-5101, 팩스 : 032-566-4335

그림 58-1. **의뢰서 작성의 예**

5. 효과적인 자문 또는 의뢰를 위한 요령

1) 효과적인 의사소통

a. 평범한 의뢰는 평범한 답을 얻는다.
b. 환자의 문제, 병력, 의뢰 이유, 의뢰 후 기대 결과, 응급을 요하는 문제 여부 등을 자세하고 확실하게 전달하는 것이 필요하다.
c. 자문의에게 묻고자 하는 문제를 정확히 기술해야 한다.
d. 너무 간단한 노트나 도움이 안 되는 소견을 보내면 효과적인 자문이 될 수 없다.

2) 적절한 의뢰서

a. 의뢰서는 우편으로 부치는 것 보다는 환자가 직접 가지고 가서 자문의를 만날 때 전달하는 것이 좋다.

b. 의뢰서에는 다른 정보와 함께 의뢰의사 이름, 소속, 전화번호 등이 기록되어 있는 것이 좋다.

c. 가능하면 임상검사 결과지나 X-ray 등도 동봉하면 더 좋겠다.

3) 전화나 사적인 의견 교환

a. 자문의와 개인적인 친분이 있다면, 비공식적인 자문을 구하는 등 모든 대화 통로를 활짝 열어 놓는 자세가 필요하다.

참고문헌

53 요양병원 의사의 자질

1. 조주연, 조비룡. 노인 건강관리. In: 대한가정의학회. 가정의학 총론 편. 제2판. 서울: 계축문화사; 2003. p. 217-242.
2. 오이 겐. 치매 노인은 무엇을 보고 있는가. 서울: 윤출판; 2018.

55 요양병원 의사의 의무 기록

1. 오미경, 최희정. 의무기록. In: 대한가정의학회. 가정의학 총론 편. 제2판. 서울: 계축문화사; 2003. p. 639-647.
2. 박기흠. 가족의 구조와 기능. In: 대한가정의학회. 가정의학 총론 편. 제2판. 서울: 계축문화사; 2003. p. 25-35.

56 인공 튜브 관리(L-tube, G-tube, Foley, 인공항문, T-tube)

1. Ciocon JO, Silverstone FA, Graver LM, Foley CJ. Tube feedings in elderly patients. Indications, benefits, and complications. Arch Intern Med 1988;148:429-433.
2. Finucane TE, Christmas C, Travis K. Tube feeding in patients with advanced dementia. JAMA 1999;282:1365-1370.
3. McCann R. Lack of Evidence about tube feeding-Food for thought. JAMA 1999;282:1380-1381.
4. 일본방문치과협회. 노인을 위한 구강 관리. 서울: 군자출판사; 2008.
5. 인천은혜병원 간호부. 간호업무지침서. 인천: 인천은혜병원; 2001.
6. Wilde MH, Getliffe K. Annals of Long-Term Care: Clinical Care and Aging. Urinary catheter care for older adults [Internet]. Malvern: HMP Communications; c2010 [cited 2010 Jul 10]. 2006;14:38-42. Available fromhttp://www annalsoflongtermcare.

com/article/6051.

7. Zhengyong Y, Changxiao H, Shibing Y, Caiwen W. Randomized controlled trial on the efficacy of bladder training before removing the indwelling urinary catheter in patients with acute urinary retention associated with benign prostatic hyperplasia. Scand J Urol. 48:400-4, 2014.

8. Robinson J. A practical approach to catheter-associated problems. Nurs Stand 2004;18:38-42.

9. Hopkins TB. 도뇨법. In: 김형묵 역. 임상실기 ATLAS. 서울: 고려의학; 1988. P. 261-268.

10. Joanna Briggs Institute. Aged Care Practice Manual. 2nd ed. Adelaide: JBI; 2003.

11. Cravens D, Zweig S, Urinary Catheter Management. Practical Therapeutics (American Academy of Family Physicians), January.

12. Wong E, Hooton T. Guideline for Prevention of Catheter-associated Urinary Tract Infections. Georgia: Center for Disease Control; 1981.

13. 김준철. 요실금. In: 대한노인병학회. 노인병학. 개정판. 서울: 의학출판사; 2005. p. 315-328.

14. 인천은혜병원 간호부. 간호업무지침서. 인천: 인천은혜병원; 2001.

15. UPMC. Colostomy care[Internet]. c2016 [cited 2016 Aug 01]. Available from http://www.upmc.com/patients-visitors/ education/ostomy/Pages/colostomy-care.aspx.

16. 보건복지부, 대한의학회 건강정보, 2016.

🔢 보라색 소변 증후군 (Purple Urine Syndrome: PUS)

1. Mantani N, Ochiai H, Imanishi N, Kogure T, Terasawa K, Tamura J. A case-control study of purple urine bag syndrome in geriatric wards. J Infect Chemother 2003;9:53-57.

2. Tang MW. Purple urine bag syndrome in geriatric patients. J Am Geriatr Soc 2006;54:560-561.

3. 이광우, 이윤재, 김두한, 김영호, 김민의, 박영호. Purple Urine Bag 증후군. Korean J Urol 2002;43:902-903.

4. Arnold WN. King George III's urine and indigo blue. Lancet 1996;347:1811-1813.

5. Barlow GB, Dickson JAS. Purple urine bags. Lancet 1978;28:220-221.

6. Sammons HG, Skinner C, Fields J. Purple urine bags. Lancet 1978;1:502.

7. Payne B, Grant A. Purple urine bags. Lancet 1978;1:502.

8. Dealler SF, Hawkey PM, Millar MR. Enzymatic degradation of urinary indoxyl sulfate by Providencia stuartii and Klebsiella pneumoniae causes the purple urine bag syndrome. J Clin Microbiol 1988;26:2152-2156.

9. Scott A, Khan M, Roberts C, Galpin IJ. Purple urine bag syndrome. Ann Clin Biochem 1987;24:185-188.

10. Nobukuni K, Kawahara S, Nagare H, Fujita Y. Study on purple pigmentation in five cases with purple urine bag syndrome. Kansenshogaku Zasshi 1993;67:1172-1177(in Japanese)

11. Umeki S. Purple urine bag syndrome (PUBS) associated with strong alkaline urine. Kansenshogaku Zasshi 1993;67:487-490.(in Japanese)

12. Robinson J. Purple urinary bag syndrome: A harmless but alarming problem. British Journal of Community Nursing 2003;8:263-266.

13. Ishida T, Ogura S, Kawakami Y. Five cases of purple urine bag syndrome in a geriatric ward. Nippon Ronen Igakkai Zasshi 1999;36:826-829.(in Japanese)

14. Lin HH, Li SJ, Su KB, Wu LS. Purple urine bag syndrome: A case report and review of the literature. J Inter Med Taiwan 2002;13:209-212.

15. Coquard A, Martin E, Jego A, Capet C, Chassagne PH, Douchet J, et al. Purple urine bags: A geriatric presentation of lower urinary tract infection. J Am Geriatr Soc 1999;47:1481-1482.

16. Su FH, Chung SY, Chen MH, Sheng ML, Chen CH, Chen YJ, et al. Case analysis of purple urine-bag syndrome at a long-term care service in a community hospital. Chang Gung Med J 2005;28:636-642.

17. Dealler SF, Belfield PW, Bedford M, Whitley AJ, Mulley GP. Purple urine bags. J Urol 1989;142:769-770.

18. Pillai RN, Clavijo J, Narayanan M, Zaman K, An association of purple urine bag syndrome with intussusception. Urology 2007;70:812.e1-2.

19. Ga H, Park KH, Choi GD, You BI, Kang MC, Kim SM et al. Purple urine bag syndrome in geriatric wards: Two Faces of a Coin. J Am Geriatr Soc 2007;55:1676-1678.

20. Vallejo-Manzur F, Mireles-Caodevila E, Varon J. Purple urine bag syndrome. Am J Emerg Med 2005;23:521-524.

21. Arslan H, Azap OK, Ergonul O, Timurkaynak F. Risk factors for ciprofloxacin resistance among Escherichia coli strains iso-

lated from community - Acquired urinary tract infections in Turkey. J Antimicrob Chemother 2005;56:914-918.

22. Gagliotti C, Nobilio L, Moro ML. Emergence of ciprofloxacin resistance in Escherichia coli isolates from outpatient urine samples. Clin Microbiol Infect 2007;13:328-331.

58 다른 병원에 진료의뢰하기

1. 서영성, 신동학. 자문과 의뢰. In: 대한가정의학회. 가정의학 총론 편. 제2판. 서울: 계축문화사; 2003. p. 607-615.

IX

요양병원
간호사 업무

59 요양병원 간호사의 하루 일과

"환자의 말 한마디, 한마디에 귀를 기울여야 합니다.
 농담처럼 내뱉은 환자의 한마디가 치매의 진행을 반영하는 중요한 단서가 될 수도 있습니다."

– 인천시립치매요양병원 김은숙 간호사 –

    요양병원은 장기입원하며 기본적인 일상생활조차도 의존적인 환자들이 많이 입원해 있는 곳이므로 간호업무의 핵심은 역시 환자들의 기본적인 일상생활이 잘 이루어지고 있는지 여부를 확인하는 것이다. 또한 정서적인 지지를 통해 환자들이 편안함을 느낄 수 있도록 도와주는 일도 매우 중요한 일이다.

1. 간호사의 업무 흐름도(인천은혜병원의 예)

표 59-1. 주임간호사와 낮번(DAY) 간호사의 업무 흐름도

시 간	업 무 내 용	세 부 사 항
07:00~07:30	향정신성 약물 확인 및 업무 인계	간호문제 파악 환자의 당일 간호 계획 확인
	병실 순회	환자 간호 상태 및 간호 요구 파악
07:30~08:30	우선 순위의 문제 해결	배식 확인, 섭취 정도 확인 및 필요 시 보조 위관영양 시행 약물 투여 직접 시행
	식이 간호와 투약 준비 및 관리	검사 준비물과 검사지 대조 확인 검사 결과지 유무 확인 검사에 따른 NPO 여부 확인
09:00~10:00	회진 준비	각 과별 문제 환자 분류
	직원 교육 및 업무 지도	신규간호사 및 외부 위탁생 교육 간호 단위 신규 간병인 교육
	활력 증후 측정 및 환자 간호	
	간호사실로 접수되는 간호요구 해결	
	간호 기록	중환자와 문제 환자의 기록
10:00~12:00	회진	추가 order 확인 및 시행
	병실 순회	
12:00~13:00	식이 간호와 투약 관리	간 손상의 가능성
13:00~14:00	병실 순회 및 간호 단위 관리	실시된 간호 행위 확인 및 점검 환경 정리 및 안전 관리 환자, 보호자 등 간호 요구 수용 및 해결 물품 및 약품의 보관 및 관리
	신환 관리	간호 정보력 작성 환자의 신체 검사 간호 단위 오리엔테이션 (간호사, 간병인, 병실 소개 등) 입원 order 시행
	수욕 관리	
14:00~15:00	일일 수액공급 확인 및 정리	적절한 수액공급량 확인 주사 부위의 적절한 유지
	간호 일지 기록과 보고서 관리	정규 charting, 간호처치 처방전, 24시간 보고서 작성
15:00 ~	병실 순회	
	업무 인계	

표 59-2. **초번(EVENING) 간호사의 업무 흐름도**

시 간	업 무 내 용	세 부 사 항
15:00~15:30	향정신성 약물 확인 및 업무 인계	업무 인계 사항 확인 및 환자 상태 파악
15:30~16:00	병실 순회	환자 간호 상태 및 간호 요구 파악
	우선 순위에 있는 문제 관리	간호 단위 내 요구되는 문제 해결
16:00~17:00	투약 및 위관영양관리	식전 투약 확인 및 시행 위관 영양 시행
	회진	추가 Order 시행
	추가 약물 관리	추가 약물 확인 및 준비
17:00~18:00	식이 간호와 투약 관리	배식 확인, 섭취 정도 확인 및 필요 시 보조
18:00~19:00	활력 증후 측정 및 환자 간호	특별 활력 증후 측정, 정맥로 확인, 적절한 수액공급 확인, 기타 간호 행위 수행
19:00~20:00	간호 기록	투약 기록과 문제 환자 기록, 카덱스 정리
	간호 단위 관리	간호사실 물품 정리, 소독물 준비 및 확인
	다음날 검사 준비	검사도구 준비 및 NPO 여부 확인
20:00~20:30	회음부 간호와 기록	
20:30~21:00	위관 영양관리	
21:00~21:30	병실 순회로 안전 간호 점검 및 취침 준비	침상 난간 확인, 편안한 환경 제공 환자 상태 점검
	인계 준비	
21:30~	업무 인계	

2. 병실 라운딩 시에 확인할 사항들

1) 공통적으로 체크할 사항

a. V/S 체크
- 혈압이 떨어진 환자
  - 의식 저하 확인
  - 여러 장기에 혈류 저하가 발생할 수 있으므로 산소포화도와 소변량도 체크한다.
- 열이 나는 환자
  - 탈수에 의한 소변량 저하는 없는지

- 의식 확인
- 요로 감염, 폐렴을 의심
- 요로 감염의 증거들
  - 소변줄이 막혔거나 색깔이 탁하지 않은지?
  - 급성 신우신염(APN) : 옆구리 통증이 없는지? (옆구리[콩팥]를 두드려 보아서 한 쪽 옆구리만 특히 아파하면 의심), Spiking fever, 특히 야간에 고열
- 폐렴의 증거들 : 가래/기침이 많아졌는가?

b. 피부 상태는 항상 확인
  - 노인환자는 살짝 잡거나 부딪혀도 쉽게 멍이 들거나 피부가 벗겨진다.
  - 피부에 멍이 들면 아스피린, 와파린 등 혈액응고 억제제의 투여 여부도 확인하여 주치의에게 알린다.
  - 특히 와상 환자의 경우는 dorsalis pedis의 pulse를 자주 확인하고, 발 끝의 청색증(cyanosis) 등 색깔의 변화를 확인하여 Arteriosclerosis Obliterans(ASO; 폐색성동맥경화증(閉塞性動脈硬化症))를 놓치지 않도록 한다.

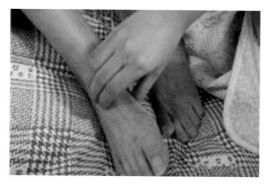

그림 59-1. **Dorsalis Pedis Pulse를 확인하기**

그림 59-2. **우측 발이 차갑고 색의 변화가 있다(ASO)**

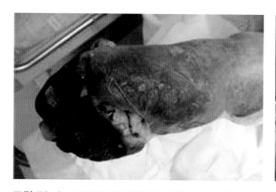

그림 59-3. **ASO에 의한 발가락 괴사(Necrosis)**

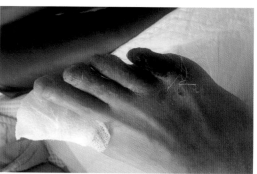

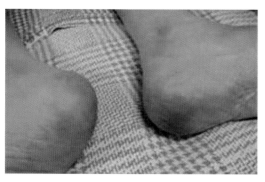 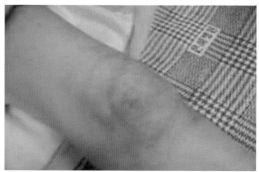

그림 59-4. 담낭암 말기환자에게서 사망 1주 전에 발견된 양측 발뒤꿈치 및 좌측 무릎의 색 변화와 국소적 저체온증

c. 눈의 간호
 - 이물질, 통증 여부, 색은 어떤지, 동공 반사 확인

d. 구강간호
 - 입안과 입술의 염증, 상처, 통증 여부, 건조한지

e. 식사는 잘 하셨는지(잘 먹기)
 - 음식물을 씹고 삼키는 데에 문제가 없는지
 - Aspiration 여부, 식사량, 식사 태도(통째로 삼키듯 먹지 않는지)
 - 보호자로부터 받은 간식을 숨겨놓지는 않는지
 - 보호자가 가져온 간식은 한꺼번에 먹지 말고 나누어 먹을 수 있도록 관리
 - 보호자가 가져온 건강보조식품의 복용 여부는 주치의에게 확인
 - 식사 보조가 필요하지는 않은지

f. 배변, 배뇨 상태 이상 있는 환자(잘 싸기)
 - 양상(묽은 변), Interval, 양, bleeding 여부, 색깔 등

g. 잠은 잘 주무셨는지(잘 자기)

h. 환자의 기분 살피기
 - 대화나 표정을 통해 파악하고 필요하면 정서적 지지를 해줌

i. 이상 행동을 보이지는 않는지

j. 위생 상태 살피기
 - 손, 발톱(무좀, ingrowing nail), 머리카락(비듬, 지루성 피부염 등), 회음부(질 분비물, 간찰진)

2) 의사 소통이 어려운 환자

a. 언어보다는 피부 접촉을 통해 환자의 상태를 파악
  - 열감을 느껴보기
  - 신음 소리를 낼 때에 통증 느낄 만한 부위를 촉진

3) 기저귀, 기스모 착용 환자

a. 기저귀 발진 등의 피부 변화
b. 너무 타이트하게 채워져 있지는 않은지

4) L-tube 유치 환자

a. 꼬여 있는지, 이물질이 있는지, 막혀 있는지, 팁이 입으로 나와 있지는 않은지
b. 처음 삽입되었던 길이가 맞는지
c. 오심, 구토가 있는지

5) 도뇨관(Foley catheter) 유치 환자

a. 아랫배를 아파하거나 안절부절 못하는 경우 도뇨관이 막혔는지 확인
b. 도뇨관이 꼬이거나 막혔는지, 새지는 않는지
c. 소변 주머니에 찬 소변의 양이 넘치지는 않은지
d. 소변 주머니가 환자의 방광보다 높은 곳에 위치하여 역류하고 있지는 않은지
e. 혈뇨 등 소변 색깔.

6) T-tube 유치 환자

a. 막히지 않았는지
b. 지저분하지는 않은지
c. 피가 나오지는 않는지
d. 잘 고정되어 있는지
e. 내관은 매일 세척해 줌

7) 신체보호대(PR; Physical Restraint) 적용 중인 환자들

a. 신체보호대에 의해 조여지는 사지 부위를 살피기
   – 청색증(cyanosis), 피부의 벗겨짐, 부종 등
   – 특히 L-tube나 도뇨관을 유치하고 있는 환자들의 경우는 강박의 정도가 좀 더 심할 수 있으므로 신체보호대 사용으로 인한 문제의 발생이 더 많을 소지가 있다.
b. 자세 고정에 의한 욕창 발생 부위는 없는지
c. 집중적으로 압박이 되는 부위에는 쿠션용 패드를 사용한다.

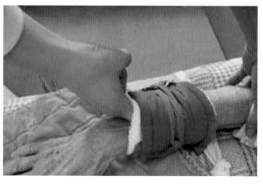

그림 59-5. **신체보호대와 피부 사이에 두 손가락이 충분히 들어가는 지 확인한다.**

8) 욕창 환자 혹은 욕창 예방중인 환자

a. 체위 변경이 잘 이루어지고 있는지

b. 공기 침대 사용 중인 환자
    - 제대로 바람이 들어가 있는지
    - 너무 바람이 많이 들어가서 side rail 높이와 별 차이가 없다면 '낙상'의 위험이 있다!!

c. 쿠션 역할을 하는 베개, 방석 등이 제자리에 유지되고 있는지

d. 등 간호(back care)
    - 혈액 순환을 촉진하고 긴장을 완화시켜 편안함을 제공
    - 큰 수건을 밑에 깔고 따뜻한 물수건으로 등을 닦은 후 물기를 잘 말린다. 필요 시 알코올 솜 등으로 등을 문질러서 건조시킨다.
    - 로션을 손에 충분히 바른 후 등 맛사지를 한다.

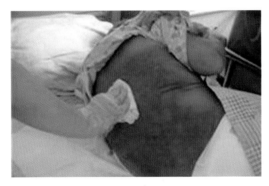

그림 59-6. **와상 환자의 등 간호 장면 : 따뜻한 물수건으로 등 닦기**

그림 59-7. **근육 강직 환자의 손가락 압창 및 손가락 사이의 간찰진 예방을 위한 패드.**

(최진아 간호사의 작품)

9) 근육 강직이 있는 환자

a. 수동적인 ROM 관절 운동을 실시하여 이전 ROM에 비해 변화가 있는지를 체크

b. 근육 강직으로 주먹을 쥐고 있는 환자들에게는 그림과 같은 패드를 대어서 압창 및 간찰진 등을 예방한다.

10) 집중 관리가 필요한 환자들

a. 소변량이 줄어든 환자
   - 소변량이 줄면 체내의 독소 배출이 안되므로 위험
   - 고열이 동반된 환자라면 수액 보충이 필요
   - 특히 남자 환자의 경우에 전립선비대증(BPH)은 아닌지? ⇒ 아랫배(방광 부위)가 볼록하게 튀어나왔는지 확인

b. 의식 저하 환자
   - 현재의 의식 상태가 이전에 비해 나빠졌는지, 좋아졌는지, 혹은 같은 상태인지가 더 중요
   - 가장 주의하여야 할 점은 환자가 반응하기에 충분한 자극을 주어야 한다는 점이다. 실제로 자극이 약해서 Coma와 Drowsy를 구별 못하는 경우가 흔하다. 강한 자극을 주는 방법으로는 일반적으로 손으로 눈 위의 Spupraorbital notch를, 또는 Reflex hammer의 손잡이로 사지의 nail bed를 꾹 누르는 방법을 많이 사용한다.
   - Glasgow Goma Scale(GCS) 점수를 포함한(그림 50-8)과 같은 점검표를 작성한다.

c. 공격성을 보이는 환자
   - 상처 받은 부위는 없는지(두피, 사지 등)

표 59-3. **의식 수준을 나타내는 용어들의 정의**

의 식 수 준	내 용
각성(Alert)	환자의 의식 내용에 상관없이 환자가 깨어있는 상태
기면(Drowsy)	환자 간호 상태 및 간호 요구 파악
혼돈(Stupor)	환자를 깨워도 온전한 정신상태로 돌아오지 않고 부분적인 반응만 보이는 상태
혼수(Coma)	환자에게 아무리 강한 자극을 주어도 반응이 없는 상태

Cf) 섬망(Delirium) : 환자가 제 정신이 아닌 상태에서 횡설수설하거나 하는 흥분 상태를 말한다.

Special Watch Record

Name :   Age / Sex :   /

Date		Hour	CGS (EVM)	Pupils		B·P /	P /min	R /min	T ℃	other event	Nurse name
월	일			R	L						

Glasgow Coma Scale(3-15점)

Eye Opening
4 : Spontaneous
3 : to speech
2 : to pain
1 : none

Verval Response
5 : oriented
4 : confused conversation
3 : inappropriate words
2 : incomprehensive sounds
1 : none

Mortor Response
6 : obeys commands
5 : localizes to pain
4 : withdraw from pain
3 : flexion to pain
2 : extension to pain
1 : none

동공반응
prompt : ○
pin point : •
sluggish : ◑
no reflex : ●
(pupil size:관찰한 크기대로)

평가
15점 : alert
7점 이하 : comatous state
3점 : deep coma

그림 59-8. 집중치료실(ICU) 기록지(인천은혜병원 간호국)

3. 야간 라운딩 시 확인 사항

1) 수면을 취하고 있는 환자는 손으로 만져 보아 열감이 있는지 확인

2) 야간에 전등을 끄지 않으면 밤, 낮을 구분하지 못하는 환자가 있으므로 라운딩 시에 침상 머리맡에 있는 보조등을 켜서 환자의 상태를 확인

3) 반대로 최근에 섬망의 증상이 발생한 환자의 경우는 야간에도 은은한 보조등을 켜두는 것이 좋다.

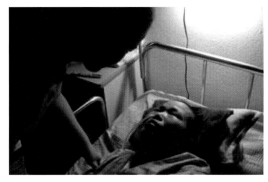

그림 59-9. **야간 라운딩 시 머리맡의 보조등을 켜고 환자 상태를 확인하는 모습**

4. 회진 이후 시간의 환자 케어

1) 식사 관리

a. 흡인(Aspiration)이 잘 발생하는 환자의 경우는 간호사가 직접 식사 보조를 한다.

b. 흡인이 자주 발생하는 환자들은 그 이유를 먼저 파악해 본다.

2) 환자의 취미 생활 및 감정 상태 돌봄(Emotional support)

a. 책 읽기, 그림 그리기, 산책 등…

b. 특히 우울 증상이 있는 분들은 그들과 대화하는 것 자체가 증상을 완화시킬 수 있다.

c. 불안하거나 공격적인 환자들의 경우에도 그러한 원인을 알아보려는 노력이 필요
 − 치매환자의 행동심리증상 발생 여부 및 변화사항

3) 불면증 환자

a. 수면에 방해가 되는 요인은 무엇인지 파악한다(주변의 시끄러운 환자 등).
b. 낮에 햇빛을 오래 쐬게 한다(멜라토닌 분비).
c. 휠체어에 태우거나 기립 상태 유지하는 등, 낮에 주무시지 않도록 유도한다.

4) 기타 일반 업무

a. IV line 잡기
b. Dressing

60 병동 간호사가 체크할 사항들

- 신환 입원 시에 보호자에게 알릴 주의사항은?

– 낙상, 골절, 욕창, 보호대, 질식, 돌연사 등의 가능성

1. 간호사가 직접 환자를 보고 파악할 사항들

1) 우선 환자를 보기 직전에 환자의 주된 문제 및 주진단명, 현재 투여 중인 약물 등을 확인(의사의 입원기록지 등 확인)

2) V/S, 의식 상태, 체중, 키 확인

3) 환자에게 이미 유치되어 있는 수액 세트, 도뇨관, L-tube, T-tube 등을 파악
   – 마지막으로 교환한 날짜를 파악(모르면 전에 있던 곳에 연락하여 알아낼 것)

4) 피부 상태(욕창, 화상, 붉은 반점, 수포 등) 확인

5) 위험한 물건(칼, 가위 등) 소지 여부 확인: 자해, 타인 상해 등의 위험 있음

6) 고가(高價)의 소지품(틀니, 보청기, 안경 등) 확인 및 분실 방지 계획 마련

7) 지남력 검사

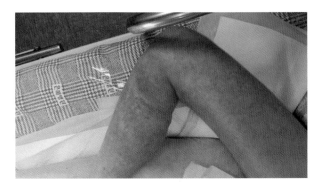

그림 60-1. 왼쪽 다리의 Deep Vein Thrombosis 의심 소견.
환자의 다리를 보고 단순한 피부 질환으로 판단하면 안 된다. 반드시 만져
보고 맥박을 느껴보고 의사에게 보고해야 한다. 응급 치료가 필요할 수 있
기 때문이다.

2. 보호자로부터 얻을 정보들

1) 환자가 안 좋아졌을 때 가장 먼저 연락을 취할 1인의 보호자(주로 아들, 딸, 며느리, 배우자 등)의 연락처를 확보하고, 가능하면 두 번째 보호자의 연락처도 확보

2) 환자의 과거력(특히 낙상 및 골절)

3) 입원 전에 마지막으로 소.대변을 본 시간이 언제인지 확인

4) 이상 행동(배회, 섬망, 공격성 등) 시에 환자를 진정시킬 수 있는 보호자만의 방법(Know-how)이 있는지를 확인

    (예) 장남의 말만 신뢰했던 인지장애 환자가 약물 복용이나 주사 등의 케어에 저항하는 경우
    – "장남이 사준 보약입니다"라고 "선의의 거짓말"을 하면 쉽게 수긍함.

5) ADL(일상생활수행능력)의 정도를 질문(입원 전 주된 간호를 했던 자에게 문의)

6) 환자의 수면 패턴 확인

7) 배변 패턴 확인(스스로 보는지, 변실금, 요실금, 기저귀 사용 여부 등)

8) 약물 등에 대한 알레르기 과거력 파악

9) 환자평가표 작성 시에 필요한 사항들(학력, ADL, 욕창, 낙상의 과거력[구체적인 날짜] 등)

10) 환자의 취미 활동 등 평소의 생활 패턴

3. 보호자에게 설명해야 할 사항들

1) 공격적 성향이나 섬망(혼돈 상태) 등의 증상에 의해 환자 자신이나 타인이 위험한 상황에 처해질 경우에 약물 처치 등으로 조절이 안되면 주치의의 결정에 의해 "보호대"(억제대)를 사용할 수 있음을 설명
2) 기저귀 등의 개인 물품 사용 및 비용에 관한 안내
3) 간병인(공동 간병인)과의 관계에 대한 설명
   a. 요양병원은 대부분 "공동 간병인 제도"를 적용하므로, 병원 사정에 따라 간병인은 수시로 바뀔 수 있다.
   b. 절대로 간병인에게 '촌지' 등을 주지 말 것
   c. 간병인과의 개인적인 접촉은 금함.
4) 공용 병실 사용에 따른 불편한 점들 : 환자의 수면 패턴에 영향을 줄 수 있고, 반대로 환자의 불면증이나 섬망 증상 등이 다른 환자들에게 영향을 줄 수 있음.

4. 입원시 평가도구 및 안내문

인천은혜병원/인천시립노인치매요양병원 간호국에서는 노인환자 입원 시에 다음과 같은 평가 도구 및 안내문을 이용하여 환자를 평가하고, 병원 생활에 대한 정보를 제공하고 있다.

면 담 일 자: 성 명: 나 이 / 성별: 담 당 간 호 사:		**환 자 간 호 력** ☎ ① 　② 　③

● 소지품
　□보청기　□의치　□공기침대　□도기
　• 기타 :

• 학 력 :
• 종 교 :
• 가 족 :

● 주 호소 및 병력

● Cath. 삽입상태(교환날짜) :　　　□ L-tube _____　　□ Foley _____
　　　　　　　　　　　　　　　　□ T-tube _____　　□ 기타 _____
● 과거력 : □ DM _____　□ HTN _____　□ TB _____
　　　　　□ 기타 _____　□ 낙상 _____　□ 욕창 _____

● 입원시 상태
　• 위장계　 : □오심　　□구토　　□복부 팽만
　• 호흡계　 : □기침　　□객담　　□호흡곤란
　• 피부상태 : □상처 _____　□흉터 _____　□기타 _____
　• 지남력　 : □장소　　□시간　　□사람　　　　□혼수
　• 의식정도 : □정상　□졸린상태　□질문에만 반응　　□통증에 반응　　□반응 없음
　• 식이상태 : □GD　　□SD　　□DM식이
　• 기타　　 :

● 과민증 : 알레르기　□없음　□있음
● 수면패턴 : □ Insomnia　　• 기타 :
● 배변특성/양상 : • 대변 :　　　　　　　　• 소변 :

ADL	혼자가능	약간도움	전적인 도움
식 사			
옷입기			
거 동			
목 욕			

그림 60-2. **환자입원시 기록하는 환자간호력지(인천은혜병원 간호국)**

보바스기념병원 낙상 위험 사정도구

호실 :　　　　환자명 :　　　　　　성별/나이 :　　　　　　진단명 :

분류	낙상 위험 요인 사정	점수	날짜 /	/	/
나이	60세 미만	0			
	60~69세	1			
	70~79세	2			
	80세 이상	3			
낙상 과거력	없음	0			
	지난 1년 이내 낙상	1			
	지난 1~5개월 이내 낙상	2			
	지난 4주 이내 낙상	3			
활동수준	와상상태	0			
	1명 이상의 많은 도움으로 휠체어 이동 가능 (지속적인 sitting 유지 어려움)	1			
	1명의 약간의 도움으로 휠체어 이동이 가능 (static standing이 가능)	5			
	보조기나 한 사람의 도움으로 보행 가능	8			
지남력 상태	지남력 있음*3 (사람, 장소, 시간)	0			
	평가하기 어려움(uncheckable)	2			
	지남력 있음*2 (사람, 장소)	4			
	지남력 있음*1 (사람)	6			
	지남력 없음	8			
의사소통	정상	0			
	청력 장애	1			
	언어장애	2			
	청력과 언어장애	3			
위험요인	수면장애, 배뇨장애, 설사, 시력장애, 어지러움, 우울, 흥분, 불안				
	없음	0			
	1~2개	1			
	3개	2			
	4개 이상	3			
관련질환	뇌졸중, 고혈압이나 저혈압, 치매, 파킨슨질환, 골다공증, 신장장애, 근골격계질환(관절염포함), 발작장애				
	없음	0			
	1~2개	1			
	3~4개	2			
	5개 이상	3			
약물	A: 고혈압제, 이뇨제, 강심제 B: 최면진정제, 항우울제, 항불안제, 항정신병치료제, 항파킨슨제제, 항전간제				
	A: 0개　　B: 0~2개	0			
	A: 1~3개　　B: 0~2개	1			
	A: 0개　　B: 3~6개	2			
	A: 1~3개　　B: 3~6개	3			
	합계				
	서명				

고위험군: 15점 이상 개인간병고려: 20점 이상　　　Developed by Mi-Hwa Park

그림 60-3. 보바스기념병원 낙상위험 사정도구

입 원 안 내 문

1. **준비물품** : 전기 면도기(남자), 공기 침대, 일회용 장갑, 크리넥스 티슈, 물휴지, 양말, 내의, 스웨터(겨울),
수건, 비누, 물컵, 치약, 칫솔, 수건, 로션, 바디 로션, 실내화

2. **식사시간** : 아침 – 08시, 점심 – 12시 30분, 저녁 – 17시 30분

3. **면회시간** : 오전 09시 30분 ~ 오후 8시 30분
(어르신들께서는 일찍 취침하십니다. 늦은 시간 면회는 자제해 주세요)

4. **전 화**
  – 밤 8시 이후에는 전화하지 않기를 바랍니다.
  – 간병인과 보호자 간의 모든 통화는 금합니다.

5. **전기제품** : 전기장판, 전기 찜질기 등의 모든 전기 제품은 사고의 위험성 때문에 사용을 금합니다.

6. **귀 중 품** : 귀중품은 분실 우려가 있으므로 입원 기간 동안에는 모든 귀중품의 소지를 금합니다.
또한 간호사실에 등록되지 않은 귀중품의 분실은 책임지지 않습니다.

7. **기저귀 & 물품**
  – 병원에서 신청할 수 있습니다. (방문 시 마다 매점에서 계산하여 주시면 됩니다)
  – 기저귀를 개인이 가지고 올 경우는 소각료를 별도로 받습니다. (기저귀가 부족하지 않도록 해주시길
  바랍니다. → 부족 시 병원물품을 사용하고, 비용을 청구합니다.)

8. **간병인** : 간병인은 병실 이동을 할 수 있습니다.

9. **촌 지** : 간호사와 간병인은 촌지를 받지 않습니다.

10. **외 출**
  – 간호사실로 미리 전화 연락하셔서 외출 가능한지를 확인하시고, 외출 당일 외출증과 외출 서약서를
  작성한 뒤 가능합니다.
  – 일요일, 공휴일의 외출은 평일에 미리 연락주신 경우만 가능합니다.
  – 무단 외출은 금지되어 있습니다.

11. **퇴원 절차** : 먼저 주치의와 상의한 후 이루어집니다. 퇴원 날짜 및 시간을 간호사실에 미리 연락주시면
퇴원 당일 보호자 대기 시간을 단축할 수 있습니다.

□ 주치의: _____   진료 과목 : _____

□ 2병동 간호사실 연락처 : ☎ 032-562-5101~7, 교환 712 또는 2병동

그림 60-4. **보호자에게 제공되는 입원 안내문(인천은혜병원 간호국)**

입원 후 발생 가능한 문제들

* 낙상
- 야간문제행동, 과잉행동 장애가 있을 시 낙상이 발생할 수 있습니다.
- 균형감각과 판단력의 저하로 인한 불안정한 보행이 낙상의 요인이 될 수 있습니다.

* 골절
- 노령 또는 질병으로 인해 뼈와 근육의 약화가 초래되어 골절이 발생할 수 있습니다.
⇒ 주치의의 판단 하에 예방적 약물 치료를 합니다.

* 욕창
- 오랜 침상생활과 신체 기능저하로 욕창이 발생할 수 있습니다.
⇒ 체위 변경으로 욕창을 예방하고, 지속적인 관찰로 욕창을 조기에 발견하여 적극적인 치료를
  수행합니다.

* 신체억제대
- 낙상과 골절을 예방하거나, 치료적인 목적으로 신체억제대를 적용할 수 있습니다.
⇒ 가능하면 자유롭게 다녀야 보행능력이나 일상생활 동작이 유지될 수 있습니다.

* 질식, 사래
- 삼키는 기능의 저하(치매, 뇌졸중 등의 질병으로 인해) 시에 음식물이 기도로 넘어가서 질식이나
  폐렴이 발생할 수 있고, 갑작스러운 사망의 원인이 될 수 있습니다.
⇒ 특히 떡이나 음료수 등.

* 돌연사
- 나이가 가장 중요한 요인으로 어르신들은 많은 질환을 가지고 있기 때문에 대처할 수 없는 상황이
  발생할 수 있습니다.
⇒ 순간적(1분 이내)인 상황이므로 대처하기가 어렵습니다.

20 년   월   일.   간호사 :   보호자 :

그림 60-5. 입원 후 노인환자에게 발생 할 수 있는 각종 문제들에 대한 안내문(인천은혜병원 간호국)

61 간호기록 작성요령

> "환자가 보고, 듣고, 말하는 그대로를 기록해야 합니다.
> 좋은 간호 기록이란 진단을 적는 것이 아니라 증상을 적는 것입니다."
>
> – 정수연 간호사 –

간호기록지는 의사기록지와 더불어 가장 중요한 의무기록의 형태이며, 특히 환자의 퇴원 후에도 진단서 작성이나 법정 소송 등에서 중요한 근거 자료가 될 수 있으므로 간단, 명료한 문체로 명확한 사실에 근거하여 기록되어야 하며 존칭어의 사용은 피한다. 그런데 요양병원의 경우는 입원 환자들의 특성 상 의사표현 능력이 부족한 경우가 많으므로 직접적인 표현보다는 얼굴 표정이나 신음소리 등 비언어적인 의사소통에 의거하여 기록을 해야만 하는 경우가 많다.

또한 기록 전에 담당 간병인으로부터 환자의 상태 변화나 특이 사항에 관한 정보를 얻으면 도움이 된다. 그리고 의식 수준, 섬망, 진단명, 욕창의 정도, 말기 질환 여부 등은 의사의 경과기록지와 일치되게 기록하여야 한다.

한편 우리나라의 요양병원은 2008년부터 새로운 요양병원형 수가 체계 및 기준이 도입된 후 환자평가표 작성이 의무화 되면서, 자연스레 요양병원의 간호 기록 내용도 환자평가표에 기록해야 할 항목들에 의거해 작성하는 것이 효율적인 것으로 인식되고 있다.

본 장에서는 간호기록지에 반드시 기록되어야 할 내용들을 정리해 보고, 간호기록의 근거로 제시할 수 있는 여러 가지 보조적 서식들을 소개하고자 한다.

1. TPR chart(임상관찰기록지)

1) V/S : 혈압 저하, 고열, 호흡곤란 등이 있는 환자는 정해진 간격보다 자주 기록
2) 소변량이 줄어든 환자의 경우는 I/O를 매일 기록
3) 인천은혜병원에서는 업무의 효율성을 위하여 '신체보호대' 관찰 기록을 포함한 다음과 같은 형식의 '임상관찰기록지'를 자체 개발하여 사용 중.

임 상 관 찰 기 록 지

Name : ____________ Sex/Age : ______/______

	년	월 일		월 일		월 일		월 일		월 일		월 일		월 일	
BP /P	5A														
	10A														
	4P														
	10P														
R	T	오전	오후	오전	오후	오전	오후	오전	오후	오전	오후	오전	오후	오전	오후
40	39														
30	38														
20	37														
10	36														
식 이															
소 변															
대 변															
물리치료															
B . W															
보호대 부위															
5A	중 재														
	부작용														
	재평가														
	Sign														
1P	중 재														
	부작용														
	재평가														
	Sign														
9P	중 재														
	부작용														
	재평가														
	Sign														

(190mm × 268mm)

인천은혜요양병원

그림 61-1. **임상관찰기록지 (인천은혜병원 간호국 제공)**

2. 의식 상태

GCS (Glasgow Coma Scale) : 기준에 따라 E. V. M. 점수를 각각 기록

3. 검사 결과 기록

1) 다양한 임상검사 결과가 나오면 기록
2) 방사선 검사 판독 결과 나오면 기록
3) 인지기능 검사 : MMSE, CDR, GDS 검사를 했으면 그 점수를 각각 기록

4. 식사

1) 식사 방법 : 수저질 가능 여부, L-tube, G-tube, TPN
2) 음식을 삼키기 어려운지, 자주 사래 걸리는지(aspiration 위험) 여부
3) 체중 감소(체중을 새로 측정했다면 그 수치를 기록)

5. 배설 기능

1) 요실금, 변실금 여부 기록
2) 변기 사용, 기저귀, 유치도뇨관, 방광 훈련 프로그램 여부 및 결과 기록
　　예) 배뇨 훈련으로 1일 3~4회 성공

6. 수면 상태

1) 야간 불면증 : 그냥 눈만 뜨고 있는지, 혹은 뒤척이거나 소리를 지르는지
2) 낮에 졸려 하는지

7. 일상생활수행능력(ADL; activities of daily living)

1) 환자평가표 항목 중 감독이나 도움이 필요한 항목들에 대해 기술
2) 보행 가능한 환자 : 걸음걸이, 방향, 속도, 보조기구 사용 여부 등 기록

8. 물리치료, 작업치료 시행 여부 및 종류

1) 무슨 이유로 시행 중인지
2) 효과는 어떠한지, 환자가 만족스러워 하는지

9. 의학적 문제 상황

1) 낙상, 탈수, 구토, 체내출혈 등
2) 통증이 있다면 통증의 강도 및 빈도를 기록
   - 노인에서는 FPS(Faces Pain Scale)를 이용한 평가가 유용하다.

그림 61-2. **통증 평가 도구인 Faces Pain scale**

10. 이상행동의 발현 유무 및 빈도

1) 평상시와 다른 이야기를 하거나 행동을 보이는지를 유심히 살핀 후 기록
2) 섬망, 망상, 환각, 초조, 공격성, 불안, 우울, 푸념, 무감동 등

11. 비언어적 표현에 대해서도 관찰한 그대로를 기록

㉠ "간호사와 눈을 마주치지 않는다", "이마를 찌푸리고 있다"

12. 간호업무 수행 후 기록

1) 새로운 의사 지시가 있으면 그 이유와 내용을 기록.
   ㉠ 치매진단이 되어 아리셉트 투여하기로 함.

2) 주사제 투여
   a. 주사제의 성분 및 용량, 주사 시각 기록

3) 진통제나 안정제 투여 후 약물 효과 유무에 관해 기록
4) 욕창 예방 행위 : 체위 변경, 등 간호, 공기 침대 등
5) 구강간호
6) 회음부 간호

13. 피부 상태

1) 우선 피부 병변에 관한 다음의 용어를 정확히 숙지할 것(그림 43-1 참조)

◇ 표피(epidermis), 진피(dermis), 피하지방층(subcutaneous layer)
◇ 반점(macule) : 색의 변화만 있다.
◇ 구진(papule) : 직경 5 mm 미만의 작고 단단한 융기

◇ 결절(nodule) : 직경 5 mm 이상의 융기
◇ 물집(bulla) : 직경 5 mm 이상의 물집
◇ 잔물집(vesicle) : 직경 5 mm 미만의 물집
◇ 고름물집(pustule) : 물집 내 고름이 육안으로 관찰됨.
◇ 낭종(cyst) : 체액 또는 반고체물질로 채워진 표피로 둘러싸인 결절
◇ 판(plaque) : 편평하게 만져지는 피부의 융기. 대개 직경 2 cm 이상
◇ 팽진(wheal) = 두드러기(urticaria) : 일시적 진피부종에 의한 압축성 구진 또는 판
◇ 비늘(scale) : 떨어져 나갈 두꺼워진 각질층의 각질이 모인 것
◇ 궤양(ulcer) : 표피~진피까지 피부가 손실되어 주변과 명확한 경계를 이루는 것

2) 욕창에 대한 기술

a. 주 1회 꼴로 변화 양상을 자세히 기록한다.
b. 위치, 개수, grade, size, 깊이, 진행 정도, 분비물, 출혈 여부 등을 기록한다.
c. 의사의 경과기록지 내용과 동일한 내용의 기록을 한다.

◇ 1단계 : 피부 발적만 있음.
◇ 2단계 : 피부가 벗겨지거나 수포 형성
◇ 3단계 : 피부 전층 소실 혹은 피하층 노출, 깊은 분화구 형성
◇ 4단계 : 근육이나 뼈 노출

〈앞면〉

SORE 상 태 변 화					
DATE	SITE	SIZE	GRADE	DISCHARGE	BLEEDING

그림 61-3. 인천은혜병원/인천시립노인치매요양병원 간호국에서는 욕창이 발생한 환자의 정확한 평가 및 일관된 의무기록 작성을 위해 위와 같은 기록지를 개발하여 이용하고 있다.

〈뒷면〉

DATE	SITE	DISCHARGE	BLEEDING

그림 61-4. 뒤 페이지에는 날짜와 사진을 붙임으로써, 경과 관찰을 보다 용이하도록 한다.

SORE 상 태 변 화					
노OO (M/67). SORE 시작 : 2010년 3월 23일. Coccyx 4×4 cm(2단계)					
DATE	SITE	SIZE	GRADE	DISCHARGE	BLEEDING
2010-07-07	Lt. buttock	1.5 x 2 cm	II	(−)	(−)
2010-07-14	Lt. buttock	1.5 x 2 cm	II	(−)	(+) 소량
2010-07-21	Lt. buttock	1.5 x 2 cm	II	(+) 노란색	(−)
2010-07-28	Lt. buttock	1.5 x 2 cm	II	(+) 노란색	(−)
2010-08-04	Lt. buttock	1 x 2 cm	II	(−)	(−)
2010-08-11	Lt. buttock	1 x 2 cm	II	(−)	(−)
2010-08-18	Lt. buttock	1 x 2 cm	II	(−)	(−)
2010-08-25	Lt. buttock	1 x 2 cm	II	(−)	(−)
2010-09-01	Lt. buttock	1 x 1 cm	II	(−)	(+)
2010-09-08	Lt. buttock	1 x 1 cm	II	(−)	(+)
2010-09-15	Lt. buttock	1 x 1 cm	II	(−)	(+)

그림 61-5. 실제 욕창기록의 예(앞면)

DATE	SITE	DISCHARGE	BLEEDING
2010-07-07			
2010-09-08			

그림 61-6. 실제 욕창기록의 예(뒷면)

62 환자평가표 작성요령

• 의사의 기록이 필요한 환자평가표 항목은?

– 혼수, 섬망, 배변조절 프로그램 order, 질병명, 말기질환, 피부 궤양(욕창 등)

미국의 대표적인 노인요양시설인 Skilled Nursing Facility (SNF)에서는 모든 입소자들을 대상으로 입소 후 14일 이내에 Resident Assessment Instrument (RAI)를 사용한 Minimum Data Set (MDS)에 기초하여 입소자 별 자원이용량을 RUG (Resource Utilization Group)로 구분하고 수가를 책정하고 있다. 이 평가는 담당 간호사가 하게 되며 이 평가를 통하여 입소 노인에게 발생했거나 발생할 위험이 있는 질병이나 기능저하(요실금, 섬망, 낙상, 탈수 등)의 위험을 확인할 수 있으므로 의료 인력들이 치료 방침을 정하는 데 도움을 주고 있다.

우리나라는 2008년부터 새로운 요양병원형 수가 체계 및 기준이 적용되면서 요양병원 입원 환자들의 의료서비스 요구도와 기능 상태 파악을 위해 요양병원에서는 환자평가표의 작성이 의무화 되었다. 이 환자평가표는 미국의 SNF에서 사용하는 MDS를 우리나라 요양병원의 사정에 맞게 변형한 것으로서, 환자 별 등급의 근거가 되는 요양병원 수가체계의 핵심이다. 이후 2019년 11월에 새로운 환자평가표로 개편되었다. 이 장에서는 새로이 개편된 환자평가표의 작성 매뉴얼을 적용하였다.

표 62-1. 2019년 11월에 개정된 환자평가표의 평가항목은 다음과 같으며, 각 항목별 세부인정사항은 「요양급여의 적용기준 및 방법에 관한 세부사항」에서 정한 바에 따른다.

	항목	내용	
A.	일반사항	1. 환자성명 3. 입원일 5. 평가구분 7. 입원 직전 있던 곳 9. 혈압 11. 장기요양등급 및 신청 13. 장기요양서비스를 받고 싶은 의향이 있습니까?	2. 주민등록번호 4. 요양개시일 6. 작성일 8. 교육수준 10. 건강생활습관 12. 장기요양등급 및 이용 서비스 14. 사회환경 선별조사
B.	의식상태	1. 혼수	2. 섬망
C.	인지기능	1. 단기기억력 3. 이해시키는 능력 5. 행동심리증상의 빈도 7. 치매 척도 검사	2. 일상 생활사에 관한 의사결정을 할 수 있는 인식기술 4. 말로 의사표현을 할 수 있음 6. K-MMSE (또는 MMSE-K) 검사
D.	신체기능	1. 옷벗고 입기 3. 양치질하기 5. 식사하기 7. 일어나 앉기 9. 방밖으로 나오기 11. 와상상태 여부	2. 세수하기 4. 목욕하기 6. 체위 변경하기 8. 옮겨앉기 10. 화장실 사용하기
E.	배설기능	1. 대변조절 상태 3. 환자에게 실시하는 배변조절 기구 및 프로그램	2. 소변조절 상태 4. 배뇨일지 작성 여부
F.	질병진단	1. 질병	2. 영양관련 장애
G.	건강상태	1. 문제상황 3. 낙상 여부	2. 통증 4. 말기질환
H.	구강 및 영양 상태	1. 물이나 음식을 삼키기가 어렵습니까? 3. 영양섭취 방법	2-1. 체중, 2-2. 체중 감소가 있습니까?, 2-3. 키 4. 정맥 또는 경관을 통한 섭취
I.	피부상태	1. 피부 궤양 수 기재 3. 지난 1년 사이의 욕창 과거력 5. 피부문제에 대한 처치	2. 새로 발생한 욕창 4. 피부의 기타 문제
J.	투약	1. 인슐린 주사제 투여 일수 3. 치매관련 약제 투여 여부	2. 망상, 환각, 초조·공격성, 탈억제, 케어에 대한 저항, 배회에 대한 약물 치료 여부 4. 지난 7일 동안 매일 복용한 의약품 수
K.	특수처치 및 전 문재활치료	1. 특수처치	2. 지난 7일 동안 전문재활치료를 실시한 날 수

1. 환자평가표의 작성 원칙 및 작성 사례

1) 일반 원칙

a. 담당 의사 및 간호사가 의무기록을 근거로 작성.

b. 매월 1~10일에 작성

c. 입원 시 평가: 입원 제 1~10일 사이

d. 환자 평가기간은 정액수가 적용 기간이어야 함.

e. 환자평가표는 작성일을 포함하여 지난 7일 간의 환자상태를 종합적으로 평가하여 작성

f. 작성일 기준으로 관찰기간 7일이 확보되었다면 반드시 작성.

g. 월말 입원 등으로 인하여 익월에 환자평가표가 작성된 경우에는 익월의 환자평가 생략.

◆ 관찰기간 단축이 가능한 경우, 즉 1~6일만 관찰해도 되는 경우
  ◇ 입원하여 7일 이내에 특정기간이 발생한 경우
  ◇ 계속된 특정기간이 월 중에 종료되었으나, 7일 이내에 다시 특정기간이 시작된 경우, 7일 이내에 퇴원(사망 또는 이송)한 경우

● 입원 평가 – 새로 입원한 환자의 관찰기간 및 작성일 (예: 1월 5일 입원 시)

작성일	관찰기간	작성일	관찰기간
1월 11일	1월 5일 ~ 1월 11일	1월 16일	1월 10일 ~ 1월 16일
1월 12일	1월 6일 ~ 1월 12일	1월 17일	1월 11일 ~ 1월 17일
1월 13일	1월 7일 ~ 1월 13일	1월 18일	1월 12일 ~ 1월 18일
1월 14일	1월 8일 ~ 1월 14일	1월 19일	1월 13일 ~ 1월 19일
1월 15일	1월 9일 ~ 1월 15일	1월 20일	1월 14일 ~ 1월 20일

◆ 1월 11일 작성 예시
  ◇ 평가 구분 : "1.입원 평가"
  ◇ 해당입원일 : 1월 5일 ~ 1월 31일
  ◇ 관찰기간 : 1월 5일 ~ 1월 11일 (7일 간)
  ◇ 환자평가표 작성 : 1월 11일 (관찰 7일 째)
  ◇ 요양개시일 : 1월 5일

● 계속 입원중인 환자 평가 – 계속 입원 중이던 환자의 관찰기간 및 작성일

작성일	관찰기간	작성일	관찰기간
2월 1일	1월 26일 ~ 2월 1일	2월 6일	1월 31일 ~ 2월 6일
2월 2일	1월 27일 ~ 2월 2일	2월 7일	2월 1일 ~ 2월 7일
2월 3일	1월 28일 ~ 2월 3일	2월 8일	2월 2일 ~ 2월 8일
2월 4일	1월 29일 ~ 2월 4일	2월 9일	2월 3일 ~ 2월 9일
2월 5일	1월 30일 ~ 2월 5일	2월 10일	2월 4일 ~ 2월 10일

◆ 2월 1일 작성 예시
  ◇ 평가 구분 : "2.계속 입원 중인 환자 평가"
  ◇ 해당입원일 : 2월 1일 ~ 2월 28일
  ◇ 관찰기간 : 2월 1일 ~ 2월 7일 (7일 간)
  ◇ 환자평가표 작성 : 2월 7일 (관찰 7일 째)
  ◇ 요양개시일 : 2월 1일

2) 월중 특정기간에서 정액수가로 변경 시

a. 특정기간 : 폐렴, 패혈증 치료기간, ICU 입원기간, 외과적 수술 관련 치료기간

b. 정액수가 적용 개시일로부터 제1일~제10일 사이에 평가하여 작성.

c. 환자평가기간이 특정기간인 경우에는 동 환자평가표는 정액수가 결정에 사용할 수 없음.

● 폐렴으로 계속 입원 중인 환자의 특정기간이 2021년 2월 5일로 종료된 경우

2월(행위별 수가 적용)		2월(정액수가 적용)	
▷ 해당 입원일	–	▷ 해당 입원일	2월 6일 ~ 2월 28일
▷ 관찰기간	–	▷ 관찰기간	2월 6일 ~ 2월 12일 (7일)
▷ 환자평가표 작성	2월 1일 ~ 2월 5일	▷ 환자평가표 작성	2월 12일 (관찰 7일 째)
▷ 평가 구분	–	▷ 평가 구분	2. 계속 입원
▷ 요양개시일	–	▷ 요양개시일	2월 6일

3) 동일한 진료 월에 특정기간이 중간에 끼었을 경우

a. 정액수가는 해당 월에 최초 작성된 환자평가표에 의해 결정되며, 동 수가는 그 달의 전체 정액수가 기간에 적용. 즉, 이 경우에도 <u>환자평가는 한 번만</u> 하여 <u>동일 평가점수를 정액수가 적용 기간에 반영</u>한다.

● 계속 입원 중인 환자가 1월 10일에 폐렴이 발생하여 20일에 폐렴 치료가 종료된 경우 환자평가표.

	1월(정액수가 적용)	1월(행위별 수가 적용)	1월 (정액수가 적용)
▷ 해당 입원일	1월 1일 ~ 1월 9일	–	1월 21일 ~ 1월 31일
▷ 관찰기간	1월 1일 ~ 1월 7일 (7일)	–	1월 1일 ~ 1월 7일 (7일)
▷ 환자평가표 작성	1월 7일 (관찰 7일 째)	1월 10일~1월 20일	1월 7일 (관찰 7일 째)
▷ 평가 구분	2. 계속 입원		2. 계속 입원
▷ 요양개시일	1월 1일		1월 21일

4) 당월 이전에 작성한 환자평가표를 사용하는 경우

a. 전월 환자평가표 작성일로부터 전월 마지막 날까지의 잔여 일수가 7일 이하
b. 당월에 적용할 환자평가표가 없어 최근 3개월 이내의 환자평가표 중 가장 최근의 환자평가표를 사용하는 경우
c. 월 초(1일)에 퇴원하는 환자에게 단입제 단입제(單入制)[1] 를 적용하게 되어 정액수가 청구금액이 발생하지 않은 경우

  ㉘ : 2/2일 퇴원

---

[1]   단입제(單入制): 입원일과 퇴원일 중에서 하루만 입원료를 산정하는 것

● 1월 23일에 입원한 환자의 당월 및 익월 환자평가표 작성

	1월(정액수가 적용)		2월(정액수가 적용)
▷ 해당 입원일	1월 23일 ~ 1월 31일	–	2월 1일 ~ 2월 28일
▷ 관찰기간	1월 23일 ~ 1월 29 (7일)	–	1월 23일 ~ 1월 29일 (7일)
▷ 환자평가표 작성	1월 26일 (관찰 7일 째)	1월 10일~1월 20일	1월 26일 (관찰 7일 째)
▷ 평가 구분	1.입원 평가		3.이전 평가표 적용
▷ 요양개시일	1월 23일		2월 1일

5) 익월(翌月 : 다음 달)에 작성한 환자평가표의 사용

a. 월말에 입원하여 환자평가표가 익월에 작성된 경우
b. 월말에 특정기간이 종료되어 그 달에 정액수가 기간이 처음 시작된 경우로서 관찰기간 7일째
   가 익월에 해당되는 경우
   ㉔ : 2/27일 입원
c. 이 경우, 동 환자평가표를 당월 및 익월의 정액수가 기간에 각각 적용하고, 월별로 각각 제출
   하며, 요양개시일은 해당 월(익월)의 요양개시일을 기재하고 평가 구분은 동일하게 '1.입원평가'
   로 체크.

● 1월 29일에 입원한 환자의 당월 및 익월 환자평가표 작성

	1월(정액수가 적용)		2월(정액수가 적용)
▷ 해당 입원일	1월 29일 ~ 1월 31일	▷ 해당 입원일	2월 1일 ~ 2월 28일
▷ 관찰기간	1월 29일 ~ 1월 31 (3일)	▷ 관찰기간	1월 29일 ~ 2월 4일 (7일)
▷ 환자평가표 작성	2월 4일 (관찰 7일 째)	▷ 환자평가표 작성	2월 4일 (관찰 7일 째)
▷ 평가 구분	1.입원 평가	▷ 평가 구분	1. 입원 평가
▷ 요양개시일	1월 29일	▷ 요양개시일	2월 1일

2. 환자평가표 작성, 입력, 제출 시기

1) 작성 시기 : 작성 원칙에 의함
2) 입력 시기 : 환자평가표 작성 이후 요양기관 자율에 의함
3) 제출 시기 : 요양급여비용 청구 전에 인터넷으로 함
4) 요양급여비용 청구 : 진료월 다음 달 초일부터, 진료월별 분리 작성

◆ EMR 프로그램을 사용하는 기관에서 환자평가표를 전자차트에 직접 입력하는 경우 출력하여 보관할 필요 없음

3. 환자평가표 작성 및 적용 사례

예시 1 계속 입원 중인 환자가 11월 25일 ~ 12월 6일 특정기간인 경우

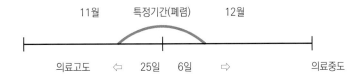

'의료고도'군으로 입원중인 환자에게 11월 25일 폐렴이 발생하여 처치를 시행하고 12월 6일 치료가 종결된 경우 (의사인력 및 간호인력 1등급)

□ 11월 [정액수가 적용 명세서]

구분	해당일
수가 적용 기간	11월 1일 ~ 24일
요양개시일	2019년 11월 1일
평가구분	2(계속 입원 중인 환자 평가)
환자평가표 작성일	11월 1일 ~ 10일 사이
입원일수	24일
진료내역	A2191×1×24 등

□ 11월 [행위별수가 적용 명세서]

구분	해당일
수가 적용 기간	11월 25일 ~ 30일
요양개시일	2019년 11월 25일
입원일수	6일
진료내역	AB591×1×6 등
특정내역	MT010 Y/Y/Y/Y/N/Y/20191125

□ 12월 [행위별수가 적용 명세서]

구분	해당일
수가 적용 기간	12월 1일 ~ 6일
요양개시일	2019년 12월 1일
입원일수	6일
진료내역	AB591×1×6 등
특정내역	MT010 Y/Y/Y/Y/N/Y/20191125

□ 12월 [정액수가 적용 명세서]

구분	해당일
수가 적용 기간	12월 7일 ~ 31일
요양개시일	2019년 12월 7일
평가구분	2(계속 입원 중인 환자 평가)
환자평가표 작성일	12월 13일 ~ 16일 사이
입원일수	25일
진료내역	Y/Y/Y/Y/N/Y/20191125

- 폐렴 점검표는 확정 진단한 날에 작성하고, 발생 기간별로 1회 작성하므로 12월까지 특정기간이 계속되어도 11월 25일에 작성한 점검표를 계속 사용한다.

※ 특정기간 동안 진료월이 바뀌는 경우 명세서는 월별로 분리 작성해야 하며 이 때 환자평가표는 작성 원칙 3에 의거하여 각각 작성한다.

예시 2 11월 3일 입원하여 11월11일 ~ 16일까지 특정기간인 경우

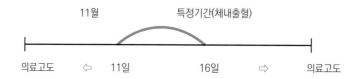

'의료고도'군으로 입원 중인 환자에게 11월 11일 체내출혈이 발생하여 처치를 시행하고 16일 치료가 종결된 경우 (의사인력 및 간호인력 1등급)

□ 11월 [정액수가 적용 명세서]

구분	해당일
수가 적용 기간	11월 3일 ~ 10일
요양개시일	2019년 11월 3일
평가구분	1(입원 평가)
환자평가표 작성일	11월 9일 또는 11월 10일
입원일수	8일
진료내역	A2191×1×8 등

□ 11월 [행위별수가 적용 명세서]

구분	해당일
수가 적용 기간	11월 11일 ~ 16일
요양개시일	2019년 11월 11일
입원일수	6일
진료내역	AB591×1×6 등
특정내역	MT058 Y/Y/N/20191111

□ 11월 [정액수가 적용 명세서]

구분	해당일
수가 적용 기간	11월 17일 ~ 30일
요양개시일	2019년 11월 17일
평가구분	1(입원 평가)
환자평가표 작성일	11월 9일 또는 11월 10일
입원일수	14일
진료내역	A2191×1×14 등

- 관찰기간 7일이 확보되었으므로 환자평가표는 11월 9일 또는 11월 10일에 작성한다. 작성된 환자평가표는 정액수가 기간(11/3~10일, 11/17~30일)에 적용한다. 11월 17일~30일에 해당하는 명세서의 환자평가표는 월초에 작성된 환자평가표를 동일 적용하되 요양개시일만 해당 명세서의 요양개시일인 11월 17일로 수정한다.

※ 동일월에 특정기간이 발생 및 종료된 경우 동일월의 명세서는 각각 분리하여 청구해야하며 환자평가표 작성 원칙 3에 의거하여 환자평가표를 작성하고 환자평가표 적용 원칙 2에 의거하여 동월의 정액수가 적용 명세서는 동일한 정액수가를 적용해야 한다.

예시 3 11월 3일 입원한 환자가 11월 5일~6일 외박한 경우

- 환자평가표는 입원 제7일~10일 사이에 작성하여야 하므로 외박일을 포함하여 7일이 경과한 11월 9일 ~ 12일 사이에 작성한다. 11월 12일에 환자평가표를 작성한 경우(관찰기간은 11월 6일 ~ 12일) 지난 1주일간의 빈도를 묻는 항목 중 통증 발생 빈도는 11월 7일 ~ 12일까지 통증이 매일 있었다면 '매일 통증이 있음'으로 기재한다.

예시 4 정액수가를 적용 받는 계속 입원 중인 환자가 11월 5일~6일 외박한 경우

- 관찰기간이 7일 확보된 11월 1일~4일에 환자평가표를 작성한다.

구분	해당일	일
1	11월 1일	10월 26일 ~ 11월 1일
2	11월 2일	10월 27일 ~ 11월 2일
3	11월 3일	10월 28일 ~ 11월 3일
4	11월 4일	10월 29일 ~ 11월 4일

※ 다만, 관찰기간은 이전 관찰기간과 중복 불가

예시 5 입원하여 7일째 되는 날 특정기간이 시작되었으나 환자평가표를 작성하지 못한 경우

- 특정기간 중에 퇴원, 사망 또는 이송한 경우에는 '환자평가표 적용 원칙' 7에 의거, '선택입원군(요-7-가)'를 적용한다(청구 시 환자평가표는 제출하지 아니한다).
- 특정기간이 월말까지 계속된 경우에는 '환자평가표 적용 원칙' 7에 의거, '선택입원군(요-7-가)'를 적용한다(청구 시 환자평가표는 제출하지 아니한다).
- 특정기간이 월중에 종료되어 월말까지 관찰기간 7일이 확보된 경우에는 특정기간 종료 시점 이후로 환자평가표를 작성하여 입원 시 6일과 특정기간 종료 후 정액수가기간에 적용한다.
- 특정기간이 월중에 종료되었으나 월말까지 관찰기간이 7일 확보되지 못한 경우에는 '환자평가표 적용 원칙' 7에 의거, 입원 시와 특정기간 종료 후 정액수가기간은 '선택입원군(요-7-가)'를 적용한다(청구 시 환자평가표는 제출하지 아니한다).

예시 6 11월 2일 입원하여 11월 28일까지 특정기간이었다가 12월 3일 다시 특정기간이 시작된 경우

- 12월 2일 관찰기간을 단축하여 환자평가표를 작성한 경우에는 작성한 환자평가표를 정액수가 기간(11월 29일~30일, 12월 1일~2일)에 적용한다(12월 중 다른 정액수가 기간이 있다면 그 기간에도 적용함).
- 12월 2일에 환자평가표를 작성하지 못한 경우에는 다음과 같이 적용한다.
  ① 11월 29일~30일은 '선택입원군(요-7-가)'의 수가를 적용한다.
  ② 특정기간으로 퇴원(사망 또는 이송)하거나 월말까지 계속된 경우 12월 1일~2일도 '선택입원군(요-7-가)'의 수가를 적용한다.
  ③ 12월 중 다시 정액수가 기간이 발생하여 관찰기간 7일을 거쳐 12월에 환자평가표를 작성한 경우는 동 환자평가표를 12월 정액수가 기간에 적용한다.
  ④ 12월 중 다시 정액수가 기간이 발생하였으나 관찰기간 7일을 거쳐 환자평가표를 2020년 1월에 작성한 경우는 12월 1일~2일과 12월말의 정액수가 기간은 '선택입원군(요-7-가)'의 수가를 적용하고 2020년 1월에 작성된 환자평가표는 1월의 정액수가 기간에 적용한다.

예시7 월초(1일) 또는 2일~6일 사이에 퇴원(사망 또는 이송)한 경우

구분	해당일	일
1	12월 2일	11월 26일 ~ 12월 2일
2	12월 3일	11월 27일 ~ 12월 3일
3	12월 4일	11월 28일 ~ 12월 4일
4	12월 5일	11월 29일 ~ 12월 5일
5	12월 6일	11월 30일 ~ 12월 6일

예시 8 요양병원 폐업 후 동월에 동일 장소에 요양병원으로 재개설한 경우

- 폐업 전후 명세서는 분리하여 작성하되, 당월에 작성한 환자평가표는 동일하게 적용해야하므로 11월 7일 환자평가표를 작성하고, 11월 15일 폐업 후 동일 장소에 대표자 변경 후 11월 15일 재개설한 경우 11월 7일에 작성한 환자평가표를 동일하게 적용한다.

※ 참고사항
- 폐렴, 패혈증, 체내출혈 점검표의 경우 폐렴, 패혈증, 체내출혈은 치료가 종결되기 전까지는 점검표를 1회 작성함이 원칙이므로 특정기간이 종료되기 전까지 폐업 후 계속 연결이 된다면 이전 점검표 사용이 가능함

4. 환자평가표 문항별 세부 기준

1) 환자평가표가 누락된 환자 ⇒ "신체기능저하군"으로 분류됨.
2) 다음에 표기된 알파벳과 숫자들은 실제 환자평가표에 기재된 순서에 따른다.
3) 환자평가표 기록지에 '*' 표시가 있는 항목은 반드시 의무기록에 근거하여 기재한다.

표 62-2. **의무기록에 기재해야 할 내용들**(의사의 기록이 필요한 항목은 "빨간색 글씨"로 표시!)

분류	세부항목	분류	세부항목
A. 일반사항	3. 입원일* 9. 혈압*	G. 건강상태	1. 문제상황* 2. 통증의 강도 및 빈도* 3. 낙상여부* 4. 말기질환*
B. 의식상태	1. 혼수* 2. 섬망*	H. 영양 상태	2-1. 체중* 2-2. 체중 감소* 3. 영양섭취 방법* 4. 정맥 또는 경관을 통한 섭취*
C. 인지기능	5. 행동심리증상의 빈도* 6. MMSE 검사*	I. 피부상태	1. 피부 궤양수 기재* 2. 새로 발생한 욕창* 3. 지난 1년 사이의 욕창 과거력* 4. 피부의 기타 문제* 5. 피부문제에 대한 처치*
E. 배설기능	1. 대변조절상태* 2. 소변조절상태* 3. 배변조절 기구 및 프로그램*	J. 투약	주사제 투여 횟수*
F. 질병진단	1. 질병* 2. 영양관련장애*	K. 특수처치 및 전문 재활치료	1. 특수처치* 2. 지난 7일간 전문재활치료를 실시한 날 수*

A. 일반사항

'*' 표시가 있는 항목은 반드시 의무기록에 근거하여 기재

1. 환자성명 _____ **2. 주민등록번호** _____ – _____

3. 입원일* _____년 ____월____일 **4. 요양개시일** _____년 ____월____일

5. 평가구분
☐ 1. 입원 평가 ☐ 2. 계속 입원 중인 환자 평가 ☐ 3. 이전 환자평가표를 적용하는 경우

6. 작성일 _____년 ____월____일

7. 입원 직전 있던 곳(5. 평가구분 중 입원 평가인 경우만 체크)
☐ 1. 집에 거주(재가장기요양서비스/가정간호/방문간호를 받으면서)
☐ 2. 집에 거주(재가장기요양서비스/가정간호/방문간호를 받지 않으면서)
☐ 3. 요양시설/그룹홈 ☐ 4. 급성기병원 ☐ 5. 요양병원
☐ 6. 정신병원/정신시설 ☐ 7. 기타

8. 교육수준(5. 평가구분 중 입원 평가인 경우만 체크)
☐ 1. 무학 ☐ 2. 초졸(퇴) ☐ 3. 중졸(퇴) ☐ 4. 고졸(퇴) ☐ 5. 대졸(퇴) 이상 ☐ 6. 확인 불가

9. 혈압* _____ /_____ mmHg

10. 건강생활습관(5. 평가구분 중 입원 평가인 경우만 체크)
a. 담배를 피우십니까? ☐ 0. 아니오 ☐ 1. 예
b. 술을 자주 마십니까? ☐ 0. 아니오 ☐ 1. 예
c. 주 4일 이상, 한번에 30분 이상 운동을 합니까? ☐ 0. 아니오 ☐ 1. 예
d. 하루 세끼 식사를 꼬박꼬박 챙겨 먹습니까? ☐ 0. 아니오 ☐ 1. 예

11. 장기요양등급 및 신청(5. 평가구분 중 입원 평가인 경우만 체크)
☐ 1. 해당사항 없음 ☐ 2. 미신청 ☐ 3. 신청 중 ☐ 4. 신청하였으나 인정 못 받음
☐ 5. 등급 내 자 ☐ 6. 등급 외 자

12. 장기요양등급 및 이용 서비스(5. 평가구분 중 입원 평가인 경우, 11. 등급 내 자인 경우만 체크)
a. 등급
☐ 1. 1등급 ☐ 2. 2등급 ☐ 3. 3등급 ☐ 4. 4~5등급 ☐ 5. 인지지원등급 ☐ 6. 확인 불가

b. 이용 중인 또는 이용하였던 서비스(해당 항목에 모두 체크)
☐ 1. 주·야간보호 ☐ 2. 방문요양 ☐ 3. 방문간호 ☐ 4. 방문목욕
☐ 5. 단기보호 ☐ 6. 복지용구 구입 및 대여 ☐ 7. 시설입소 ☐ 8. 기타

13. 장기요양서비스를 받고 싶은 의향이 있습니까?(5. 평가구분 중 입원 평가인 경우, 11. 장기요양등급 미신청 또는 신청하였으나 인정 못 받은 경우 체크) ☐ 0. 아니오 ☐ 1. 예

14. 사회환경 선별조사(5. 평가구분 중 입원 평가인 경우, 지난 1년 동안의 상황을 종합하여 체크)
a. 응답 거부 ☐
b. 식사준비, 간병 등의 도움을 줄 수 있는 사람이 없음 ☐ 0. 아니오 ☐ 1. 예
c. 전기·수도 등 공과금 미납으로 서비스 중단 고지를 받은 적 있음 ☐ 0. 아니오 ☐ 1. 예
d. 안정적으로 거주할 집이 없어 노숙 등을 한 적 있음 ☐ 0. 아니오 ☐ 1. 예
e. 병원비, 월세 등 주거비, 난방비 등 비용 지불이 어려운적이 있음 ☐ 0. 아니오 ☐ 1. 예
f. 교통수단 부족으로 진료, 복지관 등 외출이 어려웠던 적이 있음 ☐ 0. 아니오 ☐ 1. 예
g. 먹을 것이 없거나 학대를 받는 등 긴급하게 도움이 필요한 적이 있음 ☐ 0. 아니오 ☐ 1. 예

Ⓐ 3. 입원일*

이번 입원의 최초 입원일을 기재함.

Ⓐ 4. 요양개시일*

1. 최초 입원 월인 경우 입원일을 기재함.

2. 계속 입원으로 월초에 작성된 경우 해당 월의 1일을 기재함.

3. 특정기간 종료 후인 경우 특정기간 종료 다음 날짜(또는 정액수가 적용개시일)를 기재함.

Ⓐ 5. 평가구분

이번 평가가 최초 입원평가인지 계속 입원중인 환자 평가인지를 기재함.

1. 입원평가 : 입원하여 제 1~10일 사이에 작성된 경우

2. 계속 입원 중인 환자평가 : 입원평가가 아닌 경우

3. 이전 환자평가표를 적용하는 경우 : 전월 환자평가표 작성일로부터 전월 마지막 날까지
   의 잔여일수가 7일 이하로 당월의 평가를 생략한 경우 또는 당월에 적용할 환자평가표가
   없어 최근 3개월 이내의 환자평가표 중 가장 최근 평가표를 적용하는 경우

> ◈ **유의사항**
> - 입원 초기 특정기간이 적용되어 이후에 환자평가표가 작성된 경우 '2. 계속 입원 중인 환자평가'로 기재함
> - 월말 입원 등으로 인하여 익월에 환자평가표가 작성된 경우 동 환자평가표는 당월 및 익월의 정액수가
>   기간에 적용하는 것이므로 이 경우 환자평가표는 월별로 각각 제출하며, 요양개시일은 해당 월의 요양개
>   시일을 기재하고 평가구분은 동일하게 '1. 입원평가' 또는 '2. 계속 입원 중인 환자 평가'로 기재한다.

Ⓐ 6. 작성일

환자평가표 작성일(관찰기간의 마지막날)을 기재함.

Ⓐ 7. 입원 직전 있던 곳

요양병원에 입원하기 직전 있던 곳을 체크함

- 집에 거주한 경우이면서 재가서비스 수혜 여부를 확인할 수 없는 경우에는 재가서비스를
  받지 않은 것으로 판단하여 '2. 집에 거주(재가장기요양서비스/가정간호/방문간호를 받지
  않으면서)'에 체크함

- '4. 급성기병원'이란 요양병원을 제외한 종합병원 등을 말함

- 입원 직전 있던 곳을 확인할 수 없는 경우에는 '7. 기타'에 체크함

◈ **유의사항**
- 'A. 5. 평가구분'이 '1. 입원 평가'인 경우만 기재함

※ **참고사항**
- 재가장기요양서비스의 예
  - 노인장기요양보험법에 따른 재가급여(방문요양, 방문목욕, 방문간호, 주·야간보호, 단기보호 등)

Ⓐ <u>9. 혈압*</u>

관찰기간 동안 측정한 혈압 중 가장 최근 기록을 기재함.

◈ **유의사항**
- 수축기 혈압과 이완기 혈압을 각각 기재함
- 혈압측정이 불가능한 경우 혈압은 999/999로 기재함
- 사망한 환자의 혈압은 '0'이 아닌 마지막으로 측정한 혈압을 기재함

Ⓐ <u>10. 건강생활습관</u>
- '흡연'은 작성일 기준으로 흡연하고 있는 경우에만 '예'로 기재함
- '음주'는 입원하기 전 과거 1개월간의 음주습관을 기재하되, 술의 종류와 양에 관계없이 일주일에 3회 이상 음주하는 경우 '예'로 기재함
- '규칙적 운동 및 식사'는 입원하기 전 과거 1개월간의 운동 및 식사습관을 평가하여 기재함

◈ **유의사항**
- 'A. 5. 평가구분'이 '1. 입원 평가'인 경우만 기재함

Ⓐ <u>11. 장기요양등급 및 신청</u>
- '해당사항 없음'은 65세 미만이거나, 노인성 질환자가 아니어서 장기요양등급신청 자격이 아닌 경우 기재함
- '신청하였으나 인정 못 받음'은 장기요양등급 신청결과 '기각' 또는 '각하'를 의미함
- '등급 내 자'는 장기요양 인정조사 후 등급을 받은 경우(1등급~5등급, 인지지원등급)를 의미함
- '등급 외 자'는 장기요양 등급신청 하였으나, 등급 내 자가 아닌 경우(등급 외 자 A~C)를 말함

◈ **유의사항**

- 'A. 5. 평가구분'이 '1. 입원 평가'인 경우만 기재함

※ **참고사항**

- 노인장기요양보험법 시행령 [별표 1] 〈개정 2016. 11. 8.〉

노인성 질병의 종류(제2조 관련)

구분	질병명	질병코드
한국표준질병· 사인분류	가. 알츠하이머병에서의 치매	F00*
	나. 혈관성 치매	F01
	다. 달리 분류된 기타 질환에서의 치매	F02*
	라. 상세불명의 치매	F03
	마. 알츠하이머병	G30
	바. 지주막하출혈	I60
	사. 뇌내출혈	I61
	아. 기타 비외상성 두개내출혈	I62
	자. 뇌경색증	I63
	차. 출혈 또는 경색증으로 명시되지 않은 뇌졸중	I64
	카. 뇌경색증을 유발하지 않은 뇌전동맥의 폐쇄 및 협착	I65
	타. 뇌경색증을 유발하지 않은 대뇌동맥의 폐쇄 및 협착	I66
	파. 기타 뇌혈관 질환	I67
	하. 달리 분류된 질환에서의 뇌혈관장애	I68*
	거. 뇌혈관 질환의 후유증	I69
	너. 파킨슨병	G20
	더. 이차성 파킨슨 증	G21
	러. 달리 분류된 질환에서의 파킨슨 증	G22*
	머. 기저핵의 기타 퇴행성 질환	G23
	버. 중풍후유증	U23.4
	서. 진전(震顫)	R25.1

비고

1. 질병명 및 질병코드는 「통계법」 제22조에 따라 고시된 한국표준질병·사인분류에 따른다.
2. 진전은 보건복지부장관이 정하여 고시하는 범위로 한다.

Ⓐ **12. 장기요양등급 및 이용 서비스**

- 'a. 등급'은 장기요양등급 '등급 내 자'에 한해서 평가하여 기재하며 환자가 기억을 잘 못할 경우 '확인불가'로 기재함
- 'b. 이용 중인 또는 이용하였던 서비스'는 장기요양등급 '등급 내 자'에 한해서 평가하여 기재하며 환자가 기억을 잘 못하거나, 자신이 받는 서비스의 내용을 모를 경우, 특별현금급여, 가족요양비를 받는 경우는 '기타'로 기재함

◈ 유의사항
- 'A. 5. 평가구분'이 '1. 입원 평가'인 경우만 기재함

(A) 13. 장기요양서비스를 받고 싶은 의향이 있습니까?
- 65세 이상이거나 노인성질환을 갖고 있으면서, 등급 판정이 없는 경우에만 평가하여 기재함

◈ 유의사항
- 'A. 5. 평가구분'이 '1. 입원 평가'인 경우만 기재함

(A) 14. 사회환경 선별조사
- a. 사회환경 선별조사 각 항목(b~g)에 답변 거부일 경우 '응답거부' 기재함
- b. 가족, 친지 등의 보호자 또는 유·무급 형태의 돌봄 고용인력 모두 포함하여 식사준비 등의 수발을 해줄 수 있는 사람이 없는 경우 '예'로 기재함
- d. 기차역, 공원, 차량 등에서의 노숙 또는 안정적으로 거주할 곳이 없어 찜질방, PC방 등을 떠돌며 (방랑)생활을 한 적 있는 경우 '예'로 기재함
- f. 교통수단 부족은 교통수단 자체가 없거나, 혼자서는 대중교통을 이용하기 힘들어, 타인의 도움이 필요한데 도움을 받지 못하는 경우 '예'로 기재함

◈ 유의사항
- 'A. 5. 평가구분'이 '1. 입원 평가'인 경우만 기재함

B. 의식상태

'*' 표시가 있는 항목은 반드시 의무기록에 근거하여 기재

1. 혼수*

□ 0. 아니오   □ 1. 예(☞ '예'라고 체크한 경우 'D. 신체기능'으로 넘어감)

2. 섬망*

□ 0. 섬망의 증상이 전혀 나타나지 않음
□ 1. 섬망의 증상이 있으나, 지난 7일 이전에 발생함
□ 2. 섬망의 증상이 있으나, 지난 7일 이내에 발생하였거나 악화되고 있음

Ⓑ 1. 혼수*

진료기록부에 담당의사가 '혼수', '반혼수' 또는 '지속적인 식물인간 상태' 등에 대한 의식상태를 기록한 경우 해당함.

◆ **유의사항**

• 'B. 1. 혼수*'에 "예"라고 기재한 경우 'B. 2. 섬망'과 'C. 인지기능' 항목을 기재하지 않고, 'D. 신체기능'으로 넘어감

※ **참고사항**

• 의식수준

– 노인환자들은 신경계 손상 등에 의해 의식수준이 저하된 경우가 있다. 의식수준은 주로 다음 5단계로 구분할 수 있다.

의식수준	상태
명료(alert)	정상적인 의식상태로 자발적으로 모든 자극에 대해 움직이는 상태
기면(drowsiness)	집중력이 감소하나, 외부의 자극에 대해 바로 반응할 수 있는 상태로 자극이 주어질 때에만 의사소통이 가능함
혼미(stupor)	통증을 유발하는 강력한 자극에 대해 반응함
반혼수(semicoma)	통증을 유발하는 자극에 대해 신체부분을 회피하는 반응을 보임
혼수(coma)	자발적인 움직임도 없고 통증을 유발하는 강력한 자극에도 반응이 없음

• 식물인간(vegetative status)

– 대뇌의 기능은 정지되었어도 뇌간 끝 부분에 있는 연수의 생명 중추 기능은 유지되어, 인공호흡기를 부착하지 않고서도 생명이 지속되는 상태이다. 운동, 감각, 기억, 사고 등 사람의 동물적 기능은 상실하였으나, 호흡, 순환, 대사, 체온 조절 등 식물적 기능은 유지되고 있는 상태이며 의식이 없고 전신이 경직되어 있다.

Ⓑ 2. 섬망*

진료기록부에 담당의사가 '섬망'에 대한 의식상태를 기록한 경우 해당함.

◆ 유의사항
- 평가기준 중 '지난 7일 이내'는 환자평가표 작성일을 기준으로 작성일을 포함하여 7일 이전까지를 의미함

※ 참고사항
- 섬망
  가. 섬망이란 : 급성 또는 아급성의 다양한 정신기능 이상(대개 의식 및 인지기능의 손상)으로 나타나는 가역적인 뇌 대사의 장애를 말함. 대개는 일시적으로 나타나며 가역적임
  나. 원인 : 중추신경계질환, 전신질환, 수술, 약물 중독이나 금단 등
  다. 증상
    - 급성적인 의식장애, 집중력 장애, 안절부절 못함, 진전(tremor) 등
    - 혈압의 변동, 빈맥, 발한, facial flushing 등의 자율신경 증상이 동반되기도 함
  라. 섬망과 치매증상의 감별

구분	섬망(delirium)	치매증상(dementia)
발생	급성	완만하고 잠행성
경과	보통 단기간	여러 해에 걸쳐 진행됨
기분	공포, 불안, 흥분성	불안정한 감정이나 성격성향
지각	환청, 환시, 환촉, 착각	환각은 두드러진 특징 아님
기억	단기기억 손상	단기기억 손상 후 장기기억 손상
의사소통	더듬거리는 의사표현, 작화증	점진적인 실어증과 작화증

C. 인지기능

'*' 표시가 있는 항목은 반드시 의무기록에 근거하여 기재

1. 단기기억력

☐ 0. 정상 ☐ 1. 이상 있음 ☐ 2. 확인 불가

2. 일상 생활사에 관한 의사결정을 할 수 있는 인식기술

☐ 0. 스스로 일관성 있고 합리적인 의사결정을 함
☐ 1. 새로운 상황에서만 의사결정의 어려움이 있음
☐ 2. 인식기술이 다소 손상됨 ☐ 3. 인식기술이 심하게 손상됨

3. 이해시키는 능력

☐ 0. 이해시킴 ☐ 1. 대부분 이해시킴
☐ 2. 가끔 이해시킴 ☐ 3. 거의/전혀 이해시키지 못함

4. 말로 의사표현을 할 수 있음 ☐ 0. 아니오 ☐ 1. 예

5. 행동심리증상의 빈도*(해당 칸에 '✔' 표시)

항목	없음	가끔	자주	매우자주
a. 망상				
b. 환각				
c. 초조/공격성				
d. 우울/낙담				
e. 불안				
f. 들뜬 기분/다행감				
g. 무감동/무관심				
h. 탈억제				
i. 과민/불안정				
j. 이상 운동증상 또는 반복적 행동				
k. 수면/야간행동				
l. 식욕/식습관의 변화				
m. 케어에 대한 저항				
n. 배회				

6. K-MMSE(또는 MMSE-K) 검사*

a. 평가표 작성일로부터 지난 6개월 이내 K-MMSE(또는 MMSE-K) 검사 실시 여부
☐ 0. 아니오 ☐ 1. 예
b. 검사를 실시한 경우 기재
b-1. 점수(점) _____ b-2. 검사일 _____년 ____월 ____일

7. 치매 척도 검사*

a. CDR(Clinical Dementia Rating) 검사 실시 여부 ☐ 0. 아니오 ☐ 1. 예
b. CDR(Clinical Dementia Rating) 검사를 실시한 경우 기재
b-1. 점수(점) ____. ____ b-2. 검사일 _____년 ____월 ____일
c. GDS(Global Deterioration Scale) 검사 실시 여부 ☐ 0. 아니오 ☐ 1. 예
d. GDS(Global Deterioration Scale) 검사를 실시한 경우 기재
d-1. 점수(점) _____ b-2. 검사일 _____년 ____월 ____일

Ⓒ **1. 단기기억력**

알고 있거나 배운 것을 5분 후에도 동일하게 기억하는지 여부를 측정하여 기재하는 것으로 평가기준은 다음과 같음.

- 다 음 -

0. 정상 : 세 낱말 모두를 기억하는 경우

1. 이상 있음 : 두 낱말 이하를 기억하는 경우

2. 확인 불가 : 혼수는 아니지만 단기기억력을 평가할 수 없는 경우

◆ **유의사항**
- 구두표현이 어려운 환자는 글로 쓰게 하여 평가함
- 혼수는 아니지만 단기기억력을 평가할 수 없는 경우는 '2. 확인 불가'로 기재함
  - (예시) 혼수는 아니지만 심한 구음 장애(dysarthria)가 있으면서 cachexia상태로 단기기억력 평가를 위한 낱말을 발음할 수 없으며 글로써 표현하는 것도 불가능한 상태 등

◆ **평가방법 예시**
- 먼저 환자에게 "제가 지금부터 낱말을 세 개 불러 드릴테니, 제가 다 말한 다음 따라하세요." 라고 하고, 서로 관계없는 세 단어(예 : "비행기, 연필, 소나무" 또는 "나무, 자동차, 모자" 등)를 일 초에 하나씩 불러준다. 환자가 말한 뒤 내용을 정확히 알아들었는지 확인한 다음, 잠시 다른 화제로 이야기를 나눈 뒤, 5분 후에 환자가 세 낱말을 기억해 내는지 평가한다.

Ⓒ **2. 일상 생활사에 관한 의사결정을 할 수 있는 인식기술**

일상적인 생활(언제 식사해야 하는지, 휠체어의 용도를 알고 필요시 이용할 줄 아는지, 요의 또는 변의를 느낄 때 화장실을 가려하는지, 도움이 필요한 경우 보조인력 등 다른 사람에게 도움을 요청할 수 있는지 등)과 관련하여 스스로 의사결정이 가능한 정도를 측정하여 기재하는 것으로 평가기준은 다음과 같음.

- 다 음 -

1. 새로운 상황(평소와 다른 상황을 의미)에서만 의사결정의 어려움이 있는 경우

2. 인식기술이 다소 손상됨 : 의사결정 능력이 부족하여 지도나 감독을 요하는 경우

3. 인식기술이 심하게 손상됨 : 거의 또는 전혀 의사결정을 하지 못하는 경우 또는 어떤 방법으로도 의사표현이 안 되는 경우

Ⅰ Ⅱ Ⅲ Ⅳ Ⅴ Ⅵ Ⅶ Ⅷ **Ⅸ** Ⅹ 부록 찾아보기

> ◈ 유의사항
> • 구두표현이 어려운 환자나 치매환자의 경우 의사결정 능력을 환자의 몸짓이나 행동 등을 통해 평가함
> • 일상적이거나 자주 반복되는 상황에서는 의사결정을 잘 할 수 있으나, 외부 손님이 방문했을 때 또는 새로운 프로그램을 수행할 때 등 어쩌다 발생하는 새로운 상황에서 의사결정에 어려움이 있는 경우에는 '1. 새로운 상황에서만 의사결정의 어려움이 있음'으로 기재함
> • 의식수준이 심하게 저하되어 있거나, 침상에만 누워있고 의사소통이 불가능한 상태 등 어떤 방법으로도 의사표현이 안 되어 일상생활에 관한 의사결정 능력을 평가할 수 없는 경우에는 '3. 인식기술이 심하게 손상됨'으로 기재함

Ⓒ **3. 이해시키는 능력**

말이나 글 등으로 의사소통을 할 때 자신의 의견이나 요구사항을 표현할 수 있는 정도를 측정하여 기재하는 것으로 평가기준은 다음과 같음.

– 다　음 –

1. 대부분 이해시킴 : 단어를 찾거나 생각을 마무리하는데 어려움이 있는 경우
2. 가끔 이해시킴 : 구체적인 요청을 하는 데 제한이 있는 경우

> ◈ 유의사항
> • 구두표현이 어려운 경우에는 글을 쓰거나 몸짓 등을 이용하여 남에게 의사표현을 할 수 있으므로 말 뿐 아니라 동작, 신체적 표현 등의 방법을 모두 포함하여 환자의 능력을 평가함

Ⓒ **4. 말로 의사표현을 할 수 있음**

환자의 말을 경청하여 말하기의 명료함을 평가함

0. 아니오 : 불분명하고 웅얼거리는 단어로 말하거나, 말을 할 수 없는 경우(예: 구음 장애가 있거나, 의식이 drowsy하여 말을 할 수 없는 상태 등)
1. 예 : 분명하고 명료하게 말하는 경우

> ◈ 유의사항
> • 환자가 하는 말에 대하여 내용의 적절성을 평가하는 것이 아니라, 말(words spoken)의 명료함과 명확성을 평가함

Ⓒ 5. 행동심리증상의 빈도*

행동심리증상의 경감을 위한 약제를 복용중인 경우에는 그 상태에서 동일 기준으로 평가함.
지난 7일 간의 상태를 기준으로 평가하되, 지난 4주간의 상태를 종합적으로 관찰하여 평가하는 것도 가능함. 관찰기간은 이전 관찰기간과 중복되지 않도록 함. 평가기준은 다음과 같음.

– 다　음 –

0. 없음 : 지난 7일(4주) 동안 행동심리증상이 전혀 나타나지 않은 경우
1. 가끔 : 지난 7일(4주) 동안 1일(1~7일) 정도 행동심리증상이 나타난 경우
2. 자주 : 지난 7일(4주) 동안 2일(8일) 이상 나타나나, 매일은 아닌 경우
3. 매우자주 : 지난 7일(4주) 동안 매일 하루에 한 번 이상 행동심리증상이 나타난 경우

※ 행동심리증상의 정의

a. 망상은 사실이 아닌 것을 사실이라고 믿거나, 남들이 자기를 해치려 하거나 무엇을 훔쳐 갔다고 주장하는 것을 의미함.

b. 환각은 헛것을 보거나 듣는 등 현재에 없는 것을 실제로 보거나 듣거나 경험하는 것을 의미함.

c. 초조 또는 공격성은 소리를 지르거나 욕을 하거나, 다른 사람을 때리거나 밀치는 것, 안절부절 못하는 행동 등을 보이는 것을 의미함.

d. 우울 또는 낙담은 슬퍼 보이거나 우울해 보이는 것, 환자 스스로 슬프거나 우울하다고 말하는 것을 의미함.

e. 불안은 특별한 이유 없이 신경이 매우 예민해 보이거나, 걱정하거나 무서워하는 것을 의미함.

f. 들뜬 기분 또는 다행감은 특별한 이유 없이 비정상적으로 기분 좋아하거나 재미있어하는 것을 의미함.

g. 무감동 또는 무관심은 주변에 관심과 흥미를 잃거나, 새로운 일을 시작하려는 의욕이 감소하는 것을 의미함.

h. 탈억제는 충동적 행동, 사회적으로 부적당한 행동 등을 보이는 것을 의미함.

i. 과민 또는 불안정은 평소에 비해 비정상적으로 화를 내거나 성급해졌거나 감정이 급격하게 변하는 것을 의미함.

j. 이상 운동증상 또는 반복적 행동은 반복적으로 왔다 갔다 하거나 같은 일을 계속해서 반복하는 것을 의미함.

k. 수면 또는 야간행동은 밤에 자지 않고 깨어 있거나 서성거리거나 돌아다녀 다른 사람의 수면을 방해하는 것을 의미함.

l. 식욕 또는 식습관의 변화는 식욕, 식습관, 음식의 선호가 바뀌는 것을 의미함.

m. 케어에 대한 저항은 복약, 주사, 일상생활수행을 위한 도움, 식사 등에 대해 거부하는 것을 의미함.

n. 배회는 납득할만한 목적 없이 돌아다니며, 필요사항이나 안전에는 신경 쓰지 않는 것 같 이 보이는 것을 의미함.

> ◆ **유의사항**
> • 'l. 식욕/식습관의 변화' 평가시 Levin-tube를 삽입한 환자의 경우 식욕/식습관의 변화를 평가할 수 없으 므로 '없음'에 체크함

C 6. K-MMSE(또는 MMSE-K) 검사*
평가표 작성일로부터 6개월 이내의 검사 결과를 의미함.

> ◆ **유의사항**
> • 6개월 이내에 2회 이상 검사를 실시했다면 가장 최근 시행한 검사 결과를 기재함
> • 다른 요양기관에서 시행한 경우에도 기록(검사일, 검사 결과 등)이 확인되면 기재 가능함

C 7. 치매 척도 검사*
평가표 작성일로부터 12개월 이내의 검사 결과를 의미함.

> ◆ **유의사항**
> • 12개월 이내에 2회 이상 검사를 실시했다면 가장 최근 시행한 검사 결과를 기재함
> • 다른 요양기관에서 시행한 경우에도 기록(검사일, 검사 결과 등)이 확인되면 기재 가능함

D. 신체기능

'*' 표시가 있는 항목은 반드시 의무기록에 근거하여 기재

■ 일상생활수행능력(Activities of Daily Living, ADL)(해당 칸에 '√' 표시)

항목	기능자립정도					
	완전자립	감독필요	약간의 도움	상당한 도움	전적인 도움	행위 발생안함
1. 옷벗고 입기						
2. 세수하기						
3. 양치질하기						
4. 목욕하기						
5. 식사하기						
6. 체위 변경하기						
7. 일어나 앉기						
8. 옮겨앉기						
9. 방밖으로 나오기						
10. 화장실 사용하기						

※ ADL 평가기준별 점수: 완전자립 1점, 감독필요 2점, 약간의 도움 3점, 상당한 도움 4점, 전적인 도움과 행위발생 안함은 5점임

11. 와상상태 여부
　　□ 0. 아니오　□ 1. 예

Ⓓ 1.~10. 일상생활수행능력(ADL)

일상생활을 하는데 필요한 기본 동작들을 수행하는 능력을 종합적으로 판단하여 평가함. 일시적 변동이나 예외적 상황은 제외하고 반복적이고 통상적인 수행능력의 수준(빈도가 높은 것)을 평가함. 일상적인 보장구 및 보조구 등의 기구를 사용(착용)하고 있는 경우는 그 상태에서 판단하며 평가기준은 다음과 같음.

– 다　음 –

1. 완전자립 : 대부분의 경우 도움이나 감독 없이 스스로 수행할 수 있음.
2. 감독필요 : 대부분의 경우 감독이나 격려가 필요함.
3. 약간의 도움 : 대부분의 경우 환자가 스스로 행위를 수행하나 무게를 지탱하지 않는 정도의 도움이 필요함.
4. 상당한 도움 : 대부분의 경우 무게를 지탱하는 도움을 제공하거나, 해당 활동의 일부분(전체가 아님)을 다른 사람이 전적으로 수행함.
5. 전적인 도움 : 대부분의 경우 다른 사람의 전적인 도움을 받아 일상생활을 수행함.
6. 행위발생 안함 : 일주일 동안 해당 행위가 전혀 발생하지 않음.

※ ADL 항목별 정의 및 측정 시 유의사항

1. 옷벗고 입기는 일상적인 옷 벗고 입는 일련의 행위를 의미함.

2. 세수하기는 수건 준비, 수도꼭지 돌리기, 물 받기, 얼굴 씻기, 옷이 젖는지 확인, 수건으로 닦기 등의 행위를 의미함.

3. 양치질하기는 칫솔에 치약 바르기, 칫솔질하기, 헹굼용 물 준비하기, 가글하기 등의 행위(틀니를 빼고, 씻고, 헹구는 등의 행위도 포함)를 의미함.

4. 목욕하기는 목욕이나 샤워를 할 때 비누칠하기, 헹구기 등의 행위를 의미함.

5. 식사하기는 투여 경로[경구, 비경구]를 불문하고 환자의 영양섭취와 관련된 일련의 동작을 의미함. 일반적인 식사의 경우 음식이 차려졌을 때 도구를 사용하여 스스로 섭취가 가능한 정도와 일반적인 식사[경관영양, 정맥영양(TPN 등)]가 아닌 경우 그에 상응하는 식사활동을 스스로 수행 가능한 정도를 평가함.신체적 기능이 있다하더라도 치매환자 등에서 인지적인 문제로 인하여 식사하기 동작 수행이 되지 않아 다른 사람(보조인력 등)이 먹여줘야 하는 경우는 다른 사람(보조인력 등)이 먹여준 것을 기준으로 측정함. 그러나 환자의 식욕, 기분 등으로 인해 식사하지 않으려 해서 다른 사람(보조인력 등)이 먹여주는 경우 환자의 실제 '식사하기' 동작의 수행능력 정도를 측정함.식사하기에서 '행위발생 안함'은 경구 또는 비경구 모두로 체내에 영양이 투여되지 않는 경우를 의미함. 그러므로 금식(NPO)을 하는 환자라도 비경구적으로 영양물질을 공급하고 있는 경우에는 '행위발생 안함'에 기재해서는 안 됨.

6. 체위 변경하기는 제대로 돌아눕기, 엎드리기, 옆으로 눕기 등의 행위를 의미함.

7. 일어나 앉기는 누운 상태에서 상반신을 일으켜 앉는 행위를 의미함.

8. 옮겨앉기는 「침상에서 휠체어로」, 「의자에서 휠체어로」, 「휠체어에서 침상으로」, 「휠체어에서 의자로」 이동하는 행위를 의미함.

9. 방밖으로 나오기는 환자가 자신의 방에서 복도 등으로 이동하는 행위를 말하며, 휠체어를 사용하는 경우는 일단 휠체어를 탄 상태에서 이동하는 능력을 평가함.

10. 화장실 사용하기는 배뇨·배변과 관련된 일련의 동작으로 하의 벗기, 배설 후 닦기, 옷 입기, 변기에 물 내리기, 휴대용 변기 비우기, 사용한 카테터 뒤처리 등의 행위를 의미함. 화장실 또는 실내변기가 있는 곳까지 이동하는 능력은 측정대상에 포함되지 않음. 실내변기, 침상용 변기, 소변기를 사용하는 경우와 인공항문, 인공요루 등을 한 환자의 경우에도 그 상태에서의 수행정도를 판단함. 화장실 사용하기에서 '행위발생 안함'은 어떤 형태로든 배설 행위가 전혀 일어나지 않은 경우를 의미함.

◈ 유의사항
- 기분 등의 이유로 스스로 해당 동작을 할 수 있음에도 불구하고 수행하지 않는 경우는 수행능력과는 무관한 것이므로 이를 기준으로 판단하지 않으며, 실제 환자의 해당 동작의 수행능력이 어느 정도인가를 평가함
- '식사하기'를 평가할 때 치매환자의 경우, 식사시간, 식사의 필요성, 식사방법 등에 대한 인지부족으로 인해 식사시간이 되어도 식사를 하지 않는 경우에는 환자가 식사를 할 수 있는 신체적 기능이 있다하더라도 인지 문제로 인해 스스로 식사하기 동작을 수행하지 못하고 다른 사람(보조인력 등)이 먹여주고 있으므로 다른 사람(보조인력 등)이 먹여준 것을 기준으로 평가하나, 환자의 식욕, 기분 등으로 인해 식사하지 않으려 해서 다른 사람(보조인력 등)이 먹여주는 경우 다른 사람(보조인력 등)의 도움은 환자의 식사하기 수행능력과는 무관한 것이므로 이를 반영해서 도움정도를 체크해서는 안됨

※ 각 항목별 기능자립정도에 대한 평가는 '2009년 요양병원 수가 실무교육자료'의 부록2. '일상생활수행능력 평가를 위한 구체적 사례' 참고
(요양기관업무포탈 심사기준 종합서비스의 공지사항 게재)

D 11. 와상상태 여부

일주일에 적어도 4일 이상 하루 22시간 이상을 자리에 누워 있는 상태를 말함.

◈ 유의사항
- 의식 및 기능상태 저하, 고관절 골절(hip fracture)로 인해 의사가 ABR (Absolutely Bed Rest)하도록 지시하여 환자가 24시간 내내 침대에 누워있는 상태 등 의학적인 문제 또는 의료적인 필요에 의해 침대에서 주로 지내는 것뿐만 아니라, 휠체어 등을 이용하여 침대 밖으로 벗어날 수는 있으나 환자의 의지도 없고, 간병인 등도 거의 운동을 시키지 않는 등 자극의 부족으로 인해 침대에서 주로 생활하는 것도 포함함

E. 배설기능

'*' 표시가 있는 항목은 반드시 의무기록에 근거하여 기재

1. 대변조절 상태*

　□ 0. 조절할 수 있음　　□ 1. 가끔 실금함　　□ 2. 자주 실금함　　□ 3. 조절 못함

2. 소변조절 상태*

　□ 0. 조절할 수 있음　　□ 1. 가끔 실금함　　□ 2. 자주 실금함　　□ 3. 조절 못함

3. 환자에게 실시하는 배변조절 기구 및 프로그램*(해당 항목에 모두 체크)

　□ a. 일정하게 짜여진 배뇨계획　　□ b. 방광 훈련 프로그램　　□ c. 규칙적 도뇨

　□ d. 외부(콘돔형) 카테터　　□ e. 패드, 팬티형 기저귀　　□ f. 인공루

　□ g. 유치도뇨관 삽입　☞ 유치도뇨관 삽입(교체)일자 _____년 _____월 ____일

　□ h. 해당사항 없음

4. 배뇨일지 작성 여부* □ 0. 아니오　□ 1. 예

<u>일반사항</u>

원인에 관계없이 발생하는 모든 실금현상의 존재 여부와 그 정도를 평가함. 실금의 정도는 하루 24시간을 기준으로 기재함. 낮에는 대소변 조절이 가능하나, 밤에 예방적 차원으로 기저귀를 채우고 그 기저귀에 실금을 하였다면 이는 실금이 있는 것으로 봄.

E 1. 대변조절 상태*

환자의 배변 주기를 고려하여 판단하며 평가기준은 다음과 같음.

– 다　음 –

0. 조절할 수 있음 : 전혀 실금하지 않는 경우

1. 가끔 실금함 : 평균적인 배변 횟수를 고려하여 실금하는 경우보다 조절하는 경우가 더 많거나 같은 경우

2. 자주 실금함 : 평균적인 배변 횟수를 고려하여 조절하는 경우보다 실금하는 경우가 더 많은 경우

3. 조절 못함 : 배변을 보는 주기에 관계없이 배변할 때마다 실금하는 경우

◈ 유의사항
- 관장을 하고 난 후 하루 정도 변실금을 하는 경우 실금으로 판단함
- 인공항문(ostomy)을 가지고 있는 환자의 경우, 실수로 한 번 정도 인공항문 주변으로 leakage가 있고 이후 바로 적절히 관리해 주었다면 이는 환자의 예외적인 상황이므로 반영하지 아니함. 그러나 이와 같은 현상이 반복적으로 나타난다면 이는 통상적인 상황으로 간주하여 실금으로 판단함
- 환자의 배변 주기를 고려하여, 대변을 조절하는 횟수와 실금하는 횟수를 비교하여 해당 정도를 평가하는 것으로 소변과 달리 대변은 매일 보지 않는 경우가 많으므로, 실제 7일 동안 대변을 2~3회 보았는데, 실금을 1회만 한 경우라면, '1. 가끔 실금함'으로 기재함
- 전신쇠약 등으로 화장실에 가지 못하고 대변기를 대어주는 것도 거부하여 평가기간 동안 매번 기저귀에 대변을 보았다면 '조절 못함'으로 기재함

Ⓔ **2. 소변조절 상태***

환자의 소변 주기를 고려하여 판단하며 평가기준은 다음과 같음.

– 다 음 –

0. 조절할 수 있음 : 전혀 실금하지 않는 경우
1. 가끔 실금함 : 실금하는 경우보다 조절하는 경우가 더 많거나 같은 경우
2. 자주 실금함 : 조절하는 경우보다 실금하는 경우가 더 많은 경우

◈ 유의사항
- 기저귀를 차고 있더라도 환자가 요의를 느껴 의료진에게 이를 알리고, 소변기 등을 대어 주어 소변을 본다면 이는 실금이 아님
- 유치도뇨관 등 배뇨관련 기구(device)를 가지고 있는 환자의 경우 그 상태를 기준으로 판단함
  - 조절이 잘 되고 있어 침상이 젖지 않는다면 '0. 조절할 수 있음'으로 기재함
  - 그러나, 기구 주변으로 반복적인 leakage가 있다면 실금하는 것으로 판단함
  - 다만, 실수로 한 번 정도 leakage가 있고 이후 바로 적절히 관리해 주었다면 이는 환자의 예외적인 상황이므로 반영하지 않음
- 소변조절을 잘 하던 환자가 이뇨제 복용 등으로 평가기간 7일 중 2일 동안 매일 한 번씩 실금을 한 경우 실금한 횟수보다 조절한 횟수가 더 많으므로 '1. 가끔 실금함'으로 기재함

Ⓔ **3. 환자에게 실시하는 배변조절 기구 및 프로그램***

a. 일정하게 짜여진 배뇨계획(Scheduled toileting plan)

　방광이 차는 것과 관계없이 정해진 시간에 다른 사람(보조인력 등)이 환자를 화장실에 데리고 가거나, 소변기를 주거나, 화장실에 가도록 상기시켜 주는 것을 말함.

b. 방광 훈련 프로그램(Bladder training program)

　인지기능 손상이 없는 환자에게 방광근 및 요도괄약근 재훈련을 위하여 의식적으로 배

설하는 것을 지연시키도록 하거나 긴박하게 소변이 나오는 것을 참도록 교육시키는 것을 말함.

c. 규칙적인 도뇨수행

(CIC, Clean Intermittent Catheterization)

일정한 간격(3~6시간)으로 방광 내에 고여 있는 소변을 배출시키는 것을 말함.

d. 외부(콘돔형) 카테터

남성환자에게 유치도뇨관 삽입 없이 배뇨를 하기 위한 도구를 말함.

f. 인공루

요루(urostomy), 장루(colostomy) 등을 말함.

◈ **유의사항**
- '일정하게 짜여진 배뇨계획'은 인지장애로 인하여 스스로 화장실을 가야하는 것을 인식하지 못하여 배뇨관리를 잘 못하는 환자에게 규칙적으로 정해진 시간에 화장실을 가도록 알려주거나 유도하는 습관훈련(habit training)이나 배설자극 등이 포함됨
- '방광 훈련 프로그램'은 배뇨 간격 시간이 짧은 긴박성 요실금 환자에게 일정 시간 소변을 참게 하여 점차로 그 시간 간격을 늘려가도록 하는 경우, 바이오피드백(Biofeedback) 기구 등을 사용하여 골반근육능력을 향상시키는 경우, 유치도뇨관 제거 후 자가도뇨를 하기 전 방광근 및 요도괄약근 훈련을 위하여 일정시간 간격으로 유치도뇨관을 잠궜다가 풀어 요의를 느낄 수 있도록 하는 훈련(clamp and release) 등이 포함됨
- 유치도뇨관이 삽입되어 있는 경우 'g. 유치도뇨관 삽입'에 체크하고 삽입일자 또는 교체일자를 기재함
  - 입원 시부터 유치도뇨관이 삽입되어 있는 경우 삽입일자를 확인하여 기재하거나 교체 시 교체일자를 기재함

Ⓔ 4. 배뇨일지 작성 여부*

작성일을 기준으로 7일 이상 지속적으로 작성한 경우 "예"로 기재함.

◈ **유의사항**
- 작성일을 기준으로 지난 7일 동안 7일 미만 작성한 경우 "아니오"로 기재함

F. 질병진단

'*' 표시가 있는 항목은 반드시 의무기록에 근거하여 기재

1. 질병*(해당 항목에 모두 체크)

    □ a. 당뇨(☞ 당뇨에 체크한 경우 (1), (2) 기재)

        (1) a. 혈당검사 매일 실시 여부   □ 0. 아니오   □ 1. 예b. 실시한 경우 가장 최근 혈당치

           b-1. 공복시 혈당 _____mg/dl   b-2. 식후2시간 혈당 _____mg/dl

        (2) a. 최근 3개월 이내에 헤모글로빈A1c(HbA1c) 검사 실시 여부

           □ 0. 아니오   □ 1. 예b. 실시한 경우 기재

           b-1. HbA1c ___ ._%   b-2. 검사일 _____년 ____월 ____일

    □ b. 고혈압   □ c. 요로 감염   □ d. 말초혈관질환   □ e. 하지 마비

    □ f. 사지마비   □ g. 편마비   □ h. 뇌성마비   □ i. 뇌혈관 질환

    □ j. 파킨슨병(G20)   □ k. 척수손상

    □ l. 중증근무력증 및 기타 근신경 장애(G70)   □ m. 근육의 원발성 장애(G71)

    □ n. 다발경화증(G35)   □ o. 헌팅톤병(G10)   □ p. 유전성 운동실조(G11)

    □ q. 척수성 근위축 및 관련 증후군(G12)

    □ r. 달리 분류된 질환에서의 일차적으로 중추신경계통에 영향을 주는 계통성 위축(G13)

    □ s. 진행성 핵상 안근마비[스틸-리차드슨-올스제위스키](G23.1)

    □ t. 중추신경계통의 비정형바이러스 감염(A81)

    □ u. 아급성 괴사성 뇌병증[리이](G31.81)

    □ v. 후천성면역결핍증(B20~B24, Z21)   □ w. 치매   □ x. 고지혈증

    □ y. 심부전   □ z. 만성폐색성폐질환   □ aa. 천식   □ ab. 해당사항 없음

2. 영양관련 장애*(해당 항목에 모두 체크)

    □ a. 콰시오르코르(E40)   □ b. 영양성 소모증(E41)   □ c. 소모성 콰시오르코르(E42)

    □ d. 상세불명의 중증 단백질-에너지 영양실조(E43)

    □ e. 중등도 및 경도의 단백질-에너지 영양실조(E44)

    □ f. 단백질-에너지 영양실조로 인한 발육지연(E45)

    □ g. 상세불명의 단백질-에너지 영양실조(E46)

    □ h. 해당사항 없음

일반사항

의사가 진단한 기록에 근거하여 기재함. 최근의 일상생활수행능력, 인지기능, 정서, 행동, 의학적 치료, 간호 감시, 사망의 위험과 직접적인 상관이 있는 질병에만 기재함[현재 문제가 되지 않는(비활동성) 진단은 기재하지 않음].

F   1. 질병*

    c. 요로 감염은 지난 30일 이내에 요로 감염으로 인해 연속해서 1주일 이상 비경구 항생제가 투여된 경우에 해당함.

◈ 유의사항
- • a. 당뇨에 기재한 경우 '혈당검사 매일 실시 여부'와 '최근 3개월 이내에 헤모글로빈A1c(HbA1c) 검사 실시 여부'를 기재해야 하며 헤모글로빈A1c(HbA1c)는 다른 요양기관에서 시행한 경우에도 기록(검사일, 검사결과 등)이 확인되면 기재 가능함
- • f. 사지마비(Quadriplegia)
  - – 척수신경이 손상을 받아서 신경증세가 발생하여 양쪽 팔과 다리의 움직임이 약하거나 전혀 못 움직이는 상태를 의미하는 것으로 사지 불완전마비(Quadriparesis)는 해당하지 않음
- • k. 척수손상(Cord injury)
  - – 외상(trauma)에 의한 척수손상 뿐만 아니라, 질환에 의한 척수손상도 포함하는 것으로 원인과 상관없이 모든 척수손상을 말함
- • 최근의 일상생활수행능력, 인지기능, 정서, 행동, 의학적 치료, 간호 감시, 사망의 위험과 직접적인 상관이 있는 질병에만 기재하는 것이므로 10년 전 고혈압으로 진단받아 5년 정도 혈압약을 먹으면서 적극적인 식이요법과 운동요법으로 혈압수치가 적절히 조절되어 현재는 혈압약을 먹지 않고 있는 경우 'b. 고혈압'에 기재하지 않음

G. 건강상태

'*' 표시가 있는 항목은 반드시 의무기록에 근거하여 기재

1. 문제상황*(해당 항목에 모두 체크)
- ☐ a. 열(☞ 열에 체크한 경우 (1), (2) 기재)
  - (1) 체온 ＿＿ .＿℃
  - (2) 발열 원인을 찾는 검사와 처치 시행 여부 ☐ 0. 아니오 ☐ 1. 예
- ☐ b. 탈수　　☐ c. 구토　　☐ d. 체내출혈　　☐ e. 수술 3개월 이내 루 관리
- ☐ f. 출혈·감염 등의 문제로 인한 루 관리　　☐ g. 해당사항 없음

2. 통증*
- a. 통증 발생 빈도
  - ☐ 0. 통증 없음　　☐ 1. 통증 있으나 매일은 아님　　☐ 2. 매일 통증이 있음
- b. 통증 강도(☞ 통증이 있는 경우 (1), (2), (3) 중 하나를 기재)
  - (1) 시각 통증 등급(Visual Analogue Scale, VAS) ＿＿＿점
  - (2) 숫자 통증 등급(Numeric Rating Scale, NRS) ＿＿＿점
  - (3) 얼굴 통증 등급(Faces Pain Scale, FPS) ＿＿＿단계
- c. 암성 통증 치료 여부 ☐ 0. 아니오 ☐ 1. 예

3. 낙상 여부*
- a. 지난 30일 이내에 낙상 있었습니까?
  - ☐ 0. 아니오　　☐ 1. 예　　☐ 2. 확인 불가
- b. 지난 31일에서 180일 사이에 낙상 있었습니까?
  - ☐ 0. 아니오　　☐ 1. 예　　☐ 2. 확인 불가

4. 말기질환*　　☐ 0. 아니오　　☐ 1. 예

Ⓖ 1. 문제상황*

a. 열은 37.2℃(직장 체온은 37.5℃) 이상의 체온이 3일 이상 있는 경우를 말함.

b. 탈수는 다음 중 2가지 이상에 해당되는 경우(①, ③은 I/O sheet에 근거해야 함)를 말함.

– 다　음 –

① 1일 섭취하는 수분량이 1500 ㎖ 미만인 경우

② 탈수의 임상적 증상[건조한 구강점막, 피부탄력도 저하, 색이 짙은 소변, 새로 발병한
또는 악화된 혼돈, 비정상적인 임상검사 결과(헤모글로빈, 헤마토크리트, 칼륨, 혈액
요소질소, 요비중 증가 등)]등을 보이는 경우

③ 구토, 열, 설사 등으로 섭취한 수분량 보다 수분 소실량이 많은 경우

c. 구토는 약물독성, 독감, 심인성 문제 등 원인에 상관없는 구토를 말함.

◈ 유의사항
- a. 열
  - 작성일을 기준으로 지난 7일 동안 열이 3일 이상 있는 경우 기재하며, 3일 미만 있는 경우 기재하지 않음
  - 'a. 열'에 기재한 경우 '체온'과 '발열 원인을 찾는 검사와 처치 시행 여부'를 기재해야 하며 '발열 원인을
    찾는 검사와 처치 시행 여부'는 발열상태의 환자에게 발열 원인을 찾기 위한 검사와 해열을 위한 처치를
    모두 시행한 경우 "예"로 기재함
- e. 수술 3개월 이내 루 관리
  - 환자평가표 작성일을 기준으로 루(위루, 요루, 장루) 수술일로부터 3개월 이내이면서 루 관리를 시행하고
    있는 경우 기재함
- f. 출혈·감염 등의 문제로 인한 루 관리
  - 환자평가표 작성일을 기준으로 루(위루, 요루, 장루) 수술일로부터 3개월 이후라도 출혈·감염 등의 문제
    가 있어 지속적으로 루 관리를 시행하고 있는 경우 기재함

Ⓖ 2. 통증*

통증은 통증 유발요인 혹은 완화요인(provocation/palliation), 통증의 양상(quality), 통증부
위(region/radiation), 통증강도(severity), 통증 지속시간(timing) 등을 평가하여 진료기록부
등에 기록함.

통증강도는 통증 사정도구(VAS 등)를 이용하여 판단하며, 여러 부위에 통증이 있고 각 부
위별 통증강도가 다를 경우에도 환자상태별 통증점수와 빈도 등을 통합적으로 고려하여
통증의 빈도와 강도를 기재함.

◈ 유의사항
- 통증 발생 빈도가 '1. 통증 있으나 매일은 아님' 또는 '2. 매일 통증이 있음'인 경우 통증 강도는 VAS, NRS, FPS 중 하나를 기재함

Ⓖ 3. 낙상 여부*

작성일을 기준으로 지난 30일 이내 또는 31일에서 180일 사이의 낙상존재여부를 말함.

◈ 유의사항
- 낙상으로 인해 별다른 손상이 없었더라도 낙상이 있었다면 "예"로 기재함
- 'A. 5. 평가구분'이 '1. 입원 평가'인 경우(또는 입원 초기 환자의 경우) 지난 30일 이내 또는 31일에서 180일 사이의 낙상존재여부를 환자 및 가족에게 확인하여 기재함
  - 다만, 환자 및 가족에게 확인할 수 없는 경우 '2. 확인불가'에 기재함

※ 참고사항
- 낙상이란 비의도적인 자세변화로 인해 높은 곳에서 낮은 곳으로 넘어지거나 바닥에 눕게 되는 것을 말한다. 낙상은 높은 곳에서 떨어지는 것, 넘어지는 것, 미끄러지는 것 등을 모두 포함하며 주로 질병, 기능상태 저하, 약물투여, 위험한 환경 등이 원인이 되어 발생한다.

Ⓖ 4. 말기질환*

진료기록부에 '말기질환 또는 end-stage disease' 등 의사의 기록이 있어야 하며, 질환의 종류를 불문하고 기대 여명이 얼마 남지 않아 의사가 말기상태로 진단한 것을 의미함.

◈ 유의사항
- 진료기록부에 DNR (Do Not Resuscitate) 등의 기록이 있다 하더라도, '말기질환 end-stage disease' 등의 의사의 기록이 있어야 함

H. 구강 및 영양 상태

'*' 표시가 있는 항목은 반드시 의무기록에 근거하여 기재

1. 물이나 음식을 삼키기가 어렵습니까? ☐ 0. 아니오 ☐ 1. 예

2-1. 체중*
    a. 환자평가표 작성기간에 체중 측정 여부 ☐ 0. 아니오 ☐ 1. 예
    b. 측정한 경우 기재 b-1. ___ .___kg b-2. 측정일 _____년 ____월 ____일

2-2. 체중 감소가 있습니까?* ☐ 0. 아니오 ☐ 1. 예 ☐ 2. 확인 불가

2-3. 키(신장)*
    a. 키 측정 여부 ☐ 0. 아니오 ☐ 1. 예
    b. 측정한 경우 기재 b-1. ___ .___cm b-2. 측정일 _____년 ____월 ____일

3. 영양섭취 방법*
    a. 정맥영양을 하고 있습니까? ☐ 0. 아니오 ☐ 1. 예
    b. 경관영양을 하고 있습니까? ☐ 0. 아니오 ☐ 1. 예

4. 정맥 또는 경관을 통한 섭취*('3. 영양섭취 방법' 중 하나라도 '1. 예'인 경우만 체크)
    a. 지난 6일 동안 정맥 또는 경관으로 섭취한 칼로리의 비율 (1일 평균)
    ☐ 0. 없음 ☐ 1. 1~25% ☐ 2. 26~50% ☐ 3. 51~75% ☐ 4. 76~100%
    b. 지난 6일 동안 정맥 또는 경관으로 섭취한 수분량 (1일 평균)
    ☐ 0. 없음 ☐ 1. 1~500 mL ☐ 2. 501~1000 mL ☐ 3. 1001~1500 mL
    ☐ 4. 1501~2000 mL ☐ 5. 2001 mL 이상

H 1. 물이나 음식을 삼키기가 어렵습니까?

정맥 또는 경관영양 등을 하고 있어 입으로 물이나 음식을 삼키지 않는 경우에는 연하곤란 증상이 없는 것으로 평가함.

◆ **유의사항**
• 금식 상태에서 정맥 또는 경관영양을 하고 있거나 수술 또는 검사를 위한 금식 상태인 경우 "아니오"로 기재함

◆ **평가방법 예시**
• 환자가 주로 먹거나 마실 때 자주 사레가 들거나, 기침을 하는 증상, 오랫동안 음식을 입에 계속 머금고 있거나 과도하게 침을 흘리는 증상 등을 보이는 경우 연하장애가 있다고 판단함

※ **참고사항**
• 연하곤란(swallowing problem, dysphagia)이란 음식물을 씹고 삼키는 구강, 인두, 식도 등의 구조에 결함이 있거나 기능장애가 있어서 씹고 삼키는 능력이 손실 또는 손상된 것을 말한다. 연하곤란은 원인에 따라 기계적 연하곤란(Mechanical dysphagia), 운동성 연하곤란(Motor dysphagia)으로 나뉠 수 있다.

H 2. 체중 등*

관찰기간 내에 체중을 측정한 경우 기재함. 체중 감소란 지난 31일 이내에 5% 이상 감소 또는 184일 이내에 10% 이상 감소한 경우에 한함.

계산식1 〉[지난달 체중(kg) - 이번달 체중(kg)]/[지난달 체중(kg)] ≥ 0.05

계산식2 〉[6개월전 체중(kg) - 이번달 체중(kg)]/[6개월전 체중(kg)] ≥ 0.1

※ 체중 감소율은 소수 셋째자리에서 절사

◈ **유의사항**
- 금기간 내에 여러 번 체중을 측정한 경우 모두 비교대상이 됨
- 이번달 체중과 비교하는 지난달(또는 6개월전) 체중은 관찰기간에 측정한 체중이 아니어도 됨
- 2-3. 키(신장)*
  - 관찰기간 내에 키를 측정한 경우 기재함
  - 관찰기간 내에 키를 측정하지 않은 경우 입원기간 중 측정한 키를 기재함

H 3. 영양섭취 방법*

a. 정맥영양(parenteral/IV)은 영양섭취를 목적으로 지속적 또는 간헐적으로 정맥내 영양 공급(TPN 등)을 하는 것을 말함.

b. 경관영양은 비위관 또는 위루 등을 통해 영양 공급을 하는 것을 말하며 경구를 통한 수분 또는 영양섭취가 곤란한 상태에서 지난 7일 이상 지속적으로 경관영양을 한 경우에 해당함.

◈ **유의사항**
- 정맥영양
  - 진단 혹은 수술 전 처치를 위해 일시적으로 IV fluid를 주입하는 것은 정맥영양에 해당하지 않음
- 경관영양
  - 작성일을 기준으로 지난 7일 동안 7일 미만 경관영양을 한 경우 "아니오"로 기재함
- 'H. 3. 영양섭취 방법*'에 모두 "아니오"로 기재한 경우 'H. 4. 정맥 또는 경관을 통한 섭취*' 항목을 기재하지 않음

H 4. 정맥 또는 경관을 통한 섭취*

I/O sheet 등에 근거하며 실제 환자가 섭취한 열량 및 수분량을 기준으로 계산함.

a. 섭취한 칼로리 비율

지난 6일 동안 환자가 섭취(구강섭취 포함)한 총 칼로리 중 정맥 또는 경관을 통해 섭취한 칼로리의 비율(1일 평균)

$$\frac{\text{지난 6일 동안 정맥·경관영양으로 섭취한 열량}}{\text{지난 6일 동안 총 섭취 열량}} \times 100$$

b. 수분 섭취량

지난 6일 동안 정맥 또는 경관을 통해 섭취한 1일 평균 수분량

$$\text{지난 6일 동안 정맥·경관영양으로 섭취한 수분의 총량} / 6$$

◈ 유의사항
- a. 지난 6일 동안 정맥 또는 경관으로 섭취한 칼로리의 비율 (1일 평균)
  - 1일 24시간을 기준으로 지난 6일 동안 구강섭취를 포함하여 실제 환자가 섭취한 총 칼로리 중 정맥 또는 경관을 통해 섭취한 칼로리의 비율을 계산함
- b. 지난 6일 동안 정맥 또는 경관으로 섭취한 수분량 (1일 평균)
  - 1일 24시간을 기준으로 지난 6일 동안 정맥 또는 경관을 통해 섭취한 1일 평균 수분량을 계산함

I. 피부상태

'*' 표시가 있는 항목은 반드시 의무기록에 근거하여 기재

1. 피부 궤양(욕창 또는 울혈성 궤양 등)수 기재*(없는 경우 '0'으로 기재)

항 목	1단계	2단계	3단계	4단계
욕창(압박성 궤양)				
울혈성 또는 허혈성 궤양 등				

2. 새로 발생한 욕창*(압박성 궤양)
  a. 이전 평가 이후 새로운 욕창(압박성 궤양) 발생 여부   □ 0. 없음 □ 1. 있음
  b. 발생한 경우 기재   발생일_____년 ____월 ____일

3. 지난 1년 사이의 욕창(압박성 궤양) 과거력*(현재의 욕창은 제외)
  □ 0. 없음   □ 1. 있음   □ 2. 확인 불가

4. 피부의 기타 문제*(해당 항목에 모두 체크)
  □ a. 2도 이상의 화상   □ b. 개방성 피부병변
  □ c. 수술 창상   □ d. 발의 감염   □ e. 해당사항 없음

5. 피부문제에 대한 처치*(해당 항목에 모두 체크)
  □ a. 압력을 줄여주는 도구 사용   □ b. 체위 변경
  □ c. 피부문제를 해결하기 위한 영양 공급
  □ d. 피부 궤양(욕창 및 울혈성 궤양 등) 드레싱
    ☞ 드레싱 부위   □ 1. 발   □ 2. 발 이외
  □ e. 피부 궤양(욕창 및 울혈성 궤양 등) 이외의 드레싱
    ☞ 드레싱 부위   □ 1. 발   □ 2. 발 이외
  □ f. 수술창상 치료   □ g. 해당사항 없음

Ⅰ **1. 피부 궤양 수 기재***

진료기록부에 담당의사가 피부 궤양에 대한 근거 등을 기록한 경우에 해당하며 피부 궤양(skin ulcer)의 종류에는 욕창(압박성 궤양), 울혈성 궤양, 허혈성 궤양, 말초신경병증 궤양이 있음.

압박성 궤양(pressure ulcer)은 일정한 부위에 지속적 압력이 가해졌을 때 모세혈관의 순환장애로 인해 조직의 궤사가 일어나는 것, 울혈성 궤양(stasis ulcer)은 하지의 부적절한 정맥 순환으로 인해 발생하는 정맥성 궤양(venous ulcer) 또는 말초정맥질환(PVD, Peripheral Vascular Disease)으로 인한 궤양, 허혈성 궤양(ischemic ulcer)은 동맥관류부전으로 인하여 주로 하지에 나타나는 동맥성 궤양(arterial ulcer), 말초신경병증 궤양(neuropathic ulcer)은

당뇨병 환자에서 흔히 나타나는 궤양을 말함.

딱지(necrotic eschar)로 뒤덮여 있어 단계를 알 수 없다면 변연절제(Debridement)를 수행할 때까지 4단계로 기재하고, 낫고 있는(healing) 궤양의 단계를 평가할 경우 현재 보이는 양상 대로 평가함. 예를 들어 3단계 욕창이 낫는 과정에서 현재 2단계 궤양의 양상을 보인다면 2 단계로 기재함. 평가기준은 다음과 같음.

– 다 음 –

1단계 : 압박을 제거한 후에도 지속적으로 피부 발적은 있으나, 피부 균열은 없는 경우

2단계 : 피부가 벗겨지거나 수포모양을 보이는 부분적인 피부층의 소실 있는 경우

3단계 : 피부가 전층 소실되거나 피하층이 나타나고 깊은 분화구가 생긴 경우

4단계 : 피부와 피부층이 전부 소실되고 근육이나 뼈가 노출된 경우

◆ 유의사항
- 피부 궤양을 평가하는 항목으로 화상 등은 'I. 4. 피부의 기타 문제*'에서 평가함
- 신체의 여러 부위에 종류가 다른 궤양이 각각 있는 경우 각각의 피부 궤양을 모두 기재해야 하므로 예를 들어 엉덩이에 2단계의 압박성 궤양 2개와 발가락에 당뇨로 인한 3단계의 말초신경병증 궤양 1개가 있는 경우 '2 단계 욕창(압박성 궤양)'에 '2'로 기재하고 '3단계 울혈성 또는 허혈성 궤양 등'에 '1'로 기재함

---

2. 새로 발생한 욕창*

이전 평가 이후 새로 발생한 욕창(압박성 궤양) 존재 여부를 의미함.

◆ 유의사항
- 'A. 5. 평가구분'이 '1. 입원 평가'인 경우 "없음"으로 기재함
- 욕창(압박성 궤양)을 평가하는 항목으로 울혈성 궤양, 허혈성 궤양, 말초신경병증 궤양은 해당하지 않음

---

3. 지난 1년 사이의 욕창 과거력*

욕창(압박성 궤양)이 지난 1년 이내에 발생했다가 치유된 적이 있는지를 확인함. 현재의 압박성 궤양, 울혈성 궤양 등의 과거력은 제외함.

◆ 유의사항
- 욕창(압박성 궤양)을 평가하는 항목으로 울혈성 궤양, 허혈성 궤양, 말초신경병증 궤양은 해당하지 않음

4. 피부의 기타 문제*

a. 2도 이상의 화상은 진료기록부에 담당의사가 '2도 이상의 화상'에 대한 피부상태를 기록한 경우 해당함.

b. 개방성 피부병변은 매독이나 피부암 등으로 인하여 발생한 개방성 피부질환을 의미함.(피부 궤양, 자상, 발적은 제외)

c. 수술창상은 수술 후 회복되지 않은 상처를 의미함.

d. 발의 감염은 봉소염, 화농성 배출물이 있는 경우에 해당함.

◆ **유의사항**
- d. 발의 감염
  - 하지를 절단(amputation)하여 발이 없는 경우는 말단 부위를 발로 판단하여 기재함

---

5. 피부문제에 대한 처치*

a. 압력을 줄여주는 도구에는 젤, 공기 또는 다른 쿠션을 포함한 의자나 휠체어, 공기방석, 물침대, 에어매트리스, 거품침대 등을 말함(도넛모양의 쿠션은 포함하지 않음).

b. 체위 변경은 두 시간마다 지속적으로 환자의 체위를 변경시켜주는 것을 말함.

c. 피부문제를 해결하기 위한 영양은 적절한 열량공급(30 kcal/kg 이상)이나 고단백 치료(1.25 g/kg 이상)만 해당함.

f. 수술창상 치료는 수술창상을 보호하거나 치료하기 위한 중재를 말함. 예를 들어 국소 청결(topical cleansing), 창상세척(wound irrigation), 항생제연고 등을 발라줌, 드레싱 실시, 봉합사 제거, 침수 또는 열 요법을 적용한 경우임. 흉관(Chest-tube) 등의 드레싱도 포함함.

◆ **유의사항**
- b. 체위 변경
  - 간호인력이 직접 실시한 경우 기재함
- c. 피부문제를 해결하기 위한 영양 공급
  - 정맥 주사를 통해 공급된 경우 기재 가능함
- d. 피부 궤양(욕창 및 울혈성궤양 등) 드레싱
  - 욕창(압박성 궤양), 울혈성 궤양, 허혈성 궤양, 말초신경병증 궤양에 대한 드레싱을 시행한 경우 기재하며, 드레싱 부위를 '1. 발'과 '2. 발 이외'로 구분하여 기재함

- e. 피부 궤양(욕창 및 울혈성궤양 등) 이외의 드레싱
  - 'I. 4. 피부의 기타문제' 중 2도 이상의 화상, 개방성 피부병변, 발의 감염에 대한 드레싱을 시행한 경우 기재하며, 드레싱 부위를 '1. 발'과 '2. 발 이외'로 구분하여 기재함
- f. 수술창상 치료
  - 'I. 4. 피부의 기타문제' 중 'c. 수술창상'에 대한 드레싱을 시행한 경우 기재함
  - 장루관련 치료 및 드레싱은 포함하지 않음

J. 투약

'*' 표시가 있는 항목은 반드시 의무기록에 근거하여 기재

1. 인슐린 주사제 투여 일수*
  ☐ 0. 투여되지 않음   ☐ 1. 투여되었으나 매일은 아님   ☐ 2. 매일 투여됨

2. 망상, 환각, 초조·공격성, 탈억제, 케어에 대한 저항, 배회에 대한 약물 치료 여부*
  ☐ 0. 아니오   ☐ 1. 예

3. 치매관련 약제 투여 여부*
  ☐ 0. 아니오   ☐ 1. 예

4. 지난 7일 동안 매일 복용한 의약품 수(제품명 기준)
  ☐ 0. 없음   ☐ 1. 5개 미만   ☐ 2. 5개 ~ 9개   ☐ 3. 10개 ~ 14개   ☐ 4. 15개 이상

J 1. 인슐린 주사제 투여 일수*

이전 평가 이후 새로 발생한 욕창(압박성 궤양) 존재 여부를 의미함.

◆ **유의사항**
- 지난 7일(관찰기간) 동안 정맥 주사, 피하 주사 등으로 인슐린 주사제가 투여된 일수를 기재함
- 인슐린 펌프, 펜형 인슐린 주사기의 경우 의사의 처방에 의해 혈당검사 결과에 따라 인슐린 주사제가 투여되는 경우 기재 가능함

J 2. 망상, 환각, 초조·공격성, 탈억제, 케어에 대한 저항, 배회에 대한 약물 치료 여부*

◆ **유의사항**
- 망상, 환각, 초조·공격성, 탈억제, 케어에 대한 저항, 배회 중 하나 이상에 해당하는 증상으로 약물 치료를 하는 경우 "예"로 기재함

J **3. 치매관련 약제 투여 여부＊**

> ◆ **유의사항**
>
> • 망상, 환각, 초조·공격성, 탈억제, 케어에 대한 저항, 배회 중 하나 이상에 해당하는 증상으로 약물 치료를 하는 경우 "예"로 기재함
>
> ※ **참고사항**
>
> • 국민건강보험 요양급여의 기준에 관한 규칙 [별표 1] 요양급여의 적용기준 및 방법(제5조제1항관련) 〈개정 2019. 6. 12.〉
>
> > 3. 약제의 지급
> >
> > 나. 처방·조제
> >
> > (1) 영양 공급·안정·운동 그 밖에 요양상 주의를 함으로써 치료 효과를 얻을 수 있다고 인정되는 경우에는 의약품을 처방·투여하여서는 아니되며, 이에 관하여 적절하게 설명하고 지도하여야 한다.
> >
> > (2) 의약품은 약사법령에 의하여 허가 또는 신고된 사항(효능·효과 및 용법·용량 등)의 범위 안에서 환자의 증상 등에 따라 필요·적절하게 처방·투여하여야 한다. 다만, 안전성·유효성 등에 관한 사항이 정하여져 있는 의약품 중 진료상 반드시 필요하다고 보건복지부장관이 정하여 고시하는 의약품의 경우에는 허가 또는 신고된 사항의 범위를 초과하여 처방·투여할 수 있으며, 중증 환자에게 처방·투여하는 약제로서 보건복지부장관이 정하여 고시하는 약제의 경우에는 건강보험심사평가원장이 공고한 범위 안에서 처방·투여할 수 있다.
> >
> > (3) 요양기관은 중증 환자에 대한 약제의 처방·투여시 해당약제 및 처방·투여의 범위가 (2)의 허용범위에는 해당하지 아니하나 해당환자의 치료를 위하여 특히 필요한 경우에는 건강보험심사평가원장에게 해당약제의 품목명 및 처방·투여의 범위 등에 관한 자료를 제출한 후 건강보험심사평가원장이 중증질환심의위원회의 심의를 거쳐 인정하는 범위 안에서 처방·투여할 수 있다.
> >
> > (4) 제10조의2제2항에 따라 식품의약품안전처장이 긴급한 도입이 필요하다고 인정한 품목의 경우에는 식품의약품안전처장이 인정한 범위 안에서 처방·투여하여야 한다.
> >
> > (5) 항생제·스테로이드제제 등 오남용의 폐해가 우려되는 의약품은 환자의 병력·투약력 등을 고려하여 신중하게 처방·투여하여야 한다.
> >
> > (6) 진료상 2품목 이상의 의약품을 병용하여 처방·투여하는 경우에는 1품목의 처방·투여로는 치료효과를 기대하기 어렵다고 의학적으로 인정되는 경우에 한다.

J **4. 지난 7일 동안 매일 복용한 의약품 수(제품명 기준)**

> ◆ **유의사항**
>
> • 지난 7일(관찰기간) 동안 매일 복용한 전문·일반 의약품에 해당하는 약의 종류 수를 기재함
> • 약의 제품명을 기준으로 기재하는 것으로 성분, 용량까지 같은 경우 한 종류의 약물로 간주하여 기재함
> • 제품명이 같은 약(약제의 성분, 용량이 동일)을 2알 복용 시 1개로 기재함
> • 약제의 성분은 같으나 제품명 또는 제형이 다른 약물을 복용 시 2개로 기재함

K. 특수처치 및 전문재활치료

'*' 표시가 있는 항목은 반드시 의무기록에 근거하여 기재

1. 특수처치*(해당 항목에 모두 체크)

    □ a. 정맥 주사에 의한 투약   □ b. 배뇨관련 루 관리

    □ c. 배변관련 루 관리   □ d. 영양관련 루 관리

    □ e. 산소요법(☞ 산소요법에 체크한 경우 (1), (2) 기재)

       (1) (산소투여 전) 산소포화도(SaO_2 또는 SpO_2) ____.___%

       (2) 산소투여일수 _____일

    □ f. 하기도 증기흡입치료   □ g. 흡인   □ h. 기관절개관 관리   □ i. 수혈

    □ j. 인공호흡기 ☞ □ 1. 개인용   □ 2. 병원용

    □ k. 중심정맥영양   □ l. 해당사항 없음

2. 지난 7일 동안 전문재활치료를 실시한 날 수*(실시한 날이 없는 경우 '0'을 기재) _____일

Ⓚ 1. 특수처치*

a. 정맥 주사에 의한 투약

주사 투여기준 범위 내에서 연속 또는 간헐적으로 3일 이상 정맥 주사로 치료약제가 투여된 경우를 말함. 영양물질, 투석, 진단 혹은 수술 전 처치에 수반되는 일시적 약물만 투여된 경우는 제외함.

◆ **유의사항**

• 항생제, 혈압강하제 등의 약제를 치료적 목적으로 정맥 주사한 경우 기재함

• 작성일을 포함하여 지난 7일(관찰기간) 동안 3일 미만으로 정맥 주사를 시행한 경우이거나 투석, 진단 혹은 수술 전 처치를 위해 일시적으로 약물을 투여한 경우 기재하지 않음

• 탈수환자에게 생리식염수에 전해질을 mix하여 투여하고 '정맥 주사에 의한 투약'으로 적용할 수 있는 탈수의 기준은 아래 중 2가지 이상에 해당하는 경우(①, ③은 I/O sheet에 근거해야 함)에 적용함.

① 하루에 섭취하는 수분량이 1500 mL 미만인 경우

② 탈수의 임상적 증상이 있음예 : 새로 발병된 또는 악화된 혼돈(confusion), 비정상적인 임상결과(헤모글로빈, 헤마토크리트, 칼륨, 혈액요소질소, 요비중 증가 등)

③ 구토, 열, 설사 등으로 섭취한 수분량보다 수분 소실량이 많은 경우

(보험급여과-502호, 2008. 4. 29.)

※ **참고사항**

• 주사 투여기준

– 국민건강보험 요양급여의 기준에 관한 규칙 [별표 1] 요양급여의 적용기준 및 방법(제5조제1항관련) 〈개정 2019. 6. 12.〉

3. 약제의 지급

　나. 주사

　　(1) 주사는 경구투약을 할 수 없는 경우, 경구투약시 위장장애 등의 부작용을 일으킬 염려가 있는 경우, 경구투약으로 치료 효과를 기대할 수 없는 경우 또는 응급환자에게 신속한 치료 효과를 기대할 필요가 있는 경우에 한한다.

　　(2) 동일 효능의 먹는 약과 주사제는 병용하여 처방·투여하여서는 아니된다. 다만, 경구투약만으로는 치료 효과를 기대할 수 없는 불가피한 경우에 한하여 병용하여 처방·투여할 수 있다.

　　(3) 혼합주사는 치료 효과를 높일 수 있다고 의학적으로 인정되는 경우에 한한다.

　　(4) 당류제제·전해질제제·복합아미노산제제·혈액대용제·혈액 및 혈액성분제제의 주사는 의학적으로 특히 필요하다고 인정되는 경우에 한다.

K 1. 특수처치*

b. 배뇨관련 루 관리

방광루, 요루 등의 관리를 말함.

◆ **유의사항**
　• 유치도뇨관은 배뇨관련 루(stoma)에 해당하지 않으며, 'E. 3. 환자에게 실시하는 배변조절 기구 및 프로그램*'에서 평가함

K 1. 특수처치*

c. 배변관련 루 관리

장루 등의 관리를 말함.

K 1. 특수처치*

d. 영양관련 루 관리

비위관은 영양관련 루(stoma)에 해당하지 않음

K 1. 특수처치*

e. 산소요법

마스크, 캐뉼라 등 투여경로를 불문하고 작성일을 기준으로 지난 14일 중 7일 이상 산소를 투여하되, 산소포화도(SaO_2 또는 SpO_2)가 90% 이하인 상태에서 산소 투여를 시작한 경우를 말함. 날을 달리하여 비연속적으로 산소를 투여하는 경우에도 산소포화도(SaO_2 또는 SpO_2)가 90% 이하로 재시작한 경우만 해당하고, 산소를 투여하는 하루 중에는 지속적 또는 간헐적으로 투여할 수 있음. 관찰기간은 이전 관찰기간과 중복되지 않도록 함. 관찰기간이 14일 미만인 경우에도 7일 이상 연속적으로 산소를 투여하거나 산소 투여일수의 합이 7일 이상이어야 함.

◆ 유의사항
- 관찰기간은 이전 관찰기관과 중복되지 않아야 함
- 산소포화도는 산소를 투여하기 전 SaO_2 또는 SpO_2를 기재함
- 산소투여일수는 관찰기간 중 산소를 투여한 일수를 기재하며 산소요법에 대한 관찰기간은 최대 14일로 산소 투여일수를 14일을 초과하여 기재하지 않음

K 1. 특수처치*

f. 하기도 증기흡입치료

자4-1 하기도 증기흡입치료의 급여기준에 적합하게 시행한 경우를 말함.

◆ 유의사항
- 자4-1 하기도 증기흡입치료의 급여기준 외 시행하는 경우 기재하지 않음

※ 참고사항
- 주자4-1 하기도 증기흡입치료 급여기준(고시 제2017-152호, 2017.9.1.시행)
  1. 자4-1 하기도 증기흡입치료(Nebulizer Treatment of Lower Airway)는 천식이나 만성폐쇄성폐질환의 급성악화기, 급성세기관지염의 호흡곤란치료에 실시함을 원칙으로 함.
  2. 상기 1. 기준 이외에도 다음과 같은 경우에 요양급여 함.
     - 다 음 -
     가. 응급실 또는 입원진료 중인 환자
        1) 정량식(또는 분말)흡입기를 사용할 수 없는 경우로 "기도 폐쇄에 의한 호흡곤란($PaO_2 < 60$ mmHg 등)"이 있거나 "하기도 경련에 의한 천명(Wheezing)"이 확인되는 경우에는 급성기 일주일 이내 인정함.
        2) 객담 배출이 곤란하여 전신 투여(경구 또는 주사)를 실시하였음에도 불구하고 치료 효과를 기대할 수 없어 직접 하기도에 국소 투여가 필요한 경우에는 급성기에 사례별로 인정함.
     나. Pentamidine isethionate 주사제의 「요양급여의 적용기준 및 방법에 관한 세부사항」에 따라 증기흡입치료하는 경우

K 1. 특수처치*

g. 흡인

흡인(suction)으로 상기도 및 기관지내의 분비물을 배출시키는 경우에 한함. 구강내 및 비강내 흡인만 하는 경우는 제외함.

K 1. 특수처치*

h. 기관절개관 관리

기관절개관 교환 및 기관절개구와 캐뉼라의 세정 등을 시행한 경우 해당함.

◆ **유의사항**
- 관기관절개관의 교환, 캐뉼라의 세정 또는 기관절개관 주변 드레싱 등을 시행하는 경우 기재함
- Tracheostomy tube가 제거된 경우는 해당하지 않음

K 1. 특수처치*

j. 인공호흡기

지난 7일 동안 1일 8시간 이상 지속적으로 인공호흡기를 사용한 경우를 말하며 인공호흡기를 떼는 과정(weaning)도 포함함. 간헐적 양압/음압호흡치료(IPPB/INPB), 지속적 양압호흡치료(CPAP), 양위양압호흡치료(BIPAP) 등과 같은 호흡치료는 제외함.

◆ **유의사항**
- 'j. 인공호흡기'를 기재한 경우 '1. 개인용'과 '2. 병원용'을 구분하여 기재함
- 병원에서 구입 또는 대여한 경우 '2. 병원용'으로 기재하고 그 외는 '1. 개인용'으로 기재함

K 1. 특수처치*

k. 중심정맥영양

중심정맥관을 통하여 영양물질을 공급한 경우에 해당함.

◆ **유의사항**
- j. 중심정맥관을 통하여 일반적인 수액제(5% 또는 10% D/W 등)를 투여한 경우에는 말초정맥을 통하여 수액제를 투여하여야 하나 route확보 등이 어려워 말초정맥투여를 하지 못하는 경우에 해당하므로 말초정맥영양을 실시한 것으로 보아야 하며, 중심정맥영양의 경우는 반드시 중심정맥관을 통하여 TPN요법을 실시한 경우에만 해당됨.

(보험급여과-502호, 2008. 4. 29.)

K ## 2. 지난 7일 동안 전문재활치료를 실시한 날 수*

지난 7일 동안 건강보험 행위 급여·비급여 목록표 및 급여 상대가치점수 제3편 (별표1) 특정항목에 해당하는 재활치료를 실시한 날 수를 기재함. 재활치료 인정기준은 건강보험 행위 급여·비급여 목록표 및 급여 상대가치점수 제1편에 의함.

◆ **유의사항**
- 지난 7일(관찰기간) 동안 재활치료 실시 횟수가 아니라 실시 일수(days)를 기재함
- 제3편 (별표1) 특정항목
  3. 전문재활치료
    - 제1편 제2부 제7장 이학요법료 중 제2절의 사116 운동치료와 제3절 전문재활치료료

※ **참고사항**
- 건강보험 행위 급여·비급여 목록표 및 급여 상대가치점수 제1편 제2부 제7장 이학요법료 중 제2절의 사116 운동치료와 제3절 전문재활치료료

구분	분류번호	분류
제2절 단순재활치료료	사116	가. 운동치료-복합운동치료 나. 운동치료-등속성 운동치료
제3절 전문재활치료료	사121	가. 보행풀치료 나. 전신풀치료
	사122	중추신경계발달재활치료
	사123	가. 작업치료-단순작업치료 나. 작업치료-복합작업치료 다. 작업치료-특수작업치료
	사124	일상생활 동작 훈련치료
	사125	신경인성 방광훈련 치료
	사126	기능적전기자극치료
	사127	근막동통유발점 주사자극치료
	사128	재활사회사업-개인력조사 재활사회사업-사회사업상담 재활사회사업-가정방문
	자129	호흡재활치료
	자130	재활기능치료-매트 및 이동치료 재활기능치료-보행치료
	사131	연하재활 기능적전기자극치료
	서141	연하장애재활치료

※ 해당 전문재활치료료는 2019년 10월 기준으로 향후 관련고시 등 개정 시 항목은 변경될 수 있음

요양병원 환자평가표

'*' 표시가 있는 항목은 반드시 의무기록에 근거하여 기재

A. 일반사항

1. 환자성명 _____   **2. 주민등록번호** _____ – _____

3. 입원일 _____년 _____월 _____일   **4. 요양개시일** _____년 _____월 _____일

5. 평가구분
□ 1. 입원 평가 □ 2. 계속 입원 중인 환자 평가 □ 3. 이전 환자평가표를 적용하는 경우

6. 작성일 _____년 _____월 _____일

7. 입원 직전 있던 곳(5. 평가구분 중 입원 평가인 경우만 체크)
□ 1. 집에 거주(재가장기요양서비스/가정간호/방문간호를 받으면서)
□ 2. 집에 거주(재가장기요양서비스/가정간호/방문간호를 받지 않으면서)
□ 3. 요양시설/그룹홈   □ 4. 급성기병원   □ 5. 요양병원
□ 6. 정신병원/정신시설   □ 7. 기타

8. 교육수준(5. 평가구분 중 입원 평가인 경우만 체크)
□ 1. 무학 □ 2. 초졸(퇴) □ 3. 중졸(퇴) □ 4. 고졸(퇴) □ 5. 대졸(퇴) 이상 □ 6. 확인 불가

9. 혈압* _____ / _____ mmHg

10. 건강생활습관(5. 평가구분 중 입원 평가인 경우만 체크)
a. 담배를 피우십니까? □ 0. 아니오 □ 1. 예
b. 술을 자주 마십니까? □ 0. 아니오 □ 1. 예
c. 주 4일 이상, 한번에 30분 이상 운동을 합니까? □ 0. 아니오 □ 1. 예
d. 하루 세끼 식사를 꼬박꼬박 챙겨 먹습니까? □ 0. 아니오 □ 1. 예

11. 장기요양등급 및 신청(5. 평가구분 중 입원 평가인 경우만 체크)
□ 1. 해당사항 없음 □ 2. 미신청 □ 3. 신청 중
□ 4. 신청하였으나 인정 못 받음   □ 5. 등급 내 자   □ 6. 등급 외 자

12. 장기요양등급 및 이용 서비스(5. 평가구분 중 입원 평가인 경우, 11. 등급 내 자인 경우만 체크)
a. 등급
□ 1. 1등급 □ 2. 2등급 □ 3. 3등급 □ 4. 4~5등급 □ 5. 인지지원등급 □ 6. 확인 불가
b. 이용 중인 또는 이용하였던 서비스(해당 항목에 모두 체크)
□ 1. 주·야간보호 □ 2. 방문요양   □ 3. 방문간호 □ 4. 방문목욕
□ 5. 단기보호   □ 6. 복지용구 구입 및 대여   □ 7. 시설입소   □ 8. 기타

13. 장기요양서비스를 받고 싶은 의향이 있습니까?(5. 평가구분 중 입원 평가인 경우, 11. 장기요양등급 미신청 또는 신청하였으나 인정 못 받은 경우 체크)　　　　　□ 0. 아니오　　　□ 1. 예

14. 사회환경 선별조사(5. 평가구분 중 입원 평가인 경우, 지난 1년 동안의 상황을 종합하여 체크)

　　a. 응답 거부 □

　　b. 식사준비, 간병 등의 도움을 줄 수 있는 사람이 없음　　　□ 0. 아니오　　　□ 1. 예

　　c. 전기·수도 등 공과금 미납으로 서비스 중단 고지를 받은 적 있음　　□ 0. 아니오　　　□ 1. 예

　　d. 안정적으로 거주할 집이 없어 노숙 등을 한 적 있음　　　□ 0. 아니오　　　□ 1. 예

　　e. 병원비, 월세 등 주거비, 난방비 등 비용 지불이 어려운적이 있음　　□ 0. 아니오　　　□ 1. 예

　　f. 교통수단 부족으로 진료, 복지관 등 외출이 어려웠던 적이 있음　　□ 0. 아니오　　　□ 1. 예

　　g. 먹을 것이 없거나 학대를 받는 등 긴급하게 도움이 필요한 적이 있음　□ 0. 아니오　　　□ 1. 예

B. 의식상태

1. 혼수*

　　□ 0. 아니오　　□ 1. 예(☞ '예'라고 체크한 경우 'D. 신체기능'으로 넘어감)

2. 섬망*

　　□ 0. 섬망의 증상이 전혀 나타나지 않음

　　□ 1. 섬망의 증상이 있으나, 지난 7일 이전에 발생함

　　□ 2. 섬망의 증상이 있으나, 지난 7일 이내에 발생하였거나 악화되고 있음

C. 인지기능

1. 단기기억력

　　□ 0. 정상　　□ 1. 이상 있음　　□ 2. 확인 불가

2. 일상 생활사에 관한 의사결정을 할 수 있는 인식기술

　　□ 0. 스스로 일관성 있고 합리적인 의사결정을 함

　　□ 1. 새로운 상황에서만 의사결정의 어려움이 있음

　　□ 2. 인식기술이 다소 손상됨

　　□ 3. 인식기술이 심하게 손상됨

3. 이해시키는 능력

　　□ 0. 이해시킴　　　□ 1. 대부분 이해시킴

　　□ 2. 가끔 이해시킴　　□ 3. 거의/전혀 이해시키지 못함

4. 말로 의사표현을 할 수 있음　　□ 0. 아니오　□ 1. 예

5. 행동심리증상의 빈도*(해당 칸에 '√' 표시)

항 목	없음	가끔	자주	매우자주
a. 망상				
b. 환각				
c. 초조/공격성				
d. 우울/낙담				
e. 불안				
f. 들뜬 기분/다행감				
g. 무감동/무관심				
h. 탈억제				
i. 과민/불안정				
j. 이상 운동증상 또는 반복적 행동				
k. 수면/야간행동				
l. 식욕/식습관의 변화				
m. 케어에 대한 저항				
n. 배회				

6. K-MMSE(또는 MMSE-K) 검사*
　a. 평가표 작성일로부터 지난 6개월 이내 K-MMSE(또는 MMSE-K) 검사 실시 여부
　　□ 0. 아니오　□ 1. 예

　b. 검사를 실시한 경우 기재
　　b-1. 점수(점) _____　　b-2. 검사일 _____년 ____월 ____일

7. 치매 척도 검사*
　a. CDR (Clinical Dementia Rating) 검사 실시 여부　□ 0. 아니오　□ 1. 예

　b. CDR (Clinical Dementia Rating) 검사를 실시한 경우 기재
　　b-1. 점수(점) □　　　　b-2. 검사일 _____년 ____월 ____일

　c. GDS (Global Deterioration Scale) 검사 실시 여부　□ 0. 아니오　□ 1. 예

　d. GDS (Global Deterioration Scale) 검사를 실시한 경우 기재
　　d-1. 점수(점)

D. 신체기능

■ 일상생활수행능력(Activities of Daily Living, ADL)(해당 칸에 '√' 표시)

항목	기능자립정도					
	완전자립	감독필요	약간의 도움	상당한 도움	전적인 도움	행위 발생안함
1. 옷벗고 입기						
2. 세수하기						
3. 양치질하기						
4. 목욕하기						
5. 식사하기						
6. 체위 변경하기						
7. 일어나 앉기						
8. 옮겨앉기						
9. 방밖으로 나오기						
10. 화장실 사용하기						

※ ADL 평가기준별 점수: 완전자립 1점, 감독필요 2점, 약간의 도움 3점, 상당한 도움 4점, 전적인 도움과 행위발생 안함은 5점임

11. 와상상태 여부
  □ 0. 아니오 □ 1. 예

E. 배설기능

1. 대변조절 상태*
  □ 0. 조절할 수 있음   □ 1. 가끔 실금함   □ 2. 자주 실금함   □ 3. 조절 못함

2. 소변조절 상태*
  □ 0. 조절할 수 있음   □ 1. 가끔 실금함   □ 2. 자주 실금함   □ 3. 조절 못함

3. 환자에게 실시하는 배변조절 기구 및 프로그램*(해당 항목에 모두 체크)
  □ a. 일정하게 짜여진 배뇨계획   □ b. 방광 훈련 프로그램   □ c. 규칙적 도뇨
  □ d. 외부(콘돔형) 카테터   □ e. 패드, 팬티형 기저귀   □ f. 인공루
  □ g. 유치도뇨관 삽입 ☞ 유치도뇨관 삽입(교체)일자 _____년 _____월 ____일
  □ h. 해당사항 없음

4. 배뇨일지 작성 여부* □ 0. 아니오 □ 1. 예

F. 질병진단

1. 질병*(해당 항목에 모두 체크)

☐ a. 당뇨(☞ 당뇨에 체크한 경우 (1), (2) 기재)

　(1) a. 혈당검사 매일 실시 여부 　☐ 0. 아니오 　☐ 1. 예b. 실시한 경우 가장 최근 혈당치

　　 b-1. 공복시 혈당 _____mg/dl 　b-2. 식후2시간 혈당 _____mg/dl

　(2) a. 최근 3개월 이내에 헤모글로빈A1c (HbA1c) 검사 실시 여부

　　 ☐ 0. 아니오 　☐ 1. 예b. 실시한 경우 기재

　　 b-1. HbA1c ____ .__% 　　 b-2. 검사일 _____년 ____월 ____일

☐ b. 고혈압 　☐ c. 요로 감염 　☐ d. 말초혈관질환 　☐ e. 하지 마비

☐ f. 사지마비 　☐ g. 편마비 　☐ h. 뇌성마비 　☐ i. 뇌혈관 질환

☐ j. 파킨슨병(G20) 　☐ k. 척수손상

☐ l. 중증근무력증 및 기타 근신경 장애(G70) 　☐ m. 근육의 원발성 장애(G71)

☐ n. 다발경화증(G35) 　☐ o. 헌팅톤병(G10) 　☐ p. 유전성 운동실조(G11)

☐ q. 척수성 근위축 및 관련 증후군(G12)

☐ r. 달리 분류된 질환에서의 일차적으로 중추신경계통에 영향을 주는 계통성 위축(G13)

☐ s. 진행성 핵상 안근마비[스틸-리차드슨-올스제위스키](G23.1)

☐ t. 중추신경계통의 비정형바이러스 감염(A81)

☐ u. 아급성 괴사성 뇌병증[리이](G31.81)

☐ v. 후천성면역결핍증(B20~B24, Z21) 　☐ w. 치매 　☐ x. 고지혈증

☐ y. 심부전 　☐ z. 만성폐색성폐질환 　☐ aa. 천식 　☐ ab. 해당사항 없음

2. 영양관련 장애*(해당 항목에 모두 체크)

☐ a. 콰시오르코르(E40) 　☐ b. 영양성 소모증(E41) 　☐ c. 소모성 콰시오르코르(E42)

☐ d. 상세불명의 중증 단백질-에너지 영양실조(E43)

☐ e. 중등도 및 경도의 단백질-에너지 영양실조(E44)

☐ f. 단백질-에너지 영양실조로 인한 발육지연(E45)

☐ g. 상세불명의 단백질-에너지 영양실조(E46)

☐ h. 해당사항 없음

G. 건강상태

1. 문제상황*(해당 항목에 모두 체크)

☐ a. 열(☞ 열에 체크한 경우 (1), (2) 기재)

　(1) 체온 ____ .__℃

　(2) 발열 원인을 찾는 검사와 처치 시행 여부 　☐ 0. 아니오 　☐ 1. 예

☐ b. 탈수 　☐ c. 구토 　☐ d. 체내출혈 　☐ e. 수술 3개월 이내 루 관리

☐ f. 출혈·감염 등의 문제로 인한 루 관리 　☐ g. 해당사항 없음

2. 통증*

a. 통증 발생 빈도 　☐ 0. 통증 없음 　☐ 1. 통증 있으나 매일은 아님 　☐ 2. 매일 통증이 있음

b. 통증 강도(☞ 통증이 있는 경우 (1), (2), (3) 중 하나를 기재)

　(1) 시각 통증 등급(Visual Analogue Scale, VAS) ____점

　(2) 숫자 통증 등급(Numeric Rating Scale, NRS) ____점

　(3) 얼굴 통증 등급(Faces Pain Scale, FPS) ____단계

c. 암성 통증 치료 여부 　☐ 0. 아니오 　☐ 1. 예

3. 낙상 여부*
    a. 지난 30일 이내에 낙상 있었습니까? □ 0. 아니오   □ 1. 예   □ 2. 확인 불가
    b. 지난 31일에서 180일 사이에 낙상 있었습니까? □ 0. 아니오   □ 1. 예   □ 2. 확인 불가

4. 말기질환*   □ 0. 아니오   □ 1. 예

H. 구강 및 영양 상태

1. 물이나 음식을 삼키기가 어렵습니까?   □ 0. 아니오 □ 1. 예

2-1. 체중*
    a. 환자평가표 작성기간에 체중 측정 여부 □ 0. 아니오 □ 1. 예
    b. 측정한 경우 기재 b-1. ____ .___Kg b-2. 측정일 _____년 ____월 ____일

2-2. 체중 감소가 있습니까?* □ 0. 아니오   □ 1. 예   □ 2. 확인 불가

2-3. 키(신장)*
    a. 키 측정 여부 □ 0. 아니오 □ 1. 예
    b. 측정한 경우 기재 b-1. ____ .___cm b-2. 측정일 _____년 ____월 ____일

2-3. 영양섭취 방법*
    a. 정맥영양을 하고 있습니까? □ 0. 아니오 □ 1. 예
    b. 경관영양을 하고 있습니까? □ 0. 아니오 □ 1. 예

2-4. 정맥 또는 경관을 통한 섭취*('3. 영양섭취 방법' 중 하나라도 '1. 예'인 경우만 체크)
    a. 지난 6일 동안 정맥 또는 경관으로 섭취한 칼로리의 비율 (1일 평균)
        □ 0. 없음   □ 1. 1-25%   □ 2. 26-50%   □ 3. 51-75%   □ 4. 76-100%
    b. 지난 6일 동안 정맥 또는 경관으로 섭취한 수분량 (1일 평균)
        □ 0. 없음   □ 1. 1-500 ㎖   □ 2. 501-1000 ㎖   □ 3. 1001-1500 ㎖
        □ 4. 1501-2000 ㎖   □ 5. 2001 ㎖ 이상

I. 피부상태

1. 피부 궤양(욕창 또는 울혈성 궤양 등)수 기재*(없는 경우 '0'으로 기재)

항목	1단계	2단계	3단계	4단계
욕창(압박성 궤양)				
울혈성 또는 허혈성 궤양 등				

2. 새로 발생한 욕창*(압박성 궤양)
    a. 이전 평가 이후 새로운 욕창(압박성 궤양) 발생 여부 □ 0. 없음 □ 1. 있음
    b. 발생한 경우 기재 발생일_____년 ____월 ____일

3. 지난 1년 사이의 욕창(압박성 궤양) 과거력*(현재의 욕창은 제외)
    □ 0. 없음   □ 1. 있음   □ 2. 확인 불가

4. 피부의 기타 문제*(해당 항목에 모두 체크)

☐ a. 2도 이상의 화상   ☐ b. 개방성 피부병변
☐ c. 수술 창상   ☐ d. 발의 감염   ☐ e. 해당사항 없음

5. 피부문제에 대한 처치*(해당 항목에 모두 체크)

☐ a. 압력을 줄여주는 도구 사용   ☐ b. 체위 변경
☐ c. 피부문제를 해결하기 위한 영양 공급
☐ d. 피부 궤양(욕창 및 울혈성궤양 등) 드레싱   ☞ 드레싱 부위   ☐ 1. 발   ☐ 2. 발 이외
☐ e. 피부 궤양(욕창 및 울혈성궤양 등) 이외의 드레싱   ☞ 드레싱 부위   ☐ 1. 발   ☐ 2. 발 이외
☐ f. 수술창상 치료   ☐ g. 해당사항 없음

J. 투약

1. 인슐린 주사제 투여 일수*

☐ 0. 투여되지 않음   ☐ 1. 투여되었으나 매일은 아님   ☐ 2. 매일 투여됨

2. 망상, 환각, 초조·공격성, 탈억제, 케어에 대한 저항, 배회에 대한 약물 치료 여부*

☐ 0. 아니오   ☐ 1. 예

3. 치매관련 약제 투여 여부*

☐ 0. 아니오   ☐ 1. 예

4. 지난 7일 동안 매일 복용한 의약품 수(제품명 기준)

☐ 0. 없음   ☐ 1. 5개 미만   ☐ 2. 5개 ~ 9개   ☐ 3. 10개 ~ 14개   ☐ 4. 15개 이상

K. 특수처치 및 전문재활치료

1. 특수처치*(해당 항목에 모두 체크)

☐ a. 정맥 주사에 의한 투약   ☐ b. 배뇨관련 루 관리
☐ c. 배변관련 루 관리   ☐ d. 영양관련 루 관리
☐ e. 산소요법(☞ 산소요법에 체크한 경우 (1), (2) 기재)
    (1) (산소투여 전) 산소포화도(SaO_2 또는 SpO_2) ___ .___%
    (2) 산소투여일수 _____일
☐ f. 하기도 증기흡입치료   ☐ g. 흡인   ☐ h. 기관절개관 관리   ☐ i. 수혈
☐ j. 인공호흡기   ☞ ☐ 1. 개인용   ☐ 2. 병원용
☐ k. 중심정맥영양   ☐ l. 해당사항 없음

2. 지난 7일 동안 전문재활치료를 실시한 날 수*(실시한 날이 없는 경우 '0'을 기재) _____일

작성	의 사	(서명)
	간호사	(서명)

「요양급여의 적용기준 및 방법에 관한 세부사항」일부개정에 따른 환자평가표 작성 세부기준 개정 (2019년 11월 1일부터 시행)

제 목	세부인정사항
A. 일반사항의 입원일*	이번 입원의 최초 입원일을 기재함.
A. 일반사항의 요양개시일	1. 최초 입원 월인 경우 입원일을 기재함. 2. 계속 입원으로 월초에 작성된 경우 해당 월의 1일을 기재함. 3. 특정기간 종료 후인 경우 특정기간 종료 다음 날짜(또는 정액수가 적용개시일)를 기재함.
A. 일반사항의 평가구분	이번 평가가 최초 입원평가인지 계속 입원중인 환자 평가인지를 기재함. 1. 입원평가: 입원하여 제 1~10일 사이에 작성된 경우 2. 계속 입원중인 환자평가: 입원평가가 아닌 경우 3. 이전 환자평가표를 적용하는 경우: 전월 환자평가표 작성일로부터 전월 마지막 날까지의 잔여일수가 7일 이하로 당월의 평가를 생략한 경우 또는 당월에 적용할 환자평가표가 없어 최근 3개월 이내의 환자평가표 중 가장 최근 평가표를 적용하는 경우
A. 일반사항의 작성일	환자평가표 작성일(관찰기간의 마지막날)을 기재함.
A. 일반사항의 혈압*	관찰기간 동안 측정한 혈압 중 가장 최근 기록을 기재함.
B. 의식상태의 혼수*	진료기록부에 담당의사가 '혼수', '반혼수' 또는 '지속적인 식물인간 상태' 등에 대한 의식상태를 기록한 경우 해당함.
B. 의식상태의 섬망*	진료기록부에 담당의사가 '섬망'에 대한 의식상태를 기록한 경우 해당함.
C. 인지기능의 단기기억력	알고 있거나 배운 것을 5분 후에도 동일하게 기억하는지 여부를 측정하여 기재하는 것으로 평가기준은 다음과 같음. - 다 음 - 0. 정상 : 세 낱말 모두를 기억하는 경우 1. 이상 있음 : 두 낱말 이하를 기억하는 경우 2. 확인 불가 : 혼수는 아니지만 단기기억력을 평가할 수 없는 경우
C. 인지기능의 일상 생활사에 관한 의사결정을 할 수 있는 인식기술	일상적인 생활(언제 식사해야 하는지, 휠체어의 용도를 알고 필요시 이용할 줄 아는지, 요의 또는 변의를 느낄 때 화장실을 가려는지, 도움이 필요한 경우 보조인력 등 다른 사람에게 도움을 요청할 수 있는지 등)과 관련하여 스스로 의사결정이 가능한 정도를 측정하여 기재하는 것으로 평가기준은 다음과 같음. - 다 음 - 1. 새로운 상황(평소와 다른 상황을 의미)에서만 의사결정의 어려움이 있는 경우 2. 인식기술이 다소 손상됨 : 의사결정 능력이 부족하여 지도나 감독을 요하는 경우 3. 인식기술이 심하게 손상됨 : 거의 또는 전혀 의사결정을 하지 못하는 경우 또는 어떤 방법으로도 의사표현이 안 되는 경우
C. 인지기능의 이해시키는 능력	말이나 글 등으로 의사소통을 할 때 자신의 의견이나 요구사항을 표현할 수 있는 정도를 측정하여 기재하는 것으로 평가기준은 다음과 같음. - 다 음 - 1. 대부분 이해시킴 : 단어를 찾거나 생각을 마무리하는데 어려움이 있는 경우 2. 가끔 이해시킴 : 구체적인 요청을 하는 데 제한이 있는 경우

C. 인지기능의 행동심리증상의 빈도*	행동심리증상의 경감을 위한 약제를 복용중인 경우에는 그 상태에서 동일 기준으로 평가함. 지난 7일 간의 상태를 기준으로 평가하되, 지난 4주간의 상태를 종합적으로 관찰하여 평가하는 것도 가능함. 관찰기간은 이전 관찰기간과 중복되지 않도록 함. 평가기준은 다음과 같음. - 다 음 - 0. 없음: 지난 7일(4주) 동안 행동심리증상이 전혀 나타나지 않은 경우 1. 가끔: 지난 7일(4주) 동안 1일(1~7일) 정도 행동심리증상이 나타난 경우 2. 자주: 지난 7일(4주) 동안 2일(8일) 이상 나타나나, 매일은 아닌 경우 3. 매우자주: 지난 7일(4주) 동안 매일 하루에 한 번 이상 행동심리증상이 나타난 경우 ※ 행동심리증상의 정의 a. 망상은 사실이 아닌 것을 사실이라고 믿거나, 남들이 자기를 해치려 하거나 무엇을 훔쳐갔다고 주장하는 것을 의미함. b. 환각은 헛것을 보거나 듣는 등 현재에 없는 것을 실제로 보거나 듣거나 경험하는 것을 의미함. c. 초조 또는 공격성은 소리를 지르거나 욕을 하거나, 다른 사람을 때리거나 밀치는 것, 안절부절 못하는 행동 등을 보이는 것을 의미함. d. 우울 또는 낙담은 슬퍼 보이거나 우울해 보이는 것, 환자 스스로 슬프거나 우울하다고 말하는 것을 의미함. e. 불안은 특별한 이유 없이 신경이 매우 예민해 보이거나, 걱정하거나 무서워하는 것을 의미함. f. 들뜬 기분 또는 다행감은 특별한 이유 없이 비정상적으로 기분 좋아하거나 재미있어하는 것을 의미함. g. 무감동 또는 무관심은 주변에 관심과 흥미를 잃거나, 새로운 일을 시작하려는 의욕이 감소하는 것을 의미함. h. 탈억제는 충동적 행동, 사회적으로 부적당한 행동 등을 보이는 것을 의미함. i. 과민 또는 불안정은 평소에 비해 비정상적으로 화를 내거나 성급해졌거나 감정이 급격하게 변하는 것을 의미함. j. 이상 운동증상 또는 반복적 행동은 반복적으로 왔다 갔다 하거나 같은 일을 계속해서 반복하는 것을 의미함. k. 수면 또는 야간행동은 밤에 자지 않고 깨어 있거나 서성거리거나 돌아다녀 다른 사람의 수면을 방해하는 것을 의미함. l. 식욕 또는 식습관의 변화는 식욕, 식습관, 음식의 선호가 바뀌는 것을 의미함. m. 케어에 대한 저항은 복약, 주사, 일상생활수행을 위한 도움, 식사 등에 대해 거부하는 것을 의미함. n. 배회는 납득할만한 목적 없이 돌아다니며, 필요사항이나 안전에는 신경 쓰지 않는 것 같이 보이는 것을 의미함.
C. 인지기능의 K-MMSE(또는 MMSE-K) 검사*	평가표 작성일로부터 6개월 이내의 검사 결과를 의미함.
D. 신체기능의 일상생활수행능력(ADL)	일상생활을 하는데 필요한 기본 동작들을 수행하는 능력을 종합적으로 판단하여 평가함. 일시적 변동이나 예외적 상황은 제외하고 반복적이고 통상적인 수행능력의 수준(빈도가 높은 것)을 평가함. 일상적인 보장구 및 보조구 등의 기구를 사용(착용)하고 있는 경우는 그 상태에서 판단하며 평가기준은 다음과 같음.

D. 신체기능의 일상생활수행능력(ADL)	- 다 음 -
	1. 완전자립 : 대부분의 경우 도움이나 감독 없이 스스로 수행할 수 있음.
	2. 감독필요 : 대부분의 경우 감독이나 격려가 필요함.
	3. 약간의 도움 : 대부분의 경우 환자가 스스로 행위를 수행하나 무게를 지탱하지 않는 정도의 도움이 필요함.
	4. 상당한 도움 : 대부분의 경우 무게를 지탱하는 도움을 제공하거나, 해당 활동의 일부분(전체가 아님)을 다른 사람이 전적으로 수행함.
	5. 전적인 도움 : 대부분의 경우 다른 사람의 전적인 도움을 받아 일상생활을 수행함.
	6. 행위발생 안함 : 일주일 동안 해당 행위가 전혀 발생하지 않음.
	※ ADL 항목별 정의 및 측정 시 유의사항
	1. 옷벗고 입기는 일상적인 옷 벗고 입는 일련의 행위를 의미함.
	2. 세수하기는 수건 준비, 수도꼭지 돌리기, 물 받기, 얼굴 씻기, 옷이 젖는지 확인, 수건으로 닦기 등의 행위를 의미함.
	3. 양치질하기는 칫솔에 치약 바르기, 칫솔질하기, 헹굼용 물 준비하기, 가글하기 등의 행위(틀니를 빼고, 씻고, 헹구는 등의 행위도 포함)를 의미함.
	4. 목욕하기는 목욕이나 샤워를 할 때 비누칠하기, 헹구기 등의 행위를 의미함.
	5. 식사하기는 투여 경로[경구, 비경구]를 불문하고 환자의 영양섭취와 관련된 일련의 동작을 의미함. 일반적인 식사의 경우 음식이 차려졌을 때 도구를 사용하여 스스로 섭취가 가능한 정도와 일반적인 식사[경관영양, 정맥영양(TPN 등)]가 아닌 경우 그에 상응하는 식사활동을 스스로 수행 가능한 정도를 평가함.
	신체적 기능이 있다하더라도 치매환자 등에서 인지적인 문제로 인하여 식사하기 동작 수행이 되지 않아 다른 사람(보조인력 등)이 먹여줘야 하는 경우는 다른 사람(보조인력 등)이 먹여준 것을 기준으로 측정함. 그러나 환자의 식욕, 기분 등으로 인해 식사하지 않으려 해서 다른 사람(보조인력 등)이 먹여주는 경우 환자의 실제 '식사하기' 동작의 수행능력 정도를 측정함.
	식사하기에서 '행위발생 안함'은 경구 또는 비경구 모두로 체내에 영양이 투여되지 않는 경우를 의미함. 그러므로 금식(NPO)을 하는 환자라도 비경구적으로 영양물질을 공급하고 있는 경우에는 '행위발생 안함'에 기재해서는 안 됨.
	6. 체위 변경하기는 제대로 돌아눕기, 엎드리기, 옆으로 눕기 등의 행위를 의미함.
	7. 일어나 앉기는 누운 상태에서 상반신을 일으켜 앉는 행위를 의미함.
	8. 옮겨앉기는 「침상에서 휠체어로」, 「의자에서 휠체어로」, 「휠체어에서 침상으로」, 「휠체어에서 의자로」 이동하는 행위를 의미함.
	9. 방밖으로 나오기는 환자가 자신의 방에서 복도 등으로 이동하는 행위를 말하며, 휠체어를 사용하는 경우는 일단 휠체어를 탄 상태에서 이동하는 능력을 평가함.
	10. 화장실 사용하기는 배뇨·배변과 관련된 일련의 동작으로 하의 벗기, 배설 후 닦기, 옷 입기, 변기에 물 내리기, 휴대용 변기 비우기, 사용한 카테터 뒤처리 등의 행위를 의미함. 화장실 또는 실내변기가 있는 곳까지 이동하는 능력은 측정대상에 포함되지 않음. 실내변기, 침상용 변기, 소변기를 사용하는 경우와 인공항문, 인공요루 등을 한 환자의 경우에도 그 상태에서의 수행정도를 판단함. 화장실 사용하기에서 '행위발생 안함'은 어떤 형태로든 배설 행위가 전혀 일어나지 않은 경우를 의미함.
D. 신체기능의 와상상태 여부	일주일에 적어도 4일 이상 하루 22시간 이상을 자리에 누워 있는 상태를 말함.

E. 배설기능의 일반사항	원인에 관계없이 발생하는 모든 실금현상의 존재 여부와 그 정도를 평가함. 실금의 정도는 하루 24시간을 기준으로 기재함. 낮에는 대소변 조절이 가능하나, 밤에 예방적 차원으로 기저귀를 채우고 그 기저귀에 실금을 하였다면 이는 실금이 있는 것으로 봄.
E. 배설기능의 대변조절 상태*	환자의 배변 주기를 고려하여 판단하며 평가기준은 다음과 같음. - 다 음 - 0. 조절할 수 있음: 전혀 실금하지 않는 경우 1. 가끔 실금함: 평균적인 배변 횟수를 고려하여 실금하는 경우보다 조절하는 경우가 더 많거나 같은 경우 2. 자주 실금함 : 평균적인 배변 횟수를 고려하여 조절하는 경우보다 실금하는 경우가 더 많은 경우 3. 조절 못함 : 배변을 보는 주기에 관계없이 배변할 때마다 실금하는 경우
E. 배설기능의 소변조절 상태*	환자의 소변 주기를 고려하여 판단하며 평가기준은 다음과 같음. - 다 음 - 0. 조절할 수 있음 : 전혀 실금하지 않는 경우 1. 가끔 실금함 : 실금하는 경우보다 조절하는 경우가 더 많거나 같은 경우 2. 자주 실금함 : 조절하는 경우보다 실금하는 경우가 더 많은 경우
E. 배설기능의 배변조절 기구 및 프로그램*	a. 일정하게 짜여진 배뇨계획(Scheduled toileting plan) 　방광이 차는 것과 관계없이 정해진 시간에 다른 사람(보조인력 등)이 환자를 화장실에 데리고 가거나, 소변기를 주거나, 화장실에 가도록 상기시켜 주는 것을 말함. b. 방광 훈련 프로그램(Bladder training program) 　인지기능 손상이 없는 환자에게 방광근 및 요도괄약근 재훈련을 위하여 의식적으로 배설하는 것을 지연시키도록 하거나 긴박하게 소변이 나오는 것을 참도록 교육시키는 것을 말함. c. 규칙적인 도뇨수행 　(CIC, Clean Intermittent Catheterization) 　일정한 간격(3~6시간)으로 방광 내에 고여 있는 소변을 배출시키는 것을 말함. d. 외부(콘돔형) 카테터 　남성환자에게 유치도뇨관 삽입 없이 배뇨를 하기 위한 도구를 말함. f. 인공루 　요루(urostomy), 장루(colostomy) 등을 말함.
E. 배설기능의 배뇨일지 작성 여부*	작성일을 기준으로 7일 이상 지속적으로 작성한 경우 "예"로 기재함.
F. 질병진단의 일반사항	의사가 진단한 기록에 근거하여 기재. 최근의 일상생활수행능력, 인지기능, 정서, 행동, 의학적 치료, 간호 감시, 사망의 위험과 직접적인 상관이 있는 질병에만 기재함[현재 문제가 되지 않는(비활동성) 진단은 기재하지 않음].
F. 질병진단의 질병*	c. 요로 감염은 지난 30일 이내에 요로 감염으로 인해 연속해서 1주일 이상 비경구 항생제가 투여된 경우에 해당함.
G. 건강상태의 문제상황*	a. 열은 37.2℃(직장 체온은 37.5℃) 이상의 체온이 3일 이상 있는 경우를 말함. b. 탈수는 다음 중 2가지 이상에 해당되는 경우(①, ③은 I/O sheet에 근거해야 함)를 말함. - 다 음 - ① 1일 섭취하는 수분량이 1500 ㎖ 미만인 경우

G. 건강상태의 문제상황*	② 탈수의 임상적 증상[건조한 구강점막, 피부탄력도 저하, 색이 짙은 소변, 새로 발병한 또는 악화된 혼돈, 비정상적인 임상검사 결과(헤모글로빈, 헤마토크리트, 칼륨, 혈액요소질소, 요비중 증가 등)]등을 보이는 경우 ③ 구토, 열, 설사 등으로 섭취한 수분량 보다 수분 소실량이 많은 경우 c. 구토는 약물독성, 독감, 심인성 문제 등 원인에 상관없는 구토를 말함.
G. 건강상태의 통증*	통증은 통증 유발요인 혹은 완화요인(provocation/palliation), 통증의 양상(quality), 통증부위(region/radiation), 통증강도(severity), 통증 지속시간(timing) 등을 평가하여 진료기록부 등에 기록함. 통증강도는 통증 사정도구(VAS 등)를 이용하여 판단하며, 여러 부위에 통증이 있고 각 부위별 통증강도가 다를 경우에도 환자상태별 통증점수와 빈도 등을 통합적으로 고려하여 통증의 빈도와 강도를 기재함.
G. 건강상태의 낙상 여부*	작성일을 기준으로 지난 30일 이내 또는 31일에서 180일 사이의 낙상존재여부를 말함.
G. 건강상태의 말기질환*	진료기록부에 '말기질환 또는 end-stage disease' 등 의사의 기록이 있어야 하며, 질환의 종류를 불문하고 기대 여명이 얼마 남지 않아 의사가 말기상태로 진단한 것을 의미함.
H. 구강 및 영양 상태의 연하장애	정맥 또는 경관영양 등을 하고 있어 입으로 물이나 음식을 삼키지 않는 경우에는 연하곤란 증상이 없는 것으로 평가함.
H. 구강 및 영양 상태의 체중*	관찰기간 내에 체중을 측정한 경우 기재함. 체중 감소란 지난 31일 이내에 5% 이상 감소 또는 184일 이내에 10% 이상 감소한 경우에 한함. 계산식1〉 [지난달 체중(kg) – 이번달 체중(kg)]/[지난달 체중(kg)] ≥ 0.05 계산식2〉 [6개월전 체중(kg) – 이번달 체중(kg)]/[6개월전 체중(kg)] ≥ 0.1 ※ 체중 감소율은 소수 셋째자리에서 절사
H. 구강 및 영양 상태의 영양 섭취방법*	a. 정맥영양(parenteral/IV)은 영양섭취를 목적으로 지속적 또는 간헐적으로 정맥내 영양 공급(TPN 등)을 하는 것을 말함. b. 경관영양은 비위관 또는 위루 등을 통해 영양 공급을 하는 것을 말하며 경구를 통한 수분 또는 영양섭취가 곤란한 상태에서 지난 7일 이상 지속적으로 경관영양을 한 경우에 해당함.
H. 구강 및 영양 상태의 정맥 또는 경관을 통한 섭취*	I/O sheet 등에 근거하며 실제 환자가 섭취한 열량 및 수분량을 기준으로 계산함. a. 섭취한 칼로리 비율 지난 6일 동안 환자가 섭취(구강섭취 포함)한 총 칼로리 중 정맥 또는 경관을 통해 섭취한 칼로리의 비율(1일 평균) $$\frac{\text{지난 6일 동안 정맥·경관영양으로 섭취한 열량}}{\text{지난 6일 동안 총 섭취 열량}} \times 100$$ b. 수분 섭취량 지난 6일 동안 정맥 또는 경관을 통해 섭취한 1일 평균 수분량 $$\text{지난 6일 동안 정맥·경관영양으로 섭취한 수분의 총량} / 6$$
I. 피부상태의 피부 궤양*	의사가 진단한 기록에 근거하여 기재함. 피부 궤양(skin ulcer)의 종류에는 욕창(압박성 궤양), 울혈성 궤양, 허혈성 궤양, 말초신경병증 궤양이 있음. 진료기록부에 담당의사가 피부 궤양에 대한 근거 등을 기록한 경우에 해당하며 피부 궤양(skin ulcer)의 종류에는 욕창(압박성 궤양), 울혈성 궤양, 허혈성 궤양, 말초신경병증 궤양이 있음.

I. 피부상태의 피부 궤양*	압박성 궤양(pressure ulcer)은 일정한 부위에 지속적 압력이 가해졌을 때 모세혈관의 순환 장애로 인해 조직의 궤사가 일어나는 것, 울혈성 궤양(stasis ulcer)은 하지의 부적절한 정맥 순환으로 인해 발생하는 정맥성 궤양(venous ulcer) 또는 말초정맥질환(PVD, Peripheral Vascular Disease)으로 인한 궤양, 허혈성 궤양(ischemic ulcer)은 동맥관류부전으로 인하여 주로 하지에 나타나는 동맥성 궤양(arterial ulcer), 말초신경병증 궤양(neuropathic ulcer)은 당뇨병 환자에서 흔히 나타나는 궤양을 말함. 딱지(necrotic eschar)로 뒤덮여 있어 단계를 알 수 없다면 변연절제(Debridement)를 수행할 때까지 4단계로 기재하고, 낫고 있는(healing) 궤양의 단계를 평가할 경우 현재 보이는 양상대로 평가함. 예를 들어 3단계 욕창이 낫는 과정에서 현재 2단계 궤양의 양상을 보인다면 2단계로 기재함. 평가기준은 다음과 같음. - 다 음 - 1단계 : 압박을 제거한 후에도 지속적으로 피부 발적은 있으나, 피부 균열은 없는 경우 2단계 : 피부가 벗겨지거나 수포모양을 보이는 부분적인 피부층의 소실 있는 경우 3단계 : 피부가 전층 소실되거나 피하층이 나타나고 깊은 분화구가 생긴 경우 4단계 : 피부와 피부층이 전부 소실되고 근육이나 뼈가 노출된 경우
I. 피부상태의 새로 발생한 욕창*	이전 평가 이후 새로 발생한 욕창(압박성 궤양) 존재 여부를 의미함.
I. 피부상태의 지난 1년 간 욕창 과거력*	욕창(압박성 궤양)이 지난 1년 이내에 발생했다가 치유된 적이 있는지를 확인함. 현재의 압박성 궤양, 울혈성 궤양 등의 과거력은 제외함.
I. 피부상태의 피부의 기타 문제*	a. 2도 이상의 화상은 진료기록부에 담당의사가 '2도 이상의 화상'에 대한 피부상태를 기록한 경우 해당함. b. 개방성 피부병변은 매독이나 피부암 등으로 인하여 발생한 개방성 피부질환을 의미함.(피부 궤양, 자상, 발적은 제외) c. 수술창상은 수술 후 회복되지 않은 상처를 의미함. d. 발의 감염은 봉소염, 화농성 배출물이 있는 경우에 해당함.
I. 피부상태의 피부문제에 대한 처치*	a. 압력을 줄여주는 도구에는 젤, 공기 또는 다른 쿠션을 포함한 의자나 휠체어, 공기방석, 물침대, 에어매트리스, 거품침대 등을 말함(도넛모양의 쿠션은 포함하지 않음). b. 체위 변경은 두 시간마다 지속적으로 환자의 체위를 변경시켜주는 것을 말함. c. 피부문제를 해결하기 위한 영양은 적절한 열량공급(30 ㎉/kg 이상)이나 고단백 치료(1.25 g/kg 이상)만 해당함. f. 수술창상 치료는 수술창상을 보호하거나 치료하기 위한 중재를 말함. 예를 들어 국소 청결(topical cleansing), 창상세척(wound irrigation), 항생제연고 등을 발라줌, 드레싱 실시, 봉합사 제거, 침수 또는 열 요법을 적용한 경우임. 흉관(Chest-tube) 등의 드레싱도 포함함.
K. 특수처치 및 전문재활치료의 정맥 주사에 의한 투약*	주사 투여기준 범위 내에서 연속 또는 간헐적으로 3일 이상 정맥 주사로 치료약제가 투여된 경우를 말함. 영양물질, 투석, 진단 혹은 수술 전 처치에 수반되는 일시적 약물만 투여된 경우는 제외함.
K. 특수처치 및 전문재활치료의 배뇨관련 루 관리*	방광루, 요루 등의 관리를 말함.
K. 특수처치 및 전문재활치료의 배변관련 루 관리*	장루 등의 관리를 말함.
K. 특수처치 및 전문재활 치료의 영양관련 루 관리*	위루 등의 관리를 말함.

K. 특수처치 및 전문재활치료의 산소요법*	마스크, 캐뉼라 등 투여경로를 불문하고 작성일을 기준으로 지난 14일 중 7일 이상 산소를 투여하되, 산소포화도(SaO_2 또는 SpO_2)가 90% 이하인 상태에서 산소 투여를 시작한 경우를 말함. 날을 달리하여 비연속적으로 산소를 투여하는 경우에도 산소포화도(SaO_2 또는 SpO_2)가 90% 이하로 재시작한 경우만 해당하고, 산소를 투여하는 하루 중에는 지속적 또는 간헐적으로 투여할 수 있음. 관찰기간은 이전 관찰기간과 중복되지 않도록 함. 관찰기간이 14일 미만인 경우에도 7일 이상 연속적으로 산소를 투여하거나 산소 투여일수의 합이 7일 이상이어야 함.
K. 특수처치 및 전문재활치료의 하기도 증기흡입치료*	자4-1 하기도 증기흡입치료의 급여기준에 적합하게 시행한 경우를 말함.
K. 특수처치 및 전문재활치료의 흡인*	흡인(suction)으로 상기도 및 기관지내의 분비물을 배출시키는 경우에 한함. 구강내 및 비강내 흡인만 하는 경우는 제외함.
K. 특수처치 및 전문재활치료의 기관절개관 관리*	기관절개관 교환 및 기관절개구와 캐뉼라의 세정 등을 시행한 경우 해당함.
K. 특수처치 및 전문재활치료의 인공호흡기*	지난 7일 동안 1일 8시간 이상 지속적으로 인공호흡기를 사용한 경우를 말하며 인공호흡기를 떼는 과정(weaning)도 포함함. 간헐적 양압/음압호흡치료(IPPB/INPB), 지속적 양압호흡치료(CPAP), 양위양압호흡치료(BIPAP) 등과 같은 호흡치료는 제외함.
K. 특수처치 및 전문재활치료의 중심정맥영양*	중심정맥관을 통하여 영양물질을 공급한 경우에 해당함.
K. 특수처치 및 전문재활치료의 전문재활치료*	지난 7일 동안 건강보험 행위 급여·비급여 목록표 및 급여 상대가치점수 제3편 (별표1) 특정항목에 해당하는 재활치료를 실시한 날 수를 기재함. 재활치료 인정기준은 건강보험 행위 급여·비급여 목록표 및 급여 상대가치점수 제1편에 의함.

환자평가표 개정 관련 질의·응답

(보건복지부 고시 제2019-101호 관련, 2019.11.1.적용)
(보건복지부 고시 제2019-125호 관련, 2019.11.1.적용)

1	환자평가표의 '건강생활습관'의 작성기준은 어떻게 되나요?	입원 평가인 경우에만 작성하는 것을 원칙으로 합니다. – '흡연'은 작성일 기준으로 흡연하고 있는 경우에만 '예'로 기재함 – '음주'는 입원하기 전 과거 1개월간의 음주습관을 기재하되, 술의 종류와 양에 관계없이 일주일에 3회 이상 음주하는 경우 '예'로 기재함 – '규칙적 운동 및 식사'는 입원하기 전 과거 1개월간의 운동 및 식사습관을 평가하여 기재함
2	환자평가표의 '장기요양등급'의 작성기준은 어떻게 되나요?	입원 평가인 경우에만 작성하는 것을 원칙으로 합니다. 환자평가표 A. 일반사항 중 ○ 11번. 장기요양등급 및 신청 관련 – '해당사항 없음'은 65세 미만이거나, 노인성 질환자가 아니어서 장기요양등급신청 자격이 아닌 경우 기재함 – '신청하였으나 인정 못 받음'은 장기요양등급 신청결과 '기각' 또는 '각하'를 의미함 – '등급 내 자'는 장기요양 인정조사 후 등급을 받은 경우(1등급~5등급, 인지지원등급)를 의미함 – '등급 외 자'는 장기요양 등급신청 하였으나, 등급 내 자가 아닌 경우(등급 외 자 A~C)를 말함 ○ 12번. 장기요양등급 및 이용 서비스 관련 – 'a. 등급'은 장기요양등급 '등급 내 자'에 한해서 평가하여 기재하며 환자가 기억을 잘 못할 경우 '확인불가'로 기재함 – 'b. 이용 중인 또는 이용하였던 서비스'는 장기요양등급 '등급 내 자'에 한해서 평가하여 기재하며 환자가 기억을 잘 못하거나, 자신이 받는 서비스의 내용을 모를 경우, 특별현금급여, 가족요양비를 받는 경우는 '기타'로 기재함 ○ 13번. 장기요양서비스 욕구의향 관련 – 65세 이상이거나 노인성 질환을 갖고 있으면서, 등급 판정이 없는 경우에만 평가하여 기재함
3	'사회환경 선별조사'의 작성기준은 어떻게 되나요?	환자평가표 A. 일반사항 중 ○ 14. 사회환경 선별조사 관련 – a. 사회환경 선별조사 각 항목(b~g)에 답변 거부일 경우 '응답거부' 기재함 – b. 가족, 친지 등의 보호자 또는 유·무급 형태의 돌봄 고용인력 모두 포함하여 식사준비 등의 수발을 해줄 수 있는 사람이 없는 경우 '예'로 기재함 – d. 기차역, 공원, 차량 등에서의 노숙 또는 안정적으로 거주할 곳이 없어 찜질방, PC방 등을 떠돌며 (방랑)생활을 한 적 있는 경우 '예'로 기재함 – f. 교통수단 부족은 교통수단 자체가 없거나, 혼자서는 대중교통을 이용하기 힘들어, 타인의 도움이 필요한데 도움을 받지 못하는 경우 '예'로 기재함
4	환자평가표는 누가 작성하나요?	환자평가표는 당해 환자를 담당하는 의사 및 간호사가 의무기록을 근거로 작성해야 하며, 의무기록에 비치합니다.

@ 배뇨훈련 프로그램 사례

<table>
<tr><td colspan="14" align="center">배 뇨 훈 련 기 록 지</td></tr>
<tr><td colspan="2">병실:</td><td colspan="3" align="center">등록번호:</td><td colspan="3" align="center">이름:</td><td colspan="6" align="right">성별/나이:</td></tr>
<tr><td colspan="2">20 년도</td><td rowspan="2">시 간</td><td rowspan="2">배뇨방법</td><td rowspan="2">훈련방법</td><td rowspan="2">배뇨량(cc)</td><td rowspan="2">비 고</td><td rowspan="2">서명</td><td colspan="2">20 년도</td><td rowspan="2">시 간</td><td rowspan="2">배뇨방법</td><td rowspan="2">훈련방법</td><td rowspan="2">배뇨량(cc)</td><td rowspan="2">비 고</td><td rowspan="2">서명</td></tr>
<tr><td>월</td><td>일</td><td>월</td><td>일</td></tr>
<tr><td></td><td></td><td>05시</td><td></td><td></td><td></td><td></td><td></td><td></td><td></td><td>05시</td><td></td><td></td><td></td><td></td><td></td></tr>
<tr><td></td><td></td><td>09시</td><td></td><td></td><td></td><td></td><td></td><td></td><td></td><td>09시</td><td></td><td></td><td></td><td></td><td></td></tr>
<tr><td></td><td></td><td>13시</td><td></td><td></td><td></td><td></td><td></td><td></td><td></td><td>13시</td><td></td><td></td><td></td><td></td><td></td></tr>
<tr><td></td><td></td><td>16시</td><td></td><td></td><td></td><td></td><td></td><td></td><td></td><td>16시</td><td></td><td></td><td></td><td></td><td></td></tr>
<tr><td></td><td></td><td>20시</td><td></td><td></td><td></td><td></td><td></td><td></td><td></td><td>20시</td><td></td><td></td><td></td><td></td><td></td></tr>
<tr><td></td><td></td><td>05시</td><td></td><td></td><td></td><td></td><td></td><td></td><td></td><td>05시</td><td></td><td></td><td></td><td></td><td></td></tr>
<tr><td></td><td></td><td>09시</td><td></td><td></td><td></td><td></td><td></td><td></td><td></td><td>09시</td><td></td><td></td><td></td><td></td><td></td></tr>
<tr><td></td><td></td><td>13시</td><td></td><td></td><td></td><td></td><td></td><td></td><td></td><td>13시</td><td></td><td></td><td></td><td></td><td></td></tr>
<tr><td></td><td></td><td>16시</td><td></td><td></td><td></td><td></td><td></td><td></td><td></td><td>16시</td><td></td><td></td><td></td><td></td><td></td></tr>
<tr><td></td><td></td><td>20시</td><td></td><td></td><td></td><td></td><td></td><td></td><td></td><td>20시</td><td></td><td></td><td></td><td></td><td></td></tr>
<tr><td></td><td></td><td>05시</td><td></td><td></td><td></td><td></td><td></td><td></td><td></td><td>05시</td><td></td><td></td><td></td><td></td><td></td></tr>
<tr><td></td><td></td><td>09시</td><td></td><td></td><td></td><td></td><td></td><td></td><td></td><td>09시</td><td></td><td></td><td></td><td></td><td></td></tr>
<tr><td></td><td></td><td>13시</td><td></td><td></td><td></td><td></td><td></td><td></td><td></td><td>13시</td><td></td><td></td><td></td><td></td><td></td></tr>
<tr><td></td><td></td><td>16시</td><td></td><td></td><td></td><td></td><td></td><td></td><td></td><td>16시</td><td></td><td></td><td></td><td></td><td></td></tr>
<tr><td></td><td></td><td>20시</td><td></td><td></td><td></td><td></td><td></td><td></td><td></td><td>20시</td><td></td><td></td><td></td><td></td><td></td></tr>
<tr><td></td><td></td><td>05시</td><td></td><td></td><td></td><td></td><td></td><td></td><td></td><td>05시</td><td></td><td></td><td></td><td></td><td></td></tr>
<tr><td></td><td></td><td>09시</td><td></td><td></td><td></td><td></td><td></td><td></td><td></td><td>09시</td><td></td><td></td><td></td><td></td><td></td></tr>
<tr><td></td><td></td><td>13시</td><td></td><td></td><td></td><td></td><td></td><td></td><td></td><td>13시</td><td></td><td></td><td></td><td></td><td></td></tr>
<tr><td></td><td></td><td>16시</td><td></td><td></td><td></td><td></td><td></td><td></td><td></td><td>16시</td><td></td><td></td><td></td><td></td><td></td></tr>
<tr><td></td><td></td><td>20시</td><td></td><td></td><td></td><td></td><td></td><td></td><td></td><td>20시</td><td></td><td></td><td></td><td></td><td></td></tr>
<tr><td></td><td></td><td>05시</td><td></td><td></td><td></td><td></td><td></td><td></td><td></td><td>05시</td><td></td><td></td><td></td><td></td><td></td></tr>
<tr><td></td><td></td><td>09시</td><td></td><td></td><td></td><td></td><td></td><td></td><td></td><td>09시</td><td></td><td></td><td></td><td></td><td></td></tr>
<tr><td></td><td></td><td>13시</td><td></td><td></td><td></td><td></td><td></td><td></td><td></td><td>13시</td><td></td><td></td><td></td><td></td><td></td></tr>
<tr><td></td><td></td><td>16시</td><td></td><td></td><td></td><td></td><td></td><td></td><td></td><td>16시</td><td></td><td></td><td></td><td></td><td></td></tr>
<tr><td></td><td></td><td>20시</td><td></td><td></td><td></td><td></td><td></td><td></td><td></td><td>20시</td><td></td><td></td><td></td><td></td><td></td></tr>
<tr><td colspan="7" align="center">배 뇨 방 법</td><td colspan="7" align="center">훈 련 방 법</td></tr>
<tr><td colspan="7">1. 화장실(이동식 좌변기)에 모셔가기
2. 소변기 대주기
3. 화장실(이동식 좌변기) 이용하도록 알려주기

◆ 항목에 해당하는 숫자기입</td><td colspan="7">1. 변기에 앉거나 앞으로 구부리는 자세
2. 수돗물 소리 들려드림
3. 회음부에 따뜻한 물 부어주기
4. 하복부 warm bag 대 주기
5. 다리나 대퇴내면 마사지</td></tr>
</table>

그림 62-1. **배뇨훈련일지.** (인천은혜요양병원 간호국 사례)

5. 환자평가표 작성 훈련용 시험문제

아래의 문제들은 전국요양병원 실무자 모임 네이버 카페(http://cafe.naver.com/bobathconsulting)에 정성은 선생님께서 올려 주신 자료이며, 본 책에 싣도록 허락해 주셨습니다.

※ O, X 문제이다. 맞으면 O, 틀리면 X로 표시하시오.

[문제 1] 타 병원에서 폐렴으로 진단받고 고단위 정맥용 항생제 치료를 받다가 우리 병원으로 전원하여 입원한 환자 C의 소견서 상에 아직도 고단위 항생제 치료를 더 하는 것이 좋겠다는 내용이 있다. 본원에서 확인한 흉부단순촬영 상 더 이상의 폐침윤 소견은 보이지 않았으나 일반혈액검사 상 백혈구 증가가 보여 주치의는 폐렴으로 특정기간 등록을 요청하였다.( )

[문제 2] 환자 D는 인지기능이 낮아 자신의 병력을 잘 모르는 분으로 ADL 19점 정도로 체크되고 있으며 좌측의 편마비가 있지만 뇌혈관 질환에 대한 병력을 확인할 수 없다. 보호자도 없어 구청에서 관리 중인 의료급여1종 환자인데, 최근 평가기간 중에 헤모글로빈 수치가 7.5g/dL로 확인되어 수혈을 실시하였다. 이에 따라 이번 달의 환자평가표에서 등급 상승이 예상된다.( )

[문제 3] 환자 E는 1년 전에 머리를 심하게 다쳐 수술을 하였으나 후유증으로 의식이 명확하지 않은 채 와상 상태로 지내고 있다. 눈을 마주치기도 하고 어쩌다가 혼자 괴성을 지르기도 하며 하품과 재채기도 한다. 주치의의 경과기록지에는 여전히 Stupor(혼미)로 기록되어 있다. 그러나 사람을 전혀 알아보지 못하고 눈으로 사물을 쫓아가는 동작도 보이지 않아 환자평가표 상에 Coma(혼수)로 기록할 경우 등급 상승의 여지가 있을 것 같아 이에 대해 주치의와 논의를 하려 한다.( )

[문제 4] 환자 F가 인근의 요양원에 있다가 상태가 악화되어 본원으로 전원되어 왔다. 입원 사정을 실시하였더니, 엉덩이에 욕창이 1개 있다. 다행히 크기가 크지는 않고 그다지 깊어보이지도 않았다. 그러나 피부에 1x1 cm의 괴사된 피부조직이 덮혀 있었다. 그 아래로 근육층까지 손상된 것 같지는 않아보여 환자평가표에 3단계 욕창 1개로 기록하였다.( )

[문제 5] 환자 G는 전형적인 알츠하이머 치매로 4월 20일에 본원에 입원하였다. 그러나 입원 이틀째부터 발열과 탈수가 보여 이에 대한 대증적 치료 후 호전되었다. 4월 평가표에는 이를 반영하여 의료고도가 되었다. 5월부터 환자는 안정되어 5월 평가표를 작성한다면 인지장애군으로 등급이 하향될 것을 우려하여 5월달에는 따로 평가표를 작성하지 않고 4월 평가표를 그대로 쓰기로 하였다.( )

[문제 6] 환자 H는 5월 2일에 입원하였다. 입원 3일째인 5월 4일에 기도흡인으로 인한 폐렴이 발생하여 주치의 진단 하에 폐렴 특정기간으로 등록하여 치료를 받고 다행히 항생제 치료 2주 만에 호전되어 5월 18일에 특정기간을 종료하였다. 5월 3일(폐렴 등록 전날)에 관찰기간이 부족하지만 환자평가표를 작성하였는데, 5월 24일 현재 그 당시보다 환자 상태가 좋지는 않아 5월 3일에 작성한 환자평가표를 폐기하고 5월 24일에 새로 작성하였다.( )

[문제 7] 문제행동의 빈도에서 초조/공격성 등의 문제행동이 '있다'라는 의미는 [없음/가끔/자주/매우자주] 에서 '자주'이상을 체크했을 때부터이다.( )

[문제 8] '요실금이 있다'라는 의미는 [조절할 수 있음/가끔 실금함/자주 실금함/조절 못함] 에서 '가끔 실금함' 항목을 체크했을 때부터이다.( )

[문제 9] 재원 환자 중에서 65세가 넘는 경우에 6개월마다 MMSE를 정기적으로 측정하는 것이 적정성평가의 지표관리를 위해 도움이 된다.( )

[문제 10] 환자 K가 평가기간 중인 5월 10일에 발열 증세가 있었다. 4월 3일에 측정한 체중이 53 kg였으며 이번 달 체중이 감소된 상태로 보여 발열 당일에 확인을 해보니 50 kg로 측정되어 5월 10일 작성한 환자평가표에 발열과 체중 감소 항목에 체크를 하였다.( )

[문제 11] 환자 L이 식사량이 부족하여 최근 3일간(5월1일~5월3일) 정맥영양을 실시하였으며, 그 내용은 아래와 같다.

	경구섭취 수분량	경구섭취 칼로리	정맥 주사
5월 1일	600 ml	500 kcal	10%D/W 500 ml
5월 2일	600 ml	500 kcal	10%D/W 500 ml
5월 3일	600 ml	500 kcal	10%D/W 500 ml

5월 1일에 아미노산 영양제 250 ml를 추가로 정맥 주사를 하였다면, 5월 4일에 작성한 환자평가표의 환자분류군은 정맥영양에 의해 의료고도가 확보가 된다.( )

[문제 12] 환자 M은 버거씨 병으로 또 다시 발가락에 허혈성 궤양이 발생하였다. 환자평가표에 이 부분을 기록해야 하는데, 적정성평가 기간이라면 적정성지표 관리에 악영향을 줄 수 있는 내용이다.( )

[문제 13] 환자 N은 1월 초에 입원하신 분으로 ADL 13점이며 파킨슨병으로 약물치료를 하고 있다. 입원 당시에 측정한 Hb이 12 g/dl였는데, 5월 초에 추적검사 결과 9.5 g/dL로 체크되어 입원당시에 비해 Hb이 2 g/dL이상 감소되어 수혈을 실시하였고, 환자분류군의 상승을 예상하며 이번 달 환자평가표의 수혈 항목에 V 체크를 하였다.( )

[문제 14]

환자 J모씨는 만성폐쇄성폐질환으로 입원 중인 분이다. 호흡곤란의 완화를 위해 산소요법을 실시 중인데, 최근 산소 요법 결과를 살펴보니 아래와 같다.

4월 18일: 산소 투여 전 산소포화도 90%로 확인되어 산소투여 2 L/min 실시

4월 19일: 산소 투여 전 산소포화도 91%이지만 호흡곤란 증세가 있어 산소투여 실시

4월 20일: 산소 투여 전 산소포화도 88%로 확인되어 산소투여 실시

4월 21일: 4월 20일 이후 계속 실시 중임, 실시 중인 상태에서 산소포화도 94%로 체크

4월 22일: 4월 20일 이후 계속 실시 중임, 실시 중인 상태에서 산소포화도 93%로 체크

4월 23일: 산소 투여 없었음

4월 24일: 산소 투여 없었음

4월 25일: 산소 투여 전 산소포화도 89%로 확인되어 산소 투여 실시하였으나 5분도 지나지 않아 환자가 거부하여 산소투여 중단함

4월 26일: 산소 투여 전 산소포화도 88%로 확인되었으나 환자가 산소 투여 거부

4월 27일: 산소 투여 없었음

4월 28일: 산소 투여 전 산소포화도 88%로 확인되어 산소투여 실시

4월 29일: 산소 투여 없었음

4월 30일: 산소 투여 없었음

5월 1일: 산소 투여 전 산소포화도 91%이지만 호흡곤란 증세가 있어 산소투여 실시

5월 1일에 환자평가표를 작성한다 해도 산소요법에 체크할 수 있다.(   )

[문제 15]

환자O는 3일 전에 요추의 압박골절상을 입고 보존적 치료를 위해 입원하신 분이다. 5년 전 발생한 뇌경색으로 약간의 후유증으로 좌측 편마비가 있었으나 비교적 잘 다니셨다고 한다. 좌측 상, 하지는 관절의 구축이 약간 있고 근력강도 측정결과 5점 만점에 4점 정도로 확인된다. ADL점수는 허리의 운동제한 때문에 18점 정도가 나오며 매일 중등도의 통증이 있다. 이 경우 평가표의 뇌혈관 질환에는 체크할 수 있으나 편마비 항목에는 체크할 수 없다.(   )

[문제 16]

중심정맥영양을 인정받으려면, 중심정맥관이 확보된 상태에서 평가 기간 중 단 1일이라도 중심정맥영양을 실시하면 된다. 그런데, 중심정맥영양을 실시하는 당일에 팔이나 다리에 유지되고 있는 말초정맥관을 통해 하트만액(H/S)을 공급하였다면 중심정맥영양에 체크할 수 없으므로 주의해야 한다.(   )

[문제 17]

당뇨병 환자의 최근 2~3개월 간의 혈당 조절 상태를 확인하기 위한 수단으로 주치의는 당화혈색소(HbA1c)를 검사하곤 한다. 요양병원에서는 심평원의 적정성평가 지표관리를 위해 당뇨병 환자의 HbA1c검사를 최소 6개월마다 정기적으로 해야 한다.(   )

※ 답안 및 해설

[문제 1] X   요양병원에서 폐렴으로 특정기간을 시작하려면 **흉부단순촬영상 폐침윤소견이 필수**입니다.

[문제 2] X   뇌혈관 질환에 체크가 되어있지 않더라도 **편마비에 ADL 19점이면 이미 의료고도**이므로 수혈을 시행하더라도 등급의 변화는 없습니다.

[문제 3] O   환자의 의식은 일단 식물인간상태인 것은 맞습니다. 외상성 또는 비외상성 **뇌손상 후 1개월이 지나야 지속적 식물인간상태**라는 용어를 적용할 수 있으므로 혼수에 체크할 수 있는 상황입니다.

[문제 4] X   욕창이 발생한 부위가 **괴사된 피부로 덮혀있는 경우 그 깊이를 정확히 알 수 없을 때는 4단계**로 기록합니다.

[문제 5] O   지난 월 평가표 작성일이 **당월이 시작되기 1주 이내에 작성**되었다면 평가구분 "3.이전 평가표" 적용을 할 수 있습니다. 4월 20일에 입원한 환자는 **4월 26일~4월 29일 사이에 환자평가표가 작성**되었을 것이므로 이에 해당됩니다.

[문제 6] O   특정기간이 시작되기 전에 관찰기간이 1주일이 확보되지 않더라도 환자평가표를 작성할 수 있지만, **그 달에 특정기간이 종료되고 이후로 관찰기간 1주일이 확보된다면** 앞의 평가표를 그대로 사용해도 되지만 폐기하고 새로 작성할 수 있습니다.

[문제 7] O

[문제 8] X   '실금이 있다'라는 의미는 **'자주 실금함'**부터입니다.

[문제 9] X   재원 환자의 정기적 MMSE는 적정성평가의 지표관리와는 관련이 없습니다. **새로 입원하는 65세 이상의 환자**에게만 해당됩니다.

[문제 10] X   체중 감소의 정의는 체중측정일 간격이 31일 이내이면 5%, 32일~184일이면 **10% 이상**의 감소를 보여야 합니다. **4월 3일과 5월 10일은 "32일~184일"에 해당**되는데 (53-50)/53의 결과가 10% 미만이므로 체중 감소가 아닙니다.

[문제 11] O 평가표 작성일(5/4) 이전 최근 3일(5/1~5/3)

3일간 정맥 수분량: 500x3 + 250=1750 ⇒ 1일 평균 정맥 수분량: 1750/3=**583 mL**

3일간 섭취 칼로리 비율: (50x3x3.84 + a) / (50x3x3.84 + a + 500*3) = **27.7% 이상**

[10% D/W 500 mL에는 포도당 50 g 포함, 포도당 1 g당 통상 3.84 kcal, 영양제 칼로리(a)]

* 영양제의 칼로리를 무시하더라도 **27.7%**가 나오며 영양제 칼로리를 포함할수록 수치가 증가합니다. 따라서, **[섭취 칼로리 비율이 51%이상]**, 또는 **[섭취 칼로리 비율이 26~50%이지만 섭취수분량이 501 mL이상]**이면 **의료고도**에 해당되므로 맞습니다.

[문제 12] X 적정성평가 지표는 욕창에만 해당됩니다.

[문제 13] X 수혈이 인정되려면 수혈 전 **Hb이 9.0미만이거나 최근 3개월 이내의 결과보다 2 g/dl이상 감소**되어야 합니다. Hb 9.5이며 감소폭이 2 g/dl를 넘지만 1월과 5월은 **최근 3개월 이내에서 벗어나**므로 해당되지 않습니다.

[문제 14] X 산소요법이 인정되려면 **산소 투여를 시작할 당시의 산소포화도가 90% 이하**이어야 합니다. 또한 관찰기간은 작성일 기준으로 14일 입니다. 그에 따라 계산을 해보면...

5월 1일에 작성한다면 4월 18일부터 관찰기간에 포함되며 산소투여가 인정되는 날은 **4/18 4/20~4/22, 4/25, 4/28** 이렇게 총 6일이므로 7일 이상이 되어야 하는 기준에 미달됩니다.

[문제 15] X ADL 악화 요인이 편마비때문이 아니라고 해서 편마비를 체크할 수 없는 것은 아닙니다. 물론 수가 등급은 ADL과 편마비로 산출될 것입니다.

[문제 16] X 중심정맥영양 중에 **경구/경관/말초정맥관**을 통해 **칼로리가 공급되면 인정되지 않습니다.** 수분공급은 관계 없으며 **하트만액에는 칼로리가 없으므로** 중심정맥영양에 체크할 수 있습니다.

[문제 17] X 당뇨병 환자의 HbA1c는 **입원 시와 최근 1년 이내의 검사 결과**가 있으면 됩니다.

63 동영상을 활용한 일상생활수행능력 평가

• 환자평가표 작성과 수가 산정 시에 ADL 단계의 정확한 평가가 매우 중요하다고 알고 있지만, 실제로 다양한 환자의 ADL 평가가 쉽지 않습니다. 기준이 될만한 지침이 없을까요?

– 필자 등이 제작한 동영상 자료가 있으니 활용하시기 바랍니다.

요양병원형 수가제도에 따른 환자군 분류와 기본수가 산정에 있어서 가장 중요한 기준은 환자평가표의 D 항목에 포함된 "일상생활수행능력" 즉 ADL 점수이다. ADL 점수 역시 환자평가표의 일반적인 원칙에 따라 요양병원 병동 간호사가 최근 7일 간의 환자 상태를 기준으로 평가하며, 환자의 자립도에 따라 각각 "완전자립", "감독필요", "약간의 도움", "상당한 도움", "전적인 도움"으로 분류하고 일주일 동안 해당 행위가 전혀 발생하지 않은 경우에는 "행위발생 안 함"으로 구분한다.

환자평가표에서는 1번 옷 벗고 입기, 2번 세수하기, 3번 양치질하기, 4번 목욕하기, 5번 식사하기, 6번 체위 변경하기, 7번 일어나 앉기, 8번 옮겨앉기, 9번 방 밖으로 나오기, 10번 화장실 사용하기 등의 열 가지 신체활동에 대해 점수를 매기는데, 완전자립은 1점, 감독필요는 2점, 약간의 도움은 3점, 상당한 도움은 4점, 전적인 도움이나 행위발생 안 함은 5점으로 하여 총점은 10점에서 50점 사이가 된다. 이 들 ADL 항목 중에서 특히 5번 식사하기, 6번 체위 변경하기, 8번 옮겨앉기, 10번 화장실 사용하기는 환자군 분류 시에 낙상 위험 평가 항목으로 사용된다는 것도 알아두면 좋겠다.

■ 각 단계별 특징은 다음과 같다.

1. 완전자립 : 대부분의 경우에 도움이나 감독 없이 스스로 수행할 수 있는 경우를 말한다.

2. 감독필요 : 대부분의 경우에 감독이나 격려가 필요한 환자가 이에 해당한다. 예를 들어 시각 장애, 보행 장애가 있거나 스스로 어떤 행위를 시작하는 데에 동기 부여가 늦는 환자들의 경우이다. 이러한 환자들은 일단 동기 부여가 되면 추가적인 격려 없이도 해당 활동을 끝내는 정도의 활동 능력을 보인다. 다음 단계인 "약간의 도움" 단계와의 차이점은 "감독 필요" 단계에서는 구체적인 행위에 대한 "지시"가 없이도 스스로 행위를 수행할 수 있다는 점이다.

3. 약간의 도움 : 대부분의 경우, 환자가 스스로 행위를 수행하나 무게를 지탱하지 않는 정도의 도움이 필요한 경우이다. 예를 들어 지퍼 달린 옷은 잠글 수 있으나 단추나 끈 묶는 것은 도와줘야 하는 경우, 스스로 얼굴을 물로 닦고 양치를 할 수 있지만 비누나 수건, 치약, 물컵은 가져다 주는 경우, 혼자서 수저질을 할 수 있지만 옆에서 계속 격려를 해주어야 식사를 마치는 경우 등이 이에 해당한다.

4. 상당한 도움 : 대부분의 경우, 무게를 지탱하는 도움을 제공하거나, 해당 활동의 일부분을 타인이 전적으로 수행하는 경우이다. 예를 들어, 물에 적신 수건이나 치약 묻힌 칫솔을 전해 주어야 얼굴을 스스로 닦고 양치를 스스로 하는 정도이며, 옮겨 앉거나 방 밖으로 나오려 할 때에 타인이 몸을 지탱해 주어야 하는 정도의 상태이다.

5. 전적인 도움 : 대부분의 경우 타인의 전적인 도움을 받아 일상생활을 수행하는 경우가 이에 해당한다.

■ 평가 시 유의사항

1. 일상생활 동작 수행 능력을 종합적으로 판단한다.

2. 일시적, 예외적 상황은 제외한다.

3. 반복적, 통상적 수행능력을 기준으로 평가한다.

4. 기분 등의 이유로 스스로 할 수 있음에도 수행하지 않는 경우에는 이를 기준으로 판단하면 안 된다.

5. 환자를 평가하는 간호사는 환자의 상태를 면밀히 관찰하고 필요한 경우 직접 확인하거나 환자에게 질문을 하는 등의 과정을 통해 먼저 스스로 판단을 내린 후 다른 간호사나 간병인의 의견을 들어 종합적으로 판단한다.

다음의 표는 10가지 ADL에 대하여 [감독필요] – [약간의 도움] – [상당한 도움] – [전적인 도움]의 사례들을 소개한 것이다.

	옷 벗고 입기	세수 하기	양치질 하기	목욕 하기	식사 하기
감독 필요	환자는 시각장애가 있어 다른 사람의 옷을 가능성이 있기 때문에, 직원은 환자에게 본인의 옷을 알려주고 적절히 입는지 옆에서 지켜본다.	환자는 혼자서 세수하기를 할 수 있지만, 동기유발이 되지 않는다. 매일 직원이 격려해주고 긍정적인 자극을 주어야만 스스로 씻는다. 일단 시작을 하면 혼자서 완벽하게 수행할 수 있다.	환자가 양치 거품이나 물을 삼키지 않는지 옆에서 지켜봐야 한다.	환자는 감독을 받으면서 혼자서 목욕을 한다.	환자는 연하곤란(dysphagia)와 choking의 경험이 있어서, 식사는 독립적으로 할 수 있으나, 매 식사시마다 누군가가 곁에 앉아 있어야 한다. 환자는 시각장애와 혼돈이 있으나, 식사시간에 누군가가 식판에 담긴 음식의 종류와 형태, 위치 등을 알려주면 혼자서도 먹을 수 있다. 환자는 인지장애가 있으나, 한 번에 한 가지 음식을 먹도록 하고 적정량을 먹는지 감독을 하면 혼자서 먹을 수 있다.
약간 도움	환자는 평소에 지퍼가 있는 옷은 입을 수 있지만, 단추나 끈이 있는 옷을 입을 경우에는 단추나 끈을 잠그는 것을 도와주어야 한다.	환자는 인지기능 장애가 있어 직원이 세수를 하도록 지시하고 그 과정을 지켜봐야 한다. 비누나 수건을 건네주기는 하지만 얼굴을 닦거나 물로 헹구는 등의 행위는 스스로 수행한다.	환자는 인지장애가 있어 양치를 하도록 항상 지시를 해야 하고 치약이나 물컵을 건네주어야 하지만 대부분의 행위는 스스로 수행한다.	환자는 인지장애가 있으나 직원이 지시를 해주면 욕조 안으로 들어갈 수 있고 비누를 집어 주거나 몸을 잠가주어야 한다.	환자는 스스로 수저를 쥐고, 그릇 뚜껑을 열어서 혼자서 먹을 수 있기는 하지만, 식사시 쉽게 지치고 식사에 대한 흥미가 쉽게 저하되어 식사를 마칠 때까지 옆에서 격려를 해주고 수저를 입으로 가져갈 수 있도록 도와주어야 한다.
상당 도움	환자는 탄력스타킹을 입고 벗는 것을 제외하고는 혼자서 옷을 입을 수 있다. 직원이 매일 아침에 스타킹을 입혀주고 매일 밤 벗겨준다. 관절염인 환자는 매일 아침에 간병인이 옷을 입혀 주나, 오후에 관절이 유연하다고 느껴지면 팔을 소매에 끼거나 아래 단추 잠궈주기 정도만 도와주고 다른 동작은 환자가 한다.	환자는 하지마비로 인해 침상 밖으로 스스로 나갈 수는 없다. 항상 직원이 수건에 물을 적셔서 가져다주면 스스로 얼굴을 닦는다.	환자는 시각장애가 있어 손에 쥐어주면 양치질을 할 수 있지만, 항상 손에 치약을 묻힌 칫솔과 헹굼용 물을 준비하여 물컵을 쥐어 주어야만 한다	환자는 욕조에 들어가는 데에 무게를 지탱하는 정도의 도움을 받아야 한다. 그렇지만 욕조 안에서는 혼자 비누칠 등을 할 수 있다. 환자는 샤워를 할때 물 뿌리기는 혼자 가능하나 비누질이나 때 밀기 등은 혼자 하지 못하고 직원이 해준다.	환자는 항상 처음 식사시작에 어려움이 있어서, 누군가가 처음 몇 번은 환자의 손을 잡고 도와준 후에 계속하도록 격려하면 혼자서도 먹을 수 있다. 환자는 약간의 떨림이 있어 손으로 샌드위치, 떡, 과일 등을 먹는다. 그러나 액체음식이나 수저를 이용한 음식을 먹을 때는 항상 다른 사람의 도움을 받는다. 환자는 아침과 점심에는 의료진이 지켜보는 가운데 혼자서 식사를 할 수 있으나, 오후에는 피곤해져서 전적으로 직원의 도움을 받아 식사를 한다. 환자는 경관영양을 그만두기 위해 하루 중 두 번 정도 경관영양을 전적인 도움을 받아 실시하고, 적은 양의 음식을 입으로 먹고 있다.
전적 도움	환자는 옷을 입는데 전적인 도움을 받고 있다. 혼자서 팔을 소매에 넣는다거나 발을 들어 바지에 끼는 동작을 전혀 할 수 없다.	환자는 와상상태로 직원이 수건과 대야에 물을 받아와서 침상에서 닦아준다.	환자는 양치질을 스스로 하지 못하고 전적으로 간병인이 해주고 있다. 환자는 현재 의치를 하고 있다. 환자는 스스로 움직이지 못하여 직원이 의치의 세척 및 관리를 해주고 있으며, 거즈를 이용하여 구강관리도 해주고 있다.	환자는 스스로 움직이지 못하여 기구를 이용하여 이동하고 직원이 전적으로 목욕을 시켜 준다.	환자는 모든 음식물에 대해 jejunostomy를 통해 경관영양의 전적인 도움을 받고 있다. 환자는 인지장애가 있어 스스로 식사를 하거나 음료를 마실 수 없다. 간병인이 항상 옆에서 음식을 떠먹여주고 음료를 입에 마실 수 있도록 대어준다.

	체위변경 하기	일어나 앉기	옮겨 앉기	방밖 나오기	화장실 이용하기
감독 필요	침상에서 신체적으로 자세를 바꿀 수는 있지만 주로 왼쪽으로 눕는 것을 좋아하여 그 자세를 유지하려고 해서 환자는 침상에 있는 동안 자주 조언을 받고 자세교환 하는 것을 감독 받는다. 환자는 침상에서 움직일 때 trapeze를 사용하는 것에 대해 설명을 듣고, 감독을 받는다. 그러나 trapeze 사용으로 인해 가끔 팔이 아플 때 주변 사람으로부터 약간의 도움을 받는다.	누운 상태에서 침대에 묶인 줄이나 옆에 있는 난간을 잡도록 지시를 하면 혼자 일어날 수 있다.	환자가 침대에서 휠체어로 이동할 때 감독을 받아야 한다. 간병인은 침대 옆에 의자를 가져다 놓고, 환자가 침대에서 의자로 이동할 때 의자를 꼭 잡고 천천히 움직이라고 알려주어야 한다.	환자가 지팡이를 이용하여 혼자서 걸어 다닐 수는 있으나, 넘어질 우려가 있어 간병인이 옆에서 감독을 하거나 조심하도록 하는 지시를 해주어야 한다. 환자는 휠체어를 타고 혼자서 이동할 수는 있지만, 인지장애가 있어 주로 간병인이 옆에서 안전한 이동을 위하여 감독을 해야 한다.	환자는 화장실 이용이 독립적이나, 간병인이 화장실 밖에서 머무르면서 안전을 체크해야만 한다. 환자가 화장실을 갈 때 간병인은 항상 옆에서 바지의 지퍼를 열도록 상기시켜 주어야 하며, 배변을 본 후 손을 씻도록 알려주어야만 한다.
약간 도움	환자가 주로 오른쪽으로 누워 있으려고 한다. 그러나 환자에게 욕창의 과거력이 있어, 직원은 환자의 손을 침상난간(side rail)에 놓아주고 환자가 침상에서 자세를 변경하도록 격려한다.	오전에는 혼자서 상체를 일으키나, 오후가 되면 기운이 빠져 간병인이 도움을 주는 경우가 가끔 있다	환자는 침상에서 안전하게 나오기 위해서는 다른 한 사람의 도움을 받아야 하지만, 휠체어까지는 독립적으로 이동할 수 있다. 환자가 침상에서 의자로 옮겨가기 위해서는 지팡이가 필요하다. 직원이 침상 근처까지 지팡이를 가져다주고 지팡이를 잡고 안정된 자세를 취하는 것을 도와주면 환자가 혼자 옮겨간다.	환자는 낙상 경험이 있기 때문에 모든 보행 시 손을 잡아 주는 정도의 도움을 받는다.	간병인은 환자가 바지의 지퍼를 여는 것을 도와주어야 하며, 배변을 본 후 수건을 손에 쥐어주며 손을 닦도록 알려주어야만 한다.
상당 도움	환자는 침상에서 자세를 바꿀 수 있다. 그러나 환자가 머리를 30도 정도 올리고 자기 때문에 가끔 침대 발치 쪽으로 몸이 내려온다. 환자가 3번이나 침대 발판을 딛고 몸을 올리도록 밤근무 직원이 무게를 받쳐 준다. 환자가 침대 발치 쪽으로 자주 미끄러져 내려와 2명의 직원이 침대 위쪽으로 환자를 이동시켜주는데, 환자는 자신의 무릎을 구부리고 무릎을 펴서 이동할 수 있다. 환자는 옆으로 돌아눕기 위해 항상 침대난간을 잡고, 다른 사람의 신체적 도움을 받아 다리의 자세를 바로 잡고, 시트를 돌려서 돌아눕는 도움을 받는다.	환자는 허리 통증으로 인해 혼자서는 일어날 수가 없으나, 직원에게 기대어 상체에 힘을 주면 일어나 앉고 그 자세를 유지할 수 있다.	환자의 이동능력은 매일 매일 다양하다. 어떤 경우는 도움을 필요로 하지 않지만, 그래도 주로 다른 사람이 무게를 받쳐주는 도움을 필요로 한다. 환자는 항상 혼자서 의자에서 일어서는 것이 힘들다. 그래서 일어설 때는 직원 한명이 환자의 몸을 부분적으로 잡고 들어 올리며 지탱해줘야 한다	지난 7일간 환자는 새로운 보조기를 착용하고 이동할 때마다 부축해주어야 한다.	환자는 매번 손을 닦아주며, 바지를 벗고 입혀주기 등의 동작에 도움을 주어야 한다. 기저귀로 대소변을 보는 환자로 기저귀 교환을 주로 간병인이 해주고 있으나 교환 시 엉덩이를 들고 바지를 올리는 등 일부 행위에 참여한다. 환자는 최근 발작적인 어지러움 증세(bouts of vertigo)가 있다. 직원은 그녀가 침상에서 이동식변기(commode)를 이용하여 배변활동을 할 수 있도록 변기를 대어주고 뒤처리를 하는 동작은 도움을 필요로 한다.
전적 도움	심각한 통증을 동반한 관절장애 때문에 환자는 침대에서 움직일 때 완전히 다른 사람한테 의존한다. 환자는 체위변경 과정을 스스로 할 수 없기 때문에 직원에게 뭘 원하는지, 어떻게 해야 편안한지를 말해주었다.	환자는 스스로 전혀 일어나지 못해 직원에게 무게를 실어 상체를 일으키고 베개 등의 지지대가 있어야만 자세의 유지가 가능하다.	환자는 큰 수술을 거친 후 육체적으로 많이 쇠약해진 상태이다. 그래서 매일 두 명의 간병인이 환자를 들어 안락의자(reclining chair)로 이동시킨다. 환자는 이러한 이동의 과정에 어떤 식으로든 참여할 수 없는 상태이다.	환자는 전신마비 상태로, 간병인이 환자를 휠체어에 앉히고 휠체어를 밀어서 하루에 한 번 병실 밖으로 나간다.	환자는 신체적, 인지적으로 심각한 장애를 가지고 있어서, 침상에 누워만 있으려 한다. 환자는 요실금과 변실금이 있어 직원이 일정 시간마다 기저귀를 갈아주는 등 배설 및 개인위생과 관련된 도움을 받고 있다.

[완전자립]의 단계를 포함한 총 50가지 에피소드의 샘플을 소개한 본 동영상은 건강심사평가원 블로그(blog.daum.net/hira-qa)에서 무료로 시청할 수 있다.

그림 63-1. 10가지 ADL의 단계별 사례들

■ "약간의 도움"을 정확히 이해하면 평가가 쉬워진다!

[약간의 도움]보다 양호하면 [감독 필요], 안 좋으면 [상당한 도움]으로 암기하면 된다! 따라서 [약간의 도움]을 확실히 이해하는 것이 중요하다!

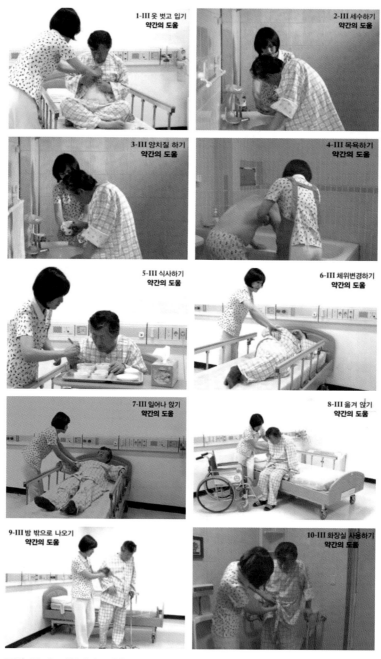

그림 63-2. "약간의 도움"동영상 장면. "손을 잡는 정도의 도움"으로 이해하면 쉽다!

약간의 도움	
1. 옷 벗고 입기	평소에 지퍼는 스스로 잠글 수 있으나, 단추나 끈이 있는 옷은 직원의 도움을 받아 입는다.
2. 세수하기	직원의 지시가 있어야 시작하며, 얼굴을 닦거나 물로 헹구는 행위는 환자 스스로 수행하나, 비누나 수건은 직원이 건네주어야 하는 정도.
3. 양치질하기	직원의 지시가 있어야 시작하며, 직원이 치약이나 물컵을 건네주면 대부분의 행위는 스스로 수행하는 정도.
4. 목욕하기	직원의 지시가 있어야 욕조 안으로 들어갈 수 있고, 비누를 집어 주거나 물을 잠가주어야 한다. 욕조 안으로 들어갈 때에 넘어지지 않도록 잡아준다.
5. 식사하기	스스로 수저질을 하고 그릇 뚜껑을 열어 혼자서 먹을 수 있으나, 식사 도중에 쉽게 지치고 식사에 대한 흥미가 저하되어 옆에서 직원이 격려를 해주고 수저를 입으로 가져갈 수 있도록 도와주어야 한다.
6. 체위 변경하기	환자가 한쪽으로만 누워 있으려고 하여 직원은 환자의 손을 침상 난간(side rail)에 놓아주고 환자가 침상에서 자세를 변경하도록 격려한다.
7. 일어나 앉기	항상은 아니더라도 직원이 손을 잡아주어야 상체를 일으키는 정도.
8. 옮겨 앉기	환자가 침상에서 의자나 휠체어로 내려올 때에 직원이 손을 잡아 도와 준다.
9. 방밖으로 나오기	보행 시에 낙상의 우려로 직원이 손을 잡아주어야 한다.
10. 화장실 사용하기	직원은 환자가 바지 끈 푸는 것을 도와주며 배변 후에는 손을 닦도록 알려 줌.

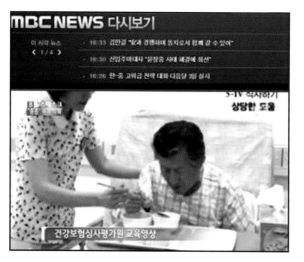

그림 63-3. **언론에 소개된 요양병원 ADL 기준 동영상**

◆ 적정성 평가 항목 (진료부문)

일상생활수행능력 감퇴환자 분율 (치매환자군 / 치매환자제외군)

◇ 감퇴 : 다음의 하나에 해당될 때
 - 10개 ADL 항목 중 값이 1이상 증가한 항목이 2개 이상
 - 2이상 증가한 항목이 1개 이상
◇ 제외 대상
 전월 평가에서 10가지 ADL 값이 모두 '전적인 도움'이거나 '행위발생 안함'
 개선과 감퇴가 모두 발생한 경우

64 구강 관리

- 치아가 한 두 개 밖에 남아 있지 않을 때 뽑아버리는 것이 낫지 않을까요?

– 남아 있는 치아가 건강한 치아라면 뽑지 않는 것이 좋습니다. 치아 뿌리에 있는 치근막은 씹는 맛을 느끼게 하는 감각기능이 있습니다. 예를 들어 하나라도 치아가 남아있는 경우와 하나도 없는 경우는 음식을 씹을 때의 느낌이 다를 수 있습니다. 또한 치아가 하나뿐이라 할지라도 건강한 치아가 있으면 틀니를 걸쳐 고정시킬 수 있습니다. 잇몸에 놓이는 총의치보다 더욱 안정감이 있습니다. 하지만 치주병이 진행되어 치아가 간신히 잇몸에 붙어 있는 상태라면 뽑는 편이 나을 수도 있습니다.

1. 노인에게서 많이 볼 수 있는 구강 문제점

1) 심한 입 냄새(구취)
   a. "노인 냄새"의 대표적 원인
   b. 다른 사람이 얼굴을 찡그린다. → 사회적 위축 → 우울증
   c. 치아우식증, 치주병 등의 세균에 의한 입 냄새
   d. 기타 원인 : 만성비염, 위궤양, 만성 기관지염, 당뇨병, 암 등

2) 치주병

치아가 흔들리거나, 그대로 방치하면 빠진다.

3) 잇몸 퇴축

잇몸이 퇴축되어 마치 치아가 길어진 것처럼 보임(그림 63-1).

4) 의치가 맞지 않는다.

의치가 벗겨지거나 잇몸에 상처를 준다.

5) 치석

치아와 잇몸의 경계에 생기기 쉽다. 치주낭 속에 축적되어 있는 치석은 관리가 어렵다.

6) 프라그

치아우식증(충치)이나 치주병의 원인이 되는 세균의 소굴

7) 치아우식증(충치)

치아의 뿌리에 발생하는 경우도 있다.

8) 구내염

의치의 금속 등이 닿으면 상처가 생기거나 궤양을 일으키기도 한다.

9) 구강 건조

입 안이 마르면서 오염물이 부착되는 경우가 증가

10) 설태

혀 표면에 오염물이 부착된다.

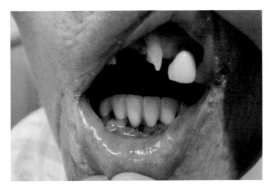

그림 64-1. **잇몸이 퇴축되어 치아가 길어 보인다.**

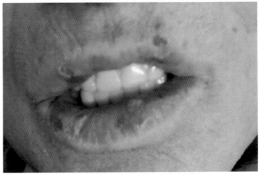

그림 64-2. **입술 주변에 생긴 아프타성 궤양.** 구강 내에도 같은 모양의 궤양이 생겼을 확률이 높으므로 입 안도 자세히 관찰한다. 이런 환자는 자극적인 음식을 먹기 힘들어 영양결핍으로 이어질 수도 있다.

2. 환자의 구강 관리

1) 입 속을 천으로 닦아낼 때에는 어디를 닦아야 하나?

a. 다음 그림처럼 안쪽(깊숙한 곳)부터 바깥쪽을 향에 닦으면 기도흡인(aspiration)이 방지된다.
b. 물을 너무 많이 적시면 입 안에 물이 고이므로 주의!!

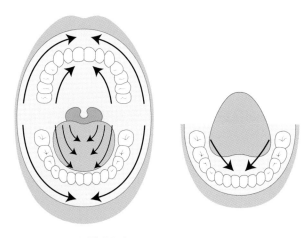

그림 64-3. **입 속을 천으로 닦는 방향**

2) 편마비 환자의 구강 관리

a. 앉을 수 없는 경우(그림 64-4)
 – 스스로 닦을 수 있는 사람은 마비된 쪽이 아래로 가게 옆으로 누워, 마비되지 않은 손으로 칫솔을 잡고 닦는다.
 – 스스로 닦지 못하는 사람은 마비되지 않은 쪽이 아래로 가게 하여 옆으로 눕힌다.
b. 앉을 수 있는 경우(그림 64-5)
 – 마비된 쪽에 쿠션 등을 대어 몸의 균형을 유지한다.
 – 마비된 쪽을 의식하기 위해 거울을 보며 칫솔질을 하면 도움이 된다.

그림 64-4. 앉을 수 없는 우측 편마비 환자의 이 닦기   그림 64-5. 앉을 수 있는 좌측 편마비 환자의 이 닦기

3) 가글을 할 때에는 볼을 이용하고, 목을 뒤로 젖히지 않도록 한다.

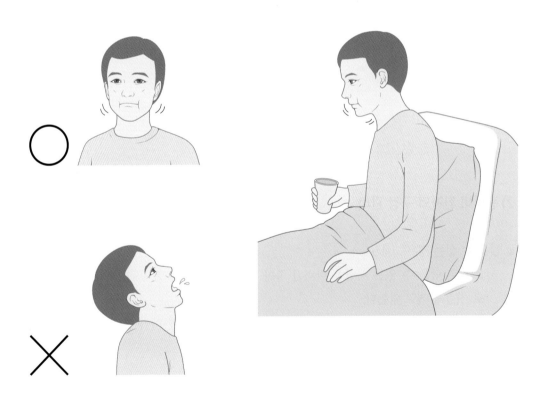

그림 64-6. 가글은 목을 앞으로 약간 숙이고 볼을 움직이면서 헹군다.

4) 간병인도 옆에서 함께 이를 닦고 헹구면 그것을 보고 잘 따라 하는 환자도 있다

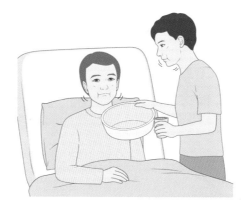

그림 64-7. 간병인과 함께 가글하기

5) 가글이 불가능 할 때

a. 물로 씻어내는 방법(그림 64-8)

　얼굴을 옆으로 향하게 하고 젖어도 상관없는 타올을 깐 후, 턱에 그릇을 받치고 입을 벌린 다음 물을 부으며 씻어낸다.

b. 천으로 닦아내는 방법(그림 64-9)

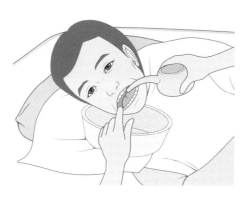

그림 64-8. 물로 씻어내기

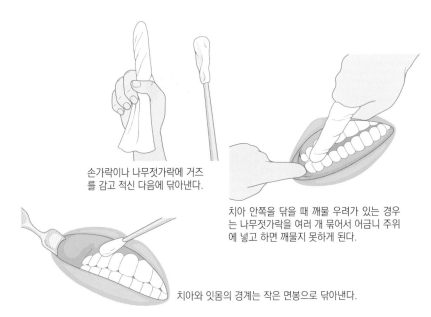

손가락이나 나무젓가락에 거즈를 감고 적신 다음에 닦아낸다.

치아 안쪽을 닦을 때 깨물 우려가 있는 경우는 나무젓가락을 여러 개 묶어서 어금니 주위에 넣고 하면 깨물지 못하게 된다.

치아와 잇몸의 경계는 작은 면봉으로 닦아낸다.

그림 64-9. 천으로 치아와 잇몸 닦기

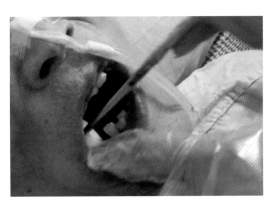

그림 64-10. 생리식염수로 적신 cotton으로 치아와 잇몸을 닦는 모습

6) 의치(틀니) 관리하기

a. 가능하면 매 식후 관리한다.

b. 의치 닦는 법
  - 끓는 물이나 표백제 사용은 안된다.
  - 치약 사용하지 말고 2~3일에 한번 의치세정제로 닦는다.
  - 자기 전에는 씻어놓은 의치를 물에 담가 보관
  - 매일 하는 관리 : 의치를 떨어뜨려 파손되거나 배수구에 떠내려가는 것을 막기 위해 아래에 통(대야)을 놓고 의치용 칫솔로 닦는다.

의치 세정제의 표시성분 확인

◇ 발포 타입 : 일반적인 오염 제거에 적합. 거품과 과산화수소로 오염을 제거. 칸디다 등의 미생물에는 효과가 약하다.
◇ 산소계 : 산소력으로 미생물을 제거. 담뱃진이나 찻물 등에는 별로 효과 없다.
◇ 치아염소산계 : 강한 살균 작용. 오래 담가 두면 의치의 금속 부분과 플라스틱이 변색

c. 의치 끼우는 방법
  의치를 물에 적신다 ⇒ 총의치의 경우 상악부터 앞으로, 검지와 엄지로 중앙을 받치면서 의치를 비스듬히 해서 끼운다 ⇒ 아래쪽 의치는 검지로 붙잡고 천천히 장착

d. 의치 빼내는 방법
  아래쪽 의치부터 빼낸다. 의치 끝을 잡아 당겨서 빼낸다. ⇒ 위쪽 의치도 양끝을 잡고 가만히 내리면 빠진다.

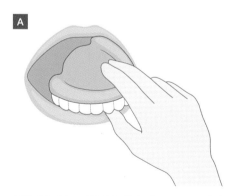
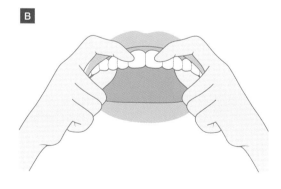

그림 64-11. **의치끼우기**(A) **및 의치 빼내기**(B)

65 간병인에 대한 교육 및 감독

- 간병인은 환자에게 어떤 일이 생겼을 때 바로 간호사에게 보고하여야 하는가?

－ 시시콜콜한 일까지 모두 보고하도록 한다.

간병이란 신체적이나 정신적으로 불편한 사람들을 옆에서 돌보며 도와주는 일로서, 만성 질환이나 외상, 정서적 장애 등 혼자 일상생활을 하기 어려운 사람들을 도와주는 일이며, 질환의 악화나 합병증을 예방하며, 회복할 수 있도록 수발하며 돕는 일이다. 간병인이란 병원이나 가정에서 앓는 이를 가족 대신 돌보아주는 사람으로서 간병서비스를 제공하는 사람을 말하며, '돌보는 이' 또는 '간병인'이라고 부른다. 간병인은 전문 교육을 받아 환자들에게 필요한 간병 서비스를 제공한다.

간병의 목적

◇ 병이 악화되는 것을 예방한다.
◇ 환자의 일상생활을 보조하여 불편함이 없도록 한다.
◇ 환자의 신체적 건강 증진 및 정서적, 심리적 안정을 가져온다.
◇ 환자에게 매여 있던 가족이 본연의 일을 할 수 있도록 한다.

요양병원의 특징 중 하나가 바로 "공동 간병인 제도"이다. 일반 병원에 입원하는 경우에는 환자의 특성에 따라 필요한 경우에만 개인 간병인을 이용하지만, 대부분의 환자가 일상생활수행능력이 저하되어 간병인의 도움을 필요로 하는 요양병원의 경우는 일반적으로 병원과 간병 인력 제공 업체 간에 계약을 맺고 각 병실마다 1~2인 정도의 고정된 간병인을 배치한다. 공동 간병인 역시 2교대 혹은 3교대로 입원환자들을 24시간 보조하는 역할을 수행한다.

표 65-1. 환자 일일 계획과 간병인 일일 업무 계획(인천은혜병원의 예)

시 간	세 부 사 항
05:00~07:30	– 세탁, 샴푸(주 2회) : 병동 별로 요일을 나누어서 시행 – TV시청, 침상 및 병실 정리, 환자 세면, 면도, 샴푸 도와드림 – 환자 개인별 보릿물 한 통씩 준비 – 침대 식판 펴고 앉혀 드린 후 앞치마 입혀 드림(보릿물 반 컵 드림)
07:30~08:20	식사 및 관리, 식사 후 환자 양치 및 틀니 관리
08:20~08:30	간병인 근무 교대(업무 인수 인계 철저히)
08:30~09:30	환자 파악, 기저귀 청결
09:30~11:30	– 산책(실내, 실외, wheel chair 이용), TV 시청, 자동수욕 실시 – 체위 변경, 등 맛사지, 보릿물 반 컵 드림
11:30~12:10	– 식사준비, TV 종료, 간병인은 교대로 식사 – 각 병동 별로 5분 간격으로 식당에서 출발
12:10~13:00	환자 식사 보조
13:00~15:00	– TV 시청, 물리치료 준비, 산책 – 환자에게 보릿물 반 컵 드림, 자동수욕 실시
15:00~16:00	사회사업실 요법 활동에 적극 참여 (요법 해당 환자분은 모두 참여하도록 합니다. 참석 못하시는 분은 간호사실에 보고합니다)
16:00~16:30	보릿물 반 컵 드림, 손톱, 발톱 깎아 드림(병실마다 각각 다른 요일)
16:30~17:10	식사준비, TV 종료, 간병인 식사 교대(식당 출발 시간을 잘 지켜서 오랫동안 기다리는 일이 없도록 합니다)
17:10~18:00	식사 및 식사 관리
18:00~19:00	실내 또는 실외 산책
19:00~19:50	TV시청, 침상 및 병실 정리, 취침 준비
19:50~20:00	간병인 교대(업무 인수 인계 후 교대)
20:00~22:00	회음부 간호 시 보조, 기저귀 관찰, 체위 변경 실시(오른쪽으로 누운 자세)
22:00	취침-체위 변경(바로 누운 자세), 환자분이 화장실 가시는 분은 화장실로 모심되도록 이동식변기 또는 침상변기를 사용함
24:00	수면, 체위 변경(왼쪽으로 누운 자세), 기저귀 관찰
02:00	기저귀 관찰, 체위 변경(바로 누운 자세)
04:00	기저귀 관찰, 체위 변경(오른쪽으로 누운 자세)
04:00~05:00	채혈 검사 시 간호사 돕기
05:00	환자 겨드랑이에 체온계 꽂아드림. 혈압 측정 시 보조

Adapted from 인천은혜병원 간호국

1. 간병인으로서의 기본 소양

1) 환자에 대한 기본적인 예의를 갖추도록 한다.

    a. 환자를 어린아이 취급하지 않고, 존댓말을 사용하도록 한다.

    b. 환자 호칭 : ○○○ 할머님, ○○○ 할아버님, ○○○ 어르신

    c. 환자의 수준에 맞추어 대화하기. 목소리 톤은 너무 높지 않게 한다.

    d. 환자의 잔존 능력을 최대한 발휘할 수 있도록 돕겠다는 마음가짐을 갖도록 한다.

    e. 환자의 프라이버시 보호가 필요한 경우에는 반드시 스크린을 치도록 한다.

2) 기본적인 치매 교육 받기

    a. 치매와 연관된 이상행동(특히 공격적 행동)에 대해 감정적 대응을 하지 않도록 한다.

    b. 남자 치매환자의 성적인 행동도 병의 증상으로 받아들일 것을 교육

3) 환자-간병인, 혹은 간병인-간병인 사이에 인간적인 갈등이 생기면

    a. 일단은 중재를 유도

    b. 필요한 경우에 담당 환자나 담당 병실을 교체

4) 단정하고 편안한 외모

    a. 지정된 유니폼 및 규정에 맞는 실내화를 착용시킨다.

    b. 유니폼 이외의 신발, 양말, 머리스타일 등이 너무 튀지 않도록 한다.

    c. 손톱의 길이나 매니큐어 색깔도 규정에 맞도록 한다.

5) 보호자와의 관계

    a. 특정 환자의 보호자와만 친밀해지지 않도록 주의를 준다.

    b. 환자 상태에 대해 보호자에게 직접 말하지 말고 간호사실에 문의하도록 함.

    c. 보호자로부터 금전을 받는 행위를 금한다.

2. 위생 개념

1) 손톱은 짧게 자른다.

2) 환자가 사용하는 물컵, feeding bag, 음식 투여용 주사기 등을 청결히 세척

3) 도뇨관 삽입 등 의료 처치의 보조 시에 멸균이 필요한 곳에 손이 닿지 않도록 교육
4) 전염성 질환(특히 옴 등 피부질환)을 앓고 있는 환자를 만진 후에는 반드시 손 소독

3. 간병일지 작성법 교육

1) 기저귀 교환 시간
2) 소변량 : "흠뻑", "1/2", "소량" 으로 구분
3) 대변량 : "계란"으로 표시(예 : 한 개, 세 개 반)
4) 그 날 환자를 방문한 사람 기록(예 : "큰 따님 외 3명")

간 병 일 지

환자이름 :

날 짜	위생상태	식 사	시 간	대변	양 상	소변	량	방법	깔개	기 타	서 명
8/31 화		조80 중80 석80	9:00			V		기			주; 야;
			12:00			V		〃			
			16:00			V		〃			
			20:00			V		〃			
			02:00			V		〃			
			05:00			V		〃			
9/1 수		조80 중80 석80	11:00			V		〃		14:30 동생 부부 방문	주; 야;
			16:00	V	묽음	V	5	기	2		
			20:00			V		〃			
			02:00			V		〃			
			05:00			V		〃	/		
9/2 목		조80 중80 석80	11:00	V	묽음	V	2	〃	/		주; 야;
			13:00			V		〃			
			16:00		묽음	V	/	〃	/		
			20:00			V		〃			
			02:00			V		〃			
			05:00			V		〃	/		
9/3 금	수욕	조80 중80 석80	11:00			V		〃			주; 야;
			16:00	V	묽음	V	3	기	/		
			18:00			V		〃			

방　　법 : 화장실 사용시 ⇨ 화,　　기저귀 사용시 ⇨ 기,　　좌변기, 변기 사용시 ⇨ 변
대변양상 : 정상, 묽음, 설사
대 변 량 : 계란1개, 계란2개, 3개, 4개 등으로 표시　　※ 中계란 1개에 50g
소 변 량 : 흠뻑, 1/2, 소량

그림 65-1. 실제로 간병인이 작성한 간병일지(인천은혜병원 간호국 제공)

4. 환자의 물품 관리

1) 환자의 틀니 보관
2) 기저귀, 캔 영양식 챙겨 놓기
3) 개인 물품(보호자가 가져온 간식 등)

5. 침상 꾸미기

1) 베개 준비
침대 머리 쪽 받침대에 세로로 양쪽에 2개의 베개를 놓고 한 개를 그 밑에 가로로 대 놓으면 환자가 편안히 기대어 앉을 수 있다.

그림 65-2. 환자가 편하게 기대어 앉을 수 있게 베개 준비하기

2) 키가 작은 환자
침대의 발 쪽이 흘러내리지 않도록 쿠션 또는 둘둘 말아서 만든 담요 등을 발 밑에 넣어준다.

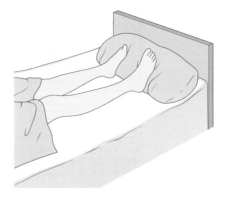

그림 65-3. PEG 시술을 통한 G-tube 유치

3) 환자가 누워 있는 상태에서 바탕 시트 갈기

표 65-2. **누워있는 환자 밑으로 바탕 시트 가는 순서**

1단계	2단계	3단계	4단계
천천히 조심스럽게 환자를 옆으로 돌려 눕힌다.	환자를 침대 모서리 간병인 가까이 옮긴다. 환자가 편안한 상태인가를 확인.	환자의 등 쪽의 더럽혀진 바탕 시트를 긴 축을 유지하며 반쯤 둥글게 말은 후, 미리 준비한 반쯤 둥글게 접힌 깨끗한 시트를 침대의 빈 공간의 중앙에 긴 방향으로 놓는다. 그리고 빈 공간 쪽으로 새 시트의 반쪽을 편다.	조심스럽게 환자를 돌려서 깨끗한 새 반쪽 시트 쪽으로 누인 후, 더럽혀진 시트는 제거한다. 그리고 말려있던 새 시트를 부드럽게 펴서 바로 놓는다.

6. 경구약물의 투여

1) 환자 스스로 챙겨 먹지 못하는 경우가 많다.
2) 각 환자 별로 정확한 약물이 정확한 시각에 정확한 양으로 복용되도록 한다.
3) 약을 먹지 않고 숨기는 환자도 있으므로 다 먹었는지 끝까지 확인

7. 욕창 예방

1) 침대에서 환자를 이동시킬 때 끌지 않도록 한다.
2) 압력 감소를 위해 쿠션이나 베개를 이용
3) (그림 65-5)와 같은 "체위 변경표"를 각 병실에 붙여 놓고 2시간마다 체위 변경
4) 모든 환자에게 같은 시각에 같은 체위를 취하도록 해야 체위 변경이 제대로 이루어지고 있는지 확인이 용이하다(그림 65-6).

그림 65-4. 욕창 예방을 위한 쿠션

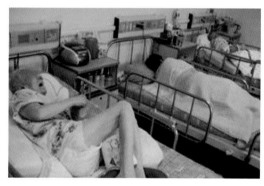

그림 65-6. 체위 변경표에 따라 모든 환자가 왼쪽으로 누워 있다.

밤12시
밤10시
오후8시30분
새벽 2시30분
오후7시
새벽 5시
오후5시
오른쪽
오후3시
오전7시
오후1시
오전9시
오전11시

그림 65-5. 체위 변경표(예외를 둘 것)

8. 팔, 다리의 굳음 막기

1) 사지를 스스로 움직이지 못하는 환자의 팔, 다리 관절을 수시로 움직여 준다.

2) 쿠션이나 패드 등을 대준다.

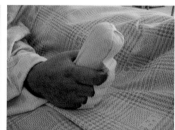

그림 64-7. 팔, 다리의 굳음 방지용 쿠션과 패드

9. 움직이지 못하는 환자가 바로 누워 있는 경우에 자세 잡기

엉덩이 바깥쪽에 베개를 놓아서 다리가 바깥쪽으로 외회전 되는 것을 방지한다(그림 65-8의 좌측 사진).

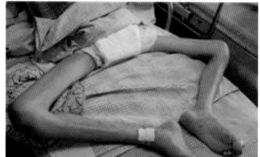
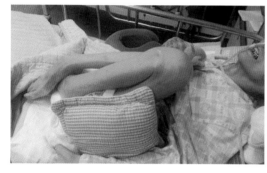

그림 65-8. **위(우측) :** 경추 손상으로 사지마비가 된 환자가 장기간 누워 있은 후 외회전이 발생한 사례.
아래 : 양 다리 관절이 굴곡되어 배를 누른 환자. 기저귀 가는 데에 어려움이 생김.

10. 침대에서 움직이지 못하는 환자 옮기기

1) 노인환자를 갑자기 일으키면 기립성 저혈압이 생길 수 있으므로 항상 천천히
2) 침대 위에서 침대 머리 쪽으로 이동하기

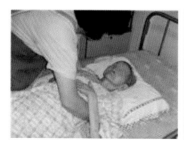

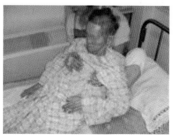

그림 65-9. **환자를 침대 머리 쪽으로 이동시키기**(이렇게 환자를 끄는 것보다는, 둘이 환자를 들어 옮기는 것이 좋다)

11. 침대 밖으로 내려오는 동작 보조

1) 오랫동안 누워있던 노인들이 처음으로 침대에서 내려오려 하면 허약함 혹은 어지럼증을 느끼게 된다.

2) 낙상 방지를 위해, 환자에게 서서히 시도하도록 하고 서기 전 몇 분 동안 침대의 모서리에 앉아 있게 한다.

3) 간병인은 침대 옆에 튼튼한 의자를 갖다 놓고 환자 옆에서 움직임을 보조해 준다. 양 손을 환자의 어깨와 무릎 밑에 넣고 환자의 움직임을 도와준다.

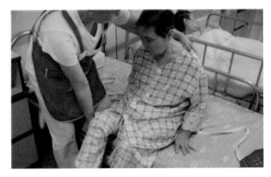

그림 65-10. **양 손을 환자의 어깨와 무릎 밑에 대고 보조**

12. 침대 밖으로 움직이기 위해 휠체어 태우는 순서

우선 침대 바퀴 및 휠체어 바퀴를 고정시킨다.

1) 환자를 침대 모서리에 앉힌 후 환자가 간병인을 껴안도록 한다(환자의 양 다리 사이에 간병인의 한쪽 다리를 넣으면 안전하다).

2) 환자의 허리를 꼭 안아 일으켜 세운다.

3) 휠체어에 앉힌다.

그림 65-11. **안전하게 휠체어에 태우기**

13. 식사 보조

1) 생선이 나오면 뼈를 발라주도록 하고, 큰 반찬이 나오면 잘라주도록 함.

2) 노인환자 각자에게 맞는 속도로 도와준다.

3) 올바른 식사 자세

   a. 상반신을 세우고 등을 앞으로 약간 구부린 상태에서 목도 약간 앞으로 숙인다. 이렇게 하면 목을 상하로 잘 움직일 수 있다.

   b. 위험한 식사 자세등받이에 기대게 하여 상체가 뒤로 젖혀진 자세나 간병인이 환자의 머리 뒤에서 식사를 돕는 자세는 목이 펴진 상태이기 때문에 음식을 넘기기가 어렵다. 그리고 자세가 마비된 쪽으로 치우친 상태에서 먹는 것도 위험하다.

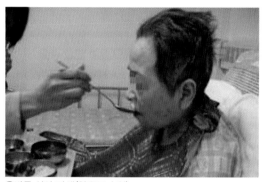
올바른 식사 자세(앞으로 숙임)

위험한 식사 자세(뒤로 젖힘)

그림 65-12. **올바른 식사 자세(좌)와 위험한 식사 자세(우)**

- 삼키는 힘이 약한 환자의 식사 보조(수직 연하)
  - 목을 움직이지 못하는 환자는 삼키는 순간에 얼굴을 약간 위로 올린 다음 다시 아래로 내리는 "수직 연하"를 하게 한다. 이 때 핵심은 "동작을 크게" 하는 것
  - 먹고 나면 숨을 내뱉도록 함. 숨을 내뱉음으로써 기도에 음식물이 들어가지 않도록 함

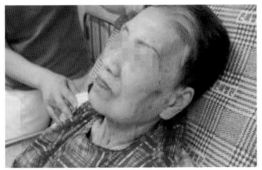
얼굴을 약간 위로 올리기

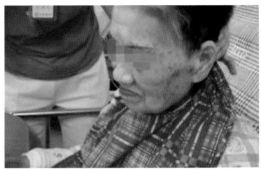
다시 아래로 내리기

그림 65-13. **삼키는 힘이 약한 환자의 식사 보조**

- 목에 걸리기 쉬운 음식들
  - 떡, 생선회, 초밥, 생선 가시, 사과, 어묵, 김(미역), 곤약, 참깨, 콩류, 카스테라
  - 보호자들에게는 항상 주의를 준다.
- 병원을 방문한 보호자들의 눈에 잘 띄는 곳에 안내 문을 부착한다.

보호자 준수사항

노인 환자분들은 삼키는 기능
이 저하되어 있습니다.

떡이나 고기류 및 단단한 음식
등을 환자분에게 드리는 것을
금지 하오니 준수하여 주시기
바랍니다.

인천은혜병원장

그림 65-14. **질식사고 예방을 위한
병원내 안내문**

- 음식이 기도에 걸리면 당황하지 말고 즉시 다음의 조치를 취하도록 한다.
  ① 환자의 몸을 앞으로 약간 숙이게 하여 입 안에 손가락을 넣고 혀를 눌러주면서 등을 두드려 크게 기침을 하게 한다.
  ② 간병인이 환자의 뒤로 가서 한 손으로는 주먹을 쥐고 그 손 위에 다른 한 손을 포개어 명치 주변을 강하게 잡아 올리듯이 압박한다.
  ③ 환자를 일으켜 세우고 간병인이 뒤에서 한 손으로 가슴을 받치고 앞으로 숙이게 한 다음 견갑골(날개 뼈) 사이를 강하게 4~5번 두드린다.

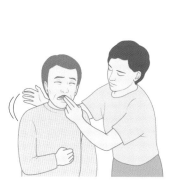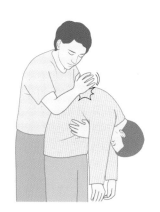

그림 65-15. **목에 음식이 걸렸을 때의 응급조치**

4) 앉지 못하는 사람의 안전한 식사 자세

　목에 베개를 받쳐서 앞으로 약간 숙이게 하면 인두와 기관에 " 〈 "형태의 각도가 생겨 흡인을 일으키기 어렵게 한다.

몸이 미끄러져 내려가지 않도록 무릎을
구부리게 하고 발 끝에 쿠션 등을 댄다.

목에 베개를 받쳐 앞으로 약간
숙이게 한다. 이렇게 목의 각도
를 주면 음식물이 기관이 아닌
식도로 들어가게 된다.

[목에 베개를 대지 않을 경우]　　　　　[목에 베개를 대서 앞으로 약간 숙이게 한 경우]

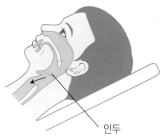

인두

그림 65-16. **앉지 못하는 사람의 안전한 식사자세**

안전한 식사 돕기 요령

1. 환자와 간병인은 눈높이를 같게 맞춘다.
2. 입 안에 넣을 양은 티스푼으로 1수저 정도씩
3. 입 안에 수저를 넣으면 환자가 먼저 먹을 때까지 기다린다.
   – 입 안에 넣은 수저는 바로 빼지 말고 잠깐 동안 그대로 둔다. 환자가 스스로 먹어도 될지 아닐지를 간병인이 판단하는 것이다. 음식을 삼키는 것을 수저를 통해 느끼고 나서 수저를 빼도록 한다.
4. 삼키면 목이 움직이는지 확인한다.
5. 수분을 함께 주면서 먹인다.

5) 식사 후 구강 관리 방법을 교육받도록 한다.

14. 배변, 배뇨 보조

1) 기저귀, 기스모 착용 시에 너무 조이거나 느슨하지 않게 알맞게 할 것
2) 기저귀 교체 시에 기저귀 발진처럼 보이는 피부 문제가 없는지 확인하도록 한다.
3) 배뇨 주기, 배뇨량, 양상, 횟수 등을 기록
4) Foley catheter가 막히지 않도록 자주 squeezing(훑어주기)을 해준다.

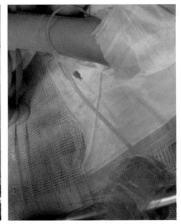

| 양 손으로 도뇨관을 꽉 누른다. | 왼손은 계속 누른 상태에서 오른손을 집뇨주머니 쪽으로 훑어 내린다. | 오른손은 계속 꽉 누른 상태에서 왼손을 뗀다. |

그림 65-17. 도뇨관 Squeezing(훑어주기). 이 과정을 통해 도뇨관에 찌꺼기가 끼지 않도록 한다.

5) 이동변기 사용하기

　a. 환자가 침대 밖으로 잠깐 동안만 내려
　　올 수 있을 때

　b. 간병인은 환자의 이동을 부축한다.

　c. 사용할 때마다 이동변기에 끼워진 침
　　상변기를 꺼내어 부유물을 버린다.

　d. 침상변기는 물로 씻은 후 소독약으로
　　철저하게 소독한다.

이동 변기　　　　　　　　남성용 소변기

침상변기

그림 65-18. **변기의 종류**

6) 침상변기 사용하기

　a. 침대에 누워만 있는 환자

　b. 변기 모서리에 파우더를 바르면 좋다.

　c. 환자가 스스로 엉덩이를 들 수 없다
　　면, 환자의 엉덩이를 들어올리면서 다
　　른 간병인이 침상변기의 열린 부분이
　　다리 쪽으로 가도록 엉덩이 밑에 밀어
　　넣는다.

　d. 다른 간병인이 없다면, 환자를 한 쪽으로 돌려 눕힌 후에 침상변기의 한 쪽을 환자의 엉덩
　　이에 살며시 대면서 동시에 침상변기를 침대 바닥 쪽으로 세게 누르며 환자의 등을 돌려
　　침상변기 위에 눕힌다.

　e. 소변 본 후에 성기 씻어주기

　　여성의 경우, 배설물이 요도에 들어가 요로감염을 일으키지 않도록 항상 앞에서 뒤쪽으로
　　(질에서 항문 쪽으로) 닦아내야 한다.

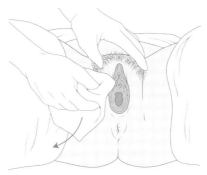

그림 65-19. **배뇨 후에 성기 씻어주기**

15. 환자의 개인위생 보조

1) 침대에서 환자 목욕시키기

1단계	– 한 번에 신체 한 부분만 닦은 후 물기를 말린다. – 닦고 있는 부분만 옷을 벗긴다 (환자의 체온 유지 및 프라이버시 보호).	
2단계	– 머리 쪽에서 아래로 내려가면서 닦아 준다. – 땀 많이 나는 곳(겨드랑이, 사타구니, 엉덩이)은 비누칠	
3단계	– 깨끗하고 부드러운 수건을 사용 – 비비지 말고 부드럽게 물기를 닦아낸다.	
4단계	옆으로 돌려 눕히고 등쪽을 씻고 물기를 닦아낸다.	
5단계	환자의 손을 깨끗한 물에 담그는 것이 젖은 수건으로 닦아 주는 것보다 훨씬 더 청결하게 닦을 수 있다.	
6단계	환자가 옷 입는 것을 도와주기 전에, 환자의 몸에서 물기가 완전히 닦였는지 재확인	

2) 세면, 양치질, 머리감기기 보조
3) 남자 환자의 면도 도와주기

그림 65-20. **미용사 자격증이 있는 간병인의 이발 봉사 모습**

16. 다음의 이상 상태가 보이면 즉시 간호사에게 보고 한다

1) 설사, 혈변, 검은 변
2) 토할 때
3) 열이 날 때
4) 땀을 많이 흘릴 때
5) 얼굴 색의 변화
6) 평소보다 소변량이 적을 때, 혈뇨, 악취가 날 때
7) 평소와 다른 식사 상태
8) 의식 상태의 변화
9) 피부 병변을 발견했을 때
10) 낙상이나 부딪히는 일이 발생 했을 때

17. 신체보호대 사용 환자의 경우 주기적으로 관찰해야 할 사항들

1) 간호사, 의사의 지시에 의해서만 보호대를 적용할 수 있음을 교육
2) 너무 조여졌거나 혹은 느슨하지 않은지 확인
3) 혈액 순환 : 청색증 발생 여부 확인
4) 억제대가 환자의 목이나 가슴을 압박하여 호흡곤란 등의 문제는 없는지

18. 낙상 예방

1) 환자에게서 눈 떼지 말기
2) 특히 TV 시청이나 독서, 간병인 간 잡담, 뜨개질 등 개인적 활동 금지
3) 보행이 불편한 환자가 걸을 때에, 바로 옆에서 허리춤과 팔을 잡고 나란히 걸음으로써, 환자가 갑자기 쓰러지려 해도 바로 붙잡을 수 있도록 한다.
4) 화장실 이용 시에 낙상이 많으므로 화장실 이용 시에 반드시 동행할 것

19. 흡인기(석션) 이용하여 가래 등 분비물 제거하기

1) 코와 입의 가래나 분비물을 제거하여 기도폐쇄를 예방
2) 흡인기 옆의 구멍을 손가락으로 막으면 음압이 발생한다.
3) 멸균장갑을 끼고 생리식염수로 세척해가며 흡인한다.
4) 가래가 담긴 흡인 병은 1일 1회 깨끗이 세척한다.

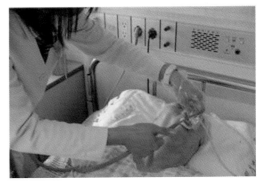

그림 65-21. **흡인기를 이용한 가래 및 분비물 제거**

20. 간병인을 위한 스트레칭 체조

1) 간병 활동에 의한 반복적인 특정 근육의 사용은 근막통증후군 등 근골격계 질환을 유발할 수 있다.
2) 정기적인 단체 스트레칭을 통해서 근골격계 질환, 우울감 등의 예방 및 직원 간의 화합 등을 도모할 수 있다.

그림 65-22. **간호사 및 간병인들의 정기적인 단체 체조 모습**

양손을 바깥쪽으로 깍지를 끼고 앞으로 편다(15초)

팔꿈치를 잡고 비스듬히 아래로 천천히 잡아당김(좌우 각 20초)

팔을 위로 펴고 허리를 쑥 내밀어 중심을 옮기고 나서 몸을 똑바로 옆으로 굽힌다(좌우 각 15초)

양팔을 펴고 허리를 비틀어서 굽히기 한다(좌우 각 15초, 동작 크게)

발을 앞으로 크게 벌리고 양손을 앞 무릎에 놓고 허리를 천천히 내린다(좌우 각 15초)

체중을 앞다리에 주고 양손으로 엉덩이를 앞으로 밀면서 뒷다리의 종아리를 펴준다(좌우 각 20초)

상체의 힘을 빼고 무릎을 조금 구부리면서 천천히 굽혀준다(15초)

양손을 뒤로 모으고 무릎과 허리를 펴면서 천천히 고개를 뒤로 젖힌다(15초)

그림 65-23. 간병인을 위한 스트레칭 체조

66 의사에게 환자 상태 리포트 하기

- 효과적인 리포트란?

- 간결하면서도 중요한 핵심만 전달하기 (기본적인 처치 및 검사 후 리포트 한다면 보다 원활한 의사와의 소통이 될 것이다)

1. 주치의 회진 시에 리포트 하기

1) 우선 리포트해야 할 환자들의 차트를 순서에 따라 따로 쌓아 놓는다.

2) 환자에게 새로 발생한 거의 모든 문제에 대해 보고한다. 주로 보고하는 내용은 다음과 같다.

    a. 환자의 복용 약물 기간이 다음 정기 회진 시간 이전에 끝나는 경우 : 특히 휴일을 앞둔 경우

    b. V/S에 이상이 있을 때 : 고열, 고혈압 혹은 저혈압, 빠른 맥박, 빠른 호흡 등

    c. 야간에 PRN 처치 한 경우 그 이유 및 현재의 상태 : 주로 고열, 수면장애, 통증 등

    d. 환자의 이상 행동들 : 수면장애, 공격적 행동, 배회, 섬망, 분노 등

    e. 식사 문제 : 입을 벌리지 않거나 삼키지 못하거나 식후 구토 등

    f. 배설 문제 : 변비, 설사, 요실금, 변실금, 빈뇨 등

    g. 피부 문제 : 욕창의 발생 및 진행 상태, 옴, 기저귀 발진, 두드러기, 대상포진, 점상 출혈, 백선 등

h. 새로운 검사 결과가 나왔을 때 : 혈액, 소변 검사, X-ray, 골밀도, 치매 검사(MMSE, CDR, GDS)

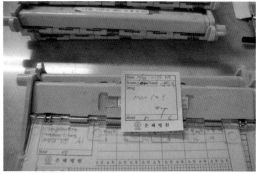

그림 66-1. **회진 전에 주치의 별로 챠트 정리해 놓기.** 각 주치의 별로 쉽게 식별 가능한 표시(색깔 스티커 등)를 해 놓으면 좋다. 리포트 해야할 환자의 챠트는 리포트 순서대로 주치의 방향으로 미리 배치해 놓으면 원활한 리포트가 이루어질 수 있다.

그림 66-2. **소진 약물 카드 꽂아 두기.** 당일에 소진되는 약물들을 미리 파악 후 메모하여 회진 시에 챠트에 꽂아 두면 주치의의 약물처방 계획에 큰 도움이 된다.

2. 정기 회진 시간 이후에 리포트 해야 하는 경우들

1) 의사의 정기 회진 시간이 지난 후에 환자에게 예기치 못한 일이 생겼을 때
2) 환자의 외출, 외박 요청 시
3) 보호자가 면담을 요청할 때
4) 응급 검사 결과가 나왔을 때(열이 나거나 출혈 환자의 응급 CBC)

3. 일반적인 리포트 요령

1) 리포트 직전에 환자를 직접 보고 V/S 등을 확인한다.
2) 장황하게 이야기 하지 말고 현재의 주된 상황 위주로 보고한다.
3) 환자의 상태가 안 좋아진다면 산소투여, Dopa 투여, ICU로의 이실 여부 등을 묻는 것도 좋다.

4. 문제 상황 별 리포트 전 확인해야 할 사항들

1) 환자의 의식이 갑자기 나빠졌을 때(계속 졸려 하거나 통증 자극에 반응 없는 등)

a. V/S 체크 : 특히 혈압이나 호흡 수가 떨어지지 않았는지 확인

b. BST 체크
- 60 mg/dL 이하면서 저혈당 증상 ⇒ 우선 응급으로 50% DW를 정맥 주사한 후 보고하는 것이 좋다.
- 400 mg/dL 이상이라면 DKA(당뇨병성 케톤산증)에 의한 혼수 증상일 수 있다 ⇒ N/S iv dropping

c. GCS (Glasgow Coma Scale) 점수 체크

2) 고열이 날 때

a. 발열의 양상은 어떠한지(spiking fever 등)

b. 감염을 의심할 만한 증상이 동반되었는지 확인 후 증상도 같이 보고한다.
- 수포 등의 피부 병변 ⇒ 바이러스 등의 전신적 감염
- 목이 아프다 ⇒ 편도선염
- 기침, 가래 동반 ⇒ 호흡기 감염(폐렴 등)
- 최근 식사 시에 사레 기침을 많이 하지 않았는지 ⇒ 흡인성(Aspiration) 폐렴
- 특히 도뇨관 유치 환자의 소변 색깔이 탁하거나 한 쪽 옆구리를 두드리면 아파할 때 ⇒ 요로감염
- 압창의 진행이 심해지지 않았나
- IV line이 유치되었던 정맥 부위가 붉게 부풀거나 아파할 때 ⇒ Thrombophlebitis(정맥혈전염)

c. 수액 처치(Hydration) order가 예상되면 환자의 당뇨병 여부도 미리 확인(포도당 수액 자제)

3) 혈압이 갑자기 떨어졌을 때

a. 평상시의 혈압은 어떠했는지를 먼저 확인

b. 혈압약, warfarin, aspirin 등의 약물 복용력 확인

c. 가능하면 산소포화도(O_2 saturation)를 확인

d. 소변량 감소 등 다발성 장기 부전(multi-organ failure)의 가능성은 없는지

4) 갑자기 호흡곤란을 호소할 때

a. 우선 산소포화도(O_2 saturation)를 확인

b. 가래가 많은 환자라면 suction부터 한다.

c. 천식, COPD, 폐렴, 불안 장애 등, 호흡곤란을 일으킬만한 질환이 있는지 확인

d. 최근에 식사 시에 사레 기침이 많지는 않았는지 확인 ⇒ NPO 가능성

e. 단순히 환자의 호소인지, 실제로 호흡수가 빨라졌는지, 호흡의 양상은 어떠한지를 확인

f. Cheyne-Stokes 호흡(호흡의 깊이가 리듬감 있게 커졌다 작아졌다 하다가 규칙적 무호흡)은 심한 신부전증이나 신경 질환으로 인한 무의식 상태에서 발생 ⇒ 임종이 임박했음을 나타내는 신호

그림 66-3. 갑자기 호흡곤란을 호소한 74세 혈관성 치매 남자 환자. V/S을 체크했더니 혈압은 90/60(mmHg), 호흡수가 36회/분이었으며 체온은 36.6℃ 였다. 도뇨관 및 집뇨주머니에서 검붉은 혈뇨 소견이 보였다. 위 환자의 복용 약물을 검토해 보니 아스피린 100mg을 매일 복용 중이었다. 즉, 아스피린이 혈뇨를 유발하였고, 혈뇨로 인한 빈혈이 빈맥(Tachycardia) 및 호흡곤란을 일으킨 사례이다. 이와 같이 갑자기 빠른 호흡이 발생했을 때에는 출혈 가능성을 염두에 두어야 한다.

5) 갑자기 위장 출혈이 발생했을 때

a. 우선 old blood인지 active bleeding인지 구분할 것:검은 색이면 old, 새빨간 색일수록 active

b. 환자의 V/S을 체크(특히 맥박수, 혈압)

c. 환자가 aspirin, plavix, warfarin 등 출혈의 부작용이 있는 약을 복용하는지 파악

d. 과거력 상, 간질환(간경화, B형간염바이러스 보균, 간암)이나 위궤양 등을 앓았는지 파악

e. 급성 출혈 시 수액은 일반적으로 하트만 용액을 단다.

f. 환자는 집중치료실이나 간호사실에서 가까운 병실로 옮긴다.

g. 보호자에게도 연락하여 위험한 상황임을 설명하고, 응급실이 갖추어진 종합병원으로의 이송 여부를 확인한다.

6) 혈압이 높게 측정될 때

a. 동반된 신경학적 증상(반신 마비, 감각 이상, 심한 두통, 어지러움)이나 코피 등의 증상이 없다면 혈압을 급하게 떨어뜨려야 하는 이유는 없다.
b. 특히 노인에게서 속효성 니페디핀(아달라트)의 사용은 금기
　　⇒ 심장이나 뇌로 가는 혈류를 감소시킴으로써 심근경색, 뇌경색, 사망 등을 유발할 수 있음
　　　(FDA에서도 금지)

7) 소변이 나오지 않을 때

a. 일반적으로는 8시간~10시간 정도 소변을 보지 못하면 보고하나, 환자 개인 별로(약물 복용 등에 의해) 차이가 있으므로, 각 환자의 특성을 우선 파악할 것
b. 특히 남자 환자의 경우에 당직 의사에 의한 도뇨가 필요할 상황이 예상된다면, 가능하면 새벽 1시 이전이나 새벽 6시 이후에 도뇨가 이루어질 수 있도록 배려해 주는 것이 좋겠다.
c. 가장 최근에 소변 본 시각을 확인
d. Abdominal distension(아랫배가 볼록 불러 있는지) 확인(남자 환자의 경우 BPH 의심)
e. 소변 자체가 만들어지지 않는다면 신장의 문제(ARF) ⇒ 혈압은 떨어지지 않았는지
f. 당뇨병은 없는지 ⇒ DM nephropathy
g. Edema(특히 다리)는 없는지 손가락으로 눌러 본다.

8) 구역질, 구토 발생 시

a. 최근에 레미닐이나 아리셉트 등의 치매약이나 항정신병 약물이 새로 처방되지 않았는지 확인
b. 열이 나고 있지는 않은지 확인
c. 변비는 없었는지
d. 배가 불러 있지 않은지(ileus)

9) 손, 발이 갑자기 부었을 때

a. 양 쪽이 다 부었는지, 한 쪽만 부었는지?
b. 심장병(심부전 등)이나 폐질환(COPD, 천식 등)의 과거력이 없는지?
c. 혈압을 체크
d. 당뇨병을 앓고 있는지
e. 복용하는 약물 중에 부종을 일으킬만한 약물(노바스크, AM 등)이 있는지
f. 최근 영양 상태 확인

10) 낙상(Fall) 발생 시

a. 환자의 의식 상태
b. 가장 충격을 받은 신체 부위가 어디인지 파악
c. 충격 받은 부위의 피부 열상, 출혈 등을 꼼꼼히 관찰
d. 발견된 장소, 발견 당시의 환자의 자세, 낙상 당시의 상황
e. 야간의 경우 방사선 촬영이 가능한 지 여부를 먼저 확인
f. 골절로 판명된 경우, 비상 연락 체계에 따른 보고(상급 간호사, 원무국장 등)

11) 와파린(warfarin; 쿠마딘) 복용자

주로 부정맥(Atrial Fibrillation), 인공심장판막 유치 환자, 심근경색, 뇌경색, 정맥 혈전 등에 대한 예방 목적으로 혈전 형성 억제제인 와파린을 만성적으로 복용하게 되는데, 다른 약물 복용에 의해 영향을 많이 받는 편이고 과다 복용시에 치명적인 출혈 등이 생길 수 있으므로 주의를 기울여야 한다. 와파린 복용 환자의 경우는 간호사도 다음과 같은 기본적인 관리 원칙을 알고 있어야 원활한 환자 간호를 수행할 수 있을 것이다.

표 66-1. 와파린 복용자의 관리 원칙

◇ 처음부터 약 5 mg/d 용량으로 투여 시작(노인은 4~5 mg/d 미만으로 시작)

◇ 2~7일 투여 후부터 항응고효과가 나타남

◇ 4~5일 정도 지나면 INR > 2.0

◇ 모니터링 : PT(INR 수치)가 기준이 된다.

◇ 우선 INR 매일 측정 ▷ 2일 연속 치료 범위에 속하면 1~2주 동안 2~3회/주 ▷안정화 시에는 4주 마다 측정

◇ 대부분 INR 2~3 정도로 맞춘다.

◇ PT 연장(prolongation)시키는 약물들 : metronidazole, bactrim, cimetidine, omeprazole

◇ PT 단축(shortening)시키는 약물들 : carbamazepine, alcohol(만성음주자), rifampicin

◇ 출혈 성향 높이는 약물들 : Cepha계 항생제, 타이레놀, 헤파린, 아스피린, NSAIDs, 페니실린

◇ INR > 4면 출혈 위험 증가, INR > 5면 급격히 증가

    ① 와파린을 끊어라!

    ② Vit. K1 투여

    ③ FFP나 prothrombin concentrate 투여 – 가장 빠른 효과

표 66-2. 와파린 복용자에서 출혈 위험으로 INR 낮춰야 할 경우에 대한 권고 사항(ACCP, 2001)

치료 범위 < INR < 5, 임상적 출혈(-)	와파린 감량 or 복용 중단 후 INR이 돌아오면 다시 복용
5 < INR < 9, 출혈(-), 출혈위험 요소(-)	다음 1~2회 중단 후 INR이 돌아오면 저용량으로 시작. 출혈의 위험이 높다면 한번 생략 후 vit. K1(1~2.5 mg) 투여
발치나 응급수술로 빠른 교정 필요시	Vit.K1 2~5 mg PO. 24시간 후 INR 높으면 추가로 1~2 mg PO.
INR > 9, 출혈(-)	Vit.K1 3~5 mg PO. 24~48시간 후에도 높으면 vit.K1 반복
심각한 출혈(+) or INR > 20	Vit.K1 10mg 천천히 IV + PRN > FFP or prothrombin complex conc. + PRN > 12시간 마다 vit.K1 추가
치명적 출혈(+) or 심각한 과복용시	Prothrombin complex conc. 치료 + vit.K1 투여

5. 주치의가 아닌 의사에게 리포트 할 때(주치의 휴가, 혹은 야간이나 주말 당직의에게 하는 경우)

1) 환자의 나이, 성, 주된 질병명 등 환자의 기본 정보를 먼저 알린 후에 리포트한다.

2) 현재의 문제와 관련된 과거력(당뇨, 고혈압, 수술력 등)이 있으면 같이 알린다.

3) 최근에 새로 바뀐 약물이 있는지 확인 후 같이 알린다.

4) 이전에 같은 문제가 발생했던 적이 있는 경우라면, 그 당시에는 어떤 조치를 취했는지를 알린다.

5) 주치의의 PRN 처방이 있다면 알린다.

6) 약물처방이 났다면 경구 투여나 L-tube로 약물 투여 가능한 지, NPO 여부 등을 알림

7) 환자의 체중을 파악하여 의사에게 알리면 약물 농도 결정에 도움을 줄 수 있다.

8) 수액 처방이 난다면 환자의 당뇨병 여부도 알릴 것

9) 외출, 외박 : 가도 될만한 상태라면 당직의에게 알리고, 만일 문제가 있을만한 환자는 담당 주치의에게 직접 연락한다.

10) 당직의 만으로 해결이 안 되는 경우는 직접 주치의에게 보고

11) 환자 사망 시에는 주치의에게도 보고

12) 환자가 임종이 임박해 있다면 DNR 여부 등을 알림

13) 각 문제 상황 별 리포트 요령은 위에 기술한 바와 같다.

참고문헌

59 요양병원 간호사의 하루 일과

1.   인천은혜병원 간호부. 간호업무지침서. 인천: 인천은혜병원; 2001.

60 병동 간호사가 체크할 사항들

1.   인천은혜병원 간호부. 간호업무지침서. 인천: 인천은혜병원; 2001.

61 간호기록 작성요령

1.   인천은혜병원 간호부. 간호업무지침서. 인천: 인천은혜병원; 2001.
2.   Herr KA, Mobility PR. Comparison of selected pain assessment tools for use with the elderly. Appl Nurs Res 1993;6:39-46.

3. 이민걸, 노효진 역. 한눈에 보는 피부과학. 4판. 서울: 군자출판사; 2010.

62 환자평가표 작성요령

1. 윤종률. 노인 환자의 단계별 관리. In: 대한노인병학회. 노인병학. 개정판. 서울: 의학출판사; 2005. p. 203-223.
2. Wang J, Kane RL, Eberly LE, Virnig BA, Chang LH. The effects of resident and nursing home characteristics on activities of daily living. J Gerontol A Biol Sci Med Sci 2009;64A:473-480.
3. 건강보험심사평가원. 요양병원형 수가제도 실무교육자료. 서울: 건강보험심사평가원; 2007.
4. 건강보험심사평가원 급여기준실. 요양급여의 적용기준 및 방법에 관한 세부사항과 심사지침 2013년 12월판. 서울: 건강보험심사평가원; 2013.
5. 곽애정. 요양병원 환자평가표의 이해와 작성요령. In: 대한노인요양병원협회. 요양병원 신규직원을 위한 교육. 서울: 대한노인요양병원협회; 2015.
6. 한명선. 환자평가표 작성 세부매뉴얼; 2013.
7. 건강보험심사평가원 창원지원. 요양병원형 수가제도. 창원: 건강보험심사평가원 창원지원; 2011.

63 동영상을 활용한 일상생활수행능력 평가

1. 건강보험심사평가원 급여기준실. 요양급여의 적용기준 및 방법에 관한 세부사항과 심사지침 2013년 12월판. 서울: 건강보험심사평가원; 2013.
2. 한명선. 환자평가표 작성 세부매뉴얼; 2013.

64 구강 관리

1. 일본방문치과협회. 노인을 위한 구강 관리. 군자출판사, 서울 2008.
2. 인천은혜병원 간호부. 간호업무지침서. 인천: 인천은혜병원; 2001.

65 간병인에 대한 교육 및 감독

1. 인천은혜병원 간호부. 간병인직무기술서. 인천: 인천은혜병원; 2009.
2. 인천은혜병원 간호부. 간호업무지침서. 인천: 인천은혜병원; 2001.
3. 정한영 역. 노인가정요양 간병가이드. 서울: 군자출판사; 2008.
4. 일본방문치과협회. 노인을 위한 구강 관리. 서울: 군자출판사; 2008.
5. 보건복지부. 요양보호사 표준교재. 서울: 보건복지부; 2008.

66 의사에게 환자 상태 리포트 하기

1. 인천은혜병원 간호부. 간호업무지침서. 인천: 인천은혜병원; 2001.
2. Hirsh J, Fuster V, Ansell J, Halperin JL. American Heart Association/American College of Cardiology Foundation Guide to Warfarin Therapy. Circulation 2003;107:1692-1711.

중증 환자 관리

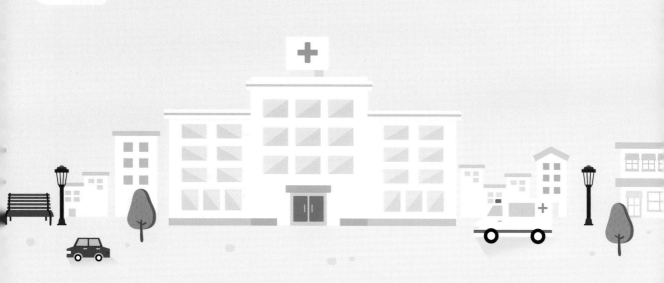

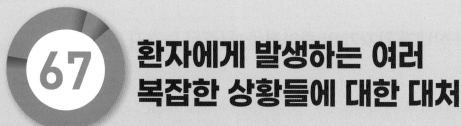

67 환자에게 발생하는 여러 복잡한 상황들에 대한 대처

 有備無患!

1. 입원 중 열이 날 때

- 환자가 stable한 지, 언제부터 열이 났는지를 확인
- 우선 acetaminophen 1T 투여
- 처음부터 38.5도 이상의 고열이거나 환자가 힘들어하면 N/S 1L iv
- 소변이 안 나오면 5D/S, 5DW iv
- 38도 이상의 고열이 지속되어 항생제 투여 고려할 때
  - CBC 및 Chest X-ray 촬영 → X-ray 이상 있으면 "폐렴" 진단, X-ray가 정상이면 "패혈증" 진단 ⇒ 점검표 작성
  - Ceftriaxone이 노인의 일차약제로서 좋다(폐렴, UTI를 다 cover하는 광범위 항생제).
  - 항생제는 쓸 때 제대로 쓰고, 찔끔찔끔 쓰지 말 것.

2. 환자의 상태가 갑자기 안 좋아졌을 때(주된 보호자 연락)

- V/S 흔들리거나, 호흡곤란, 의식 저하 등
- 전화로 보호자 연락하여 방문 요청 "환자분 얼굴 한번 보고 가세요"
- Cheyne-Stokes respiration : "하루 이틀 남으셨습니다"
- 큰 병원으로 전원 여부 및 DNR 여부 재차 확인
- CPR 원하시면 전원을 권유 "인공호흡장치가 없습니다"
- 전원 원하지 않을 때 할 수 있는 조치들

  EKG, SaO2 monitoring, TPN, O2 inhalation, Dopa 2@ + NS 500cc iv 정도가 최선

3. 입원 중에 골절이 발생했을 때

- 보호자가 병원에 불신감을 갖게 되는 가장 흔한 원인 중 하나임.
- 보행 가능한 배회(wandering) 환자에서 요주의
- 골밀도 검사 필수 : T-score-3.0 이하면 Elcanin 등 투여
- 휠체어 태울 때 골절 자주 발생할 수 있음을 미리 경고(간병인 및 보호자에게)
- 골절 시 ecchymoses 및 swelling을 간병인의 구타 등에 의한 타박상으로 오인하기도
- 어차피 수술 외에는 방법이 없다.
- ABR state의 환자에게는 수술이 큰 의미가 없을 수 있다(물론 폐색전증 등의 합병증은 가능할 수 있음을 설명).
- 대부분의 보호자는 수술을 거부함.

4. 배회환자를 어떻게 할 것인가?

- 배회환자를 어떻게 할 것인가?
  - 신체억제대 - 인권문제 및 보호자 반발, 외국에서는 병원 질 평가의 근거
  - 안정제 주사 - 낙상의 우려가 있다(Dilemma).
  - 다만, 배회 자체가 낙상의 위험 요소임을 보호자에게 수시로 알림.

- 치매 병동은 원래 시끌벅적한 것이 정상이라는 것을 직원들에게 주지시킴.
- 특히 노인에서 반감기가 긴 Diazepam (72시간 반감기)은 금기
- Lorazepam (ativan) 0.5 ample IM이 PRN 처방으로 가장 흔히 쓰임.
- Atypical antipsychotics인 Quetiapine (seroquel)이나 Risperidone을 많이 씀.

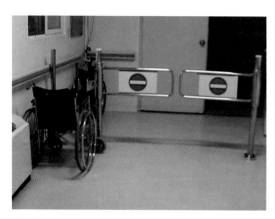 

그림 67-1. **배회환자를 위한 안전대책**

5. 정신과로부터 전원된 환자 입원 시 주의사항

- 요양병원 입원제외대상(의료법 시행규칙 제36조)
  - 정신질환자(치매는 제외)
  - 전염성 질환자
- 정신과 환자 입원 시 차트에 기록되어져야 할 사항
  - 치매 또는 BPSD 기록(젊은 경우 - 인지기능저하)
  - 보행불가 등 혼자 생활의 어려움 기술
- 정신분열증, 정신지체 등은 주 상병으로 안됨.
- 치매 검사(인지기능저하군), 물리치료 등의 order 필요 → 신체기능저하군에서 상위군으로 조정 가능

6. 환자가 갑자기 돌아가셨을 때

- 보호자 중 주 보호자(맏아들, 맏딸 등)가 누구인지 먼저 파악한다.
- HTN, DM, Stroke, smoking, age 등 <u>risk factor</u> 파악하여 보호자에게 설명할 수 있도록 대비한다.
- 특별한 원인 모를 때 "심장마비(AMI)입니다", "고통없이 편히 돌아가셨습니다" 라고 보호자를 위로해 주는 것이 좋다.

7. 보호자가 당황하지 않게 하기 위해서

입원 시부터 미리 경고
- Subclavian catheterization 등 active한 처치는 가능한 한 자제할 것(기흉 등의 합병증 발생시 대학 병원처럼 바로 의뢰할 수 있는 여건이 아님)
- 가능하면 Femoral cath.로. 안되면 포기할 것
- 대부분의 보호자는 어쩔 수 없는 것으로 받아들임.

68 신체보호대의 적용 및 관리

- 배회 증상을 주소로 입원한 75세 치매 여성. 입원 후 관찰하니 거의 대부분의 시간을 불안정한 걸음걸이로 복도를 배회 중임. 벽의 손잡이를 잡도록 하지만 지시에 따르지 않음.

– 낙상 예방을 위해 신체억제대를 사용할 것인가?
– 사용하지 않기로 했다면 보호자에게 어떻게 설명할 것인가?
– 사용하기로 했다면 보호자에게 어떻게 설명할 것인가?

요양병원 입원환자의 보호자들이 가장 거부감을 느끼는 의료행위 중의 하나가 바로 신체 보호대의 사용이다. 본인의 부모가 신체보호대에 의해 강박되어 있는 모습을 보고 불쾌한 감정을 가지지 않는 사람은(특히 우리나라의 경우) 거의 없을 것이다. 점차적으로 환자의 인권이 강조되고 있는 사회 분위기와 맞물려 환자들에 대한 신체보호대의 사용에는 보다 많은 주의를 기울여야만 하고, 환자의 안전을 지키기 위해서 매우 극한 경우에만 일시적으로 신체보호대를 사용해야 한다.

신체보호대를 사용하기로 한 경우에는 반드시 다음과 같은 체계적인 원칙에 따라 시행해야 하며, 모든 적용 과정과 목적, 발생할 수 있는 부작용 등을 보호자에게 이해시키는 것이 매우 중요하겠다.

1. 신체보호대 사용의 단계

1) 우선 환자와 보호자에게 신체보호대 사용이 일시적이며 환자를 보호하기 위한 것이라는 것을 설명한다.
2) 신체보호대 외에는 다른 방법이 없음을 설명한다.
3) 신체보호대와 관련된 규정을 확인한다.
   - 의료법 시행규칙 별표4의2 참조.
4) 반드시 주치의와 상의한 후 주치의의 지시에 따라 시행한다.
5) 의료인은 보호자로부터 신체보호대 사용에 대한 동의서를 받는다.

표 68-1. 신체보호대 간호의 원칙들

언제?	- 낙상 방지 - 혼돈되거나 공격적인 환자가 자신이나 타인을 해칠 우려가 있을 때 - 정맥 주입, 도뇨관 관리, L-tube 관리 등의 처치를 환자가 비합리적으로 방해할 때
어떻게?	- 억제대가 피부와 맞닿는 부위에 패드를 댄다. - 팽팽하게 묶거나 잘못 위치를 잡으면 호흡곤란을 유발할 수 있으므로 주의 - 옷 위로 묶으면 피부 마찰을 줄일 수 있다. - 환자의 상부를 올리거나 내릴 때 같이 움직일 수 있는 침대부위에 억제대를 묶는다. - 침대 난간에 묶으면 침대 난간을 움직일 때 환자가 다칠 수 있다. - 침대를 올릴 때 끈이 팽팽해져서는 안 된다. - 빠르게 풀 수 있는 매듭으로 하여 응급 시에 빠르게 풀 수 있게 한다.
모니터링	- 환자를 누군가는 항상 지켜보고 있어야 한다. - 적어도 30분마다 억제대는 위치를 잘 잡고 있는지, 사지 말단부위의 맥박, 체온, 피부색 등을 사정한다. - 매 2시간마다 30분 간 억제대를 풀어 놓으며 능동적, 수동적 관절가동범위 운동을 시킨다. 자세를 바꾸도록 환자를 격려한다.
부작용	질식, 순환 장애, 피부 손상, 피부 궤양과 구축, 영양 저하와 수분 감소, 실금, 감각 결손, 정서적 불안, 근육과 골밀도 저하

2. 신체보호대 관련 법령

의료법 시행규칙 [별표 7] 〈개정 2020.4.24〉

의료기관의 신체보호대 사용 기준 (제39조의7 관련)

1. "신체보호대"란 전신 혹은 신체 일부분의 움직임을 제한할 때 사용되는 물리적 장치 및 기구를 말한다.
2. 신체보호대는 입원환자가 생명유지 장치를 스스로 제거하는 등 환자안전에 위해가 발생할 수 있어 그 환자의 움직임을 제한하거나 신체를 묶을 필요가 있는 경우에 제3호에서 정하는 바에 따라 최소한의 시간만 사용한다.
3. 신체보호대 사용 사유 및 절차는 다음 각 목과 같다.
   가. 주된 증상, 과거력(過去歷), 투약력(投藥歷), 신체 및 인지기능, 심리 상태, 환경적 요인 등 환자의 상태를 충분히 파악한 후 신체보호대를 대신할 다른 방법이 없는 경우에 한하여 신체보호대를 사용한다.
   나. 의사는 신체보호대 사용 사유·방법·신체 부위, 종류 등을 적어 환자에 대한 신체보호대 사용을 처방하여야 한다.
   다. 의료인은 의사의 처방에 따라 환자에게 신체보호대 사용에 대하여 충분히 설명하고 그 동의를 얻어야 한다. 다만, 환자가 의식이 없는 등 환자의 동의를 얻을 수 없는 경우에는 환자 보호자의 동의를 얻을 수 있다.
   라. 다목에 따른 동의는 신체보호대 사용 사유·방법·신체 부위 및 종류, 처방한 의사와 설명한 의료인의 이름 및 처방·설명 날짜를 적은 문서로 얻어야 한다. 이 경우 다목 단서에 따라 환자의 보호자가 대신 동의한 경우에는 그 사유를 함께 적어야 한다.
4. 신체보호대를 사용하는 경우에는 다음 각 목을 준수하여야 한다.
   가. 신체보호대는 응급상황에서 쉽게 풀 수 있거나 즉시 자를 수 있는 방법으로 사용한다.
   나. 신체보호대를 사용하고 있는 환자의 상태를 주기적으로 관찰·기록하여 부작용 발생을 예방하며 환자의 기본 욕구를 확인하고 충족시켜야 한다.
   다. 의료인은 신체보호대의 제거 또는 사용 신체 부위를 줄이기 위하여 환자의 상태를 주기적으로 평가하여야 한다.
5. 의사는 다음 각 목의 어느 하나에 해당하는 사유가 발생한 경우에는 신체보호대 사용을 중단한다.
   가. 신체보호대의 사용 사유가 해소된 경우
   나. 신체보호대를 대신하여 사용할 수 있는 다른 효과적인 방법이 있는 경우
   다. 신체보호대의 사용으로 인하여 환자에게 부작용이 발생한 경우
6. 요양병원 개설자는 신체보호대 사용을 줄이기 위하여 연 1회 이상 의료인을 포함한 요양병원 종사자에게 다음 각 목의 내용을 포함하여 신체보호대 사용에 관한 교육을 실시해야 한다.
   가. 신체보호대의 정의, 사용 방법 및 준수사항
   나. 신체보호대를 사용할 경우 발생할 수 있는 부작용
   다. 신체보호대 외의 대체수단 및 환자의 권리

위 의료법령에 따라 간호인력은 주기적으로 신체보호대 적용 환자를 관찰하고 필요 시에 기록해야 하는데, 다음과 같은 변형된 TPR 챠트를 이용할 수도 있다.

임 상 관 찰 기 록 지

Name : _____   Sex/Age : _____ / _____

	년	월 일		월 일		월 일		월 일		월 일		월 일		월 일	
BP /P	5A														
	10A														
	4P														
	10P														
R	T	오전	오후	오전	오후	오전	오후	오전	오후	오전	오후	오전	오후	오전	오후
40	39														
30	38														
20	37														
10	36														
식 이															
소 변															
대 변															
물리치료															
B . W															
보호대 부위															
5A	중재														
	부작용														
	재평가														
	Sign														
1P	중재														
	부작용														
	재평가														
	Sign														
9P	중재														
	부작용														
	재평가														
	Sign														

(190mm × 268mm)

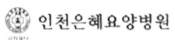 인천은혜요양병원

그림 68-1. 주기적인 신체보호대 적용환자 관찰을 위한 기록지. 인천은혜병원 간호국에서는 기존의 TPR 간호 chart 를 변형하여 개발함.

3. 신체보호대(억제대)의 종류

표 68-2. **환자 상태에 따른 신체보호대의 종류 (억제를 하는 부위에 따라 분류)**

신체보호대 종류	업 무 내 용	세 부 사 항
조끼(자켓) 보호대	– 휠체어,의자에 있을 때. 침상에 누워 있을 때 – 옷 위로 착용 – 팔걸이 밑으로 하여 의자 뒤에서 묶어야 환자가 풀지 못한다 (그림 68-1).	
벨트 보호대	– 침상이나 이동차에 있을 때 – 가슴에 오면 안 된다 → 호흡방해 – 허리에 오도록 한다.	
사지 보호대 (손목, 발목)	– (그림 68-3)의 방법으로 매듭 – 보호대 밑으로 손가락 2개가 들어가게 느슨히 묶는다. – 반드시 패드를 댄다. – 15분 후 팽팽하게 묶이지 않았는지 다시 확인	
장갑 보호대	– 피부를 긁지 않도록 하거나 치료장치를 건드리지 않게 해주는 효과 – 특히 습관적으로 기저귀를 뜯는 치매환자에게 적용	
손가락 보호대	– 피부를 긁지 않도록 하거나 치료장치를 건드리지 않게 해주는 효과 – 착용이 간편하고 효과적	

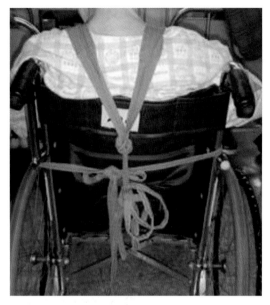

그림 68-2. 조끼 억제대의 매듭은 환자의 뒤에서 묶는다.

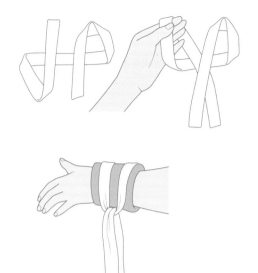

그림 68-3. 사지 억제대 매듭 묶는 법

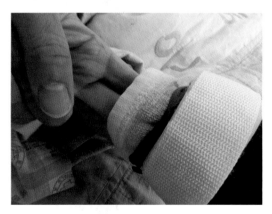

그림 68-4. 사지 억제대와 피부 사이에 두 손가락이
충분히 들어가는지 확인한다.

69 요양병원에서의 심폐소생술

- CPR을 대비해 필요한 사항

- 질식 사고에 대한 대비 모의 훈련(특히 간병인 교육),응급 약물(Epinephrine, Atropine, Lidocaine, Dopamine, Digoxin 등) 준비.

1. CPR(Cardio[심]-Pulmonary[폐]-Resuscitation[소생술])

1) CPR은 무엇인가?

C[순환] – A[기도] – B[호흡]을 유지시켜서 생명의 연장을 시도하는 방법

2) CPR은 언제 할까?

a. 폐에 문제가 있는 경우
- 혼수상태
- 뇌졸중
- 연기를 흡입했을 때
- 물에 빠진 후(Drowning)
- 이물질이 기도를 막았을 때
- 약물 중독

　　－ 숨을 헐떡거릴 때　　　　　　　－ 심근경색

　　－ 벼락에 맞았을 때

b. 심장에 문제가 발생 했을 때

　　－ 심실세동(Ventricular fibrillation)

　　－ 심실빈맥(Ventricular tachycardia)

　　－ 무수축(Asystole)

3) CPR의 종류

a. BLS(Basic기본-Life인명-Support구조술)

　　－ 맨손으로 C, A, B

b. 이물에 의한 기도 막힘(질식) 처치

　　－ 의식 여부와 나이에 따라 구분

c. ACLS(Advanced전문-Cardiac심장-Life인명-Support 구조술)

　　－ 심정지 환자와 심정지가 발생할 가능성이 있는 환자의 초기처치에 필요한 의료기술

　　☞ 88서울올림픽을 계기로 1987년 우리나라에 응급의학과 탄생

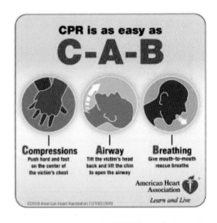

그림 69-1. **미국심장학회(AHA)의 BLS 홍보 포스터**

4) BLS(기본인명구조술)-병원이 아닌 곳에서

a. 의식 상태를 파악한다.

　　－흔들어서 깨운다. 머리를 흔드는 것은 피한다.

b. 주위사람을 부른다. 사람이 오면 119를 누른다.

c. 위로 향하도록 누인다.

d. (심장)순환 확인

　　－ 경동맥이나 대퇴동맥의 맥박을 느낀다.

　　－ **맥박이 없으면?**

　　　⇒ 검상돌기(xiphoid process)에서 머리쪽으로 손가락 2개 너비

⇒ 손바닥 두툼한 부위로 손가락이 가슴에 닿지 않게 두 손을 포갠다.

⇒ 팔꿈치가 굽혀지지 않게 팔을 곧게 뻗고, 어깨와 허리 힘을 이용

⇒ 3~5cm 깊이로 분당 100회

e. 기도를 열어준다.

- 머리를 뒤로 젖히기/ 턱을 들어올리기

- 숟가락 이용

f. (폐)호흡 확인

- 눈으로 가슴의 움직임을 본다.

- 귀로 가슴이나 목에서 나는 숨소리를 듣는다.

- 손바닥이나 볼을 콧구멍 가까이 대어 느낀다.

- 호흡이 없으면? ⇒ 환자 가슴이 올라올 정도로 1초씩 2회 불어 넣는다! 코 막기!

g. 심폐소생술 시행

- 심30 : 폐2의 비율로!

h. 5초간 BLS 멈추고 환자의 호흡과 순환 확인

- CPR 시작 1분 후와, CPR 중 매 1~2분마다

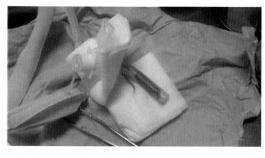

그림 69-2. 갑작스러운 근육 경련 및 산소포화도 저하 소견을 보인 환자에게서 제거한 T-tube의 내관이 환자의 가래 등 분비물로 막혀 있다. 이러한 환자의 CPR은 바로 T-tube 제거이다.

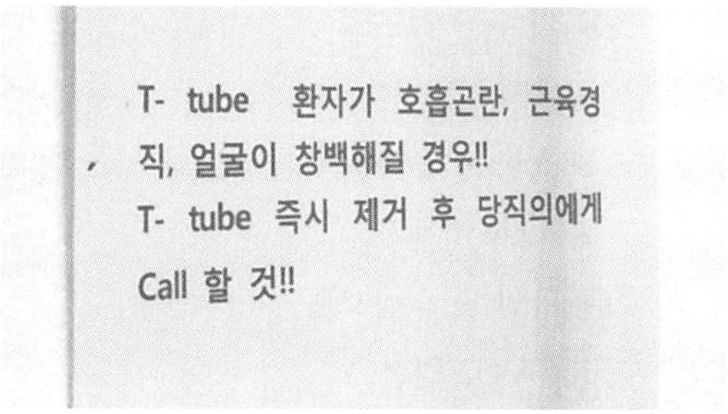

그림 69-3. T-tube 환자 침상 위에 붙여 놓은 응급상황 대처법

5) 기도가 막힌 질식 환자의 처치법(그림 69-4)

처음에는 의식이 있어, 숨이 막힌다는 신호 보냄

- 손으로 목을 잡고 기침을 하려고 애를 쓰거나 고통스러워 함.

⇒ 말이나 기침 할 수 있으면 환자 스스로 이물질 뱉어내도록!

⇒ 하임리히수기 : 검상돌기 아래부분에 순간적인 세찬 압박을 3~5회 가함.

 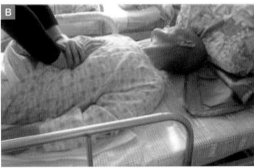

그림 69-4. (A) 음식이 기도에 걸렸을 때 시행하는 하임리히 수기. (B) 세우기 힘든 환자는 침대에 누운 상태에서 고개를 옆으로 돌린 후 시행한다.

6) ACLS(전문적 심장구조술)-BLS 이후에 병원에서만 할 수 있는 CPR

a. 기도 유지
- Suction : 구강 내 이물질, 구토물, 혈액 제거
- Airway 끼우기

b. 호흡 확인 및 인공호흡
- 100% O2 연결
- Ambu bagging ; 새지 않도록!
- Endotracheal Intubation
  ⇒ intubation하느라고 30초 이상 BLS 지체되면 안됨! 잘 안되면 Ambu bagging
  ⇒ 성인 7.0~7.5 Fr/ 23~24 inch 고정

c. 맥박 확인 및 가슴압박
- EKG monitoring!
- Ventricular fibrillation(심실세동), Ventricular Tachycardia, Atrial Fibrillation, Atrial Flutter
  ⇒ 제세동으로 해결!
- "Flat"
  ⇒ 정말 "Flat"일까? ; 우선 EKG lead가 떨어져 있는지 확인! 전원 확인!

d. 제세동(Defibrillation)

- VF, VT : 200J-200(300)J-360J with minimal delay
- 수축기혈압 〈 90 mmHg 이면서 빈맥(PSVT 포함) : 50J(주먹으로 '쾅') → 100J
- "Flat"일 때엔 제세동이 오히려 심장에 부담만 줄 뿐!

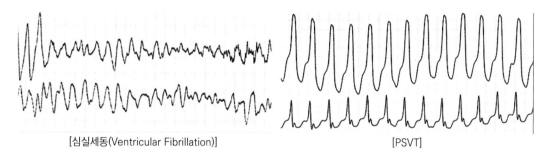

[심실세동(Ventricular Fibrillation)]   [PSVT]

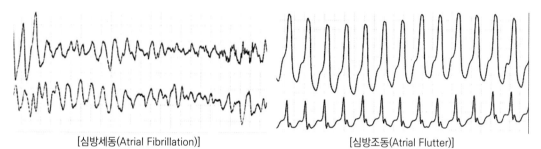

[심방세동(Atrial Fibrillation)]   [심방조동(Atrial Flutter)]

그림 69-5. **응급치료가 필요할 수 있는 부정맥의 종류**

7) CPR Drugs(흔한 약물 위주로!)

a. Epinephrine

- 심장과 뇌의 혈류를 증가시킴
- 1 mg씩 3~5분 간격으로 IVS

b. Atropine

- 증상이 있는 서맥
- 0.5~1 mg씩 3~5분 간격으로 IVS
- 무수축일 때 1 mg씩 3~5분 간격으로 IVS

c. Lidocaine

- 제세동 및 Epinephrine 투여 후에도 지속되는 VT or VF
- initial bolus : 1~1.5 mg/kg IVS
- 0.5~1.5 mg/kg IVS q5-10 min
- maintenance infusion: 2~4 mg/min

d. Sodium bicarbonate

- Hyperkalemia, Acidosis 때
- initial bolus : 1.0 mg/kg(혹은 2 Amples) IVS
- 이어서 0.5 mEq/kg IVS q10min(pH 7.2가 될 때까지)

e. Digoxin

- HR 〉 100/min의 Atrial Fibrillation 시
- 0.25 mg mix with N/S 20 cc IVS q8hr ⇒ 이후 PO 0.125 mg qd
- 3일 후 level 측정

f. Dopamine

- ☞ 체내에서 이 물질이 넘치면 정신분열병, 모자라면 파킨슨병
- ☞ Vomiting시에 쓰는 위장관 촉진제인 Macperan은 이 물질의 억제제이다!
- Hypovolemia 상태에서는 효과가 없다.
  - 1~3 ug/kg/min : 신장혈류 증가, Urine Output 증가 - 도파민 수용체
  - 2~5 ug/kg/min : 심장근육의 수축력 증진 - $\beta 1$-adrergic receptor
  - 5~10 ug/kg/min : 혈관수축 - alpha adrenergic receptor
  - 10 ug/kg/min : Norepinephrine 정도의 효과

☑ 평소 BP 110/80이던 55 kg의 환자가 갑자기 소변이 안 나오면서 BP 80/60 check!

1. Normal Saline 1L hydration
2. 소변도 나오게 하고 심장근육 수축력 증진 위해서 5 ug/kg/min로 start!
   ⇒ 5 DW(or H/S or N/S) 500 cc + Dopamine 400 mg mix
   ⇒ 20 cc/hr(= 5 ug/kg/min = 5 gtt)로 시작 ⇒ 40 cc/hr ⇒ 60 cc/hr

70 말기환자 관리의 원칙

- 75세 여성. 3년 전 폐암 말기 진단 받고 최근에 호흡곤란이 심해져서 입원하심. 의식은 명료하고 일상생활수행능력도 거의 정상이나 호흡곤란으로 다소 힘든 운동은 못 할 정도임. 보호자 분들은 어머니 성격이 예민하셔서 혹시 충격으로 쓰러지시기라도 할까봐 그 동안 폐암에 걸린 사실을 환자에게 비밀로 했다고 하며 입원 후에도 비밀을 유지해 주기를 주치의에게 부탁함.

- 입원 1개월 경과 후, 환자의 호흡곤란은 더욱 악화되어 조금이라도 움직이면 매우 힘들어 하고 지속적인 산소 공급이 필요한 상태가 되었음. 폐렴으로 알고 입원했던 환자는 본인의 증상이 좋아지지 않자 대학병원으로 옮겨서 치료 받기를 원함. 이에 주치의는 보호자들을 설득하여 환자에게 본인의 병에 대해 알렸음. 보호자들의 걱정과는 정반대로 오히려 환자는 전혀 우울해 하거나 불안한 모습을 보이지 않고 하늘의 뜻으로 받아들이며 편안해 하시고 증상에 대한 약물 치료 등에 대해 순응도도 높아졌으며 요양병원에서 주치의의 처방대로 치료 받기로 하심.

대부분의 선진 국가에서는 노인들이 사망하는 장소가 요양원 등의 노인요양시설이라고 알려져 있으나 우리나라의 경우는 점점 더 많은 노인환자들이 요양병원에서 마지막 삶을 보내고 있다. 이에 따라 요양병원에 근무하는 의료인들에게 있어서 말기질환의 이해와 말기환자 케어에 대한 지식의 습득은 필수적인 덕목이다.

이 장에서는 요양병원에서 흔히 접하게 되는 말기환자와 그 가족들에 대한 적절한 대처법에 대해 다루고자 한다.

표 70-1. Karnofsky performance status scale

정 의	%	기 준
정상적인 활동과 일 수행가능; 특별한 치료나 도움이 필요 없음	100	
	90	정상 활동 가능; 경미한 증상
	80	노력하면 정상 생활 가능; 질병의 증상이 약간
일 수행 불가능; 집에서 생활은 가능하나 다른 사람의 도움이 필요; 많은 다양한 보조 필요	70	스스로 돌봄이 가능; 정상 생활이나 활동은 불가능
	60	간혹 보조가 필요하나, 대부분의 개인적 요구는 스스로 해결함
	50	상당히 많은 보조와 잦은 의료적 도움 필요
자가 치료 불가능; 병원이나 기관의 장비 필요; 질병이 빠르게 진행	40	무력; 특수한 치료와 보조 필요
	30	심한 무력; 임종 임박이 아니라도 입원 치료 필요
	20	심하게 아픔; 입원 치료 필요; 적극적인 지지 요법 필요
	10	빈사(죽어가는) 상태; 빠른 임종과정 진행
	0	죽음

50% 이하 : 여명이 6개월 미만으로 간주 ⇒ 말기환자로 분류 가능

정신과 의사 퀘블로 로스(Kübler-Ross)의 죽음의 5단계 모델

위 모델은 대중의 관심을 끌었으며 임종의 과정을 적절히 이해하는 유일한 모델로 생각되어졌음.

- 그러나 인간의 감정은 연속적이기보다는 동시적이다.
  ex) 백화점에서 아이를 잃었다가 다시 찾은 엄마의 안도, 행복, 분노, 두려움, 후회
- 또한 인간의 감정은 보편적이라기보다는 과거 어려움에 대응했던 방식에 따라 다양하다.
- 흔히 임종과정을 통해 보이는 두려움, 죄책감, 희망과 절망 그리고 유머 등을 간과함
  - 만약 환자가 두려움을 표현하지 않는다면 먼저 생각할 것은 "환자가 그 상황을 제대로 이해하고 있는가?"일 정도로 임종의 어느 단계에서도 두려움 없이 삶의 마지막을 직면할 수 있을 만큼 편안하고 균형 잡힌 사람은 드물다.

임종과정에서 일어나는 두려움

1. 죽음이 미지라는 두려움	2. 고독에 대한 두려움
3. 가족과 친지를 잃는다는 두려움	4. 신체를 잃는다는 두려움
5. 자기지배능력의 상실에 대한 두려움	6. 통증에 대한 두려움
7. 주체성 상실에 대한 두려움	8. 퇴행에 대한 두려움

1. 임종과정의 3단계 모델

1) 초기 단계 : 자신의 죽음의 가능성을 구체적으로 처음으로 직면하는 단계
   a. 복합적 반응(두려움, 분노, 불안, 충격, 불신, 부정, 죄책감, 유머, 희망과 좌절, 타협)
2) 만성 단계 : 초기 단계의 여러 반응들을 정리하는 과정
   a. 정서적 반응의 강도는 점차 감소하나 그 느낌들은 여전히 사라지지 않음.
   b. 가장 중요한 특징은 우울
   c. 이 단계에서 전문가, 가족, 친구들로부터의 많은 지지가 필요
3) 최종 단계 : 수용의 단계
   a. 수용이 도움이 되나 절대적으로 필요한 것은 아님.
   b. 어떤 환자들은 수용의 과정이 없이도 정상적인 대화나 관계를 가지며 정상적으로 의사 결정을 할 수 있다.

2. 의사의 역할

1) 통증을 비롯한 여러 증상들(오심, 구토, 호흡곤란, 연하곤란 등)을 관리
2) 말기환자의 입원을 결정
   a. 통증 등의 증상 관리가 가정에서 어려운 경우
   b. 가족에 의한 간병이 불가능한 경우
   c. 가족들에게 일정한 기간 휴식이 필요한 경우
3) 지속적인 의료서비스 제공
4) 향후 치료 계획 방향 결정과 윤리적 상담을 제공

5) 호스피스-완화의료팀이 구성이 된다면 그 조정자 역할을 담당
6) 환자 가족의 신체적, 정신적 고통에 대해 사별 관리도 담당

3. 임종 환자에 대한 의사의 자세

1) 의사-환자 관계

"완치를 위한 치료보다는 완화적인 치료를 선택함에 있어 환자는 삶의 희망을 버리는 것이 아니라, 다른 삶을 선택하는 것이다. 환자가 자신의 삶을 계속 이끌어 가는 동안 의사를 비롯한 의료진에 의해 내버려 지지 않을 것이라는 확신을 환자는 받아야 한다. 모든 의료인은 완치적인 치료보다는 완화적인 치료를 선택한 환자에게, 통증과 고통의 조절, 정서적 안심, 신체적 접촉, 그리고 사회적 지지를 제공할 의무가 있다"

– Ruth Oratz. 뉴욕의대 종양학 교수 –

2) 희망의 유지

a. 이를 위해 환자에게 '나쁜 소식'을 알리지 않기도 하고, 별 도움이 되지 않는 완치적 치료를 계속 하기도 한다.
b. 그러나 중요한 것은 의사가 스스로에게 "환자의 희망은 무엇이며, 그 희망을 유지시키기 위해 의사가 해야 할 역할은 무엇인가?" 라는 질문을 하는 것이다.

3) 희망의 초점 전환

a. 말기환자의 희망은 완치나 생명 연장에 대한 것만이 아니라, 통증의 해소, 자유, 인간 관계의 지속, 삶의 질 향상, 뒤에 남을 사람들의 안녕 등도 희망한다.
b. 특히 남은 기간 동안 편안함, 존경, 공감, 그리고 사랑의 감정을 희망한다.
c. 의사는 환자를 도외시 하지 않을 것이라는 확신을 환자에게 주는 것이 중요하다.

4. 대화 기술

1) 말기 진단의 전달

a. 일반적으로 3~6개월 미만의 생존 기간이 예측될 때 말기환자라고 한다.

b. 이미 자신의 병의 특성을 어느 정도 알고 있기 때문에, 문제의 초점은 '환자에게 말기진단을 알릴 것인가?'가 아니라 '어떻게 환자와 이 사실을 함께 할 것인가?'임.

c. 의사가 할 수 있는 가장 편하고 지지적인 행위는 환자와 함께 앉아서 "물어 볼 것이 있습니까?"라고 묻는 것.

d. 환자가 보이는 분노, 공포, 좌절, 우울 등의 감정적 반응을 표현하도록 함.

말기 진단 전달의 6단계 프로토콜

1. 적절한 시기와 장소를 선택한 후 면담을 임하는 자세를 올바르게 한다.
2. 환자가 얼마나 알고 있는지 파악하라.
3. 환자가 얼마만큼 알기를 원하는지 파악하라.
4. 정보를 교환하라(정보의 정렬과 교육).
5. 환자의 감정에 반응을 보여라.
6. 앞으로의 계획을 세우고 다음 만남을 약속하라.

표 70-2. **환자의 질병에 대한 의사-보호자의 공모**

왜 공모하게 되는가?	환자가 알게 됨으로써 충격을 받을까 봐
어떻게 공모하는가?	가족들의 요구를 의료진이 받아들이는 경우가 대부분
공모가 희망을 주는가?	오히려 현실을 받아들이면 희망은 더욱 더 의미가 있게 되고, 짧은 기간이나마 목적을 이룰 수도 있다.
정직하고 솔직히 말하라!	환자가 걱정하는 많은 부분에 대해 확신을 주고 안심시킴. 새로운 희망과 목표를 계획하고 조정해 나가는 데 큰 힘이 됨. 환자의 삶의 질을 높일 수 있고 가족간의 감정이 자연스럽게 표현됨으로써 더욱 더 열린 관계를 유지할 수 있다.
공모의 해결책	공모에 대한 이유를 찾음. 비밀을 유지하는 데 드는 비용을 계산 환자가 이해할 수 있는 상황을 협상 원하지 않는 정보는 주지 않는다. 만약 현실을 알게 되면, 가족이 함께 대화에 다시 참여한다.

2) 말기 질환에 대한 치료 계획의 수립

a. 향후 치료 계획에 대한 대리인을 미리 파악해 둠.

b. 환자(혹은 보호자)와 생명 연장 장치 사용여부 등의 같은 기본적인 논의를 함.

c. 가족회의 소집. 환자가 혼수상태라 하더라도 환자 곁에서 치료에 대한 결정을 하는 것이 그 결정을 보다 현실적이게 하고, 가족구성원들의 죄책감을 줄여 줌.

d. 의사는 판단하기 보다는 지지적이고 적극적인 청취자가 되도록 노력

3) 치료적인(지지적인) 대화

a. 의사나 간호사가 단순히 환자의 이야기를 들어주고 환자 개개인의 감정의 실재를 인정하는 것만으로 충분하다.

b. 의료인이 환자의 이야기를 들어주고 감정을 이해해 준다는 점을 환자가 인지하는 것이 가장 중요하다.

c. 공감적 대응들 : 짧은 침묵의 활용, 대화를 격려, 회상 등

5. 호스피스-완화의료

1) 호스피스-완화의료의 개념
   a. Hospice : 라틴어의 Hospes(=손님) 또는 hospitium(손님 접대)에서 유래
   b. "말기환자와 가족에게 입원케어와 가정케어를 연속적으로 제공하는 프로그램"
2) 호스피스-완화의료의 목적
   a. 환자와 가족의 고통을 줄이고, 삶과 죽음의 질을 향상시킴.
   b. 말기환자와 그 가족들이 질병의 마지막 과정과 사별기간에 접하는 신체적, 정신적, 사회적, 영적 문제들을 해소하기 위해 제공되는 전인적인 의료
3) 대상자
   a. 예상 기대 여명이 6개월 미만인 환자
   b. 말기암 환자, 말기 만성 질환자
   c. 6개월 미만의 여명이 아니더라도 진행된 환자 중 통증 및 증상 완화 필요한 자

4) 호스피스-완화의료팀의 구성

    a. 전문요원 : 의사, 간호사, 사회복지사, 성직자, 자원봉사자 등

    b. 보조인력 : 약사, 영양사, 간호조무사, 방사선사, 임상병리사 등

5) 호스피스-완화의료 형태

    a. 전문자문팀 : 의사, 간호사, 임상간호전문가, 사회사업가, 약사, 종교인, 자원봉사자로 구성
된 자문팀이 1차 진료팀에게 조언 혹은 필요 시에 직접 관리

    b. 종합병원내 산재형 : 1차 진료팀이 담당

    c. 완화의료병동 : 특정 병상을 지정, 임종 때 가족을 위한 지지가 가능

    d. 외래진료 : 병원마다 프로그램을 운영하여 완화의료 전문가의 조언을 들음

    e. 가정 진료 : 의사 및 가정방문 간호사 등에 의해 관리

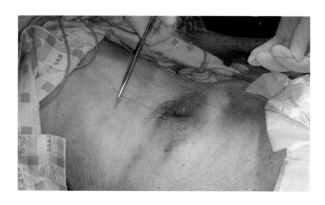

그림 70-1. 환자 사망 이후 G-tube 삽입 부위 봉합하는 장면.
환자 사망 이후에는 깨끗한 마무리가 환자에 대한 최소한의 예의이다.

6) 호스피스-완화의료 건강보험 일당정액수가제

    2015년 7월부터 호스피스-완화의료에 대한 건강보험 일당정액수가제가 시행되고 있는데, 2016년 현재 그 대상은 말기암 환자에만 국한되고 있다. 보건복지부에서는 장기적으로는 비암성 말기질환에 대해서도 건강보험 혜택을 받을 수 있도록 추진 중이라고 언론을 통해 밝혔다. 건강보험 혜택을 받기 위해서는 완화의료전문기관으로 선정되어야 하는데, <u>2016년 현재 요양병원은 자격이 되지 않는다(암관리법 제22조)</u>. 그러나 2016년 8월 1일자로 "요양병원 호스피스 시범사업 사업기관"에 전국 15개 요양병원이 선정됨으로써 조만간 요양병원도 건강보험 혜택을 받을 것으로 예상된다.

    완화의료전문기관의 인력, 시설, 장비 기준은 다음과 같다(암관리법 시행규칙 별표).

완화의료전문기관의 인력·시설·장비 기준(제13조 관련)

1. 인력 기준
가. 필수 인력

구 분	인 원
의사 또는 한의사	연평균 1일 완화의료병동에 입원한 말기암 환자를 20명으로 나눈 수 이상(소수점 이하는 올림한다)
전담* 간호사	연평균 1일 완화의료병동에 입원한 말기암 환자를 2명으로 나눈 수 이상(소수점 이하는 올림한다)
사회복지사	상근(常勤) 1명 이상

* 완화의료병동에 소속되어 완화의료 업무에만 종사하는 것을 말한다.

나. 교육 이수
1) 가목에 따른 필수 인력은 3)에 따른 완화의료 관련 교육을 이수하여야 한다. 다만, 「전문간호사 자격인증 등에 관한 규칙」제2조에 따른 호스피스전문간호사는 기본 교육을 이수한 것으로 본다.
2) 완화의료전문기관으로 지정된 후 결원, 인사이동 등의 부득이한 사유로 가목에 따른 필수 인력이 3)에 따른 완화의료 기본 교육을 사전에 이수하지 못한 경우에는 완화의료병동 근무 개시 후 3개월이 경과하기 전까지 해당 교육을 이수하여야 한다.
3) 교육의 세부 기준
   가) 교육 내용 : 말기암 환자에 대한 전인적(全人的) 평가 방법과 돌봄 계획 수립 방법, 환자와 가족에 대한 의사소통 및 상담법, 말기암 환자의 통증 및 증상 관리를 포함하는 완화의료 관련 내용
   나) 최소 교육 이수 시간 : 기본 교육 60시간 및 보수 교육 연간 4시간
   다) 교육 기관 : 법 제19조에 따른 지역암센터, 법 제22조에 따른 완화의료전문기관, 법 제27조에 따른 국립암센터, 「의료법」 제28조에 따른 의사회·한의사회·간호사회, 「사회복지사업법」 제46조에 따른 한국사회복지사협회 및 완화의료 관련 전문 학회

2. 시설 및 장비 기준

가. 말기암 환자의 완화의료를 위한 완화의료병동(완화의료병동만을 운영하는 독립 건물을 포함한다)은 다른 병동과 구별되도록 설치·운영하여야 한다.

나. 완화의료병동 내 시설 및 장비의 세부 기준

시설구분	수량	면적	시설 및 장비	비 고
입원실	3	병상당 6.3 ㎡ 이상	가. 흡인기(吸引器) 및 산소 발생기 나. 휠체어	1실당 5병상 이하일 것
				남·녀로 구별할 것
임종실	1			구분된 공간일 것
목욕실	1		목욕 침대 등 목욕서비스 제공에 필요한 장비	완화의료병동 내 설치할 것. 다만, 배수 시설 등의 이유로 완화의료병동 내 설치가 불가능할 경우, 완화의료병동과 근접하고 말기암 환자 이동이 용이한 위치에 전용 목욕실을 설치·운영할 수 있다. 예) 완화의료병동 구획 옆 같은 층 또는 근접 엘리베이터 등을 이용할 있는 상·하층
가족실	1		환자와 가족의 휴식 및 편의에 필요한 시설	구분된 공간일 것
상담실	1			구분된 공간일 것
처치실	1		주사용 기구, 드레싱 세트, 소독기구, 정맥 주사 거치대 등 처치에 필요한 기본적인 장비	구분된 공간일 것
간호사실	1			구분된 공간일 것
화장실	2			남·녀로 구별할 것
				모든 입원실 및 임종실 내에 화장실이 별도 설치된 경우는 제외한다.

6. 사별 관리

1) 가족과 개인을 상담할 수 있는 자격을 갖추고, 사별 관리에 대한 교육과 적절한 훈련을 받은 자에 의해 지도 받음.

2) 사별 관리 제공자는 환자 사망 전 호스피스-완화의료를 제공했던 팀 구성원과 정보를 교환

3) 환자, 가족의 슬픔과 상실 문제, 유가족의 요구, 사회적, 종교적, 문화적 배경, 위험 요인, 병적인 애도 반응의 발생 가능성 등을 평가

4) 사별가족 보살핌에 유의할 점들

    a. 슬픔의 표현을 각자 자기식대로 표출할 수 있도록 배려한다.

    b. 슬픔 때문에 오는 여러 가지 반응과 고통을 정상적인 것으로 수용한다.

    c. 불쌍히 여기는 행동이나 측은하게 생각하는 어투는 삼간다.

    d. 의례적인 인사보다 침묵 속에 함께 아픔을 나누는 마음이 중요하다.

    e. 슬픔에서 벗어나게 해 주기 위해서는, 기술적인 분석이나 해설보다는 그저 들어주고 기다려 주는 것이 좋다.

사별 관리의 방법

1. 슬픔에 대한 표현을 경청한다.
2. 사별은 고통스럽다는 사실을 인정하도록 돕는다.
3. 고인을 잘 추모할 수 있도록 한다.
4. 실질적 도움을 준다(가사, 행정적 도움[동사무소 사망신고 등], 유품정리, 각종 애도 행사 도움).
5. 스스로를 잘 돌볼 수 있도록 격려
6. 정상적인 슬픔 vs 병적인 애도 반응 구별(자살, 술 등 언급시 전문가 의뢰)
7. 고인의 죽음으로 가족 간 갈등이 생길 수 있으므로, 가족들이 서로 자신들의 감정을 표현하고 나누도록 격려
8. 삶의 의미를 재창조할 수 있도록 영적인 활동(좋은 글과 책, 기도, 명상 등)을 격려
9. 적응 단계에서는 내면의 힘과 기쁨이 올라오므로 새로운 관계를 맺고, 그 동안 미뤄왔던 중요한 결정 사항들을 하나씩 선택하여 이를 실천해 보도록 격려

7. 문상편지 보내기

전직 AMDA (American Medical Directors Association; 미국 노인요양시설 관리의사협회) 회장인 Swagerty 교수는 그의 저서에서 본인이 돌보던 환자가 돌아가시면 다음과 같은 원칙으로 문상편지를 써볼 것을 권고하였다.

문상편지 보내기 원칙

고인에 대한 헌사를 바치고 유족들에게 위로를 건넨다.
2주 이내에 편지를 보내라.
친필 편지를 보내라.
죽음을 인정하고 고인의 이름을 사용하라.
동정을 표시하라.
고인의 특징 또는 고인에 대한 기억을 묘사하라.
"그분을 알게 되어서 영광이었습니다."라고 말하라.
유족의 특별한 자질들을 언급하라.
실제로 행할 마음이 없다면 어떤 도움도 제안하지 마라.
"당신을 생각하며 기도드리겠습니다."라고 편지를 끝맺어라.

8. 개인회상요법을 통한 사별 관리

사별관리의 한 방법으로 환자의 인생 중 기억남는 순간과 가족 등에게 남기고 싶은 말을 받아적어 사별 후 가족에게 전달하는 방법이 있다. 만일 병원에 자원봉사자 학생들이 찾아온다면 학생들을 통해 질문을 하게 하면 학생들에게도 좋은 경험이 될 수 있다. 필자는 자원봉사 학생들에게 다음과 같은 '개인회상요법 설문지'를 통해 노인환자들과 면담을 하게 하고, 그 설문지를 추후 가족들에게 전달하곤 한다.

[인천은혜병원/인천시립치매노인요양병원 자원봉사 개인회상요법 설문지]

자원봉사자 이름 :   성별(남/여)   나이 :
소속: (초등,중,고등)학교 / 기타 (   )

회상요법은 노인들로 하여금 노인들이 경험한 과거사건들 중에서 긍정적이고 유쾌한 경험을 기억해내어 상대방과 기억을 공유함으로써 감정적, 정서적, 인지기능적 효과를 보고자 하는 활동입니다. 이 설문지의 빈 칸을 채워가시면서 어르신들과의 대화 기술 능력을 스스로 확인해보실 수 있고, 혹시 어려운 점이 있다면 무엇이 어려운지 알아가는 과정이 되기를 바랍니다.

1. 자기 소개 하기 (제 이름은 _____이고, 어떠어떠한 이유로 이 곳에 오게 되었습니다)

2. 어르신 성함이 어떻게 되시나요? (   )

3. 이름은 누가 지어주셨나요? 부모님? 할아버지? 작명소? (   )

4. 어르신 연세(나이)가 어떻게 되세요? (   )

5. 태어나신 곳이 어디세요? (   )

6. 태어나고 자라신 동네는 어떤 곳이었나요? 무엇이 유명했나요?

7. 어떤 집에서 사셨어요?

8. 이사를 자주 하셨나요? 이사하셨다면 그 동안 어디 어디에서 사셨어요?

9. 어릴 때 특별히 기억나는 일이 있으세요? 기쁜 일이나 슬픈 일이나…

10. 어릴 때 아주 친했던 친구가 있으세요? 그 친구 이름은 무엇이고, 무엇을 하고 노셨나요?

11. 옛날 친구를 지금 다시 만나시면 무엇을 하고 싶으세요?

12. 좋아하는 가수는 누구세요? 어떤 노래를 좋아하세요?

13. 좋아하는 영화배우가 있으세요? 어떤 영화를 좋아하세요?

14. 좋아하는 대통령 이름은 무엇인가요? 그 이유는 무엇인가요?

15. 좋아하는 음식은 무엇인가요? 어떤 음식을 잘 만드세요?

16. 가장 가보고 싶은 곳은 어디세요?

17. 지금까지 사시면서 가장 행복했던 시간은 언제인가요?

18. 자식 키우시면서 가장 즐거웠던 일은 무엇인가요?

19. 자식들에게 하시고 싶은 말씀은 무엇인가요?

20. 저에게 해주고 싶으신 말씀은 무엇인가요?

느낀 점 (좋았던 점, 어려웠던 점 등을 자유롭게 써보세요)

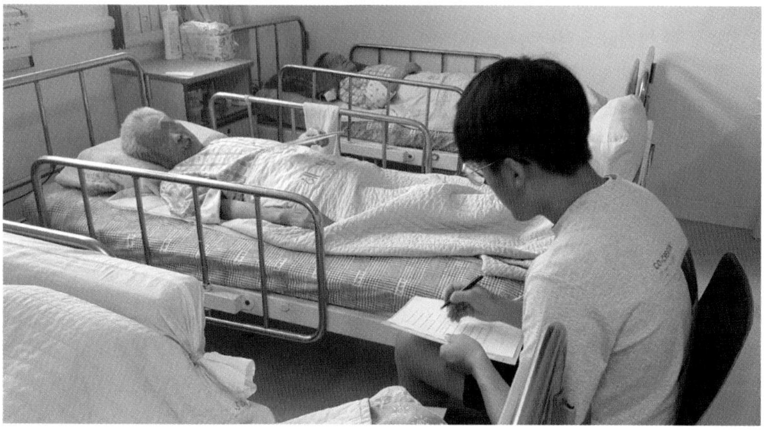

그림 70-2. 개인회상요법 설문지를 이용해 환자와 면담하고 있는 자원봉사학생

개인회상요법 설문 자원봉사를 경험한 학생의 체험수기

봉사활동 체험수기 (인천은혜병원)

서인천고등학교 인○○

정신없는 고등학교 생활이 시작된 지 한 달이 지나도록 나는 여전히 봉사활동을 할 곳을 찾지 못해 고민하고 있었다. 그러던 중 학교에서 봉사활동을 할 기관을 추천해주었고. 대부분의 반 친구들은 한 달에 한번씩 심곡천으로 쓰레기를 줍는 봉사를 선택하였다. 다른 곳보다는 그래도 심곡천 봉사가 그나마 편한 마음으로 친구들과 시간을 보내면서 할 수 있는 봉사라고 생각되어 나 역시 친구들을 따라 심곡천으로 봉사활동을 하러 갈 생각이었다. 하지만 이왕 하는 것 나에게 더 의미있는 봉사를 하면 어떨까 생각이 들었고, 초등학생때 동네 양로원으로 봉사를 했던 경험이 있었기 때문에 그 기억을 되살려서 은혜병원에 계신 할머니 할아버지들을 돕기로 결정했다.

중략

내가 봉사활동을 하러 다니는 은혜병원은 대부분 치매 또는 여러 질병에 걸리신 노인분들이 계신 곳이다. 평범한 노인분들과는 다르게 말씀도 제대로 못 하시고, 숨 쉬는 것조차 힘들어 산소 호흡기를 차고 계시는 분들도 있고, 금방이라도 쓰러지실 듯 고통스러워하시는 분들이 상당수이다. 가장 처음 은혜병원으로 봉사를 하러 갔을 때 이런 모습들을 보고 정말 당혹스러웠다. 단순히 초등학교 때 경험했던 동네 요양원같은 병원인 줄 알았는데 그곳과는 차원이 다른 곳이었다. 엘리베이터 문이 열리는 순간 퀴퀴한 욕창 냄새가 진동을 하고, 아기가 옹알이하듯 침을 질질 흘리시며 이야기하는 할머니, 기침을 하면서 목에 걸린 가래를 빼내려고 하시는 할아버지, 침대 옆에 걸려있는 줄 달린 대소변 통 등 가뜩이나 비위가 약한 나에게 은혜병원 봉사활동은 말 그대로 지옥이었다. 처음 몇 번은 봉사를 하고 나면 봉사 후 점심을 먹기 싫어질 정도였다. 단순히 봉사 시간만 채우고 나오자도 아니고 다시 오기 싫을 정도로 힘든 경험이었다. 그런데 이런 나의 생각은 그곳에서 경험했던 한 활동을 계기로 확 바뀌었다.

어느 날 은혜병원 담당 의사 선생님이신 가혁 선생님께서 걸레질을 하는 나를 불러 한 가지 임무를 맡기셨다. 할머니 할아버지들과 함께 진행하는 Q&A 설문조사였다. 은혜병원은 노인요양치매병원이기 때문에 치매를 방지하기 위한 간단한 설문지라고 말씀해주셨다. 내가 설문지에 적힌 내용을 어르신들께 질문하면 대답하시는 내용을 받아 적는 방식으로 진행되는 설문조사였다.

나는 걸레질을 끝내고 한 입원실의 할아버지를 찾았다. 601호 가장 오른쪽에 계시는 정oo 할아버지. 내가 입원실 청소를 할 때 마다 항상 웃으시며 반갑게 맞이해 주시던 할아버지이다. 평소에도 나를 예뻐해 주시고 다정하게 대해주셔서 마음이 가던 할아버지였는데 이 할아버지의 이야기를 듣는다니 설레었지만 막상 또 긴장되기도 하였다. 설문지에 적힌 질문들은 간단했다, 고향은 어디이신지, 가장 좋아하는 영화는 무엇인지, 어떤 음식을 가장 잘 만드시는지 정도였다. 하지만 이 질문들 중에서도 나의 마음을 울리는 질문들이 몇 가지 있었다. 인생을 살면서 어떤 순간에 가장 행복했는지, 가족 또는 자식에게 하시고 싶은 말이 있는지, 마지막으로 나(인oo)에게 하고 싶은 말이 있는지, 이 세 가지의 질문이 개인적으로 매우 인상 깊었다. 정oo 할아버지께서는 모든 질문에 성실히 답변해 주셨다. 야채 만두를 가장 좋아하셨고, 좋아하시는 노래는 '남자는 배 여자는 항구'였다, 아들을 낳으셨을 때가 인생에 가장 행복하신 순간이었고, 마지막 나에게 하고 싶으신 말은 짧은 시간이지만 내가 맨날 왔으면 좋겠다는 말씀이셨다.

질문에 답을 하시며 가끔씩 울컥울컥하시는 할아버지의 모습에 나도 괜스레 마음이 찡해졌다. 언제나 웃음을 절대 않으셨던 할아버지였는데 처음 보는 할아버지의 슬퍼하시는 모습에 당황스러웠고, 지금도 그런 할아버지의 모습이 아련하게 떠오른다.

두 번째로 갔었던 분은 605호에 계신 할머니였다. 성함이 잘 기억나지는 않는데 이 할머니의 이야기도 매우 인상 깊었다. 어렸을 적 황해도에서 태어나 지붕이 없는 집에서 가족끼리 몸을 맞대며 살았고 6.25 때 부모님과 형제자매를 잃고 언니 2명과 함께 남한으로 넘어와 부천에 있는 한 시장에서 나물을 팔며 겨우 하루하루를 살아가셨다고 한다. 그러다 멋진 남자와 결혼하여 가정을 꾸렸으나 남편이 개인 사업을 위해 할머니께서 버신 돈을 다 가져가셨다고 한다. 그것도 세 번이나. 자식은 아들 3명이 있는데 마지막에 자식들에게 하고 싶은 말이 있는지 질문을 드렸는데 그 답변을 듣는데 살짝 눈물이 나올 뻔했다. 자주 보지 못하고 소식도 간간히 전하는 자식이지만 항상 건강하라며 끝까지 아들 걱정만 하시는 모습에 마음이 아팠다. 뒤로 두세 분 정도 더 설문조사를 끝내고 의사 선생님께 보고서를 가져다 드렸다. 선생님께서는 설문지를 훑어보시며 이곳에 계신 많은 분들이 외로이 남은 인생을 사시는 분들이라고 말씀해주셨다. 그러고 보니 정말 그랬다. 가족이라고 보이는 사람들이 왕래하는 모습이 매우 드물었고, 외부인이라고는 봉사활동을 하는 학생들이나, 교회에서 오는 단체가 전부였다. 내가 모르는 사정이 있을 수도 있지만 대부분의 할머니 할아버지들께서 그렇게 외로운 노후를 보내고 계시는 분들이라는 것을 사실 크게 인지하지 못하고, 그냥 몸이 불편하신 노인분들로만 생각하고 있었던 것이다.

이 Q&A 설문지 활동 후에 나는 이 은혜병원에서의 봉사활동을 절대 가볍게 생각하지 말아야겠다고 생각했다. 외로이 살아가는 할머니 할아버지들에게 나 같은 학생들이 말벗을 해드리는 것이 그분들에게는 지루한 일상의 조그만 즐거움이 될 것이라는 확신이 들었다. 그렇게 생각하니 내가 차마 보기 힘들었던 모습들도 다 이해가 갔고, 오히려 그렇게 생각했던 내가 부끄러웠다. 항상 똑같은 이야기 항상 똑같은 말을 반복하시며 말을 건네시지만 그 분들에게 있어 나에게 그렇게 단순히 말 한마디를 건네는 것이 외롭고 지루한 일상에 작은 즐거움이라는 것을 깨달았다. 먼저 다가갈수록 정이 생겼고 무언가라도 더 해드리고 싶은 마음에 여름에는 손 선풍기도 가져다드리고, 601호의 임oo 할아버지께는 평소에 좋아하시는 카스타드를, 605호의 전oo 할머니께는 손뼉놀이(쎄쎄쎄)를, 602호 김oo 할머니와는 그 옛날 할머니의 고등학교 시절의 이야기를 들으며 계속해서 다가가려고 노력했다. 물론 항상 똑같은 이야기만 하시지만 처음 듣는 듯 리액션을 보여주면 할머니께서 매우 좋아하셨다. 이렇게 봉사활동을 하면 할수록 힘들다고 생각했던 부분도 자연스레 사라지고, 오히려 내가 더 얻어가는 점들이 많았다.

중략

학기 초만 해도 숙제처럼 느껴졌던 봉사였지만 어느새 정말 하고 싶은 봉사활동으로 확 바뀐 모습에 일 년 동안 그래도 고생한 내가 자랑스럽고 할머니 할아버지들을 생각할수록 봉사활동을 더 열심히 해야겠다고 다짐했다. 봉사활동을 하며 배웠던 점들을 마음 속에 깊이 간직하며 앞으로는 올해보다 더욱 성실하고 진심이 담긴 진정한 '봉사'를 하려고 한다.

71 요양병원에서의 의료 윤리와 연명의료 중지

- 66세 5단계 파킨슨병 남성. 자발 호흡은 있고 생체증후 안정. 온 몸이 굳은 상태로 의사 소통 이나 모든 운동 능력 없음. 통증 자극에만 반응. L-tube 통한 영양 급식 이루어지고 있음. 배우자는 영양 공급의 중단을 원함.

– 어떻게 대처할 것인가?

* 노인에서 윤리적 문제가 발생하는 근본적 원인들
    – 노인에 대한 편견(Ageism)   – 법적 능력(competency)
    – 삶의 질 – 사회적 비용

* 노인에게서 올 수 있는 실제적 윤리 문제들
    – 삶의 질   – 동의서(informed consent)
    – 정신적 무능력(mental incapacitation) – 신체 억제
    – 제한된 의료 재원의 분배(누구에게 우선적으로 혜택이 돌아가야 하나?)
    – 쇠약한 노인의 자율성   – 생명연장 거부(Do-Not-Resuscitation: DNR)
    – 심폐소생술(CPR)   – 인위적인 수액 및 영양 공급

1. 환자에게 치료 선택권을 주기 위한 전제 조건들

1) 환자가 치료 결정 단계에 참여해야 하고, 실제적 결정 시 자의적이어야 함.
2) 의사로부터 진단 내용, 치료의 목적 및 합병증, 치료 안 할 경우의 예후, 현재 의료기관의 한계 등에 관해 충분히 설명을 들어 이해한 후 의사의 권유에 동의(informed consent)
3) 환자가 정신적, 정서적으로 합리적 결정을 내릴 수 있는 상태

2. 환자의 판단 능력이 저하된 경우

1) 다음의 질문을 통해 환자의 판단 능력을 결정할 수 있다.

a. 환자가 자신이 원하거나 선호하는 것에 대해 결정이나 표현을 전혀 할 수 없는가?
b. 환자가 다른 치료를 원할 때, 그 결정에 대한 이유를 댈 수 있는가?
c. 위 결정을 할 때, 여러 가지 가능한 상황을 고려한 합당한 이유가 있는가?
d. 환자가 여러 가지 치료 중 하나를 선택했을 때 얻을 수 있는 이익과 위험에 대해서 이해하는가?
e. 그러한 치료의 선택이 실제로 무엇을 의미하는지를 이해하는가?
   * 일부 사항만을 결정할 수 있는 환자도 있고, "하루 중 특정 시각"처럼 여러 환경 변수에 따라 개별화하여 적용할 것

2) 환자가 판단 능력이 없다면?

a. 환자가 혹시 건강할 때 작성한 선지침(先指針; Advance Directive)이 있는지 확인
b. 선지침이 없다면 배우자, 가족, 친지 중 대리인(guardian)을 지정
   – 법적인 절차에 따른 법적 보호자 선임 등의 과정은 법원의 절차가 필요하고, 시간 및 비용, 정서적 소진 등의 문제가 있으므로, 가족이나 친지 중에서 자발적으로 후견인을 설정하는 편이 윤리적이며 만족스러운 치료를 하게 된다.

3. 환자에게 유익한 치료를 거부할 때

1) 환자가 왜 거부하는가?
   a. 의사 전달 부족이나 오해, 종교적 믿음, 문화적 배경의 차이
   b. 의사는 가능하면 도움이 되는 치료를 받도록 이해시켜야 함. 때에 따라서는 환자의 가치관
      과 취사선택권을 인정할 수도 있다.

2) 대리인이 거부할 때
   a. 환자 가족 간 의견이 다르다면 합법적 절차를 밟아 대리 결정을 하게 함.

4. 특수한 임상적인 결정

1) 실행 금지("Do Not" Order)

a. '특정한 치료를 하지 말라'는 order를 다른 의료인에게 전달하는 것
b. DNR(Do Not Resuscitate; 심폐소생술 금지)
   − CPR 등을 하더라도 환자의 예후가 아주 나쁘고, 환자에게 이익보다는 해를 주거나 고통의
     연장만을 초래할 경우 대리인과 상의 후 결정
   − 특정 치료(항생제 사용 금지 등)에 대해서도 같은 원칙 적용 가능
   − 임종 말기에 본인 스스로 결정을 내릴 수 있는 환자라면 미리 상의할 것
   − 결정되면 의무기록에 남기고, 가족에게도 설명
   − DNR 결정은 환자상태의 변화나 상황에 따라 변할 수 있음.

2) 치료 중지

a. 생명유지 장치나 치료를 도중에 제거하는 일은 처음부터 시작하지 않는 것과 윤리적이나 법적
   으로 크게 다를 바 없다.
b. 어떤 치료를 시도하다가 이것이 도움 안되면 중단할 수 있다는 전제 하에 동의를 얻어 어떤
   치료를 시작해 볼 수 있다.

c. 치료 중지가 사망의 원인이 된다고 볼 수 있지만, 환자를 사망에 이르게 하는 것은 앓고 있는 질환 자체이지 의사의 행위 때문은 아니다.

d. 생명유지 치료는 하지 않더라도 통증 감소나 평안을 위해 필요한 대증요법은 계속 하여야 한다.

3) 인공 급식(임종 말기 무의식 환자)

a. 인공 급식도 하나의 치료이므로 인공 급식의 중단 여부도 위에 언급한 치료 중지와 마찬가지의 원칙과 과정을 따르면 윤리적이나 법적인 문제가 없으리라는 것이 대체적인 의견이다.

b. 의식이 없는 임종 말기의 환자에서 영양소를 줄이거나 수분 공급을 끊는 경우, 일반인이 공복 시에 느끼는 공복 통증 등의 불편함이 없으므로 환자에게 기본적으로 안락하게 해주어야 한다는 기본적인 원칙에 위배되지 않는다는 것이 대부분 학자들의 의견이다.

c. **연명의료결정법과 연명의료** : 2016년 1월에 소위 <u>연명의료결정법(호스피스/완화의료 및 임종과정에 있는 환자의 연명의료결정에 관한 법률안)</u>이 국회 본회의를 통과하여 <u>2018년 1월부터 시행되기 시작했다.</u> 이 제도가 시행되면서 원칙적으로는 그 동안 환자의 뜻과 무관하게 의사와 보호자에 의해 시행되었던 연명의료 중단을 할 수 없게 되었지만, 다른 한편으로는 요양병원 현장에서는 연명 의료의 중단을 선택하는 사례가 증가할 수도 있어 논란이 되기도 하였다. 특히 **가족의 경제적 부담 등이 의사 결정에 영향을 주어 소위 '죽음의 계급화'**가 일어날 수 있다는 것이다. 또한 무의미한 연명의료의 대상을 **"임종을 앞두고 있는 환자"로 한정한 것**도 논란거리다. 연명의료를 가장 많이 시행할 것으로 예상되는 <u>뇌사상태(식물인간)가 종교계의 반대로 대상에 포함되지 않았기 때문</u>이다.

연명의료결정법에 따른 연명의료 중단절차		
임종과정 판단	대 상	임종과정에 있는 환자나 암 환자 가운데 적극적인 치료에도 불구, 근원적인 회복 가능성이 없는 말기환자.
	병의 종류	무관
	판단 주체	담당의사 및 해당 분야 전문의
환자의 의사 확인	환자 의사가 명확	사전의료의향서(19세 이상 성인이 평소 직접 작성해 두는 것) 및 연명의료계획서(의사와 함께 작성)를 국립연명의료기관에 등록, 보관.
	환자 의사를 추정할 수 있음	"환자가 연명치료를 원하지 않았다"는 가족 2명 이상의 일치된 진술 + 의사 2명이 이를 확인
	환자의 의사 추정이 안 되는 경우	– 가족 전원의 합의 + 의사 2명이 이를 확인 – 미성년자의 경우 법적대리인(친권자)이 결정 + 의사 2명이 이를 확인
연명의료 중단 또는 실시 안함		– 심폐소생술, 혈액투석, 인공호흡기, 항암제 투여 중단 – 통증 완화치료와 영양분 및 산소 공급은 지속

4) 적극적인 안락사(우리나라는 미해당)

a. 생명연장의 치료를 중지함으로써 자연적인 사망에 이르는 것이 아니라, 능동적으로 사망에 이르도록 치명적인 약물 주사를 주입한다든지 하는 능동적인 안락사

b. 네덜란드 등 극히 일부 국가를 제외하고는 범죄 행위로 정의됨.

c. 윤리적으로도 대부분의 국가에서 대다수의 사람들이 옳지 않다고 판단함.

d. 근거 : 일부 환자는 임종에 임박하여 견딜 수 없는 무서운 고통을 받으며 죽어가기 때문

e. 그러나 이러한 문제의 해결책은 안락사가 아니라, 적극적인 증상 치료를 하는 것이라는 게 대다수 전문가들의 의견임.

f. 말기 진정술(Terminal Sedation)

 – 일반 진통제로 완화시킬 수 없는 말기 통증 환자에게 다량의 진정제나 진통제를 투여

 – 부작용에 의해 생리적 기능저하로 죽음을 초래 할지라도, 본래 의도가 환자의 고통 경감을 위한 것이었다면, 법적이나 윤리적인 면에서 문제가 되지 않는다.

5) 자살 동조(assisted suicide)(우리나라는 미해당)

a. 의사가 자살목적으로 쓰일 것을 알면서 환자가 원하는 만큼의 치명적인 약물을 환자에게 공급해 주는 것
b. 미국 오레곤 주 자살동조법에 의한 적응증
   - 여생이 6개월 이하이며,
   - 본인이 의사 결정을 할 수 있으며,
   - 환자가 서면으로 한 번, 구두로 두 번의 요구가 15일 이내에 있고,
   - 두 명의 의사로부터 환자의 예후와 환자의 의사 결정 능력에 대한 확인이 있어야 함

6) 의료진이 치료 중지에 반대하는 경우

a. 의사, 간호사, 간호보조사 등의 의료진이나 의료기관이 종교적이거나 철학적인 이유로 환자나 대리인의 결정 상황을 이해하지 못하는 상황
b. 의료진은 미리 환자나 가족에게 이러한 가능성을 미리 알림으로써 필요하다면 의료진이나 의료기관을 바꿀 수 있도록 한다.

5. 환자와의 비밀 보장

1) 비밀 보장의 의무는 민사 및 형사상의 법적으로도 명시됨.
2) 비밀 보장 원칙의 예외
   a. 의료보험사, 의료의 적정성 평가위원, 공공의 독립 기관 등에서 요구할 때
   b. 무고한 제 삼자에게 피해를 줄 수 있는 경우
      - 정신이나 의식 장애가 있는 노인이 운전을 할 때
   c. 법에 의해 보건기관에 보고해야 하는 질병이나 상황
      - 노인학대, 일부 전염병
   d. 법원의 명령
3) 환자의 치료에 참여하는 모든 사람은 의사와 같은 비밀 보장의 의무가 주어짐.

중증의 치매로 운동 능력, 인지 능력, 일상생활수행능력 등이 전무하여 3년 째 식물인간 상태 (Vegetative state)로 와상 상태인 67세 남성. 경비위관을 통한 인공 급식에 의해서 생명이 유지되고 있다. 최근의 일시적 저혈압 및 호흡곤란으로 집중치료실에서 치료받고 있는 모습. 이 환자에게 연결되어 있는 각종 선(Line)들은 몇 가지나 될까? ① 경비위관, ② 정맥 주사관, ③ 도뇨관, ④ 산소포화도 측정용 전선, ⑤ 심전도 측정용 전선, ⑥ 산소공급용 관, ⑦ 흡인용 고무관. 무려 7가지나 되며, 각각의 선들은 환자 주위로 복잡하게 뒤엉켜 있다. 이처럼 각종 선으로 연결된 장치들에 의해서 생명을 유지하고 있는 무기력한 상태를, 각 선들이 마치 스파게티 면발을 닮았다고 하여, '스파게티 증후군'이라고 칭하며, 특히 이러한 상태가 장기화되면 대부분의 보호자들은 윤리적, 경제적인 고충을 겪게 된다.

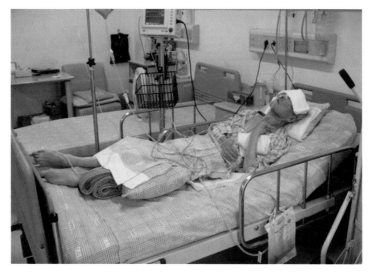

그림 71-1. **스파게티 증후군(Spaghetti syndrome).** 주로 식물인간상태나 혼수 상태의 말기환자에게 주입되거나 부착된 각종 치료용 라인들이 마치 스파케티의 면발과 같다고 하여 붙여진 명칭.

6. 요양병원에서 겪게 되는 윤리문제 사례들

다음은 저자가 요양병원에서 실제 겪은 윤리적 갈등 상황들을 가정의학과 전공의 교육용으로 재구성한 것이다. 그러나 윤리문제에 대해서는 윤리적 정답이 있을 수는 없다. 환자와 보호자, 그리고 의료인들조차도 각자의 가치관이 다르고 처해진 상황들에도 차이가 있으므로 이러한 문제들에 대해 서로 이야기를 나누고 타인의 생각을 들어보는 것만으로도 환자를 대할 때에 좀 더 진지한 마음가짐으로 임할 수 있는 것이다. 다만 현 시점에서의 관련 법률을 세밀히 검토하는 것은 반드시 필요하다.

사례 1. 치매 어머니의 인간다운 삶을 원하는 보호자: 경비위관 절대 거부

가정의학과 전문의 취득 후 첫 직장인 요양병원에서 주치의를 맡게 된 70세 여성 환자 A씨는 치매와 척추 골절로 입원 중이었다. 남편과는 사별했고 자식은 1남 1녀가 있는데, 40대 중반의 미혼 아들은 수시로 병원을 방문하고 환자의 세세한 임상적 상황까지 의료진들의 행위에 대해 간섭하고 심지어는 보호자 스스로 환자의 질병 상태를 판단하여 결정하기까지 하였다. 경제적으로 여유로운 편은 아니며, 적극적인 치료를 원하지는 않음. 특히 본인의 어머니가 "인간답게" 지내시기를 바란다는 의사를 적극적으로 표명하며, 환자가 건강을 유지하는 한 최선을 다할 것이라고 한다. 그러던 중, 환자가 어느 날부터 갑자기 음식 삼키기를 거부함. 병원에서는 정맥 주사를 통해 영양 공급을 했으나, 환자 스스로 정맥라인을 제거하는 일이 잦았고, 그 기간이 2주가 넘게 되어 보호자에게 단기간만이라도 경비위관을 통한 영양 공급을 권유했으나 아들은 단호히 거부한다. 반면에 딸은 필요하다면 영양 공급을 해야겠다고 생각하지만 남동생을 설득할 자신은 없다고 토로한다.

사례 2. 말기 상태의 어머니 치료 방침 변경 요구. 그 이유는 자식들의 스케줄

82세 여성 B씨는 7년 전 뇌출혈 이후 무의식, 사지마비 상태로 당신이 근무 중인 요양병원에 장기입원 중이다. 남편과는 사별하였고 1남 4녀의 자녀가 있으나 대부분의 자녀들이 미국에 거주하며, 보호자들의 경제적 능력은 중상 이상이며 보호자들은 환자에게 최선을 다해주기를 원하는 상태였다.

그러던 어느 날, 환자가 폐렴에 걸리면서 위독한 상태에 이르렀고, 국내 거주 보호자는 외국에 있는 자녀들도 불러야 할 지를 주치의인 당신에게 문의하여, 당신은 시간이 되신다면 어머니 얼굴을 뵙는 것이 좋겠다고 말씀 드렸고, 환자의 혈압이 저하되는 양상을 보여 주사항생제, 혈압상승제(Dopa) 등을 투여하며 유지하던 중, 미국에 있는 가족 친지들 10여 명이 병원을 방문하였다. 다행히 환자의 상태는 호전되었고, 어머니가 돌아가실 것으로 예상하고 왔던 보호자들은 약 1주일을 거의 병원에서 지내다시피 하였다.

그러자 이번에 미국으로 가면 다시 방문하기도 힘들고 어머니의 임종을 볼 수 없음을 걱정한 보호자들은 환자에게 들어가는 혈압상승제와 항생제를 포함한 모든 주사제를 제거해주기를 당신에게 요청하였다.

사례 3. 낙상 위험이 높은 치매환자: 신체보호대 적용 거부

65세 남성 C씨는 우측 편마비가 있는 혈관성 치매환자로서 노인장기요양보험 2등급을 받고 최근에 요양원에 입소했으나 수시로 욕을 하고 같은 방 입소자들에게 시비를 거는 등 거친 행동으로 쫓겨나다시피 요양병원으로 전원되었다. 병원 입원 후 관찰한 결과, 특히 간병 인력이 부족한 저녁 시간 이후에 이상행동이 심해지고 침대에서 무의식적으로 내려오려고 하며 음식을 드렸더니 사래가 잘 들고 삼킴 장애도 있음을 발견하였다.

주치의인 당신은 낙상의 위험과 정맥 주사 치료 목적으로 신체보호대 적용을 고려하여 보호자에게 동의를 받고자 하였으나, 보호자는 완강히 거부한다.

사례 4. 간병사에게 성희롱을 하는 치매 남성: 신경안정제 증량 고려

55세 남성 D씨는 치매로 입원 중이며, 수개월 전 입원 당시에는 퇴원을 요구하고 간호사의 케어에 저항하는 등 비협조적이었으나, 부인과 자식의 설득과 주치의와의 관계 형성을 통해 최근에는 별 문제 없이 잘 지내고 있었다. 그런데, 얼마 전부터 병실의 담당 간병사에게 애정을 품고 간병사 퇴근 이후에는 간병사의 이름을 크게 부르며 찾고, 병실에 있을 때에는 '같이 자자', '여기를 주물러 달라'는 등의 말을 한다고 한다.

마음이 상한 간병사는 울면서 병원을 그만 두겠다고 수간호사에게 하소연 하였고, 결국 병실을 옮기게 되었으나, 아직도 밤마다 그 간병사를 찾으며 소리를 지른다고 한다. 환자의 MMSE 점수는 14점이었다.

비 온 뒤의 상큼한 날씨. 병원에 갔다.
남편은 이젠 의식이 있는 건지 없는 건지 그저 눈감고
몸도 누가 움직여주지 않으면 돌아눕지도 못한다.
인간의 가장 본능적인 음식을 씹어 삼키는 것도 잊어버린 사람.
코에 꽂혀 있는 튜브를 통해 생명을 이어가고 있는 사람,
아직 팔팔하게 활동하며 인생을 즐겨야 할 나이에.....

병원 마당에 나와 앉아 묵주 기도를 하고 묵상을 했다.
늙음을 어떻게 받아드려야 되는 걸까?
나는 이 늙음에 대한 대비를 어떻게 하고 있나?
마당엔 온갖 꽃이 활짝 피어있었고 노랑나비 흰나비가 여기 저기 날아다니고 있었다.
생명이 충만한 이곳, 건물 안에는 생명이 사그러져 가는 사람들의 모습,
한창 화사함을 자랑하는 벚꽃과 이름 모르는 무더기 꽃들과 꽃보다 아름다운 여린 잎들이
나를 왠지 슬프게 한다. 대지에 충만한 생명의 아름다움.
그러나 그러한 것들이 저 사람들에게 뭔 의미가 있을까……

식물인간 상태로 5년간 입원 중이던 모 환자분 보호자의 글

72 사전연명의료의향서(AD)와 연명의료계획서(POLST)

- 말기 담도암 진단을 받고 통증 등의 동반 증상에 대한 완화치료를 위해 요양병원에 입원한 74세 여성이 의식은 명료하여 의사소통이 원활하지만 입원 당시부터 입맛이 없다고 하여 식사를 하지 못하며 TPN을 실시하고 있다. 그런데, 환자의 말초혈관이 좋지 않아 중심정맥관이나 경비위관(Levin tube)을 통한 식사를 제안하였으나 환자는 원치 않고 있다.

- 의료인으로서 환자의 의지가 확고할 때에 어떻게 대처하는 것이 좋을까? 혹시 법적인 문제는 없을까?

1. 요양병원에서의 연명의료 결정

우리나라 요양병원에서 가장 흔히 접하는 사전연명의료의향 표시의 형태는 DNR(심폐소생술 거부) 동의서 작성을 통해서이다. 그러나 이는 표준적인 사전연명의료의향서의 내용 중 단지 하나의 조사항목일 뿐이며, 그나마도 대부분의 경우에는 환자의 인지기능이나 신체기능이 좋지 않은 경우에 주로 보호자(배우자나 자녀)들을 통해 동의를 받고 있는 실정이다. 2018년 2월부터 시행 중인 연명의료결정법(호스피스-완화의료 및 임종과정에 있는 환자의 연명의료결정에 관한 법률)에서는 말기환자등(임종과정에 있는 환자와 말기환자)에 대해 연명의료 중단 여부를 결정할 수 있도록 하였는데, 이 때 작성하는 서류가 사전연명의료의향서와 연명의료계획서이다.

2. 환자의 자기 결정권

2009년의 소위 'oo병원 김할머니 사건'에서 법원은 '환자가 평소 무의미한 연명치료는 원하지 않았다'는 의사를 추정적으로 인정하여 인공호흡기의 제거를 판결하였다. 이에 대해 사회적으로는 '자연사' 혹은 '존엄사' 관점에서 높은 관심을 끌었으나 이 논의는 본질적으로는 환자의 '자기 결정권'의 문제로 귀착된다. 무의미한 연명치료가 임종 환자에게 시행되게 하지 않기 위해서는 환자 본인의 가치관을 반영한 결정이 사전에 이루어지는 것이 가장 바람직하다.

3. 사전연명의료의향서란?

사전연명의료의향서(Advance Directives)는 환자 스스로가 본인의 건강문제에 대한 의료 처치에 대해 사전에 결정하여 의사를 표명하는 서류로서, 이를 작성해 놓으면 향후 의료인의 의료 처치 방침 결정에 큰 도움을 준다. 그러나 아직 요양병원을 포함한 우리나라 의료 현장에서는 이를 DNR(심폐소생술 거부의사 표명)과 혼동하고 있는 경우도 있는 등 널리 이용되고 있지 않다.

사전연명의료의향서의 작성 원칙은 지역, 국가마다 다를 수 있지만, 공통적으로 적용되는 원칙으로는 다음과 같은 것들이 있다.

1) 가능하면 본인이 직접 작성하는 것이 원칙이다. 즉, 사전연명의료의향서는 위중한 상태에서 결정하는 것이 아니고 신체, 정신적으로 건강한 시점에 작성하는 것이다.

2) 반드시 대리인을 설정하여, 환자의 의사결정 능력이 저하되었을 때에 환자의 입장에서 의견을 표출할 수 있도록 한다.

3) 의사결정자의 생각은 주기적으로 체크하며, 언제든지 결정 내용은 바뀔 수 있다.

4) 모든 의료적 의사결정 전에 관련 전문가(의료인)로부터 각 의사결정의 의미에 관하여 정확한 지식을 전달받아야 한다.

4. 사전연명의료의향서에 대한 우리나라 일반인과 의료인의 의식

1) 일반노인들의 의식

대한노인병학회의 노인말기의료연구회에서는 종로구 노인 295명을 대상으로 사전연명의료의향서 관련 설문조사를 실시하여 다음과 같은 결과를 얻었다.

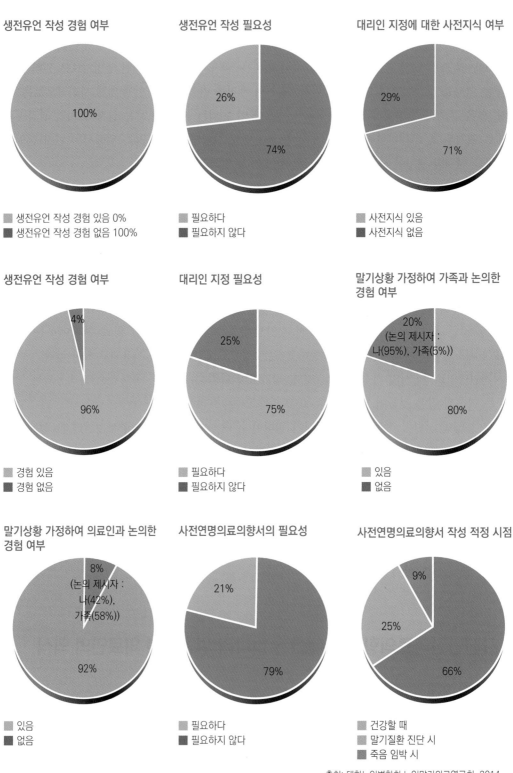

생전유언 작성 경험 여부

100%

■ 생전유언 작성 경험 있음 0%
■ 생전유언 작성 경험 없음 100%

생전유언 작성 필요성

26%

74%

■ 필요하다
■ 필요하지 않다

대리인 지정에 대한 사전지식 여부

29%

71%

■ 사전지식 있음
■ 사전지식 없음

생전유언 작성 경험 여부

4%

96%

■ 경험 있음
■ 경험 없음

대리인 지정 필요성

25%

75%

■ 필요하다
■ 필요하지 않다

말기상황 가정하여 가족과 논의한
경험 여부

20%
(논의 제시자 :
나(95%), 가족(5%))

80%

■ 있음
■ 없음

말기상황 가정하여 의료인과 논의한
경험 여부

8%
(논의 제시자 :
나(42%),
가족(58%))

92%

■ 있음
■ 없음

사전연명의료의향서의 필요성

21%

79%

■ 필요하다
■ 필요하지 않다

사전연명의료의향서 작성 적정 시점

9%

25%

66%

■ 건강할 때
■ 말기질환 진단 시
■ 죽음 임박 시

출처: 대한노인병학회 노인말기의료연구회, 2014

2) 의료인들의 의식

2015년에 대한노인병학회 노인말기의료연구회에서 대한노인병학회 춘계학술대회에 참석한 186명 (의사 181명, 간호사 4명, 무응답 1명)의 의료인을 대상으로 시행한 사전연명의료의향서에 대한 설문 결과는 다음과 같았다. 이에 따르면 여러 가지 요인들에 의해 사전연명의료의향서에 대한 논의가 이루어지고 있지 않음을 확인할 수 있다.

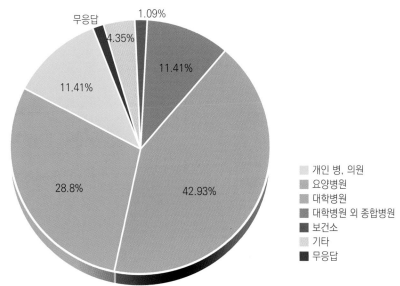

응답자의 소속기관

- 개인 병, 의원
- 요양병원
- 대학병원
- 대학병원 외 종합병원
- 보건소
- 기타
- 무응답

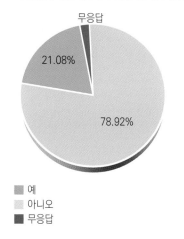

사전연명의료의향서가 있는 환자를 진료한 경험

- 예
- 아니오
- 무응답

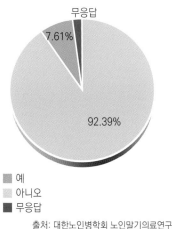

응답자 본인의 사전연명의료의향서 작성 여부

- 예
- 아니오
- 무응답

출처: 대한노인병학회 노인말기의료연구회, 2015

사전연명의료의향서에 대한 논의를 먼저 꺼내지 않는 이유(복수 응답)

	N	%	1순위(%)	2순위(%)
환자요인				
환자가 치료를 포기하는 것으로 받아들일 것이다	104	55.91	32.26	10.57
죽음에 대해 논의하면 환자가 죽음을 택할 지 모른다	31	16.67	3.76	6.99
환자가 화를 낼 것이다	42	22.58	5.38	5.38
환자가 절망감을 느껴서 우울해할 것이다	106	56.99	8.6	22.58
사전연명의료의향서를 논의하면 환자가 불안해할 것이다	84	45.16	12.9	1.61
나의 환자들은 충분히 준비되어 있지 않다	56	30.11	9.14	8.6
환자가 의사결정 능력이 없었다	67	36.02	9.14	8.06
가족요인				
논의하는 것을 가족들이 반대할 것이다	71	38.17	15.59	9.68
환자와 논의한다면 환자의 결정에 대해 가족들이 나를 비난할 것이다	50	26.88	4.84	15.59
가족과 논의하지 않으면 추후 법적 문제가 생길까봐 우려스럽다.	111	59.68	30.11	15.59
환자의 치료 방향의 결정에 보호자의 권리가 크다고 생각한다	95	51.08	16.67	21.51
의료진 요인				
나 자신이 사전연명의료의향서의 의미를 충분히 이해하지 못한다	42	22.58	7.53	4.3
사전연명의료의향서를 논의하는 것은 안락사를 옹호하는 것과 같다	51	27.42		
예후를 예측하고 설명해주기가 어렵다	77	41.4	10.22	16.13
논의할 만큼 환자와 라포가 형성되어 있지 않다	58	31.18	9.68	8.6
논의하는 것이 감정적으로 힘들다	50	26.88	9.68	7.53
논의할 시간이 없다	31	16.67	4.3	4.84
연명의료를 중단하게 된다면 법적 문제가 생길 수 있다	79	42.47	18.28	11.29

비율은 응답자 186명 전체에서)

출처: 대한노인병학회 노인말기의료연구회 2015

5. 연명의료계획서
(POLST; Practitioner Orders for Life-Sustaining Treatment)

1) 연명의료계획서의 정의

기대 수명이 1년 미만인 환자나 매우 쇠약한 중증 환자들에게 임종 전 치료에 대해 더 많은 결정권을 주는 일련의 의학적 지시(medical orders) 사항으로서, 개인이 임종 전까지 받기를 원하는 의학적 치료의 종류가 명시되어 있다.

2) 연명의료계획서의 작성 목적

원하지 않는 방식으로 의학적 치료를 받는 중증 환자들을 위해 마련되었으며, 환자가 원하는 치료를 제공하고, 원하지 않는 치료법은 피할 수 있도록 의료서비스 전문가들에게 지침을 제공.

미국 뉴저지주 연명의료계획서(POLST) 서식(연세대학교 원주의과대학 박연철 교수가 원본을 일부 수정함)

뉴저지주 연명의료계획서(POLST)

이 지시를 따른 후 의사/APN에게 연락하십시오. 이 의료 지시서는 아래에 명시된 사람의 최신 의학적 상태와 구두로 밝혔거나 서면 사전 지시서에 명시된 내용을 바탕으로 합니다. 내용을 작성하지 않은 섹션은 해당 섹션에 대해 완전한 범위의 처치를 의미합니다. 저희는 모든 개인을 존중하며 치료합니다.

이름(성,이름,중간이름)	생년월일

A	치료 목적(지침은 뒷면 참조. 이 섹션은 의학적 명령이 아님)
B	의학적 중재: 호흡을 하고 있고/거나 맥박이 있음 ☐ 완전한 범위의 처치. 생명을 지탱하기 위해 모든 의료 및 수술적 중재를 사용합니다. 요양시설에 있는 경우, 필요에 따라 병원으로 이송합니다. 소생술 상태에 대한 정보는 섹션 D를 참조하십시오. ☐ 제한적 범위의 처치. 항생제와 링거액(IV)과 같은 적절한 의학적 처치법을 사용합니다. 비침습적 양성기도압력을 사용할 수 있습니다. 일반적으로 집중 치료를 피합니다. ☐ 의학적 중재를 위해 병원으로 이송 ☐ 현재 장소에서 편안하게 느끼지 못할 경우에만 병원으로 이송 ☐ 증상 처치만. 모든 약품, 경로, 위치, 상처 치료 및 기타 수단을 사용하여 통증과 고통을 완화하기 위해 적극적인 안락 요법을 사용합니다. 편안하도록 필요한 만큼 산소 공급, 기도 막힘에 대한 흡인, 직접 처치를 합니다. 항생제는 편안함을 증대 목적으로만 사용합니다. 현재 장소에서 편안하지 않을 경우에만 이송합니다. 추가적 지시: _____
C	인공 주입 수액 및 영양제: 가능하고 환자가 원한다면 입을 통해 음식/수액을 공급합니다. ☐ 인공 영양제 이용 안 함 ☐ 인공 영양제의 정해진 시험 기간 ☐ 장기적 인공 영양
D	심폐소생술(CPR) 기도 유지 맥박이 없고/거나 호흡하지 않음 맥박이 있으며 호흡곤란 상태 ☐ 소생술 시도/CPR ☐ 필요에 따라 인공 호흡 장치 삽관/사용 ☐ 소생술 시도 안 함/DNAR ☐ 삽관 안 함. O2 사용, 기도 막힘을 해소하기 위한 직접 자연사 허용(AND) 처치, 편안함을 위한 약물 사용
E	본인이 의사 결정 능력을 상실할 경우, 아래에 명시한 의사결정 대리인이 담당 의사/APN과 상담하여 NJ POLST 지시를 수정하거나 취소하는 것을 허락합니다. ☐ 예 ☐ 아니요. _____ 대리인 이름 정자체로 기입(주소는 뒷면에) 전화번호
F	서명: 본인은 이 정보에 대해 담당 의사/APN과 상담했습니다. 서명 _____ ☐ 위에 명시된 이름 ☐ 의료서비스 담당자/법적 보호자 ☐ 배우자/법적 동성 배우자 ☐ 미성년자의 부모 ☐ 기타 대리인 _____	위에 명시된 개인의 장기 기증 여부: ☐ 예 ☐ 아니요 ☐ 알 수 없음 이 지시 사항들은 해당 개인의 의학적 상태, 알려진 선호 사항, 알려진 최선의 정보에 부합합니다. _____ 정자체로 기입 – 의사/APN 이름 전화번호 _____ 의사/APN 서명(필수) 날짜/시간

이름(성, 이름, 중간 이름)	생년월일

주소 정자체로 기입
연락처 정보

의료 관련 의사결정 대리인 이름 정자체로 기입	주소	전화번호

의료 전문가를 위한 지침

POLST 작성

- 의사 또는 전문 간호사(APN)가 작성해야 합니다.
- 원본 양식을 사용할 것을 적극 권장합니다. 서명한 POLST 양식의 사본 및 팩스 전송본도 사용할 수 있습니다.
- 완전하게 작성하지 않은 POLST의 섹션은 해당 섹션에 대해 완전한 범위의 처치를 의미합니다.

POLST 검토

POLST 지시는 환자와 함께 전달되며 뉴저지의 모든 설정에서 유효합니다. 특히 다음의 경우를 포함하여 POLST를 정기적으로 검토할 것을 권장합니다.

- 환자가 한 치료 장소나 한 치료 레벨에서 다른 곳 또는 레벨로 이동하는 경우, 또는
- 개인의 건강 상태에 상당한 변화가 있는 경우, 또는
- 개인의 처치 선호 사항의 변화가 있는 경우

POLST 수정 및 취소 의사 결정 능력이 있는 개인은 언제든지 POLST를 수정/취소할 수 있습니다.

- 이 양식 전면의 섹션 E에 지정된 경우, 대리인은 언제든지 POLST 양식을 취소하거나 처치 선호 사항을 변경하거나 개인의 희망 사항 또는 사전 지시서와 같은 기타 문서를 바탕으로 새로운 POLST 문서를 이행할 수 있습니다.
- 의사결정 대리인은 개인의 희망 사항 또는 이를 알지 못할 경우, 개인에게 가장 이익이 되는 것을 바탕으로 수정하도록 요청할 수 있습니다.
- POLST를 취소하려면, 모든 섹션을 가로지르는 선을 긋고 큰 글씨로 "VOID"라고 적어야 합니다. 삭선에 서명을 하고 날짜를 기입해야 합니다.

섹션 A

이러한 치료 계획으로 달성하려는 구체적인 목표는 무엇일까요? 이것은 "귀하께서 앞으로 원하시는 것이 무엇입니까?"와 같은 간단한 질문을 통해 확인할 수 있습니다. 그 예에는 다음이 포함되며 이에만 국한되지 않습니다.

- 장수, 치료, 차도
- 더 나은 생활 수준
- 가족 행사에 참여할 정도로 장수(결혼, 생일, 졸업)
- 통증, 메스꺼움, 숨가쁨 등의 증상 없이 생활
- 식사, 운전, 정원 가꾸기, 손자들과 놀아주기
  의료서비스 제공자들은 환자가 실제적 목표를 세울 수 있도록 예후에 대한 정보를 공유할 것을 권장합니다.

섹션 B

- "제한적 범위의 처치"를 선택한 경우, 개인이 추가적인 치료를 위해 병원으로 이송하기를 원하는지의 여부를 표시하십시오.
- 편안함을 개선하기 위한 IV 약물은 "증상 처치만"을 선택한 개인에게 적합할 수 있습니다.
- 비침습성 양성 기도압력에는 지속적 양성 기도압력(CPAP) 또는 이중 양성 기도압력(BiPAP)이 포함됩니다.
- 안위 대책을 항상 제공합니다.

섹션 C

경구 수액 및 영양제는 의학적으로 적절하고 개인이나 대리인이 결정한 치료 목적에 부합할 경우 항상 제공해야 합니다. 경구 또는 비침습적
방법으로 영양제 및 수분 투여는 개인의 희망 사항, 종교 및 문화적 신념을 바탕으로 해야 합니다.

섹션 D

CPR에 대한 개인의 선호 사항 및 기도 유지에 대한 별도의 선택 항목을 선택합니다.

섹션 E

이 섹션은 POLST 양식을 작성할 때 개인에게 의사결정 능력이 있는 상황에 적용 가능합니다. 대리인은 이 섹션에서 지명된 경우에만
기존의 POLST 양식을 취소 또는 수정하는 것이 가능합니다.

섹션 F

POLST가 유효하려면 의사나 APN과 같은 전문 의료인이 서명해야 합니다. 구두 지시는 의사 / APN이 시설/지역사회 정책에 따라 후속으로
서명한 경우에만 허용됩니다. POLST 지시에는 개인/대리인이 서명해야 합니다. 개인/대리인이 서명할 수 없거나, 서명을 거부하거나,
구두로 동의한 경우 서명 라인에 표시하십시오.

6. 연명의료결정법에 따른 연명의료중단 결정

우리나라에서 2018년 2월부터 시행 중인 연명의료결정법의 주요 내용을 정리하면 다음과 같다.

1) 용어의 정의(연명의료결정법, 2019.3.26)

용어	정의
임종과정	회생의 가능성이 없고, 치료에도 불구하고 회복되지 아니하며, 급속도로 증상이 악화되어 사망에 임박한 상태.
말기환자등	"임종과정에 있는 환자" 또는 "말기환자"
말기환자	보건복지부령으로 정하는 절차와 기준에 따라 담당의사와 해당 분야의 전문의 1명으로부터 수개월 이내에 사망할 것으로 예상되는 진단을 받은 환자.
임종과정에 있는 환자	담당의사와 해당 분야의 전문의 1명으로부터 임종과정에 있다는 의학적 판단을 받은 자.
연명의료	임종과정에 있는 환자에게 하는 심폐소생술, 혈액투석, 항암제 투여, 인공호흡기 착용 및 그 밖에 대통령령으로 정하는 의학적 시술(체외생명유지술(ECLS), 수혈, 혈압상승제 투여, 그 밖에 담당의사가 환자의 이익을 보장하기 위해 시행하지 않거나 중단할 필요가 있다고 의학적으로 판단하는 시술)로서 치료 효과 없이 임종과정의 기간만을 연장하는 것.
사전연명의료의향서	19세 이상인 사람이 자신의 연명의료중단등결정 및 호스피스에 관한 의사를 직접 문서(전자문서를 포함한다)로 작성한 것.
연명의료계획서	말기환자등의 의사에 따라 담당의사가 환자에 대한 연명의료중단등결정 및 호스피스에 관한 사항을 계획하여 문서(전자문서를 포함한다)로 작성한 것.

2) 사전연명의료의향서와 연명의료계획서 서식

2019년 3월 26일에 개정된 사전연명의료의향서와 연명의료계획서 서식은 다음과 같다. 이 서식에 동의한다는 것은 임종과정에 있다는 의학적 판단을 받은 경우에 연명의료를 시행하지 않거나 중단하는 것에 동의함을 의미한다. 또한 호스피스 이용 의향에 대한 결정사항도 기입한다.

사전연명의료의향서는 보건복지부장관이 지정한 사전연명의료의향서 등록기관을 통하여 직접 작성하게 되는데, 등록기관은 국립연명의료기관 홈페이지(www.lst.go.kr)에서 검색할 수 있다. 또한 2019년부터는 사전연명의료의향서 등록증 발급을 신청하여 소지할 수 있다.

■ 호스피스·완화의료 및 임종과정에 있는 환자의 연명의료결정에 관한 법률 시행규칙

[별지 제6호서식] <개정 2019. 3. 26.>   (앞쪽)

사전연명의료의향서

※ 색상이 어두운 부분은 작성하지 않으며, [ ]에는 해당되는 곳에 √표시를 합니다.

등록번호		※ 등록번호는 등록기관에서 부여합니다.

작성자	성 명	주민등록번호
	주 소	
	전화번호	

호스피스 이용	[ ] 이용 의향이 있음 [ ] 이용 의향이 없음

사전연명의료 의향서 등록기관의 설명사항 확인	설명 사항	[ ] 연명의료의 시행방법 및 연명의료중단등결정에 대한 사항 [ ] 호스피스의 선택 및 이용에 관한 사항 [ ] 사전연명의료의향서의 효력 및 효력 상실에 관한 사항 [ ] 사전연명의료의향서의 작성·등록·보관 및 통보에 관한 사항 [ ] 사전연명의료의향서의 변경·철회 및 그에 따른 조치에 관한 사항 [ ] 등록기관의 폐업·휴업 및 지정 취소에 따른 기록의 이관에 관한 사항
	확인	위의 사항을 설명 받고 이해했음을 확인합니다. 년 월 일 성명 (서명 또는 인)

환자 사망 전 열람허용 여부	[ ] 열람 가능 [ ] 열람 거부 [ ] 그 밖의 의견

사전연명의료 의향서 등록 기관 및 상담자	기관 명칭 소재지
	상담자 성명 전화번호

본인은 「호스피스·완화의료 및 임종과정에 있는 환자의 연명의료결정에 관한 법률」 제12조 및 같은 법 시행규칙 제8조에 따라 위와 같은 내용을 직접 작성했으며, 임종과정에 있다는 의학적 판단을 받은 경우 연명의료를 시행하지 않거나 중단하는 것에 동의합니다.

작성일   년   월   일

작성자   (서명 또는 인)

등록일   년   월   일

등록자   (서명 또는 인)

210mm×297mm[백상지(80g/㎡) 또는 중질지(80g/㎡)]

(뒤쪽)

유의사항

1. 사전연명의료의향서란 「호스피스·완화의료 및 임종과정에 있는 환자의 연명의료결정에 관한 법률」 제12조에 따라 19세 이상인 사람이 자신의 연명의료중단등결정 및 호스피스에 관한 의사를 직접 문서로 작성한 것을 말하며, 호스피스전문기관에서 호스피스를 이용하려는 경우에는 같은 법 제28조에 따라 신청해야 합니다.

2. 사전연명의료의향서를 작성하고자 하는 사람은 보건복지부장관이 지정한 사전연명의료의향서 등록기관을 통하여 직접 작성해야 합니다.

3. 사전연명의료의향서를 작성한 사람은 언제든지 그 의사를 변경하거나 철회할 수 있으며, 이 경우 등록기관의 장은 지체 없이 사전연명의료의향서를 변경하거나 등록을 말소해야 합니다.

4. 사전연명의료의향서는 ① 본인이 직접 작성하지 않은 경우, ② 본인의 자발적 의사에 따라 작성되지 않은 경우, ③ 사전연명의료의향서 등록기관으로부터 「호스피스·완화의료 및 임종과정에 있는 환자의 연명의료결정에 관한 법률」 제12조제2항에 따른 설명이 제공되지 않거나 작성자의 확인을 받지 않은 경우, ④ 사전연명의료의향서 작성·등록 후에 연명의료계획서가 다시 작성된 경우에는 효력을 잃습니다.

5. 사전연명의료의향서에 기록된 연명의료중단등결정에 대한 작성자의 의사는 향후 작성자를 진료하게 될 담당의사와 해당 분야의 전문의 1명이 모두 작성자를 임종과정에 있는 환자라고 판단한 경우에만 이행될 수 있습니다.

210mm×297mm[백상지(80g/㎡) 또는 중질지(80g/㎡)]

■ 호스피스・완화의료 및 임종과정에 있는 환자의 연명의료결정에 관한 법률 시행규칙

[별지 제1호서식] <개정 2019. 3. 26.>

(앞쪽)

연명의료계획서

※ 색상이 어두운 부분은 작성하지 않으며, [ ]에는 해당되는 곳에 √표를 합니다

등록번호		※ 등록번호는 의료기관에서 부여합니다.	
환자	성 명		주민등록번호
	주 소		
	전화번호		
	환자 상태 [ ] 말기환자		[ ] 임종과정에 있는 환자
담당의사	성 명		면허번호
	소속 의료기관		

호스피스 이용	[ ] 이용 의향이 있음	[ ] 이용 의향이 없음

담당의사 설명사항 확인	설명사항	[ ] 환자의 질병 상태와 치료방법에 관한 사항
		[ ] 연명의료의 시행방법 및 연명의료중단등결정에 관한 사항
		[ ] 호스피스의 선택 및 이용에 관한 사항
		[ ] 연명의료계획서의 작성・등록・보관 및 통보에 관한 사항
		[ ] 연명의료계획서의 변경・철회 및 그에 따른 조치에 관한 사항
		[ ] 의료기관윤리위원회의 이용에 관한 사항
	확인방법	위의 사항을 설명 받고 이해했음을 확인하며, 임종과정에 있다는 의학적 판단을 받은 경우 연명의료를 시행하지 않거나 중단하는 것에 동의합니다. [ ] 서명 또는 기명날인　　　　년　월　일　성명　　　(서명 또는 인) [ ] 녹화 [ ] 녹취 ※ 법정대리인　　　　　　　　년　월　일　성명　　　(서명 또는 인) (환자가 미성년자인 경우에만 해당합니다)

환자 사망 전 열람허용용 여부	[ ] 열람 가능	[ ] 열람 거부	[ ] 그 밖의 의견

「호스피스・완화의료 및 임종과정에 있는 환자의 연명의료결정에 관한 법률」 제10조 및 같은 법 시행규칙 제3조에 따라 위와 같이 연명의료계획서를 작성합니다.

년　　월　　일

담당의사　　　　　　　　　　　　　　(서명 또는 인)

210mm×297mm[백상지(80g/㎡) 또는 중질지(80g/㎡)]

(뒤쪽)

유의사항

1. 연명의료계획서란 「호스피스·완화의료 및 임종과정에 있는 환자의 연명의료결정에 관한 법률」 제2조제8호에 따라 말기환자 또는 임종과정에 있는 환자의 의사에 따라 담당의사가 환자에 대한 연명의료중단등결정 및 호스피스에 관한 사항을 계획하여 문서로 작성하는 것을 말합니다.

2. 환자는 연명의료계획서의 변경 또는 철회를 언제든지 요청할 수 있으며, 담당의사는 해당 환자의 요청 사항을 반영해야 합니다.

210mm×297mm[백상지(80g/㎡) 또는 중질지(80g/㎡)]

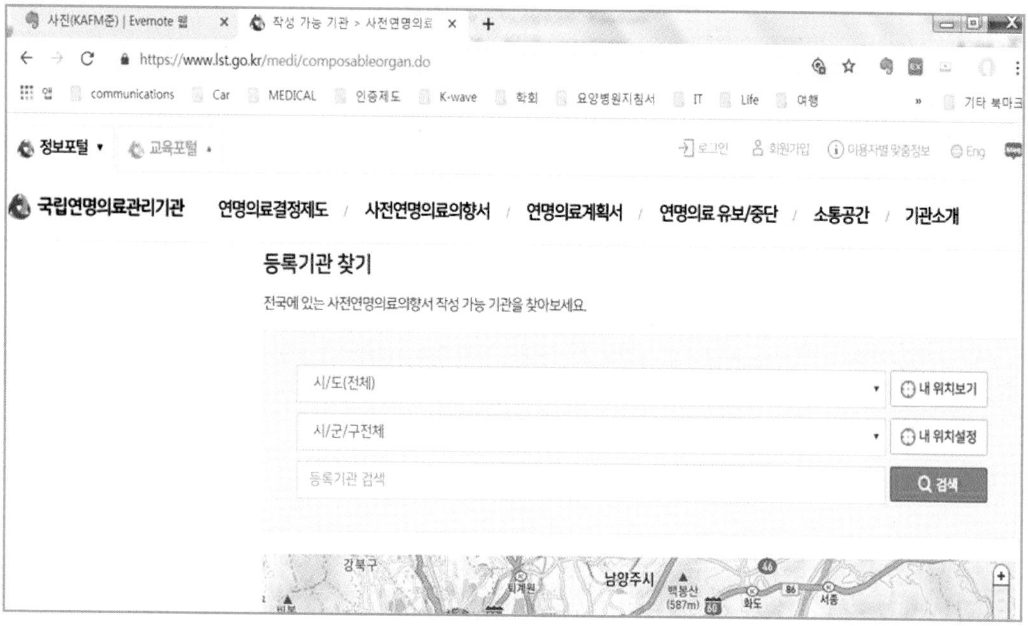

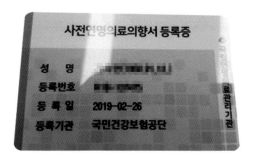

그림 72-1. **국립연명의료기관 홈페이지를 통한 사전연명의료의향서 작성가능 기관 검색.**

그림 72-2. **사전연명의료의향서 등록증**

3) 환자의 의사를 확인할 수 없는 경우의 연명의료중단등결정

다음 각 호의 어느 하나에 해당할 때에는 해당 환자를 위한 연명의료중단등결정이 있는 것으로 본다. 다만, 담당의사 또는 해당 분야 전문의 1명이 환자가 연명의료중단등결정을 원하지 아니하였 다는 사실을 확인한 경우는 제외한다.

1. 미성년자인 환자의 법정대리인(친권자에 한정한다)이 연명의료중단등결정의 의사표시를 하고 담당의사와 해당 분야 전문의 1명이 확인한 경우

2. 환자가족 중 다음 각 목에 해당하는 사람(19세 이상인 사람에 한정하며, 행방불명자 등 대통령령으로 정하는 사유에 해당하는 사람은 제외한다) 전원의 합의로 연명의료중단등결정의 의사표시를 하고 담당의사와 해당 분야 전문의 1명이 확인한 경우

   가. 배우자
   나. 1촌 이내의 직계 존속 · 비속
   다. 가목 및 나목에 해당하는 사람이 없는 경우 2촌 이내의 직계 존속 · 비속
   라. 가목부터 다목까지에 해당하는 사람이 없는 경우 형제자매

7. 2019년 3월 28일에 일부 개정된 연명의료결정법 주요 내용

① 연명의료 대상인 의학적 시술 확대(법 제2조제4호, 시행령 제2조)

(기존) 4가지 시술 (심폐소생술, 인공호흡기 착용, 혈액투석 및 항암제 투여)
(개정) 4가지 시술 + 체외생명유지술*, 수혈, 혈압상승제 투여, 그 밖에 담당의사가 유보·중단할 필요가 있다고 판단하는 시술
※ 체외생명유지술 : 심각한 호흡부전·순환부전 시 체외순환을 통해 심폐기능 유지를 도와주는 시술(일반적으로 '체외형 막형 산화기(에크모, ECMO)'를 이용한 시술을 포괄하는 개념)

② 연명의료계획서 작성대상 확대(법 제2조제3호 및 제6호)

'말기환자'의 대상 질환 제한을 삭제하여, 연명의료계획서 작성대상(질환과 관계없는 모든 말기환자 + 임종과정에 있는 환자)을 넓힘

호스피스대상환자를 소정의 질환(암, 후천성면역결핍증, 만성 폐쇄성 호흡기질환, 만성 간경화 등 그밖에 부령으로 정하는 질환)에 해당하는 말기환자 또는 임종과정에 있는 환자로 그 의미를 명확하게 함.

③ 환자가족 범위 조정(법 제18조제2항)

환자가족 전원의 합의에 의한 연명의료중단등결정 시 모든 직계혈족에게 연명의료 중단 동의를 받아야 하던 것을, 촌수의 범위를 좁힘

> (기존) 배우자 및 모든 직계혈족
> (개정) ①. 배우자 및 1촌 이내의 직계존·비속, ②. ①에 해당하지 않는 경우 2촌 이내의 직계존비속, ③. ②에 해당하지 않는 경우 형제자매

④ 호스피스전문기관 이용 말기환자의 임종과정 여부 판단절차 간소화(법 제16조제2항)

> **〈 임종과정 여부 판단 〉**
> (기존) 담당의사 + 해당 분야 전문의 1명이 함께 판단
> (개정) 기본원칙 : 담당의사 + 해당 분야 전문의 1명, 호스피스전문기관 : 담당의사 1명 판단 가능 허용

⑤ 환자가족 전원 합의 범위에서 제외하는 '행방불명자'를 신고된 날부터 '3년 이상'에서 '1년 이상' 경과한 사람으로 조정(시행령 제10조제1항 제1호)

연명의료중단등결정 시에 행방불명된 가족 구성원으로 인해 합의가 어려워지는 상황 최소화

⑥ 환자가족임을 증명할 수 있는 서류의 범위 확대(시행규칙 제13조, 제14조, 제22조, 제25조)

가족관계증명서 이외에도 제적등본 등 가족관계를 증명하기 위해 활용되는 서류는 다양한 현실을 고려, 증빙서류의 범위를 넓힘.

73 말기암 환자 관리

- 말기 담도암 환자가 통증 조절을 위해 요양병원에 입원 중이다. 이 환자에게서 나타나는 변비의 원인으로 고려해야 할 사항은?

– 마약성 진통제의 대표적인 부작용이 변비이다. 예방적 하제 처방이 필요할 수 있다.

2013년을 기점으로 요양병원에 입원한 암 환자 수가 '병원'에 입원한 환자 수를 넘어섰다. 이후 많은 수의 암 환자가 요양병원에 입원하고 있고, 특히 말기암 환자들은 삶의 마지막을 요양병원에서 지내는 경우가 많게 되었다. 이 장에서는 주 요양병원에서 많이 시술하는 고주파온열암치료를 간단히 소개하고, 말기암 환자의 통증관리 방법을 다루겠다.

1. 요양병원에서의 암 환자 치료 현황

표 73-1. **의료기관 종별 암 환자. 입원 암 환자의 숫자는 종합병원 다음으로 많다. (단위 : 명)**

요양기관 종별코드	2012년		2013년	
	입원	외래	입원	외래
	실수진자수	실수진자수	실수진자수	실수진자수
상급 종합병원	204,044	672,074	219,857	719,361
종 합 병 원	117,189	300,683	118,691	325,800
병 원	26,279	47,757	25,337	51,730
요 양 병 원	28,353	3,831	33,406	4,142
의 원	12,140	106,729	11,096	107,586
치 과 병 원	249	1,123	223	1,059
치 과 의 원	–	202	–	210
보 건 소	–	545	–	554
보 건 지 소	–	167	–	163
보 건 진 료 소	–	43	–	30
보 건 의 료 원 (병원화 보건소)	140	822	133	777
약 국	–	–	–	–
한 방 병 원	369	51	583	402
총 계	388,958	1,134,027	409,326	1,211,814

2. 고주파온열암치료

전통적인 암 치료 방법으로는 수술, 항암제 치료, 방사선 치료 등이 있는데, 최근에는 임상에서 호르몬 치료, 면역 치료, 유전자 치료, 고주파온열암치료 등이 사용되고 있다. 그 중 고주파온열암 치료는 암세포에 특정적으로 섭씨 41~43도 정도의 열을 쬐어 열 효과(Thermal Effect)와 전자파 효과(Non-thermal effect)로 암세포를 직접 죽인다는 이론을 바탕으로 다수의 요양병원에서 시행되고 있다. 보통 하루 이상의 간격을 두고 총 26회 이상의 시술을 하며, 주기는 주 2~3회로 한 번에 50~60분 정도 실시한다. 이 치료는 항암제와 방사선 치료의 보조 치료로 사용된다. 현재 국민건강 보험의 적용은 받지 못하고 있다.

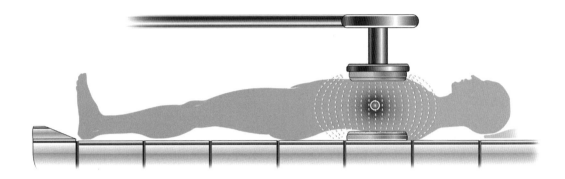

그림 73-1. 고주파온열암치료

표 73-2. 고주파온열암 치료 효과를 상승시키는 방법

1. 종양의 깊이가 얕은 것을 우선적으로 처치한다.
2. 체내 지방의 양을 먼저 줄이도록 한다.
3. 종양세포 산성도를 낮추도록 한다.
4. 종양세포 내 저산소증을 유발한다.

표 73-3. 고주파온열암 치료 적용 범위

1. 원발 종양 혹은 전이성 종양 (간, 비장, 신장, 폐, 난소암 등)
2. 장관의 종양
3. 골반부의 종양
4. 두부 혹은 후두의 종양
5. 월반성 혹은 전이성 뇌종양
6. 유방암
7. 전립선암
8. 흑색종
9. 피부표면의 종양

표 73-4. 고주파온열암 치료의 금기사항

1. 치료 부위에 금속 물질(인공심박기 등)이 삽입되어 있는 환자
2. 치료 부위에 화상이 있는 환자
3. 골수 이식을 받은 환자
4. 치료 부위에 장루가 있는 경우

표 73-5. **고주파온열암 치료시 주의를 요하는 경우**

1. 간질이 있는 환자
2. 뇌졸중 등의 원인으로 인해 온도에 대한 인지가 잘 안 되는 환자
3. 치매 등 의사소통에 장애가 있는 환자

3. 통증의 평가

a. 통증은 환자 자신이 아프다고 하는 바로 그것이다. 다른 사람이 그럴 것이라고 기대하거나 또는 그 정도여야 한다고 생각하는 것이 아니다.

b. 통증 부위가 여러 곳일 수 있으므로 그림으로 표시하는 방법을 사용하면 의사 전달이 쉽다.

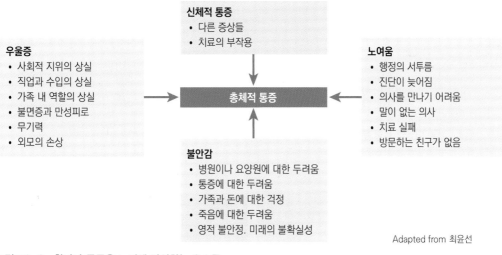

Adapted from 최윤선

그림 73-2. **환자가 통증을 느낌에 관여하는 요소들**

표 73-6. **통증의 PQRST 특성(Gray, 1977)**

P	Palliative factors	완화시키는 것은? 악화시키는 것은?
Q	Quality	통증의 양상은?
R	Radiation	다른 곳으로 방사되는 통증이 있는가?
S	Severity	통증의 강도는?
T	Temporal factors	잠시 있는 통증인가? 항상 지속되는가?

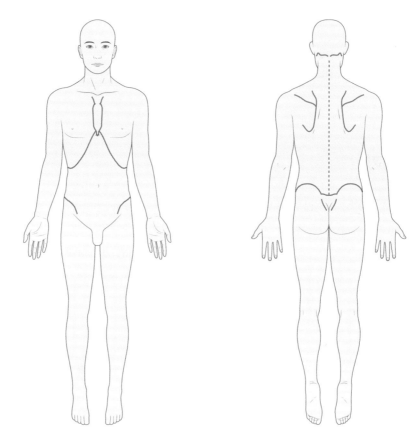

그림 73-3. **통증 부위 평가.** 위와 같은 그림을 주고 아픈 부위를 표시하게 한다.

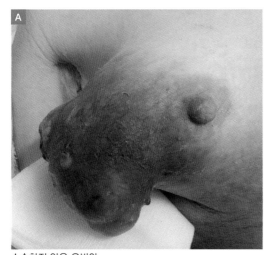

수술하지 않은 유방암

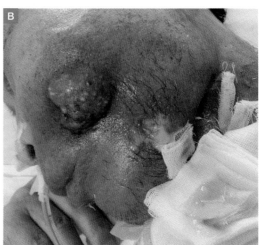

수술하지 않은 구강암

그림 73-4. **수술하지 않은 상태에서 요양병원에 입원한 환자들.** 암성 통증이 커질 수 밖에 없다.

c. 통증의 양상 : 환자가 표현하는 용어의 의미를 잘 파악할 것

- 체성통(somatic pain) – 뼈, 관절, 연부조직 : 부위가 명확하고 지속적으로 찌르고, 쑤시고, 욱신거림.

  → NSAIDs, 아편유사제로 치료

- 내장통(visceral pain) – 내부 장기 : 부위가 불명확, 연관통. "묵직하게 아프다"

  → 아편유사제로 치료

- 신경병증성 통증(neuropathic pain) : "칼에 베인 듯", "화끈거린다"

  * 파괴성 통증(breakthrough pain) : 평상시의 통증을 넘어선 일시적으로 악화된 통증

  → TCA, 항경련제, 스테로이드로 치료

d. 통증의 강도 : 경도(1~3) / 중등도(4~6) / 중증(7~10)

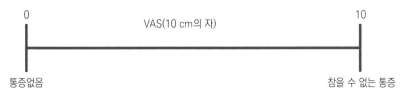

그림 73-5. **시각상사척도(VAS; Visual Analogue Scale)**

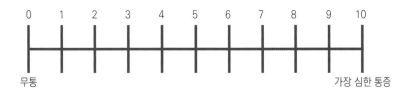

그림 73-6. **숫자등급척도(NRS; Numeric Rating Scale)**

0: 통증이 전혀 없고, 너무 행복하다.   1: 미세한 통증이 있다.
2: 약간 아프다   3: 좀 더 아프다
4: 상당히 아프다   5: 이 이상을 생각할 수 없을 정도로 강한 통증

그림 73-7. **얼굴그림척도(FRS; Faces Pain Rating Scale)**: 노인에서 VAS나 NRS로 불가능한 경우에 유용

4. 암성 통증의 치료

a. 일반적 원칙
- WHO의 3단계 진통제 사다리에 따라(by the ladder)
- 정해진 시각에 따라(by the clock)
- 가능한 한 경구로(by the mouth)
- 각 개인에 맞추어(by individualization)
- 진통보조제를 동시에(with adjuvant)

b. 진통제의 종류
- 경구약 : 진통제 용량 조절이 용이하고 부작용 관리가 편리
- 피하, 정맥 주사 : 극심한 통증을 빨리 조절할 때
- 환자가 입으로 약을 복용할 수 없으면, 외래 → 패취병실 → 주사제

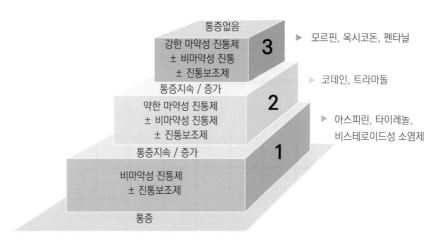

그림 73-8. WHO의 3단계 진통제 사다리

c. 마약성 진통제의 용량 결정
- 마약성 진통제 용량을 조절할 때에는 그 전 24시간동안 총 투여량의 25~50%씩 증감
- 경구 MS contin이나 펜타닐(듀로제식) 패취 용량은 48시간 간격으로 변경
- 주사제에서 경구제로 바꿀 경우, 경구 용량은 늘리면서 주사제 용량은 서서히 줄인다.
- 파괴성 통증과 같은 'PRN' 용량은 전 24시간 총 투여량의 약 10~20% 정도로 한다.

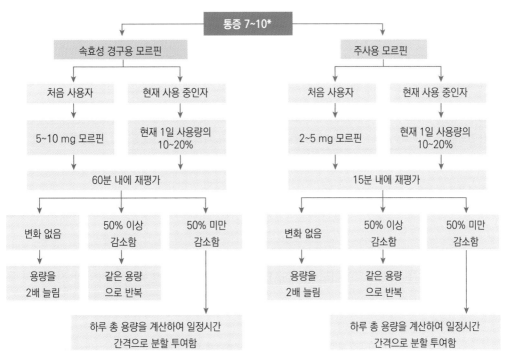

Adapted from 윤영호

그림 73-9. 중증 통증의 모르핀 용량 조절 방법

표 73-7. Oral Morphine Equivalent를 이용한 마약성 진통제의 강도 비교

약물	판매 제품의 용량		지속시간	IM/IV	PO
	주사제	경구약			
Morphine	10 mg	15 mg	4~6시간	10 mg	60mg
MS-R®, MS-콘틴®		30 mg	12시간	X	60mg
Codeine		20 mg	4~6시간	120 mg	200mg
Methadone			4~6시간	10 mg	20mg
Oxycodone		10 mg	4~6시간	15 mg	30mg
Oxycodone HCl		5/15/30 mg			
Meperidine(데메롤®)	50 mg		2~3시간	80 mg	X
Fentanyl(듀로제식®)			72시간	25 μg/hr (패취)	54%

표 73-8. 마약성 진통제의 일반적인 부작용 및 대처 방법

진정 작용	치료 초기에 흔하나 대부분 며칠 이내로 회복.
오심과 구토	경구용 모르핀 사용 시 흔하다. 초기의 부작용이며 며칠 이내로 회복. 위장 운동 촉진제(Motilium, Macperan)를 8시간마다, 혹은 Haloperidol 1.5 mg을 hs 또는 bid로 복용시키면 대부분 도움이 된다.
변비	대부분의 환자에서 나타나므로 예방적 완화제를 복용.
구강 건조증	찬 음료수를 자주 먹이거나 끓인 설탕물이나 얼음 조각, 파인애플이나 멜론을 얼린 조각을 빨아 먹는다.

Adapted from 정수진 등

d. 보조 진통제
  - 기존의 진통제(아세트아미노펜, NSAIDs, 트라마돌 등)를 병용하면 마약성 진통제의 투여량을 줄일 수 있다.
  - 스테로이드
    → 통증 감소, 식욕 증진, 행복감, 편안함 등을 제공
    → 염증과 국소 부종을 줄임 → 뇌압 상승, 척수신경 압박, SVC 증후군, 전이성 골 통증, 신경침범에 의한 신경증상 등을 완화
  - 신경병증성 통증
    → "돌발적이면서 칼에 베인 느낌" : gabapentin(뉴론틴) 같은 항간질제가 효과적
    → "지속적이면서 화끈거리는(burning) 통증" : 항우울제(amitriptyline)

e. 마약성 진통제의 치료 시기별 부작용
  - 초기 : 구토, 졸음, 어지러움, 혼수 등
  - 후기 : 우울증
  - 지속적 : 변비
  - 가끔 : 가려움증, 발한, 요 정체, 구갈(dry mouth), 수면장애, 성기능 장애, SIADH 등
    → 호흡억제 : 노인에서는 특히 주의해야 하며, 정상 성인 용량의 1/4-1/2 용량으로 시작한다.

74 비암성 말기환자 증상 관리

- 말기환자에게 통증 이외에 어떠한 증상에 대한 케어가 필요한가요?

– 우선, 말기상태(terminal stage)란 말기암만을 의미하는 것이 아니라, 중증치매, 말기 폐질환, 말기 간질환, 말기 신장질환 등 다양한 범위의 질병이 해당됨을 이해해야 하며, 그렇다면 주로 말기암에 의한 통증 외에 호흡곤란, 식욕저하, 구토, 의식 저하, 출혈 등에 대한 대처도 능숙하게 할 수 있어야 합니다.

급격히 노령화되는 우리나라 진료 환경에서 말기환자에 대한 지식을 습득하고 임상 현장에서 무리 없이 적용하는 것은 노인환자를 주로 대하는 의료인들에게는 이미 기본적인 덕목이 되어가고 있다. 특히 노인들은 젊은이에 비해 심혈관계 질환, 폐질환, 간질환, 신장질환, 치매 등의 다양한 기저질환을 가지고 있으므로 이로 인한 다양한 비암성 말기 질환을 앓을 가능성이 더 높으며, 각각의 질환 및 통증 이외의 증상들에 대한 완화의료적인 약물적, 비약물적 대처법에 대해서도 숙지할 필요가 있다. 이 장에서는 말기암 이외의 말기질환인 말기 치매, 말기 심장질환, 말기 HIV 질환, 말기 간질환, 말기 폐질환, 말기 신장질환, 뇌졸중, 루게릭병(ALS; amyotrophic lateral sclerosis) 등의 일반적인 정의에 대해 알아보고, 암성 통증 이외의 말기 증상인 심리적 문제, 구강 문제, 위장관계 문제, 호흡기계 문제, 피부 문제 등에 대한 적절한 치료법을 알아보고자 한다. 또한, 2015년 7월부터 시행되고 있는 보건복지부의 호스피스-완화의료 건강보험 일당정액수가 적용 방침과 관련하여 일차의료 환경, 특히 최근에 우리나라에서 주로 생을 마감하는 장소인 요양병원에서의 완화의료 현황과 비암성 말기환자 관리의 실제에 대해서도 다루어 보고자 한다.

비암성 말기질환에 대해 건강보험 수가 적용을 검토 중이라는 언론 보도

호스피스 건보적용, 비암성 질환자 확대적용 검토

정액수가를 적용할 경우 많은 비용이 드는 진료를 기피하는 사례를 막기 위해 고가의 통증관리나 기본 상담 등에 대해서는 별도로 수가를 산정하기로 했습니다.

복지부는 또 임종을 앞둔 말기암환자 대부분이 보험적용이 안되는 1,2인실을 이용한다는 점을 감안해 병원급 이상 의료기관에 대해서는 2인실까지 보험을 적용하고, 의원급은 1인실도 수가를 적용하기로 했습니다.

또 본인부담금 가운데 가장 많은 비중을 차지하는 간병비도 건강보험을 적용해 환자 부담을 대폭 낮춰주기로 했습니다.

장기적으로는 암 환자뿐만 아니라 비암성 질환의 말기환자들도 호스피스.완화의료를 받을 수 있도록 할 방침입니다.

〈인터뷰 : 손영래 과장 / 복지부 보험급여과〉
"현재는 법체계상 말기암 환자만 호스피스 병원을 이용할 수 있도록 되어 있습니다. 이 부분을 암 환자가 아니라 다른 말기 질환자들도 이용할 수 있도록 하는 부분을 내부적으로 검토 중에 있고, 조속한 시일내에 결론을 내서 법령개정 논의에 착수할 예정입니다.

출처: 평화방송 2015.02.25.

1. 비암성 말기질환의 종류

미국 Medicare의 급여 기준에 따르면 다음과 같은 질환들을 완화의료의 대상으로 취급한다.

말기 암	말기 폐질환
말기 치매	말기 신장질환
말기 심장질환	뇌졸중과 혼수상태
말기 HIV 질환	전신쇠약
말기 간질환	루게릭병(ALS)

2. 비암성 말기질환의 정의

National Hospice Organization의 비암성 말기질환 진단 기준에 따라 말기암 외의 질환을 다음과 같이 정의할 수 있다. 그러나 진단 기준에 부합되지 않더라도 말기 진단이 가능하며, 현재의 동반 질환의 영향도 고려해야 한다.

1) 말기 치매

I. 기능 평가 단계

a. 심각한 치매환자라도 최대 2년의 생존을 진단할 수 있다. 생존 기간은 합병증 발병이나 포괄적인 돌봄의 정도와 같은 변수에 따라 달라진다.

b. 환자는 기능 평가 단계 척도(Functional Assessment Staging Scale)상 7단계 이상의 진단을 받아야 한다(부록 참조).

c. 환자는 다음 특징들을 모두 나타내야 한다.
  − 보조 없이 보행이 불가능하다.
  − 보조 없이 의복 착용이 불가능하다.
  − 혼자 힘으로 목욕하기 힘들다.
  − 간헐적 또는 지속적 요실금 및 대변실금 증상을 보인다.
  − 언어적 의사소통이 거의 불가능하다. 정형화된 문구나 6단어 정도만 명확하게 발음할 수 있다.

II. 합병증의 동반

a. 지난 1년 이내에 발생한 심각한 수준의 합병증은 진행성 치매의 생존율을 감소시킨다.

b. 치매 합병증
  − 흡인성 폐렴(aspiration pneumonia)
  − 신우신염(pyelonephritis)이나 상부요로감염(upper urinary tract infection)
  − 패혈증(septicemia)
  − 3~4 단계의 욕창(decubitus ulcers), 다발 궤양(multiple ulcers)
  − 항생제 투여 후 고열 재발

c. 환자나 대리인에 의해 관급식(tube feedings)이나 비경구영양법(parenteral nutrition)이 보류된 상태에서, 환자가 음식물을 삼키기 힘들어하거나 거부함에 따라 생명유지에 필요한 수분과 칼로리를 충분히 섭취하지 못한다.

‒ 관급식을 받는 환자의 경우 다음과 같은 영양장애 상태가 확인돼야 한다.
- 지난 6개월간 10% 이상 몸무게가 자연 감소했다.
- 혈청 알부민(serum albumin) 2.5 gm/dl 미만은 유용한 예후지표(prognostic indicator)가 될 수 있지만 단독으로 영양불량의 지표로 사용해서는 안 된다.

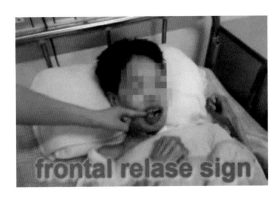

그림 74-1. 말기치매환자. 구손가락을 입 근처에 대면 마치 신생아가 젖꼭지를 찾듯이 손가락을 빨려는 반응(suctioning reflex)을 보인다. 전두엽의 퇴화로 인해 마치 아직 전두엽이 성숙하지 않았을 때 보이는 신생아들의 반사를 보이고 있다.

2) 말기 심장질환

I. 안정 시에 재발한 울혈성 심부전(congestive heart failure) 증상

a. 심장질환 환자는 뉴욕심장학회(NYHA, New York Heart Association)가 규정한 심부전 증상 Ⅳ단계로 분류할 수 있다(부록 참조).

b. 20% 이하의 박출 계수(ejection fraction)는 유용한 객관적 징후가 될 수 있지만 이미 사용이 불가한 상태라면 꼭 필요한 것은 아니다.

II. 환자는 조기에 이뇨제, 혈관확장제와 보다 양질의 ACE 억제제를 통한 최적의 치료를 받아야 한다.

a. 이뇨제와 혈관확장제를 이용한 효과적인 내과적 처치에도 불구하고 환자의 울혈성 심부전 증상이 계속 발생한다.

b. '최적의 치료'(optimally treated)의 의미는 저혈압이나 신장질환 등과 같은 의학적 이유 때문에 환자가 혈관확장제 등의 약물 치료를 거부하는 것과 같은 상황을 일컫는다.

c. 카르베딜롤(Carvedilol)처럼 혈관 확장 기능을 가진 개량된 베타차단제가 최근 만성 울혈성 심부전에 의한 사망률을 감소시켰다 하더라도 현재로서는 '최적 치료'의 정의에 포함되지 않는다.

Ⅲ. 위에 설명된 바와 같은 최적의 치료를 받고 있는 만성 울혈성 심부전 환자에서 다음과 같은 인자들은 생존률을 줄여주는 것으로 알려져 있으므로 심장질환 환자를 돌보는 의료직에 대한 호스피스 교육 내용으로 포함시켜도 좋다.

    a. 항부정맥 치료제에도 잘 낫지 않는 상심실성 부정맥(supraventricular arrhythmia)이나 상심실성 빈맥(supraventricular tachycardia)

    b. 심정지 및 심폐소생술 이력

    c. 원인불명의 실신 이력

    d. 심인성 뇌색전(cardiogenic brain embolism) 즉, 색전증에 의한 심혈관 발작(embolic CVA)

    e. 인간면역결핍바이러스(HIV) 동반 감염

  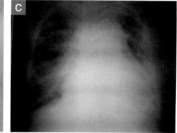

극한 호흡곤란, 불안증세   쉽게 펴지지 않는 하지부종   심장비대 + 흉수

그림 74-2. **말기 심부전 환자**

3) 말기 HIV 질환

Ⅰ. CD4 세포 수(CD4+count)

    a. 일정 기간 동안 CD4 세포 수가 25개/mcL 미만이고, 급성질환의 발병 가능성이 상대적으로 낮을 때, 기대 여명이 6개월 미만인 것으로 진단할 수 있다. 그러나 질병의 진행 과정과 환자의 기능상태 등을 임상적으로 꾸준히 관찰해야 한다.

    b. 비면역결핍바이러스와 관련된 중증 질환이 없다면, CD4 세포 수가 50개/mcL을 초과하는 환자는 좀 더 긴 기대 여명을 가진다.

Ⅱ. 바이러스 양(viral load)

    a. HIV RNA(바이러스 양)가 100,000 copies/mL을 초과한 환자는 기대 여명 6개월 미만의 진단을 내린다.

b. 소량의 바이러스를 가진 환자가 다음과 같은 상태라면 기대 여명 6개월 미만의 진단을 내린다.

– 항레트로바이러스제(antiretroviral medication)와 예방약을 받지 않기로 한다.

– 기능 상태가 저하된다.

– 아래 Ⅲ에서 묘사되는 합병증을 겪는다.

Ⅲ. 다음은 생존율을 현저히 감소시키는 요인들이다.

a. 병인에 관계없이 만성 설사가 일 년간 계속된다.

b. 혈청 알부민 2.5 gm/dl 미만이 계속된다.

c. 약물 남용

d. 50세를 넘는 연령

e. HIV 질환 치료용 약물인 항레트로바이러스제, 화학치료제, 예방약 등을 사용하지 않기로 결정한 경우

f. 안정 시에 발생한 울혈성 심부전 증상

4) 말기 간질환

Ⅰ. 간 기능 손상의 검사실 지표 (다음의 2가지에 해당되어야 함)

a. 프로트롬빈 시간(prothrombin time) 5초 이상 지연

b. 혈청 알부민 2.5 mg/dl 미만

Ⅱ. 말기 간질환의 임상 지표

a. 다음 중 최소 한 개 이상을 나타내야 한다.

– 나트륨 제한과 이뇨제에도 낫지 않는 복수(ascites), 혹은 환자가 의료진의 지시를 따르지 않을 때

– 원발성 세균성 복막염(Spontaneous bacterial peritonitis, SBP)

– 간신증후군(hepatorenal syndrome)(일일 400 mL 미만의 핍뇨(oliguria)와 10 mEq/l 미만의 요나트륨 농도로 인한 크레아티닌(creatinine) 및 혈액요소질소(BUN) 상승

– 단백질 제한과 락툴로오스(lactulose), 네오마이신(neomycin)에 저항력이 강한 간성뇌증(hepatic encephalopathy)

– 강도 높은 치료에도 불구하고 재발된 정맥류 출혈(variceal bleeding)

Ⅲ. 예후를 악화시키는 요인들은 다음과 같다.

- 영양실조 진행
- 근력과 근지구력 감소에 따른 근소모(muscle wasting)
- 만성적인 진행성 알코올 중독(하루 에탄올 섭취량이 80 gm보다 많을 때)
- 간세포암종(hepatocellular carcinoma)
- HBsAg (B형 간염) 양성

5) 말기 폐질환

Ⅰ. 심각한 만성 폐 질환

a. 안정 시에 발생한 호흡곤란이 기관지확장제(bronchodilator)에 거의 반응하지 않으며, 이로 인해 신체적 활동 저하가 초래된다. 예를 들면 피로와 기침 같은 쇠약증상에 따른 병세의 악화로 침대와 의자에 의존하게 된다.

기관지확장제 투여 후 FEV1 (forced expiratory volume in one second)이 30% 미만일 경우라면 유용한 객관적 증거가 될 수 있지만 이미 사용이 불가한 경우라면 꼭 필요한 것은 아니다.

b. 진행성 폐질환

- 폐감염(pulmonary infection)이나 호흡부전(respiratory failure)에 의한 입원이나 응급실 방문 증가
- 연간 40 mL 이상 투여 후 나타난 FEV1의 감소는 유용한 객관적 증거가 될 수 있지만 이미 사용이 불가한 경우라면 꼭 필요한 것은 아니다.

Ⅱ. 폐성심(Cor pulmonale) 또는 우심부전(right heart failure)

a. 좌심질환(left heart disease)이나 심판막질환(valvulopathy)에 의해 진행된 폐질환이 원인이다.

b. 폐성심 진단

- 심초음파 검사(echocardiography)
- 심전도(electrocardiogram)
- 흉부 X선 촬영(chest x-ray)
- 우심부전의 신체적 징후

Ⅲ. 추가산소(supplemental oxygen) 투여 시에 발생한 저산소증(hypoxemia)

a. 추가 산소 투여 중 산소분압(pO2) 55 mmHg 미만

b. 추가 산소 투여 중 산소포화도 88% 이하

Ⅳ. 과탄산혈증(hypercapnia)

a. 이산화탄소 분압(pCO2) 50 mmHg 이상

Ⅴ. 지난 6개월간 몸무게의 10% 자연 감소

Ⅵ. 만성 폐색성 폐질환 환자(COPD)의 분당 100회 이상의 빈맥(tachycardia)

6) 말기 신장질환

Ⅰ. 신부전의 진단 기준

투석을 받지 않는 신부전 환자나 투석 중단 후 1~2주 이상 생존한 환자에게는 다음 기준치가
적용될 수 있다.

a. 크레아티닌 청소율(creatinine clearance)이 분당 10 cc 미만(당뇨병 환자는 분당 15 cc 미만)

b. 혈청 크레아티닌(serum creatinine)이 8.0 mg/dl 초과(당뇨병 환자는 6.0 mg/dl 초과)

Ⅱ. 신부전 관련 임상적 징후 및 증상

a. 요독증(uremia); 신부전의 임상적 징후

  − 의식 장애, 둔감(obtundation)

  − 만성적인 메스꺼움과 구토

  − 전반적인 가려움

  − 불안, '하지 불안'(restless legs)

b. 핍뇨(oliguria) : 1일 소변량 400 cc 미만

c. 만성 고칼륨혈증(hyperkalemia) : 내과 치료에 반응하지 않는 혈청 칼륨 수치 7.0 초과

d. 요독성심낭염(uremic pericarditis)

e. 간신증후군(hepatorenal syndrome)

f. 만성 체액과부하(fluid overload)

Ⅲ. **급성신부전: 합병증의 발생은 조기 사망의 위험을 증가시킨다.**

- 기계적 인공호흡(mechanical ventilation)
- 다른 기관계에 발생한 악성종양
- 만성 폐 질환
- 심각한 심장질환이나 간질환
- 패혈증
- 알부민 3.5 gm/dl 미만
- 악액질(cachexia)
- 혈소판수 25,000 미만
- 75세 초과
- 파종성혈관내응고(disseminated intravascular coagulation)
- 소화관 출혈

7) 뇌졸중과 혼수상태

Ⅰ. **출혈성·허혈성 뇌졸중에 이은 다음의 급성기 증상들은 조기 사망을 강하게 예측할 수 있는 변수이다.**

a. 뇌졸중에 의한 혼수상태나 식물인간 상태가 3일 이상 지속된다.

b. 무산소성 뇌졸중, 혼수상태, 극심한 둔감 이후 심한 간대성근경련이 3일 이상 지속된다.

c. 3일 이상 혼수상태에 있는 환자가 다음 중 4개 이상을 나타낸다면 2개월 이내에 사망할 확률이 97%다.

- 비정상적인 뇌간반응.
- 언어 반응이 없다.
- 통증에 대한 철회반사(withdrawal response)가 일어나지 않는다.
- 혈청 크레아티닌 1.5 mg/dL 초과
- 70세 초과

d. 인공영양과 수액 투여를 거부하거나 지원하지 않은 환자에게 생명유지에 필요한 음식물과 수분 섭취를 방해하는 심한 연하곤란이 발생한다.

e. 전산화단층촬영(CT scan)이나 자기공명영상촬영(MRI scan) 결과 생존 가능성 감소가 확인되거나 기능회복이 거의 불가능하다 판단될 경우. 이는 생명유지 장치나 호스피스를 결정하는 데 영향을 미친다.

II. 심한 만성기 뇌졸중 환자의 생존율과 관련된 임상 요인들은 다음과 같다.

a. 70세 초과

b. 카노프스키 지수(Karnofsky score) 50% 미만의 기능상태 저하

c. 기능평가단계척도(FAST) 7 이상인 뇌졸중 후 치매

d. 인공영양 공급에 상관없이 매우 저조한 영양 상태
  - 지난 6개월간 10% 초과하여 몸무게 자연 감소
  - 혈청 알부민 2.5 gm/dl 미만은 유용한 예후지표가 될 수 있으나, 별도로 활용돼서는 안 된다.

e. 쇠약 및 진행성 퇴보 관련 합병증
  - 흡인성 폐렴
  - 상부요로감염
  - 패혈증
  - 난치성 욕창 3단계
  - 항생제 투여 후 고열 재발

8) 전신 쇠약

I. 환자의 상태가 '시한부 상황'(life-limiting condition)이면, 환자와 가족에게 이에 대해 통보한다.
  - '시한부 상황'은 구체적인 진단 결과와 복합 질병에 따른 것이며, 구체적으로 원인이 확인되지 않는 경우도 있다.

II. 환자와 가족은 치료 목적을 완치보다는 증상 완화에 둔다.

III. 환자는 다음의 하나에 해당한다:

a. 임상적 상태의 진행은 다음을 통해 확인할 수 있다.
  - 구체적 질병 기준에 명시된 대로 의사의 진단, 검사실 검사, 방사선 검사 등에 의해 입증된 원발성 질환(primary disease)의 진행.
  - 지난 6개월간 다수의 응급실 방문 혹은 병원 입원
  - 가정의료서비스(home health services)를 받는 환자의 경우, 방문 간호사의 진단을 통해 확인될 수 있다.
  - 최근의 기능상태 저하

- 신체 기능상태 감소는 다음 중 하나에 의해 결정된다.
  - 카노프스키 수행지수(Karnofsky Performance Status)가 50% 이하인 경우
  - 다음 6가지 중 최소 3가지 이상의 일상생활수행(ADL)을 보조인에 의존하는 경우
    - 목욕
    - 의복 착용
    - 식사
    - 이동
    - 대변 및 소변
    - 독립보행

b. 말기 진행에 따른 최근 영양 장애 상태 확인
  - 지난 6개월간 10%를 초과한 체중의 자연 감소
  - 혈청 알부민 2.5 gm/dl 미만은 유용한 예후지표가 될 수 있으나, 별도로 활용돼서는 안된다.

9) 루게릭병(ALS; amyotrophic lateral sclerosis, 근위축성 측색 경화증)

I. 병의 급속한 진행과 심각한 환기능력(ventilatory capacity) 장애가 발생한다.

a. 루게릭병의 급속한 진행. 대부분의 장애가 12개월 이내에 발생한다.
  - 독립 보행이 불가능해지며 휠체어나 침대에 의존해 생활하게 된다.
  - 말하기가 힘들어지고 발음이 불명확해져 의사소통에 장애가 생긴다.
  - 정상적인 식사가 힘들어져 반유동식(pureed diet)으로 먹어야 한다.
  - 거의 모든 일상 활동이 혼자 힘으로 불가능해지고 보조인에 의존하게 된다.

b. 심각한 환기능력 장애
  - 폐활량(VC: Vital Capacity)이 예측치의 30% 미만
  - 안정을 취한 상태에서 발생한 심한 호흡곤란
  - 추가 산소 공급 필요
  - 환자가 인공 산소호흡기를 거부한다.

II. 루게릭병의 급속한 진행과 심각한 영양장애
  - 생명유지에 필요한 충분한 양의 영양과 수분을 구강으로 섭취하기 힘들다.
  - 지속적인 몸무게 감소

- 탈수증이나 저혈량증(hypovolemia)
  - 인공영양법을 사용하지 않는다.

Ⅲ. 루게릭병의 급속한 진행과 치명적인 합병증

- 관급식 여부와 관계없는 흡인성 폐렴의 재발
- 3~4단계의 욕창 감염이 빈번히 발생한다.
- 상부요로감염. 예 신우신염(pyelonephritis)
- 패혈증
- 항생제 치료 후 고열 재발

3. 말기질환의 증상 관리

- 말기질환 환자의 증상 관리에서 질병명은 그다지 중요하지 않다.
- 환자의 요구와 쾌적함을 최우선적으로 고려한다.
- 장기적 약물 사용에 따른 부작용을 너무 두려워하지 말라.

표 74-1. 말기암 환자들에게 흔한 증상들

피로감	95%	구토	40%
통증	90%	불안	40%
식욕 저하	80%	기침	30%
변비	65%	섬망	30%
호흡곤란	60%	압창	30%
불면증	60%	흉막염	20%
식은 땀	60%	복수	15%
부종	60%	출혈	15%
구강 건조증	50%	우울감	10%
오심	50%	가려움증	5%

Adapted from Noortgate NVD

표 74-2. 임종 직전의 증상들

임상 증상	최후 24시간	임종 전 48~24시간	입원 당시
섬망	42%	38%	10%
의식 장애	41%	21%	1%
통증	38%	51%	84%
배뇨곤란	37%	33%	37%
호흡곤란	35%	36%	39%
가래 끓는 소리	30%	17%	2%
신음 소리	20%	17%	0%
안절 부절 못함	19%	19%	2%
오심/구토	12%	21%	54%
식은 땀	8%	1%	0%
경련, 몸을 비틈	4%	3%	0%

Adapted from 정수진 등

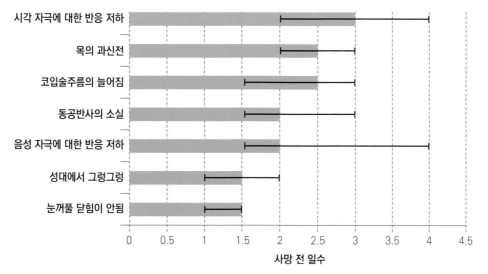

그림 74-3. 임종 수일 전 발생하는 7가지 신경학적 반응

표 74-3. 전향적 코호트 연구에서 제시한 임종임박 증상(impending sign)

	신뢰도*
생체징후 관련 변수	
혈압 저하 (수축기 20 mmHg 이상 또는 이완기 10 mmHg 이상)	상
낮은 수축기 혈압	하
분당 맥박수 증가 (안정된 상태보다 20% 또는 10회 이상)	상
빠른 분당 맥박수	하
산소포화도 감소 (90% 미만으로 또는 기존보다 8% 이상)	상
호흡수 증가 (분당 5회 이상)	중
빠른 분당 호흡수	하
체온 증가 (0.5℃ 이상)	중
노동맥(radial artery) 맥박의 소실	중
소변량 감소 (12시간 동안 100 mL 미만으로)	중
신경계 변수	
의식수준의 저하	상
명료하지 않은 의식 수준	하
목의 과신전	중
코입술주름의 늘어짐	중
동공반사의 소실	중
성대에서 그렁거림	중
눈꺼풀 닫힘이 안됨	중

특징적인 호흡	
Death rattlea 발생	상
턱운동을 동반한 호흡의 시작	중
체인-스토크스(Cheyne stokes) 호흡의 시작	중

그 밖의 변수들	
낮은 수행도(performance) 지수	하
근력 저하	하
부종 있음	하
높은 혈중 요소질소 수치	하
낮은 혈색소 수치	하

* 상 = 변화에 초점을 맞춘 연구들에서 일치하는 변수; 중 = 변화에 초점을 맞춘 연구에서 제시된 변수; 하 = 변화가 아닌 특정상태를 나타낸 변수.
a 상기도에서 가래 끓는 소리

출처: 한국호스피스완화의료학회, 2016

1) 호흡곤란

a. 말기환자에서의 호흡곤란의 의미

- 모든 임종기에 공통된 현상.

- 호흡이 불편하다는 느낌은 주관적.

- 혈액 가스, 호흡수, 산소포화도와 무관.

- 신체 활동과 삶의 질을 제한.

- 불안과 큰 관련.

- 하나의 증상이 다른 증상을 일으키거나 악화.

- 환자와 가족들에게 불안감을 안겨준다.

b. 비약물적 치료

- 어떠한 치료가 특정 환자에게 효과를 나타내는지를 알아낸다.

- 환자의 체위, 선풍기, 창문 열기, 이완 요법

- 증상 완화를 위한 산소[비강 캐뉼라를 이용한 분당 4~6리터]투입을 시도해 볼 수 있다.

- 대부분의 환자들에게 고통을 일으킬 수 있는 석션을 삼간다.

호흡곤란 환자에게 선풍기를 틀어주는 근거?

찬 공기의 환기는 안면의 기계수용체를 자극하여 삼차신경을 통해 뇌의 구심성 정보를 변경시켜 호흡곤란을 완화시킬 수 있다.

출처: Schwartzstein RM, Lahive K, Pope A, Weinberger SE, Weiss JW. Cold facial stimulation reduces breathlessness induced in normal subjects. Am Rev Respir Dis 1987; 136: 58-61

배액하는 도중에 똑바로 앉아있도록 한다.

배액통까지 연결되는 라인은 중간에 사이드레일에 테이프로 고정시켜서 tension이 가해지지 않도록 하되, 환자가 어느 정도 몸을 움직일 수 있는 여유를 두도록 한다.

그림 74-4. 악성흉수로 호흡곤란 발생한 환자에게 흉수천자 후 배액하는 모습

(A) 대만의 의료진을 대상으로 우리나라 요양병원에서의 비암성 말기질환에 대해 소개.

(B) 노인병동 간호사들을 대상으로 우리나라 요양병원에서의 비암성 말기질환 케어 경험을 주제로 강의 중인 필자. 특히 비암성 말기 증상에 대해서는 비약물적 치료가 우선이므로 간호인력의 역할이 매우 중요하다.

그림 74-5. **대만 가오슝 Veterans General Hospital에서 비암성 말기질환에 대해 강의중인 저자.** 우리나라, 일본과 더불어 아시아 지역에서 가장 고령화된 국가인 대만에서도 최근 비암성 말기질환에 대한 관심이 증가하고 있다.

c. 약물적 치료

 - 아편계(Opioid) 약물 : 가장 좋은 호흡곤란 치료제
 - 벤조디아제핀 : 불안 증상에 대해 4시간마다 로라제팜(lorazepam) 0.5~1 mg씩 PO/SL/IV.
 - 기관지확장제(bronchodilator) : wheezing에 대해.
 - 클로르프로마진(chlorpromazine)
   • 4~6시간마다 10~25 mg씩 투여.

- 모르핀과 상승효과를 낼 수 있다.
- 스테로이드, 이뇨제, 항응고제, 적혈구생성소(erythropoietin)를 적정량 투여.

죽음의 그르렁거림 (Death rattle) = 임종 직전의 거친 숨소리

◇ 죽어가는 환자의 25~50%
◇ 65%의 환자는 48시간 이내에 사망
◇ 상기도 근육의 약화
◇ 분비물 제거 능력의 저하
◇ 기도흡인은 오히려 불편감만 초래하고 반응성 부종(reactive edema) 유발 가능
◇ 가래제거약물 무의미
◇ 호흡곤란과는 큰 연관 없음

출처 : Campbell J Pall Med 2013

---

2) 오심, 구토

a. 비약물적 치료
  - 자주, 소량으로 찬 음식 먹기
  - 나쁜 냄새나 미관상 좋지 않은 음식 피하기
  - 즐겁고 편안한 환경
  - 최면이나 침술 협진 고려

b. 약물적 치료
  - 프로클로르페라진(prochlorperazine)
    • 강력한 항도파민 활성제(antidopaminergic), 약한 항히스타민, 콜린 억제 효과
    • 오피오이드로 인한 메스꺼움에 주로 사용된다.
  - 할로페리돌(Haloperidol)
    • 매우 강력한 항도파민 활성제
  - 프로메타진(promethazine)/페너간(Phenergan)
    • 강한 콜린 억제 성분을 지닌 항히스타민제, 매우 약한 항도파민 활성제.
    • 감염이나 염증에 의해 생기는 현기증과 위장염에 효과적이다.
    • 오피오이드로 인한 메스꺼움에는 별 효과가 없다.
  - 스코폴라민
    • 매우 강한 순수 콜린 억제제

3) 삼킴 장애로 경구약물 복용 힘든 경우 투여 가능한 약물

직장 투여 가능한 약물	설하 투여 가능한 약물
• Morphine • Hydromorphone • Chlorpromazine • Paracetamol • Lasix • Aldactone • Domperidone	• Morphine • Hydromorphone • Oxycodone • Hyocine • Lorazepam • Olanzapine (zyprexa)

표 74-4. 생의 마지막 48시간 동안 나타나는 증상들에 대한 대처방법들
(쇠약한 노인들에게서 haloperidol, diazepam, chlorpromazine 등의 초기 용량은 더 줄일 필요가 있다)

증상(발생률)	대처 방법
가래 끓는 소리(56%)	Atropine or scopolamine(부스코판) q4~8 hr + morphine(10~15 mg) 흡인, 체위 바꾸기, 보호자 안심시키기(환자가 고통스러운 것이 아니라 상기도 근육이 이완되어 나는 소리)
통증(51%)	마약성 진통제
안절 부절 못함(42%)	Diazepam 5~10 mg, Chlorpromazine 50 mg q4~8 hr Lorazepam(아티반) – 필요 시 1시간마다 설하(sublingual) 투여
요실금(32%), 요정체(21%)	패드나 기저귀를 댄다. 기스모, 혹은 도뇨관 삽입 (환자가 원하지 않으면 굳이 도뇨관 삽입할 필요는 없다)
삼킴 장애(29%)	약물을 직장으로 투여. Pump을 이용, 피하 등으로 주사.
호흡곤란(22%)	안심시키기. 선풍기나 찬 공기를 쐬어 준다. Diazepam 5~10 mg stat + 5~20 mg hs Morphine 5~10 mg q4hr, 혹은 호흡수 15-20/분이 되게 용량 조절
오심, 구토(14%)	Haloperidol 등을 지속적 투여
식은 땀, 열감(14%)	스테로이드, Indomethacin(100 mg 직장 투여)
경련, 근육 떨림(12%)	Diazepam, Midazolam(5 mg stat + 지속 투여(10~20 mg/d))
섬망(9%)	안심시키기 Haloperidol 5~10 mg IM stat + 5~15 mg/d PO or IM, chlorpromazine 50 mg

Adapted from Potash J et al.

표 74-5. 말기암 환자들에 흔한 통증 이외의 증상들에 대한 대처

식욕 감소	지나친 음식 섭취가 오히려 해가 될 수 있음을 설명. 적절히 공급 Corticosteroid 2~20 mg Qd : 단기간의 증상완화, 삶의 질 향상 반드시 제산제를 함께 투여
기 침	항히스타민제, 진해제 등 투여 Codeine 15~30 mg q4~6 hr, Morphine도 가능 Lidocaine 2% 2.5~5 mL를 Nebulizer 흡입하면 기침수용체를 억제하여 효과 ⇒ 국소적 마취로 aspiration 가능성 때문에 1시간 정도 금식 Prednisone 0.5~1.0 mg/kg/day 복용 가능
복 수	Spironolactone(알닥톤) 25~50 mg/d 로 시작 ⇒ 100 mg bid까지 증량 최대 용량으로 효과 없으면 Furosemide(라식스) 20 mg bid 추가(최대 80 mg) 복수천자 : 2 L를 빠르게 제거 후 12시간에 걸쳐 3~4 L 제거. 상하지 부종이 없고 s-albumin 수치가 낮으면 albumin 주사 필요. 3~5 L 이상 복수 제거시 albumin 40 mg을 천자 전과 천자 후 6~8시간에 걸쳐 주사한다.
출 혈	출혈은 환자나 보호자에게 흥분을 유발함 환자와 보호자 안심시키기 환자에게는 진정제 투여, 가능한 한 빨리 수건 등으로 가리거나 닦음 출혈 부위를 치료할 수 없다면 굳이 수혈을 할 필요는 없다.

75 사망진단서(시체검안서) 작성요령

- 입원환자가 주말에 사망하였을 때, 사망진단서 작성의 주체는 주치의인가요, 아니면 당직의사인가요?

— 주치의가 최종적으로 환자를 본 시점이 48시간이었는지 여부에 따라 달라집니다.

요양병원 입원환자는 고령 환자이거나 말기질환 등 중증 질환자의 비율이 높으므로 입원 도중에 회복이 되어 퇴원하는 경우는 드물고 대부분의 환자들이 병원에서 사망하게 된다. 필자 등이 우리나라 3개 요양병원에서 치매로 진단받고 입원 중인 환자들 중에서 일상생활수행능력의 심각한 저하가 없으면서 Levin tube나 tracheostomy 등의 보조 장치를 하고 있지 않은 201명의 6개월 후 ADL 변화 요인에 대해 조사한 연구 결과에 따르면 201명의 환자 중 6개월 후에 7명이 사망하였다. 실제로 요양병원에 입원해 있는 환자들의 중증도가 본 연구 참여자들에 비해 심각함을 고려한다면 200명의 치매환자가 입원하고 있는 요양병원에서는 1개월에 최소 1명 이상의 사망 환자가 발생한다고 추정되며, 1개월에 1명 이상의 사망진단서를 작성해야 한다는 의미가 된다.

사망진단서는 결국 병원에서 환자에게 이루어지는 마지막 공식적인 서비스가 되는 것이므로 환자와 유족을 위해 최선을 다해 정성스럽게 작성해 드리는 것이 예의일 것이다.

1) 사망진단서는 왜 정확히 써야 할까?

a. 사망진단서는 환자의 사망 사실에 대한 의사의 공식적인 증명이다.

b. 사망 신고와 매장, 화장 신고 등 법률적 절차를 밟는 과정에 사망진단서가 사용된다.

c. 사망진단서의 사망원인은 사망 통계를 작성하는 데 사용된다.

2) 사망진단서 작성 원칙

a. '사망의 원인'은 한 칸에 하나씩 기입
   - (가) 직접사인 : 직접적으로 사망에 이르게 한 질병이나 손상을 기입
   - (가)의 원인은 (나)칸에, (나)의 원인은 (다)칸에, (다)의 원인은 (라)칸에 기입

b. '발병부터 사망까지의 기간'은 년, 월, 일, 시, 분 단위로 기록
   - 사인의 발병 시기를 알고 있다면 발병 시기를, 모른다면 진단 시기를 기입

c. '(가)내지 (라)와 관계 없는 기타의 신체 상황'은 간접적인 영향을 준 주요 질병이나 상황을 기입
   예) 직접사인이 '뇌출혈'인 경우, 기타의 신체 상황에 '위암 수술력' 기입

d. 여러 사인이 경합하는 경우 의학적 인과관계 순으로 기입
   - 가장 치명적인 질병이나 손상의 인과관계를 고려하여 산정

e. 불명확한 진단명이나 사망에 수반되는 증세는 진단명으로 기록하지 않는다.
   - 노환(노쇠, 고령), 심장정지, 호흡정지, 심폐정지, 심장마비 등은 사망에 수반된 현상(증상 및 징후)으로서 포괄적인 신체 상황은 기입하지 않음. 그러나 다음의 그림에서 보는 바와 같이 우리나라에서 발행된 사망진단서의 진단명이 '증상 및 징후'로 표시되는 빈도가 2004년 현재 인구 10만명 당 97명에 이르며, 다른 OECD 국가들에 비해 매우 높은 편이다.

■ 의료법 시행규칙 [별지 제6호서식] 〈개정 2015.12.23.〉

사망진단서(시체검안서)

※ [ ]에는 해당되는 곳에 "✔"표시를 합니다.

등록번호			연번호		원본 대조필인		
① 성 명					② 성 별	[ ]남[ ]여	
③ 주민등록번호	-		④ 실제생년월일	년 월 일	⑤ 직업		
⑥ 등록 기준지							
⑦ 주 소							
⑧ 발 병 일 시		년 월 일 시 분(24시간제에 따름)					
⑨ 사 망 일 시		년 월 일 시 분(24시간제에 따름)					
⑩ 사 망 장 소	주소						
	장소	[ ] 주택 [ ]의료기관 [ ] 사회복지시설(양로원, 고아원 등) [ ] 공공시설(학교, 운동장 등) [ ] 도로 [ ] 상업·서비스시설(상점, 호텔 등) [ ] 산업장 [ ] 농장(논밭, 축사, 양식장 등) [ ] 병원 이송 중 사망 [ ] 기타( )					

⑪ 사망의 원인	(가) 직접 사인		발병부터 사망까지의 기간	
※(나)(다)(라) 에는 (가)와 직접 의학적 인 과 계 가 명확한 것 만 을 적습니다.	(나) (가)의 원인			
	(다) (나)의 원인			
	(라) (다)의 원인			
	(가)부터 (라)까지와 관계없는 그 밖의 신체상황			
	수술의사의 주요소견		수술 연월일	년 월 일
	해부의사의 주요소견			

⑫ 사망의 종류		[ ] 병사 [ ] 외인사 [ ] 기타 및 불상			
⑬ 외인사 사항	사고 종류	[ ] 운수(교통) [ ] 중독 [ ] 추락 [ ] 익사 [ ] 화재 [ ] 기타( )	의도성 여 부	[ ] 비의도적 사고 [ ] 자살 [ ] 타살 [ ] 미상	
	사고발생 일시	년 월 일 시 분(24시간제에 따름)			
	사고 발생 장소	주소			
		장소	[ ] 주택 [ ]의료기관 [ ] 사회복지시설(양로원, 고아원 등) [ ] 공공시설(학교, 운동장 등) [ ] 도로 [ ] 상업·서비스시설(상점, 호텔 등) [ ] 산업장 [ ] 농장(논밭, 축사, 양식장 등) [ ] 기타 ( )		

「의료법」 제17조 및 같은 법 시행규칙 제10조에 따라 위와 같이 진단(검안)합니다.

년   월   일

의료기관 명칭 :
　　　　주소 :
의사, 치과의사, 한의사 면허번호 제   호
성 명: (서명 또는 인)

유 의 사 항
사망신고는 1개월 이내에 관할 구청·시청 또는 읍·면·동사무소에 신고하여야 하며, 지연 신고 및 미신고 시 과태료가 부과됩니다.

210㎜×297㎜[백상지 80g/㎡(재활용품)]

그림 75-1. **사망진단서**

◉ **의료법상 "진단서 등": 진단서, 검안서, 증명서, 처방전**

의료법 제17조(진단서 등)

①의료업에 종사하고 직접 진찰하거나 검안(檢案)한의사, 치과의사, 한의사가 아니면 진단서·검안서·증명서 또는 처방전을 작성하여 환자(환자가 사망한 경우에는 배우자, 직계존비속 또는 배우자의 직계존속을 말한다) 또는 「형사소송법」제222조 제1항에 따라 검시(檢屍)를 하는 지방검찰청검사(검안서에 한한다)에게 교부하거나 발송(전자처방전에 한한다)하지 못한다. 다만, 진료 중이던 환자가 최종 진료 시부터 48시간 이내에 사망한 경우에는 다시 진료하지 아니하더라도 진단서나 증명서를 내줄 수 있으며, 환자 또는 사망자를 직접 진찰하거나 검안한 의사·치과의사 또는 한의사가 부득이한 사유로 진단서·검안서 또는 증명서를 내줄 수 없으면 같은 의료기관에 종사하는 다른 의사·치과의사 또는 한의사가 환자의 진료기록부 등에 따라 내줄 수 있다.(개정 2009.1.30.)

②의료업에 종사하는 의사·한의사가 아니면 출생·사망 증명서를 내주지 못한다. 다만, 직접 조산한 의사·한의사 또는 조산사가 부득이한 사유로 증명서를 내줄 수 없으면 같은 의료기관에 종사하는 다른 의사·한의사가 진료기록부 등에 따라 증명서를 내줄 수 있다.

③의사·치과의사 또는 한의사는 자신이 진찰하거나 검안한 자에 대한 진단서·검안서 또는 증명서 교부를 요구받은 때에는 정당한 사유 없이 거부하지 못한다.

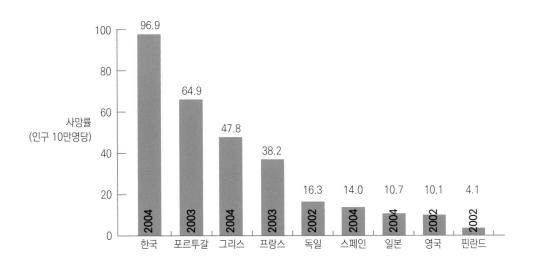

그림 75-2. **증상 및 징후로 표시된 사인의 국가별 빈도**

3) 사례별 사망진단서 작성의 예

a. 뇌경색 환자가 흡인성 폐렴으로 사망한 경우

72세 여자가 5년 전 뇌경색으로 인한 오른쪽 편마비가 있던 중 5일 전 객담 배출이 어려워 호흡곤란을 호소하며 내원하였다. 검사 결과 흡인성 폐렴으로 진단되어 항생제 치료 등을 하였으나 오늘 사망하였다.

사망의 종류	❶ 병사 ② 외인사 ㉮ 교통사고 ㉯ 불의의 중독 ㉰ 불의의 추락 　　　　　㉱ 불의의 익사 ㉲ 자살 ㉳ 타살 ㉴ 기타 사고사 ③ 기타 및 불상		
(가)	직접사인	흡인성 폐렴		5일
(나)	㉮의 원인(중간선행사인)	오른쪽 편마비	발병부터	5년
(다)	㉯의 원인(선행사인)	뇌경색	사망까지의 기간	5년
(라)	㉰의 원인			
㉮내지 ㉱와 관계없는 기타의 신체상황				

그림 75-3. **뇌혈관 질환은 발병 후 후유증이 나타나는 경우가 많아 중간단계의 질병이나 손상이 뇌혈관 질환의 후유증으로 인한 것인지를 판단할 수 있도록 '기간'을 기재해야 한다.**

Adapted from 대한의사협회

b. 당뇨병 환자가 뇌출혈로 사망한 경우

56세 남자가 이틀 전 의식이 혼탁한 상태로 대학병원 응급실로 이송되어, 검사 결과 뇌출혈로 확인되었다. 환자는 10년 동안 당뇨병(II형)을 앓아 왔으며, 4년 전부터는 2차성 고혈압으로 진행되어 있던 중이었다. 보호자는 경제적인 이유 등으로 대학병원에서의 더 이상의 치료를 거부하고 본 병원에 입원하여 있던 중 입원 치료 2일 만에 사망하였다. 이 환자는 3개월 전 조기 위암 진단을 받고 위절제술을 받은 상태이다.

사망의 종류	① 병사 ② 외인사 ⎡ ㉮ 교통사고 ㉯ 불의의 중독 ㉰ 불의의 추락 ⎤ ⎣ ㉱ 불의의 익사 ㉲ 자살 ㉳ 타살 ㉴ 기타 사고사 ⎦ ③ 기타 및 불상		
(가)	직접사인	뇌출혈		2일
(나)	㉮의 원인(중간선행사인)	이차성 고혈압	발병부터 사망까지의 기간	4년
(다)	㉯의 원인(선행사인)	II형 당뇨병		10년
(라)	㉰의 원인			
(가)내지 (라)와 관계없는 기타의 신체상황				

그림 75-4. 당뇨병은 유형(I형 또는 II형)과 합병증을 구체적으로 기입한다. 사인과 직접적인 관계가 없는 위암은 '기타의 신체 상황'에 기입한다.

c. 폐암이 간으로 전이되어 간성혼수로 사망한 경우

63세 남자로 40년 동안 흡연을 하였고, 약 6개월 전 기침과 호흡곤란 등의 증상이 지속되던 중 급격한 체중 감소가 있어 대학병원에서 검사 결과 비소세포폐암을 진단받고 입원 치료 중 약 1개월 전에 암이 간으로 전이되었음을 진단받고 완화치료를 위해 요양병원으로 전원되었다. 금일 갑자기 혼수상태로 되어 보호자 참관 하에 1시간 만에 사망하였다.

사망의 종류	① 병사 ② 외인사 ⎡ ㉮ 교통사고 ㉯ 불의의 중독 ㉰ 불의의 추락 ⎤ ⎣ ㉱ 불의의 익사 ㉲ 자살 ㉳ 타살 ㉴ 기타 사고사 ⎦ ③ 기타 및 불상		
(가)	직접사인	간성혼수		1시간
(나)	㉮의 원인(중간선행사인)	간으로 전이된 폐암	발병부터 사망까지의 기간	1개월
(다)	㉯의 원인(선행사인)	비소세포암		6개월
(라)	㉰의 원인			
(가)내지 (라)와 관계없는 기타의 신체상황				

그림 75-5. 암은 최초 발병 부위, 전이된 부위를 명확히 기입한다.
예) '전이성 암'이라는 표현보다는 '폐에서 전이가 된 간암', '폐로 전이가 된 간암', 또는 '원발성 폐암', '속발성 폐암' 등 구체적으로 기입한다.

d. 만성 B형 간염 환자가 식도정맥류출혈로 사망한 경우

20년 전 B형 간염 보균자로 진단받고 5년 전에는 간경화로 진단 받은 48세 남자가 요양치료를 위해 3개월 전에 입원하였다. 간경화 병기는 Child C로 '말기 질환'이었다. 5일 전부터 복통과 구토, 황달 등의 증상이 심해지고 금일 다량의 피를 토하였으나 보호자들은 타병원으로의 전원을 원하지 않았다. 위장관 출혈은 멈추지 않고 심실빈맥이 지속되다가 금일 사망하였다.

사망의 종류	❶ 병사 ② 외인사 ㉮ 교통사고 ㉯ 불의의 중독 ㉰ 불의의 추락 ㉱ 불의의 익사 ㉲ 자살 ㉳ 타살 ㉴ 기타 사고사 ③ 기타 및 불상		
(가)	직접사인	식도정맥류출혈	발병부터 사망까지의 기간	5일
(나)	㈎의 원인(중간선행사인)	간경화		5년
(다)	㈏의 원인(선행사인)	만성B형간염		20년
(라)	㈐의 원인			
㈎내지 ㈑와 관계없는 기타의 신체상황				

그림 75-6. 식도정맥류 출혈로 인해 발생하는 증상 및 징후(혈액량감소성쇼크, 저산소상뇌손상, 다장기부전증 등)는 진단서에 기입하지 않음

Adapted from 대한의사협회

e. 골다공증 환자가 병적골절로 사망한 경우

78세의 여자로 몇 년 전 골다공증을 진단받았다. 1개월 전 일어나다가 갑자기 주저앉아 대퇴부골절이 발생하였으나 수술은 하지 않은 상태로 보존적 치료만을 위해 요양병원에 입원하였으나 금일 사망하였다.

사망의 종류	❶ 병사 ② 외인사 ┌ ㉮ 교통사고 ㉯ 불의의 중독 ㉰ 불의의 추락 └ ㉱ 불의의 익사 ㉲ 자살 ㉳ 타살 ㉴ 기타 사고사 ┘ ③ 기타 및 불상		
(가)	직접사인	대퇴부골절		1개월
(나)	㈎의 원인(중간선행사인)	골다공증	발병부터 사망까지의 기간	수년
(다)	㈏의 원인(선행사인)			
(라)	㈐의 원인			
㈎내지 ㈑와 관계없는 기타의 신체상황				

그림 75-7. **골다공증에 의한 병적골절이라면 골다공증을 선행사인으로 기재하여 '외인사'로 판단되지 않도록 작성한다. 대퇴부골절의 합병증인 폐색전증도 '(가)직접사인'으로 고려한다.**

Adapted from 대한의사협회

f. 만성폐쇄성폐질환(COPD) 환자가 폐렴을 앓은 후 패혈증으로 사망한 경우

4년 전부터 만성폐쇄성폐질환을 앓고 있던 72세 환자가 5일 전 오후 3시경 급성호흡곤란을 일으켜 엑스레이 검사 결과 폐렴이 확인되었다. 4일전부터 혼수 상태에서 혈압이 떨어지고 고열이 지속되어 패혈증으로 중환자실에서 치료 중 금일 사망하였다.

사망의 종류	❶ 병사 ② 외인사 ┌ ㉮ 교통사고 ㉯ 불의의 중독 ㉰ 불의의 추락 └ ㉱ 불의의 익사 ㉲ 자살 ㉳ 타살 ㉴ 기타 사고사 ┘ ③ 기타 및 불상		
(가)	직접사인	패혈증		4일
(나)	㈎의 원인(중간선행사인)	폐렴	발병부터 사망까지의 기간	5일
(다)	㈏의 원인(선행사인)	만성폐쇄성폐질환		4년
(라)	㈐의 원인			
㈎내지 ㈑와 관계없는 기타의 신체상황				

그림 75-8. **COPD와 같은 약자는 진단서에 사용하지 않는다.**

Adapted from 대한의사협회

76 각종 진단서, 소견서, 신청서 작성요령

- 요양병원에서 사망진단서 외에 흔히 작성하게 되는 진단서류?

– 일반진단서, 건강진단서, 의료급여일수 연장승인 신청서,
   건강보험 산정특례 등록 신청서

1. 일반진단서

요양병원에서 작성하게 되는 진단서에 흔히 표기되는 진단명 및 질병 코드를 계통 별로 구분하면 다음과 같다.

표 76-1. 요양병원에서 진단서 작성 시에 흔히 사용하게 되는 질병코드 목록

HEADACHE R51	EPILEPSY G40.3	NEUROPATHY
Cluster G44.0		Radiculopathy M54.1
Tension G44.2	Idiopathic G40.0	Intervertebral disc
Post-traumatic G44.3	Grand mal G40.6	degeneration M51.3
Migraine G43.9	Absence G40.3	Radiculopathy M50.1, G55.1
without aura G43.0	Traumatic T90.5	Cervical sprain S13.4
with aura G43.1	Partialis continua G40.5	Hip sprain S73.1
ophthalmic G43.8	Simple partial seizure G40.1	Lumbago M54.5
unspecified G43.9	Complex partial seizure G40.2	Sciatica M51.1
Vascular G44.1	Drug induced G40.5	G-B syndrome G61.0
Trigeminal neuralgia G50.0	Myoclonic G40.3	Polyneuropahty G62.9
Temporal arteritis M31.6	Convulsion G40.9	Diabetic E14.4, G63.2
Cervical spondylosis M47.9	Alcohol induced G40.5	Vasculitic M35.9, G63.5
Neck stiffness M43.6		Metabolic NEC E88.9, G63.3
VERTIGO	**MOVEMENT**	Vitamin deficiency G63.4
Epileptic G40.8		Alcohol G62.1
Cerebral H81.4		Drug-induced G62.0
Peripheral NEC G81.3		Hereditary G60.9
Paroxysmal H81.1	Parkinson's disease G20	Uremic N18.8
Meniere's H81.0	drug induced G21.1	Paraneoplastic D48.9, G13.0
Vestibular neuronitis H81.2	Dystonia	Toxic G62.2
CVA	orofacial, idiopathic G24.9	Mononeuropathy G58.9
	drug induced G24.0	Bell's palsy G51.0
TIA I67.7	Chorea G25.5	Meralgia paresthetica G57.1
Cerebral infarction I63	Sydenham's I02.9	Peroneal nerve palsy G57.3
Embolism I63.4	Drug-induced G25.4	Carpal tunnel syndrome G56.0
Thrombosis I63.3	Huntington'sG10	Postherpetic neuralgia G53.0
Stenosis I63.5	Posthemiplegic G25.5	Tarsal tunnel syndrome G57.5
Venous thrombosis I63.6	Athetosis G80.3	**MYOPATHY**
SAH I60.9	Facial spasm G51.3	Polymyositis M33.2
EDH S06.4	Tic F95.9	Dermatomyositis M33.1
SDH I62.0	Meige's syndrome Q82.0	Myotonia congenita G71.1
ICH I61.9	Spasmodic torticollis M43.6	Myopathy G72.9
IVH I61.5	Essential tremor G25.0	Infectious G73.4
AVM Q27.3	Myoclonus G25.3	Mitochondrial NEC G71.3
Aneurysm I67.1	Drug-induced G25.3	Alcoholic G72.1
Moyamoya disease M31.4	Clonus R25.8	Periodic paralysis G72.3
	Writer's cramp F48.8	Dystrophy, Duchenne
		G71.0Myotonic G71.1

ALCOHOL RELATED DS	TUMOR	ENCEPHALOPATHY G93.4
Alcoholism F10.2 Withdrawal F10.3 DT(Delirium Tremens) F10.4 Korsakoff's disease F10.6 Alcoholic Dementia F10.7 Alcoholic hepatitis K70.1 　Liver Cirrhosis K70.3	Meningioma D32.9 Brain, benign D33.2 　malignant, primary C71.9 　malignant, secondary C79.3	Hepatic K72.9 Hypertensive I67.4 Alcoholic G31.2 Toxic G92 Wernicke's E51.2 Anoxic G63.1

SPINAL CORD DS.	INFECTION	PSYCHIATRY
SCD E53.8 Myelopathy G95.9 　Spondylosis M47.1 　Intervertebral disc G99.2 　Transverse G37.3 　Tumor G99.2 Spondylosis 　Cervical & Lumbar M47.8	Cysticercosis B69.0 Brain abscess G06.0 Syphilis A51.9 　Cerebral A52.1 　Meningovascular A52.1 　Tabes dorsalis A52.1 　General paresis A52.1 　Latent A53.0 Encephalitis G04.9 　Viral A86 　Herpetic B00.4 　Japanese B A83.0 　Toxic NEC G92 Meningitis G03.9 　Tuberculous A17.0 　Aseptic G03.9 　Viral NEC A87.9 　Purulent G00.9 　Fungal B45.1 Meningoencephalitis, 　Encephalitis G04.9 　Tuberculous A17.8 　Viral A86 　Herpetic B00.4 Herpes zoster B02.9	Malingering Z76.5 Anxiety F41.9 Insomnia G47.0 　Nonorganic origin F51.0 　Idiopathic F51. Neurosis F48.9 　Anxiety state F41.1 　Depressive F34.1 Depression F32 　Major F32.2 　Recurrent F33 　Endogenous F33.2 　Senile F03 　Cerebrovascular I67.9 　Psychogenic F32.9

ATAXIA
Cerebellar ataxia, late onset G11.2

DEMYELINATING DS.
Multiple sclerosis G35

MOTOR NEURON DS.
ALS G12.2

DEMENTIA		RESPIRATORY
Alzheimer's disease F00, G30.9 Senile dementia F03 Multi-infarct dementia F01.1 Alcoholic dementia F10.7 Vascular F01.0 Normal pressure hydrocephalus G91.2		URI, Common cold J00 Acute Rhinitis J00 Asthma J45 COPD J44.9 Pneumonia, 　Unspecified J18.9 　Bacterial unspecified J15.9 　Viral unspecified J12.9

NEUROCUTANEOUS DS.	NUTRITION	DERMATOLOGY
Tuberous sclerosis Q85.1 Neurofibromatosis Q85.0	Vitamin B1 deficiency E51.9 　　　B12　　E53.8 　　　folate　E53.8 　　　iron　　E61.1 Hyperlipidemia E78.5 Hypercholesterolemia E78.0	Drug Eruption L27.0 Eczema L30.9 Pruritus L29 Tinea 　Unguium B35.1 　Pedis B35.3 　Corporis B35.4 　Cruris B35.6 Urticaria L50

GI	ANEMIA
Constipation K59.0	IDA D50.9
Ulcer gastric K25.9	Pernicious D51.0
peptic K27.9	Folate deficiency D52
Gastritis, acute K29.1	Post-hemorrhagic D62
chronic K29.4	Unspecified D64.9

OTHERS (우측)

GI (계속)
- Hepatitis acute K72.0
  - b-viral B16.9
  - CAH K73.2
- chronic K73.9
  - toxic 573.3
  - alcoholic K70.1
- Liver cirrhosis-b viral K74.6
  - alcoholic K70.3
- 역류성 식도염 K21.0
- 신경성 식욕부진 F50.0
- 당뇨병성위무력증 K31.8
- 기능성 소화불량 K30

OTHERS
- Syncope R55
  - Carotid sinus G90.0
  - Cardiac R55
- Transient global amnesia G45.4
- SLE M32.9
- Orthostatic hypotension I95.1
- Drug rash L27

CARDIOVASCULAR

- Hypertension I10
- Angina I20.9
- MI acute I21.9
  - old 412
- Heart failure I50.0
- Arrhythmia I49.9

ENDOCRINE

- DM E10
- Thyrotoxicosis E05.9
- Hypothyroidism E03.9
- Osteoporosis M81.0
  - unspecified M81.99
  - postmenopausal M81.04
- Gout M10

GENITO-URINARY

- BPH N40
- UTI N39

PAIN

- Lumbago M54.4
- 골관절염 M13.9
  - 노인성 M19.9
  - 류마티스성 M06.9
- 좌골신경통 M54.4
- 건초염 M65.9
- 건염 M77.9
- 염좌
  - 어깨 S43.7
  - Lumbar S33.5
- 강직성척추염 M45
- Gout M10.9
- Disc herniation
  - Cervical M50.2
  - Lumbar M51.2
- Radiculopathy M54.1

인천은혜병원 김성민선생님 제공

2. 요양원으로 입소 시에 필요한 건강진단서

요양원 입소 시에는 특히 활동성 감염병 여부를 판별하여 이상 없음을 확인해주는 건강진단서가 필요한데, 최근에 방사선 검사나 혈액검사 등을 시행하지 않은 환자라면 재검사를 실시하여 결과 확인 후 작성해야 한다. 만일, 요양원에 입소한 환자에게서 결핵균 등이 검출되면 질본관리본부 등에 의해 역학조사가 수행되며 전원 전에 입원했던 요양병원도 조사를 받는다.

원부대조필 인

병록번호

건 강 진 단 서

면 번 호

주민등록번호

성 명		성별	남 · 여	생년월일	년 월 일생	연령	만 세
주 소	전 화 :						

위 사람은 활동성폐결핵, 정신병, 마약류의 중독증 등의 증상이 없으며 농자(聾者), 아자(啞者), 맹자(盲者), 불구폐질자가 아님을 증명함.

위의 판단은 진단일 현재의 이학적 검사와 아래에 표시한 검사의 결과에 근거한 것임.

비 고			
용 도		진 단 일	년 월 일
진단을 위해 시행한 검사	☑흉부 X-선 검사 ☑일반뇨검사 ☑기 타(명시 : CBC, HBs Ag/Ab VDRL		

발 행 일 : 년 월 일

의 료 기 관 :

주소 및 명칭 :

전화 및 FAX :

면허번호 제 호 의사성명 ㊞

그림 76-1. 건강진단서 작성의 예

3. 의료급여일수 연장승인 신청서

연말(11월, 12월)이 되면 "차상위 본인부담 경감 대상자(차상위 의료급여 1종, 2종 환자)" 및 보호자들이 담당 주치의에게 가지고 오는 서류가 있다. 환자의 1년간 약 처방일 수가 365일을 초과하는 경우에 제출해야 하는 "의료급여일수 연장승인 신청서"가 그것이다. 다음에 나열한 11개 고시 질환(표 76-2)이나 107개 희귀난치성질환에 해당되는 경우에만 신청할 수 있으며 신청서 양식은(그림 76-2)과 같다.

발급비용	무상교부		
의료급여일수 연장승인 신청서			
일련번호:			
세대주 성명		주민(관리)번호	
수급자 성명		주빈(관리)번호	
종 별 구 분	1종 2종	연장 신청일수	일
주 소			
수 급 권 자 상 병 사 항	상 병 명		
	질병분류기호		연장승인 대상년도
병력 및 증상			
연 장 사 유	① 107개 희귀난치성질환자( ) ② 11개 고시질환자( ) ③ 기타 질환( )		
연 장 사 유 상 세 설 명	담 당 의 사 : (인) 면 허 번 호 : 의료급여기관명 : (인) 요양기관코드 : 주 소 :		

의료급여법 시행규칙 제8조의2의 규정에 의하여 위와같이 의료급여일수 연장승인을 신청합니다.

년   월   일

신 청 인 :   (인)

(시장·군수·구청장) 귀하

*천재지변, 응급환자 및 이에 준하는 경우에 해당하는 지 여부 (   )

그림 76-2. 의료급여일수 연장승인 신청서   Adapted from 보건복지가족부

표 76-2. 11개 고시 질환 목록(흔한 질환들)

연번	상병코드	상 병
1	F00-99, G40-41	정신 및 행동 장애, 간질
2	G00-37, G43-83	신경계질환
3	I10-15	고혈압성질환
4	B18-19, K70-77	간의 질환(만성바이러스간염 포함)
5	E10-14	당뇨병
6	A15-16, 19	호흡기 결핵
7	J44	기타 만성폐쇄성폐질환
8	E00-07	갑상선의 장애
9	I60-69	대뇌혈관질환
10	S06	두개 내 손상
10	I05-09, I20-27, I30-52	심장질환

Adapted from 보건복지가족부

표 76-3. 11개 고시 질환 목록(흔한 질환들)

연번	상병코드	상 병	연번	상병코드	상 병
1	A18.3, K93.0	장·복막 및 장간막선 결핵	16	D69.6	상세불명의 혈소판감소증
2	A81	중추신경계 슬로바이러스감염	17	D70	무과립세포증
3	B20-B24	인체면역결핍바이러스질환	18	D71	다핵성호중구의 기능적 장애
4	B25	거대세포바이러스병	19	D76	림프망 계통을 침범하는 특정질환
5	B45	크립토콕쿠스증	20	D80-D84.9	면역결핍증
6	C90-C96	백혈병	21	D86	사르코이드증
7	C00-C88,C97, D00-D09	악성신생물	22	E22.0	말단거대증 및 뇌하수체 거인증
8	D35.2	뇌하수체 양성 신생물	23	E22.1	고프로락틴혈증
9	D55.0	포도당6인산탈수소효소[G6PD] 결핍에 의한 빈혈	24	E23.0	뇌하수체 기능저하증(칼만증후군)
10	D55.2	해당효소장애에 의한 빈혈	25	E24	쿠싱증후군
11	D59.5	발작성야간혈색소뇨증	26	E25	부신성기장애
12	D60-D61	무형성 빈혈	27	E27.1-2, E27.4	부신의 기타장애
13	D66-D68.4	혈우병	28	E34.8	기타 명시된 내분비장애(레프리코 니즘 등)
14	D69.1	정성혈소판결함	29	E70-E77	대사장애
15	D69.3	에반스증후군	30	E80.2	기타 포르피린증

31	E83.0	구리대사장애(윌슨병 등)	61	K74.3	원발성 담즙성 경화
32	E83.3	대사 및 인산효소의 장애	62	K75.4	자가면역 간염
33	E84	낭성섬유증	63	L10	천포창
34	E85	아밀로이드증	64	L12.3	후천성 수포성 표피박리증
35	F84.2	레트 증후군	65	M08.0-M08.3	청소년성 관절염
36	G10	헌팅톤병	66	M30.0-M30.2	결절성 다발 동맥염 및 관련 상태
37	G11	유전성 운동실조	67	M31.0-M31.4	기타 괴사성 혈관병증
38	G12	척추성 근육위축 및 관련 증후군	68	M32	전신 홍반성 루프스
39	G13	중추신경계에 영향을 주는 전신위축	69	M33	피부다발 근육염
40	G20	파킨슨병	70	M34	전신경화증
41	G23.1	진행성 핵상성 안근마비	71	M35.0-M35.7	결합조직의 기타 전신 침습
42	G35	다발성 경화증	72	M45	강직성 척추염
43	G41	간질지속상태	73	M89.0	복합 부위 통증증후군 1형
44	G51.2	멜커슨증후군	74	M94.1	재발성 다발연골염
45	G56.4	복합 부위 통증증후군 2형	75	N18	만성신부전
46	G60.0	유전성 운동 및 감각신경병증 (샤르코-마리-투스병 등)	76	N25.1	폐동맥판막 폐쇄
47	G63.0	달리 분류된 감염성 및 기생충성 질환에서의 다발신경병증	77	P22	신생아의 호흡곤란
48	G90.8	자율신경계통의 기타 상태	78	Q05	척추갈림증
49	G95.0	척수공동증 및 구공동증	79	Q06.2	척수갈림증
50	G61	염증성 다발 신경병증	80	Q07.0	아놀드키아리증후군
51	G70.0-G70.2	중증 근무력증	81	Q20.0-Q20.2	심방실 및 연결의 선천 기형
52	G71.0-G71.3	근육의 원발성 장애	82	Q22.0	폐동맥판막 폐쇄
53	H35.3	노인성 황반변성(삼출성)	83	Q22.6	발육부전성 우심증후군
54	I27.0	원발성 폐성 고혈압	84	Q23	대동맥의 승모판 선천성 기형, 좌심증후군
55	I82.0	버드-키아리 증후군	85	Q24.5	심장동맥 혈관의 기형
56	I42.0-I42.4	심근병증	86	Q25.5	폐동맥 폐쇄
57	I67.5	모야모야병	87	Q26.0-Q26.6	대정맥의 선천 기형
58	I73.1	폐색성 혈전 혈관염(버거씨병)	88	Q44.2	쓸개관(담관)의 폐쇄
59	K50	크론병	89	Q75.1	머리얼굴뼈형성이상(크루종병)
60	K51	궤양성 대장염	90	Q75.4	턱얼굴뼈 형성이상

91	Q77.4	연골무형성증	100	Q86.0	(이상 형태증성) 태아알코올증후군
92	Q77.5	이영양성 형성이상	101	Q87.0	주로 얼굴형태에 영향을 주는 선천기형증후군(Apert, 골덴하증후군)
93	Q77.7	척추뼈끝 형성이상	102	Q87.1	주로 단신과 관련된 천기형증후군(프라더윌리증후군 등)
94	Q78.0	불완전골형성증	103	Q87.4	마르팡증후군
95	Q78.1	다골성 섬유성 형성이상(알브라이트 증후군)	104	Q90	다운증후군
96	Q79	달리분류되지 않는 근육골결계통의 선천기형	105	Q91	에드워드증후군 및 파타우 증후군
97	Q81.1, Q81.2	치사성, 이영양성 표피수포증	106	Q93.4	5번 염색체 짧은 팔의 결손
98	Q85.0	신경섬유종증(비악성) (폰렉클린하우젠병)	107	Q96	터너증후군
99	Q85.1	결절성 경화증			

※ 상병코드군 인정

예) A81의 경우 A81.0, A81.1, A81.2 .... 모두 인정

Adapted from 보건복지가족부

4. 연말정산 소득공제용'장애인 등록'신청서

연말정산을 앞두고 입원환자의 보호자들이 '연말정산을 위한 장애인 등록'을 주치의에게 요청하는 경우가 있다. 이러한 소득공제를 위한 '장애인'의 범위는 아래의 소득세법 시행령에 의거 반드시 '장애인복지법'에 따른 장애인만을 의미하는 것이 아니라, 주치의의 판단에 따라 '항시 치료를 요하는 중증 환자'라는 정의에 따라 '장애인으로 등록'할 수 있다. 즉, 요양병원에 입원한 중증 치매환자의 상당수가 이에 해당된다.

소득세법 시행령 제107조(장애인의 범위)

①법 제51조 제1항 제2호의 규정에 의한 장애인은 다음 각호의 1에 해당하는 자로 한다.(개정 1997.9.30, 2001.12.31., 2005.2.19)
    1.「장애인복지법」에 의한 장애인
    2.「국가유공자 등 예우 및 지원에 관한 법률」에 의한 상이자 및 이와 유사한 자로서 근로능력이 없는 자
    3. 삭제(2001.12.31.)
    4. 제1호 내지 제3호외에 항시 치료를 요하는 중증 환자
②제1항 각 호의 어느 하나에 해당하는 사람이 장애인공제를 받으려는 때에는 기획재정부령으로 정하는 장애인증명서를 다음 각 호의 방법으로 제출하여야 한다. 다만,「국가유공자 등 예우 및 지원에 관한 법률」에 따른 상이자의 증명을 받은 사람 또는「장애인복지법」에 따른 장애인등록증을 발급받은 사람에 대해서는 해당 증명서·장애인등록증의 사본이나 그 밖의 장애사실을 증명하는 서류를 제출하여야 하며, 이 경우 장애인증명서는 제출하지 않을 수 있다.(개정 1996.12.31, 1997.9.30, 1998.4.1, 1999.12.31., 2001.12. 31, 2005.2.19, 2008.2.29, 2010.2.18., 2013.2.15)
    1. 과세표준확정신고를 하는 때에는 그 신고서에 첨부하여 납세지 관할세무서장에게 제출한다.
    2. 근로소득(법 제127조 제1항 제4호 각 목의 어느 하나에 해당하는 근로소득은 제외한다)이 있는 사람은 근로소득자 소득공제신고서에 첨부하여 연말정산을 하는 원천징수의무자에게 제출한다.
    3. 법 제144조의2의 규정에 의하여 연말 정산되는 사업소득이 있는 자는 소득공제신고서에 첨부하여 연말정산을 하는 원천징수의무자에게 제출한다.
③장애인으로서 당해 장애의 상태가 1년 이상 지속될 것으로 예상되는 경우 그 장애기간이 기재된 장애인증명서를 제2항의 규정에 의하여 제출한 때에는 그 장애기간 동안은 이를 다시 제출하지 아니하여도 된다. 다만, 그 장애기간중 납세지 관할세무서 또는 사용자를 달리하게 된 때에는 제2항의 규정에 의하여 장애인증명서를 제출하여야 한다.(개정 2001.12.31.)
④제3항 단서의 경우 전납세지 관할세무서장 또는 전원천징수의무자로부터 이미 제출한 장애인증명서를 반환받아 이를 제출할 수 있다.(개정 2001.12.31.) [제목개정 2001.12.31]

5. 근로능력평가용 진단서

    국민기초생활수급자 중 질병, 부상 등으로 근로능력이 없다는 판정을 받고자 하는 환자가 의료기관에서 진료기록부 사본과 함께 국민연금공단에 제출하는 자료. 과거에는 진단서를 발급하는 의사가 단계나 고착, 비고착도 등을 체크하였으나, 지금은 국민연금공단에서 판정함.

표 76-4. 근로능력평가용 진단서

■ 국민기초생활 보장법 시행규칙 [별지 제6호서식] 〈개정 2015.4.20.〉

근로능력평가용 진단서

(앞쪽)

진 단 대상자	성 명		성 별		생년월일	
	주 소				전화번호	

진 단 질환명	**평가대상 질환유형** ① 근골격계 (상하지) ●　② 근골격계 (척추) ●　③ 신경기능계 ●　④ 정신신경계 ⑤ 감각기능계 (청각)　⑥ 감각기능계 (평형)　⑦ 감각기능계 (시각)　⑧ 심혈관계 ⑨ 호흡기계　⑩ 소화기계 (간질환)　⑪ 소화기계 (위장질환)　⑫ 비뇨생식계 ⑬ 내분비계　⑭ 혈액 및 종양질환계　⑮ 피부질환계 (피부질환)　⑯ 피부질환계 (외모결손질환) ※ 상기 질환유형 중 근로수행에 영향을 미칠만한 **가장 중한 질환 2개까지** 기재 가능하며, 동일 질환유형으로는 중복 불가 ※ 상기 질환유형에 속하지 아니하더라도 **가장 근접한 평가대상 질환유형**을 선택하여 기재 ※ ●표시는 한의사도 진단서 발급이 가능한 질환유형을 의미		
	구분	질환유형 (1)	질환유형 (2)
	질환유형 (①~⑯ 중 선택)		
	상세 질병명		
	KCD 분류번호		
	발생일/ 진단일 (해당기관의 진료기간)	．　．　．　/　．　．　． (　．　．　．～．　．　．　)	．　．　．　/　．　．　． (　．　．　．～．　．　．　)

근로능력 평가내용	주요 증상 및 검사소견		
	치료·투약내용 (투약내용은 투약기록지로 대체 가능)	(구체적인 치료내용, 약물명, 용량, 복용기간)	(구체적인 치료내용, 약물명, 용량, 복용기간)
	기타 특이사항		
	향후 치료계획 (해당되는 곳에 √표)	① 관찰 필요[　] ② 통원치료나 약물치료 필요[　] ③ 적극적인 입원이나 수술 필요[　] ④ 기타[내용 기재:　　　　　　　]	① 관찰 필요[　] ② 통원치료나 약물치료 필요[　] ③ 적극적인 입원이나 수술 필요[　] ④ 기타[내용 기재:　　　　　　　]

발급기관	의료기관명		전문과목	
	소재지		전화번호	
	면허번호 (전문의 자격번호)		성 명	(서명 또는 인)

「국민기초생활 보장법 시행규칙」 제35조제1항제2호에 따라 위와 같이 근로능력평가용 진단서를 발급합니다.

년　　　월　　　일

의료기관　　　　　　　　　　　　　　　　　| 직인 |

210㎜×297㎜[백상지 80g/㎡]

(뒤쪽)

유 의 사 항

1. 진단 및 근로능력평가용 진단서 발행 시 진단받는 사람이 본인임을 확인하여야 합니다.
2. 진단대상자 및 평가내용 등을 투명테이프 처리하여 발급하되, 부득이한 경우 봉투의 봉합부분에 의료기관의 간인을 찍습니다.
3. 근로능력 평가내용란은 「국민기초생활 보장법 시행령」 제7조제4항에 따라 보건복지부장관이 고시하는 의학적 평가 기준에 따라 기재하고 해당 질병과 관련된 주요 증상 및 발현 횟수, 치료 및 투약내용, 검사명 및 검사소견, 그 밖의 특이사항 등을 상세히 기재하여야 합니다.
4. 근로능력 의학적 평가와 관련한 사항을 사후에 확인할 수도 있습니다.

의학적 평가에 도움이 되는 자료

질환유형	구 분	해당 자료
<공 통>	진료기록지	- 투약기록지 - 평가 부위와 관련된 수술이력이 있거나 최근 1년 이내 입원치료 이력이 있는 경우 입원, 퇴원 요약지
근골격계	검사결과지	- 해당부위 영상 자료(X-ray 등) 또는 판독지 - 관절기능 제한(각도)에 대한 검사 결과 - 도수근력 검사 결과
신경기능계	진료기록지	- 뇌전증 발작을 확인할 수 있는 최근 1년 이내 경과 기록
	검사결과지	- 뇌·척수 영상자료(MRI 또는 CT) 또는 판독지 - 신경손상(마비)여부를 확인할 수 있는 검사 결과(근전도 등)
정신신경계	진료기록지	- 초진기록지
	검사결과지	- 임상심리 검사 결과, 인지기능 검사(MMSE, GDS, CDR 등)
감각기능계	검사결과지	- 청력 검사(순음청력 검사, 뇌간유발반응 검사 등) - 평형 검사(평형기능, 온도안진, 회전의자, 직립반사, 체위검사 등) - 안과 검사(안저사진, 전안부 사진, 시야검사 결과지)
심혈관계	검사결과지	- 심전도 검사, 운동부하 검사, 심장초음파 검사 등
호흡기계	검사결과지	- 폐기능 검사, 흉부영상(X-ray) 판독지
소화기계	검사결과지	- 혈액 검사(간기능 검사 포함), 복부 초음파 및 CT 판독지
비뇨생식계	검사결과지	- 신장기능 검사(혈청크레아티닌, 사구체 여과율 등 혈액 검사), 소변 검사
내분비계	검사결과지	- 혈액 검사 결과
혈액 및 종양질환계	검사결과지	- 혈액 검사 결과, 영상자료(CT 또는 MRI) 판독지
피부질환계	검사결과지	- 일반 컬러사진(해당 부위를 확인할 수 있는 사진)

6. 건강보험 산정특례 등록 신청서

<table>
<tr><td colspan="5" align="center">건강보험 산정특례 등록 신청서</td></tr>
<tr><td colspan="2" align="center">(☐ 암　☐ 희귀난치성질환)</td><td colspan="3" align="center">※ 해당란에 ☑표기</td></tr>
<tr><td>산정특례등록번호</td><td>※ 공단기재사항</td><td>접수일자</td><td colspan="2">※ 공단기재사항</td></tr>
<tr><td>건강보험증번호</td><td></td><td>가입자(세대주)</td><td colspan="2"></td></tr>
<tr><td>수 진 자
(주민등록번호)</td><td>(　　-　　)</td><td>등록결과
통보방법</td><td colspan="2">☐ 문자서비스(SMS)
☐ E-mail ※해당란에 ☑ 표기</td></tr>
<tr><td>E-mail</td><td></td><td>휴대전화</td><td colspan="2"></td></tr>
<tr><td>주　소</td><td></td><td>자택전화</td><td colspan="2"></td></tr>
</table>

요양기관 확인란

진료과목		구분	입원/외래	진단확진일	． ．
진단명	※ 상병기호 반드시 기재 (상병기호:　　　　　)				

〔최종 진단 방법〕　※ 해당란에 ☑표기　　※ 중복 체크 가능

☐ 암	☐ 희귀난치성질환
☐ ① 검사 ☐ Sono ☐ CT ☐ MRI 　　☐기타(　　　　)	☐ ① 검사 ☐ Sono ☐ CT ☐ MRI 　　☐ 기타 (　　　　)
☐ ② 조직검사 없는 진단적 수술	☐ ② 특수 생화학,면역학적 검사
☐ ③ 특수 생화학적 또는 면역학적검사	☐ ③ 유전학적 검사
☐ ④ 세포학적 또는 혈액학적 검사	☐ ④ 조직학적 검사
☐ ⑤ 전이부위의 조직학적 검사	☐ ⑤ 임상적 소견으로 최종 진단 시 기재
☐ ⑥ 원발부위의 조직학적 생검	
☐ ⑦ 기타(　　　　　)	

위의 기록한 사항이 사실임을 확약함　　　　년　　월　　일

요양기관명 (기호) :　　　　　(　　　　)

담당의사 (면허번호) :　　　　　(　　　　　) (서명 또는 인)

상기와 같이 건강보험 산정특례 등록을 신청합니다.

신청일　　　　년　　월　　일

신청인 :　　　　　(서명 또는 인)　전화번호 (　　　　　)

수진자와의 관계　(　　　)

국민건강보험공단 이사장 귀하

그림 76-3. 건강보험 산정특례 등록 신청서　　　　　　　Adapted from 보건복지가족부

건강보험 산정특례 등록 신청서 작성요령

① 등록결과 통보 방법란은 반드시 1개 이상의 선택을 하시고 선택하신휴대전화 번호, E-mail 주소를 기재하여야 하며, 휴대전화를 기재한 경우 문자서비스로 결과가 통보됩니다.

② 요양기관 확인란은 요양기관에서 기재하는 항목입니다.

③ 개인정보 제공 동의란은 반드시 수진자 본인의 이름을 기재한 후 본인이 서명하여야 합니다.

④ 산정 특례는 진단 확진일로부터 30일 이내에 신청시 확진일로부터 소급하여 적용 하고, 30일 이후에 신청시 신청일로부터 적용됩니다.

⑤ 적용 기간은 등록일로부터 5년입니다.

〈개인정보 수집의 목적 및 이용방법〉

개인정보는 국민건강보험공단에서 관리하며 진료상 필요 시 요양기관에 제공,

　동의하지 않을 경우는 등록 대상에서 제외

○ 개인정보 취급자의 연락처 : 국민건강보험공단 보험급여실 (☎ 1577-1000)

※ 산정특례 등록관련 개인 정보는 명시된 목적 외에는 다른 목적으로 사용되지 않습니다.

표 76-5. **지원 대상자별 자격요건 및 혜택**

구분	차상위 본인부담경감대상자		의료비지원대상	본인일부부담금 산정특례대상
기호	C (차상위 의료급여 1종)	E, F (차상위 의료급여 2종)	H	등록번호 부여 (05-00-000000)
상병	107개 질환	107개 외 질환으로 6개월 이상 치료, 18세 미만	111개 질환	138개 질환
범위	모든 질환		111개 질환 및 합병증 (한방 제외)	138개 질환 및 합병증
소득	최저생계비의 100% 초과 120%이하	최저생계비의 100% 초과 120% 이하	최저생계비의 300%이하	–
대상	의료급여수가의 기준 및 일반기준 17조의 2에서 정한 107개 희귀·난치성 질환에 해당하는 자	희귀난치성질환 외의 질환으로 6개월 이상 치료를 받고 있거나 6개월 이상 치료를 필요로 하는 자, 18세 미만인 자	의료비지원사업(보건복지가족부 질병관리본부)에서 정한 111개 질환에 해당하는 자로서 보건소에 의료비지원대상으로 등록된 희귀·난치성 질환자	본인 일부 부담금 산정 특례에 관한기준(보건복지가족부고시)에 의한 138개 희귀·난치성 질환자
자격	'04년도부터 의료급여 1종으로 편입되었다가 '08.4.1.자로 건강 보험 가입자로 전환된 자	'04(E)~'05(F)년도부터 의료급여 2종으로 편입 되었다가 '09.4.1.자로 건강 보험가입자로 전환된 자	의료급여수급권자 건강보험가입자	건강보험가입자
요양 급여 비용	입원, 외래 본인부담 없음, 단 식대 20%	본인부담액 일부 지원, 기관 종별 본인부담금 부담	본인부담 없음	입원, 외래 10%

요양병원에서 진료를 받는 건강보험 가입 환자의 실질 부담액은 외래진료비의 40%, 입원 진료비의 20%이다. 그러나 138개 고시 질환에 해당하는 질환을 앓고 있는 환자는 "건강보험 산정특례 등록 신청서"를 주치의로부터 작성 받아 건강보험공단에 제출하면 본인 부담금이 10%로 줄어 드는 혜택을 얻을 수 있다(5년간 유효). 많은 환자나 보호자들이 이 사실을 인지하지 못하고 있으므로, 해당 질병(파킨슨병 등)의 진단이 되었을 경우에 의료진은 환자의 부담을 덜어주기 위해 건강보험 산정특례 등록 신청서에 대해 소개하고 작성해주는 것이 좋다(참고로, 차상위 본인부담경감대상자나 의료비지원대상자의 경우는 별도의 등록 절차가 필요 없다).

138개 희귀난치성질환 중에서 요양병원에서 가장 빈도가 높은 대표적 질환은 파킨슨병이다. 파킨슨병 환자가 산정특례 혜택을 받기 위해서는 아래의 기준에 합당해야 하며, 그 내용을 "건강보험 산정특례 등록 신청서"에 적합하게 기술하여 제출해야 한다.

파킨슨병(G20)에 대한 희귀난치성환자 산정특례등록기준

1) 경증(mild) 이상의 서동(bradykinesia)이 반드시 있어야 하고(즉, UPDRS의 서동 항목 당 2점 이상), 이에 더해서 근 경축(muscular rigidity), 안정 진전(resting tremor), 그리고 직립자세 불안정(postural instability) 중, 적어도 한가지 이상 있으면 '파킨슨 증'(parkinsonism)이 있다고 진단한다.

2) 이러한 '파킨슨 증'이 뇌경색, 약물 부작용, 두부 외상, 뇌염, 저산소증에 의한 뇌손상 등으로 기인한 것이 아님을 확인해야 한다. 참고로, "파킨슨 증후군" (즉, 파킨슨병이 아니지만 '파킨슨 증'을 보이는 퇴행성 뇌질환들)은 특수한 진단장비를 사용하지 않는 한, 파킨슨병과의 감별이 어렵고, 또한 이 질환들은 파킨슨병보다 더 희귀한 난치병이라는 현실을 고려하여, 본 등록 지침에서는 파킨슨병과의 엄격한 구별을 권장하지 않는다.

3) '파킨슨 증'의 양상이, 아래 제 3 단계의 8 가지 중 3개 이상과 합치하면 파킨슨병으로 진단한다.
   - 파킨슨 증상이 몸의 한쪽에서 시작됨
   - 안정 진전(resting tremor)이 있음
   - 병세가 점차로 진행되는 경과를 보임
   - 파킨슨 증상의 좌우 비대칭이 지속적으로 유지됨
   - 레보도파에 우수한 반응(70~100% 호전)을 보임
   - 레보도파-유도성 이상운동증이 심함
   - 레보도파에 대한 반응이 5년 이상 지속됨
   - 병의 과정이 10년 이상

Adapted from 보건복지가족부

표 76-6. **138개 희귀·난치성 질환**

연번	상병코드	상 병
1	만성신부전증 환자의 경우	
	가. 인공신장투석 실시 당일 외래진료 또는 해당 시술 관련 입원진료	V001
	나. 계속적 복막관류술 실시, 복막관류액 수령 당일 외래진료 또는 해당 시술 관련 입원진료	V003
	다. 신이식술 후 조직이식거부반응억제제를 투여받은 당일 외래진료 또는 해당 약제 투여 관련 입원진료	V005
2	혈우병 환자가 항응고인자·동결침전제제 등의 약제 및 기타 혈우병치료를 받은 당일 외래진료 또는 해당 치료 관련 입원진료	V009
3	장기이식 환자의 경우	
	가. 간이식술후 조직이식거부반응억제제, 간염예방치료제 투여를 받은 당일 외래진료 또는 해당 약제 투여 관련 입원진료	V013
	나. 췌장이식술후 조직이식거부반응억제제제를 투여받은 당일 외래진료 또는 해당 약제 투여 관련 입원진료	V014
	다. 심장이식술후 조직이식거부반응억제제제를 투여받은 당일 외래진료 또는 해당 약제 투여 관련 입원진료	V015
4	정신질환자가 해당상병(F20~F29)으로 관련 진료를 받은 당일 외래진료 또는 입원진료	V161
5	아래의 상병을 갖고 있는 환자가 해당 상병 관련 진료를 받은 당일 외래진료 또는 입원진료	
	가. 결핵	
	– 다제내성결핵(U88.0), 광범위 약제내성 결핵(U88.1)	V206
	– 장, 복막 및 장간막샘 결핵(A18.3, K93.0)	V101
	나. 중추신경계통의 비정형바이러스감염(A81)	V102
	다. 인체면역결핍바이러스질환(B20~B24)	V103
	라. 거대세포바이러스병(B25)	V104
	마. 크립토콕쿠스증(B45)	V105
	바. 뇌하수체양성신생물(D35.2)	V162
	사. 효소장애에 의한 빈혈	
	– 포도당6인 산탈수소효소[6PD]결핍에 의한 빈혈(D55.0)	V163
	– 해당 효소장애에 의한 빈혈(D55.2)	V164
	아. 지중해빈혈(D56)	V232
	자. 용혈성 요독증후군(D59.3)	V219
	차. 발작성 야간 혈색소뇨증(D59.5)	V187
	카. 재생불량성빈혈(D60, D61)	V023
	타. 선천성이적혈구생성빈혈(D64.4)	V220
	파. 혈소판 관련 질환	
	– 정성혈소판결함(D69.1)	V106
	– 에반스 증후군(D69.3)	V188
	– 상세불명의 혈소판감소증(D69.6)	V107

연번	상병코드	상 병
	하. 무과립세포증(D70)	V108
	거. 다핵성호중구의 기능적장애(D71)	V109
	너. 림프세망조직 및 세망조직구성 계통을 침범하는 특정질환(D76.1, D76.2, D76.3)	V110
	더. 면역결핍증 및 사르코이도시스(D80~D84, D86)	V111
	러. 내분비샘의 장애	
	– 말단거대증 및 뇌하수체거인증(E22.0)	V112
	– 고프로락틴혈증(E22.1)	V113
	– 칼만증후군, 쉬이한 증후군(E23.0)	V165
	– 쿠싱 증후군(E24)	V114
	– 부신성기장애(E25)	V115
	– 부신의 기타장애(E27.1, E27.2, E27.4)	V116
	– 기타 명시된 내분비장애(레프리코니즘 등 : E34.8)	V166
	머. 활동성 구루병(E55.0)	V207
	버. 대사장애	
	– 대사장애(E70~E77)	V117
	– 레쉬-니한 증후군(E79.1)	V221
	– 기타 포르피린증(E80.2)	V118
	– 구리 대사장애(윌슨병 등 : E83.0)	V119
	– 인 대사 및 인산효소의 장애(E83.3)	V189
	– 낭성섬유증(E84)	V120
	– 아밀로이드증(E85)	V121
	서. 레트 증후군(F84.2)	V122
	어. 중추신경계통에 영향을 주는 전신위축(헌팅톤병 등 : G10~G13)	V123
	저. 파킨슨병(G20)	V124
	처. 진행성 핵상성 안근마비 [스틸-리차드슨-올스제위스키] (G23.1)	V190
	커. 아급성 괴사성 뇌병증 [리이] (G31.8)	V208
	터. 다발경화증(G35)	V022
	퍼. 레녹스-가스토 증후군(G40.4)	V233
	허. 간질지속상태(G41)	V125
	고. 발작성 수면 및 탈력 발작(G47.4)	V234
	노. 멜커슨증후군(멜커슨-로젠탈증후군 : G51.2)	V167
	도. 복합 부위 통증증후군 2형(G56.4)	V168
	로. 다발신경병증	

연번	상병코드	상 병
	– 유전성 운동 및 감각 신경병증(샤르코-마리-투스병 등 : G60.0)	V169
	– 염증성 다발 신경병증(G61)	V126
	– 달리 분류된 감염성 및 기생충성질환에서의 다발 신경병증(G63.0)	V170
	모. 중증 근무력증 및 근육의 원발성 장애(G70, G71)	V012
	보. 자율신경계통의 기타 장애(G90.8)	V171
	소. 척수공동증 및 구공동증(G95.0)	V172
	오. 기타 망막 장애	
	– 노년 황반변성(삼출성) (H35.3)	V201
	– 망막색소변성증, 스타르가르트병(H35.5)	V209
	조. 원발성 폐성 고혈압(I27.0)	V202
	초. 심근질환(I42.0~I42.5)	V127
	코. 모야모야병(I67.5)	V128
	토. 폐색성 혈전 혈관염 [버거병] (I73.1)	V129
	포. 랑뒤-오슬러-웨버병(I78.0)	V235
	호. 버드-키아리 증후군(I82.0)	V173
	구. 폐포단백증(J84.0)	V222
	누. 특발성 폐섬유증(J84.1)	V236
	두. 크론병 [국한성 창자염] (K50)	V130
	루. 궤양성대장염 (큰창자염) (K51)	V131
	무. 원발성 담즙성 경화(K74.3)	V174
	부. 자가면역 간염(K75.4)	V175
	수. 수포성 장애	
	– 보통 천포창(L10.0)	V132
	– 낙엽상 천포창(L10.2)	V210
	– 수포성 유사천포창(L12.0)	V211
	– 흉터성 유사천포창(L12.1)	V212
	우. 후천성 수포성 표피박리증(L12.3)	V176
	주. 혈청검사 양성인 류마티스관절염(M05)	V223
	추. 건선성 및 장병증성 관절병증(M07.1~M07.3)	V237
	쿠. 청소년성 관절염(M08.0~M08.3)	V133
	투. 전신 결합조직 장애	
	– 결절성 다발 동맥염 및 관련 상태(M30.0~M30.2)	V134
	– 기타 괴사성혈관병증(M31.0~M31.4)	V135

연번	상병코드	상 병
	– 현미경적 다발동맥염(M31.7)	V238
	– 전신 홍반성 루프스(M32)	V136
	– 피부다발근육염(M33)	V137
	– 전신 경화증(M34)	V138
	– 결합조직의 기타 전신침습(M35.0~M35.7)	V139
	푸. 강직성척추염(M45)	V140
	후. 진행성 골화성 섬유형성이상(M61.1)	V224
	그. 뼈의 파젯병[변형성 골염] (M88)	V213
	느. 복합 부위 통증증후군 1형(M89.0)	V177
	드. 재발성 다발 연골염(M94.1)	V178
	르. 콩팥(신장성) 요붕증(N25.1)	V141
	므. 신생아의 호흡곤란(P22)	V142
	브. 신경계통의 선천 기형	
	– 댄디-워커 증후군(Q03.1)	V239
	– 무뇌회증(Q04.3)	V214
	– 열뇌(Q04.6)	V240
	– 척추갈림증(Q05)	V179
	– 척수갈림증(Q06.2)	V180
	– 아놀드-키아리증후군(Q07.0)	V143
	스. 순환기계통의 선천기형	
	– 심방실 및 연결의 선천 기형(Q20.0~Q20.2)	V144
	– 단일심실(Q20.4)	V225
	– 아이젠멩거 복합·증후군(I27.8), 아이젠멩거 결손증(Q21.8)	V226
	– 폐동맥판막 폐쇄(Q22.0)	V145
	– 발육부전성 우심 증후군(Q22.6)	V146
	– 대동맥 및 승모판의 선천 기형(Q23)	V147
	– 심장동맥 혈관의 기형(Q24.5)	V148
	– 폐동맥 폐쇄(Q25.5)	V149
	– 대정맥의 선천 기형(Q26.0~Q26.6)	V150
	으. 무설증(Q38.3)	V241
	즈. 쓸개관(담관)의 폐쇄(Q44.2)	V181
	츠. 방광의 외반증(Q64.1)	V227
	크. 근육골격계통의 선천기형 및 변형	

연번	상병코드	상 병
	– 머리얼굴뼈형성이상(크루종병 : Q75.1)	V151
	– 턱얼굴뼈 형성이상(Q75.4)	V182
	– 관모양뼈 및 척추의 성장 결손을 동반한 골연골 형성이상(Q77)	V228
	– 불완전 골형성증(Q78.0)	V183
	– 다골성 섬유성 형성이상(Q78.1)	V154
	– 골화석증(Q78.2)	V229
	– 연골종증(Q78.4)	V230
	– 필레증후군(Q78.5)	V215
	– 다발 선천 뼈돌출증(Q78.6)	V242
	– 달리 분류되지 않은 근육골격계통의 선천기형(Q79)	V155
	트. 치사성, 이영양성 표피수포증(Q81.1, Q81.2)	V184
	프. 선천기형	
	– 신경섬유종증(비악성 : 폰 렉클링하우젠병 : Q85.0)	V156
	– 결절성 경화증(부르느뷰 병 등 : Q85.1)	V204
	– 포이츠-제거스 증후군, 스터지-베버(-디미트리) 증후군, 폰 히펠-린다우 증후군(Q85.8)	V216
	– (이상형태증성)태아알코올증후군(Q86.0)	V157
	– 주로 얼굴형태에 영향을 주는 선천기형증후군(Apert, 골덴하증후군 등 : Q87.0)	V185
	– 주로 단신과 관련된 선천기형 증후군(프라더-윌리증후군 등 : Q87.1)	V158
	– 루빈스타인-테이비 증후군(Q87.2)	V243
	– 소토스 증후군(Q87.3)	V244
	– 마르팡증후군(Q87.4)	V186
	흐. 염색체이상	
	– 다운증후군(Q90)	V159
	– 에드워즈 증후군 및 파타우 증후군(Q91)	V160
	– 5번 염색체 짧은 팔의 결손(Q93.4)	V205
	– 캐취22(22염색체 미세결실) 증후군, 엔젤만 증후군(Q93.5)	V217
	– 터너증후군(Q96)	V021
	– 클라인펠터증후군(Q98.0, Q98.1, Q98.2, Q98.4)	V218
	– 여린엑스 증후군(Q99.2)	V245

Adapted from 보건복지가족부

참고문헌

68 신체보호대의 적용 및 관리

1. 김주희, 곽진상, 김연숙, 김영애, 김정화, 송미순 등. 장기요양 노인간호. 서울: 군자출판사; 2005.
2. 인천은혜병원 간호부. 간호업무지침서. 인천: 인천은혜병원; 2001.
3. 법제처. 의료법 시행규칙, 2015.

69 요양병원에서의 심폐소생술

1. American Heart Association. Part 3: Overview of CPR. Circulation 2005;112:12-18.
2. 일본방문치과협회. 노인을 위한 구강 관리. 군자출판사,서울 2008.

70 말기환자 관리의 원칙

1. Karnofsky performance status scale [Internet]. 서울: 한국 호스피스 완화의료 학회; c2001 [cited 2010 Aug 10]. Available from: http://www.hospicecare.co.kr/im_03.html.
2. 윤영호. 말기 환자의 관리. In: 대한노인병학회. 노인병학. 개정판. 서울: 의학출판사; 2005. p. 269-279.
3. 최윤선. 호스피스 완화의학. 서울: 고려대학교 출판부; 2000.
4. Gray J. A pain in the neck and shoulder. Pain Topics 1977;1:6.
5. Potash J, Horst P. Palliative care at the end of life. In: Ham RJ, Sloane PD, Warshaw GA. Primary Care Geriatrics. St. Louis: Mosby: 2002. p. 229-242.
6. 김창곤. 호스피스-완화의료에서의 사별 돌봄. 한국호스피스완화의료학회지 2007;10:120-127.

71 요양병원에서의 의료 윤리와 연명의료 중지

1. 이영수. 노인병학의 윤리. In: 대한노인병학회. 노인병학. 개정판. 서울: 의학출판사; 2005. p. 62-67.
2. 오레곤 주의 사전 의료행위 지침서 (Advance Directive) 관련 법률 요약 [Internet]. Oregon Health Decisions; c2006 [cited 2010 Aug 5]. Available from: http://blog.daum.net/onegrain/33.

72 사전의료 의향서(AD)와 연명의료계획서(POLST)

1. 허대석. 환자의 자기결정권과 사전의료지시서. J Korean Med Assoc 2009;52:865-70.
2. 국가생명윤리정책연구원. [양식]연명치료 여부에 대한 사전의료지시서/서울대학병원. [Internet]. 서울; [cited 2016 Aug 06]. Available from: http://www.nibp.kr/xe/info4_5/8448.
3. 사전의료의향서 실천모임. 내려받기. [Internet]. 서울; [cited 2016 Aug 06]. Available from: http://www. sasilmo.net/bbs/board.php?bo_table=download&wr_id=1&page=0.
4. New Jersey Hospital Association. POLST; 의료인을 위한 FAQ. [Internet]. NJ; [cited 2016 Aug 06]. Available from: http://www.njha.com/media/303171/POLSTFAQsKorean.pdf.
5. New Jersey Hospital Association. POLST; 의료인을 위한 FAQ. [Internet]. NJ; [cited 2016 Aug 06]. Available from: http://www.njha.com/media/333065/T22816-POLST-Green-Form-615-FINAL-KOR-111615.pdf.

73 말기암 환자 관리

1. 차영덕 역. 근골격계 질환 치료를 위한 신경블록 테크닉. 서울: 신흥메드싸이언스; 2005.

2. Moderate Universal Pain Assessment Tool [Internet]. [cited 2010 Aug 10]. Available from: http://www.pamz.com/Physical_Assessment/images/FacesScale.jpg.
3. 김희상. 통증 조절. In: 대한노인병학회. 노인병학. 개정판. 서울: 의학출판사; 2005.
4. Noortgate NVD. Palliative Medicine. In: Cho KH, Michel JP, Bludau J, Dave J, Park SH, editors. Textbook of Geriatric Medicine International. Seoul: Argos; 2010. p. 423-433.
5. 이상철, 홍영선. 통증 관리. In: 대한임상노인의학회. 임상노인의학. 서울: 한우리; 2003. p. 53-65.
6. Naughton. Medical management of malignant disease. In: Cooper DH, Krainik AJ, Lubner SJ, Reno HEL. The Washington Manual of Medical Therapeutics. 32nd ed. Philadelphia: LWW; 2007. p. 572-599.
7. 정수진, 이복기, 염창환, 조경희, 윤방부. 말기 암 환자에서 임종 전 48시간 동안 나타나는 신체적 증상 빈도. 한국호스피스완화의료학회지 2002;5:17-23.
8. 염창환, 양규환. 고주파 온열암 치료에서 면역세포 치료까지 암 완치의 길. 서울: 건강다이제스트사; 2013.
9. 김진목. 통합암치료 쉽게 이해하기. 경기도: 서현사; 2016.

74 비암성 말기환자 증상 관리

1. Old JL, Swagerty D. (대한노인요양병원협회 역). 노인요양병원 완화의료 임상지침서. 서울: 메디마크; 2014.
2. Brad S. The NHO Medical Guidelines for Non-Cancer Disease and Local Medical Review Policy: Hospice Access for Patients with Diseases Other Than Cancer. The Hospice Journal. 1999;14:139-154.
3. Noortgate NVD. Palliative Medicine. In: Cho KH, Michel JP, Bludau J, Dave J, Park SH, editors. Textbook of Geriatric Medicine International. Seoul: Argos; 2010. p. 423-433.
4. 정수진, 이복기, 염창환, 조경희, 윤방부. 말기 암 환자에서 임종 전 48시간 동안 나타나는 신체적 증상 빈도. 한국호스피스완화의료학회지 2002;5:17-23.
5. Potash J, Horst P. Palliative care at the end of life. In: Ham RJ, Sloane PD, Warshaw GA. Primary Care Geriatrics. St. Louis: Mosby; 2002. p. 229-242.

75 사망진단서(시체검안서) 작성요령

1. 대한의사협회, 통계청. 사망진단서는 환자와 유족을 위한 의사의 마지막 배려입니다. 2008..

76 각종 진단서, 소견서, 신청서 작성요령

1. 보건복지가족부 보험급여과. 희귀난치성질환자 등록제 운영방안 및 질의응답. 서울: 보건복지가족부; 2009.
2. 보건복지가족부. 차상위 본인부담경감대상자 지원 사업 안내. 서울: 보건복지가족부; 2010.
3. 희귀난치성질환 지원대상별 비교표 [Internet]. 서울: 보건복지가족부; 2009 [cited 2010 Aug 16]. Available from: http://www.mw.go.kr/front/sch/search.jsp.

부록

인천은혜요양병원 식사처방 지침서와
임상영양관리 지침서 및 급식관리 지침서

I. 식사처방 지침서(치료식 식단 작성 포함)

II. 임상영양관리 지침서

III. 급식관리 지침서

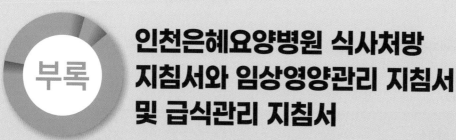

인천은혜요양병원 식사처방 지침서와 임상영양관리 지침서 및 급식관리 지침서

I ▶ 식사처방 지침서(치료식 식단 작성 포함)

I-1. 식사처방

1. 식사지침

① 식사는 규칙적으로 제공한다.

② 단백질 섭취는 양보다 질적으로 충분히 제공한다.

③ 단순당은 피하고 지방은 식물성 기름으로 공급한다.

④ 우유의 섭취를 권장한다.

⑤ 충분한 수분을 공급하도록 한다.

⑥ 충분한 섬유소를 섭취하도록 제공한다.

2. 처방절차

① 의사의 처방에 의해 간호과에서 영양과에 연락한다.

② 식사처방전에 의해 영양사실에서 식사준비를 한다.

3. 식사특징

① 치아 상태가 불량이거나 연하곤란이 있는 경우에는 질감을 조정해야 한다.

② 소화능력이 감소되어 소화 잘 되는 음식을 제공해야 한다.

③ 감각인지능력의 감퇴로 인해 식욕이 감소되므로 음식을 시각적으로 돋보이도록 해야 한다.

4. 영양기준

영양소	연령	
	남자 (65세 이상)	여자 (65세 이상)
에너지(kcal)	2000 kcal	1600 kcal
단백질(g)	50	45

5. 식품구성

구분 　 적용 대상	섭취횟수
	2000 kcal, 65세 이상(남)
곡류	3.5회
고기·생선·계란·콩류	4회
채소류	7회
우유·유제품류	1회
유지·당류	4회

I-2 식단 작성

I-2-1. 일반식 식단 작성

1. 일반식(General Diet)

: 특수한 치료식도 요하지 않고 소화에 아무런 장애를 받지 않는 환자를 위해 제공한다.

가. 영양기준

열량(kcal)	당질(g)	단백질(g)	지질(g)
2000	350	50	56

나. 식품구성

식품군	곡류군	어육류군 저 중 고	채소군	지방군	우유군	과일군
단위수	11	4 2	7	4	1	

다. 식단 작성방법

① 식품의 종류와 내용이 성분과 조직, 양에 있어 거의 제한받지 않는다.

② 질적 양적으로 균형이 잡혀 있고 소화되기 쉬운 조리법으로 자극성 식품이나 된 것은 피하여 위생적으로 제공하도록 한다.

2. 연식(Soft Diet)

: 쇠약해진 환자나 일반식을 섭취할 수 없는 경우, 혹은 위장에 문제가 있는 경우에 제공되는 식사

가. 영양기준

열량(㎉)	당질(g)	단백질(g)	지질(g)
1600	280	45	44

나. 식품구성

식품군	곡류군	어육류군 저 중 고	채소군	지방군	우유군	과일군
단위수	9	4 1	6	3	1	

다. 식단 작성방법

① 조직상 연하고 맛이 부드러우며 소화가 잘되는 조리법을 사용

② 섬유소의 함량이 적고 기계적, 화학적 자극이 적은 식품을 선택

③ 튀긴 음식이나 강하게 조리된 것은 제한한다.

라. 권장식품·주의식품

식품군	권장식품	주의식품
곡 류	흰죽, 옥수수죽(껍질 없이), 녹두죽	
육 류	장산적 등의 다진 쇠고기 요리 연한 닭고기	
난 류	수란, 계란찜, 반숙	계란후라이
유제품류	우유 및 모든 유제품	
채소류	모든 채소, 양상추	
과일류	과일주스, 모든 과일	
유지류	버터, 소량의 기름	강한 향의 샐러드드레싱, 땅콩류, 코코넛
기 타	계피가루, 약간의 후추, 고춧가루 겨자, 카레가루	

3. 유동식(Liquid Diet)

: 연식이 곤란한 급성위장병 및 급성 전염병 환자나 급성기의 고열환자 및 음식을 씹거나 삼키기에 문제가 있거나, 소화기능이 현저하게 떨어지는 환자에게 적용되는 식사이다.

상온에서 액체 또는 반액체인 상태로서, 위장관에게 쉽게 흡수되고 자극을 주지 않는 식품으로 구성된다.

가. 영양기준

열량(kcal)	당질(g)	단백질(g)	지질(g)	수분(mL)
500	121	8	2	1600

나. 식품구성(1일 식단의 예)

아침	점심	저녁
미음 400 mL 국국물	미음 400 mL 국국물 오렌지쥬스	미음 400 mL 국국물

다. 식단 작성방법

① 상온에서 액체 혹은 반액체 상태의 식품을 공급

② 위장에 거의 자극을 주지 않고 쉽게 흡수되는 형태로 제공

③ 장기간 계속되는 경우 계란, 아이스크림 등을 첨가하여 부족 되는 영양소를 보충

라. 권장식품

식품군	권장식품
곡 류	쌀미음
육 류	고기국물
생선류	생선국물
난 류	커스터드, 푸딩, 미음에 계란 푼 것
유제품류	우유, 요구르트
채소류	삶아 으깬 채소, 채소즙
과일류	과일즙
음 료	보리차

I-2-2. 치료식 식단 작성

1. 연하곤란식(Dysphagia Diet)

: 구강, 인후, 식도를 통해 삼키기 어렵거나 불편한 환자들을 위해 제공하는 식사

가. 식단 작성방법

① 실온 상태의 부드러운 음식을 공급한다.

② 감각 이상이 온 환자에게는 작은 조각으로 된 음식을 주어서는 안되는데 이는 입안에서 음식을 잃어버려 질식하게 될 위험이 있기 때문이다

③ 입안에서 덩어리를 형성하는 음식, 즉 따로따로 쪼개지지 않는 음식(바나나, 으깬 감자)을 선택한다.

④ 환자의 근육이 약해졌을 경우에는 피로감을 줄 수 있으므로 입천장에 붙는 끈적끈적한 식품을 피해야 한다.

⑤ 점액의 과도한 형성이 문제가 된다면 타액의 분비를 증가시키거나 타액의 점도를 증가시킬 수 있는 단 음식, 우유제품, 감귤류의 주스는 피해야 한다.

⑥ 침의 분비가 감소된 것을 보완하기 위해서는 소량의 음료로 음식을 촉촉하게 만든다.

⑦ 특정 음식에 싫증을 내거나 너무 의존하지 않도록 가능한 다양한 식품을 선택하도록 한다.

⑧ 환자에게 필요한 만큼의 열량과 단백질이 부족한 경우에는 경장영양을 고려하도록 한다.

나. 식품구성(1일 식단의 예)

구 분	사용되는 식품
맛 감 각	물, 소금, 코코아
혀의 조절	땅콩, 버터
빠는 능력	피클
삼키는 능력	씨리얼, 푸딩, 이유식
씹는 능력	크래커, 치즈

2. 당뇨식(Diabets Meltus)

: 1형 당뇨병(인슐린 의존형 당뇨병)이나, 2형 당뇨병(인슐린 비의존형 당뇨)환자들에게 적용되는 식사로 혈당을 정상 범위로 유지하여 합병증을 최대한 예방하거나 지연시키기 위해 계획된 삭사

가. 영양기준

열량(㎉)	당질(g)	단백질(g)	지질(g)
1200	159	62	38
1400	205	66	38
1500	205	74	45
1600	228	76	45
1800	251	82	51
2000	297	86	51
2400	320	96	56

나. 식품구성

식품군	곡류군	어육류군 저 중 고	채소군	지방군	우유군	과일군
1000	4	1 2	7	2	1	1
1100	5	1 2	7	2	1	1
1200	5	1 3	7	3	1	1
1300	6	1 3	7	3	1	1
1400	7	1 3	7	3	1	1
1500	7	1 3	7	4	1	1
1600	8	2 3	7	4	1	1
1700	9	2 3	7	4	2	1
1800	9	2 3	7	4	2	2
1900	10	2 3	7	4	2	2
2000	10	2 3	7	4	2	2
2100	10	2 4	7	4	2	2
2200	11	2 4	7	4	2	2

다. 식단 작성방법

① 1일 필요량은 [표준체중 * 체중 1 kg당 필요열량]으로 결정하며 4 kg당 필요열량은 성별, 나이, 활동도, 비만도에 따라 달라질 수 있다.

활동도	필요열량
안정 시	20~30 kcal
가벼운 활동 시	30~35 kcal
중등정도 활동 시	35~40 kcal
심한 활동 시	40~50 kcal
씹는 능력	

▶ 표준체중(kg)=(신장 cm−100) * 0.9 (브로커 변법)

  * 단 키가 150 cm 이하인 경우 표준체중(kg) = 키(cm) − 100

② 3대 영양소 비율

영양소	비 율	
당 질	55~60%	최소 100 g이상 되도록 한다.
단백질	15~35%	체중 1 kg당 1~1.5 g 정도를 섭취하며 그 중 1/3은 동물성으로 섭취하도록 한다.
지 질	20~25%	동물성과 식물성의 비율이 1:1의 비율이 되도록 한다.

③ 단순당(사탕, 꿀, 설탕 등)의 사용을 제한한다.

④ 총지방의 사용을 제한하며 포화지방산은 전체 열량의 10% 이하로 제한한다.

⑤ 하루 총 섬유소 섭취를 25~30 g정도를 권장한다.

⑥ 1200 kcal 이하의 저열량식을 할 경우 비타민과 무기질을 추가로 공급한다.

⑦ 저혈당(< 60 mg/dL) 증상이 있는 경우 당질 10~15 g(사탕3~4개, 주스 1/2컵)을 공급한다.

3. 고단백식

: 혈청단백질의 저하 및 지나친 단백질의 손실을 초래하는 질환 환자, 암 환자 또는 수술 전후의 쇠약한 환자에게 공급하는 식사로, 손실 체단백질을 보수하고 체중 감소와 체조직의 소모를 방지하기 위한 식사이다.

가. 영양기준

열량(kcal)	당질(g)	단백질(g)	지질(g)
2200	350	90	56

나. 식품구성

식품군	곡류군	어육류군 저 중 고	채소군	지방군	우유군	과일군
단위수	12	6 3 -	7	4	2	2

다. 식단 작성방법

① 고단백식사의 경우 열량을 충분히 섭취하지 못하면 섭취된 단백질이 체단백 보수보다는 열량원으로 우선적으로 쓰이게 되므로 실제 고열량식이 병행되어 제공 한다.

② 경구섭취가 원활하지 않은 경우 영양보충음료 등을 병행하여 섭취하는 것이 좋다.

라. 권장식품

식품군	식 품 명
곡 류	쌀밥, 잡곡밥, 보리밥, 빵, 국수, 감자, 고구마, 옥수수, 밤 등
어육류	신선한 육류(살코기), 신선한 어류(생선, 조개류 등), 두부, 콩, 달걀 등
유제품류	우유, 두유, 요구르트, 떠먹는 요구르트, 아이스크림, 분유, 저지방우유 등
채소류	신선한 채소
과일류	신선한 과일, 과일 통조림, 과일 주스 등
지방류	참기름, 들기름, 식용유, 깨, 잣, 호두, 땅콩, 아몬드 등
기타 1	설탕, 쨈, 젤리, 꿀, 물엿, 알사탕, 콜라, 사이다, 식혜, 수정과, 칼로리-에스 등
기타 2	그린비아, 뉴케어, 메디푸드

4. 고 섬유식(High Fiber Diet)

: 만성 변비, 다발성 게실증, 과민성대장증후군의 증상이 있는 환자에게 제공되는 식사, 섬유소 함량을 높인 식사로 1일 25 g~50 g 정도 섬유소가 포함된다.

가. 영양기준

열량(㎉)	당질(g)	단백질(g)	지질(g)
2100	360	50	56

나. 식품구성

식품군	곡류군	어육류군 저 중 고	채소군	지방군	우유군	과일군
단위수	13 (잡곡밥)	3 2 - (콩 종류 포함)	9 생 채소 해조류	4 견과류포함	1 과육 포함된 요구르트	3 생과일

다. 식단 작성방법

① 섬유소 함량을 높인 식사로 1일 25 g~50 g 정도의 섬유소를 포함시킨다.

② 식사에 채소, 과일, 콩류와 견과류의 양을 증가시킨다.

③ 과일과 채소는 생것을 이용한다(조리과정에서의 섬유소 손실을 막을 수 있음).

④ 정제된 식품 대신 전곡으로 만든 식품을 이용한다.

⑤ 수분을 8컵 이상 섭취한다.

　　: 가용성 섬유소는 물을 흡수하여 대변 용적을 늘려 변비를 완화시키므로 수분섭취도

함께 증가시켜야 한다.

⑥ 발효된 유제품(요거트 등)을 사용 한다.

라. 권장식품

식품군	권 장 식 품
곡 류	보리, 현미, 율무, 조, 수수, 팥 등의 잡곡류, 콩류 감자, 고구마, 밤, 옥수수, 미숫가루, 통밀빵
채소류	모든 채소(고사리, 우엉, 도라지, 근대, 미나리, 풋고추, 샐러리 등) 말린 나물류(무말랭이, 건호박, 건취나물, 건표고 등)
과일류	모든 생과일(토마토, 딸기, 파인애플, 복숭아, 감, 배, 사과 등) 말린 과일류(건포도, 곶감, 대추, 말린바나나 등)
해조류 및 견과류	미역, 김, 다시마, 파래 등 땅콩, 아몬드, 호두, 해바라기씨 등

5. 저염식(Low Salt Diet)

: 고혈압, 울혈성 심부전, 신장병, 간질환 환자에게 적용되며 부종이나 복수가 있는 경우와 혈압을 조절하기 위한 식사

가. 영양기준

열량(㎉)	당질(g)	단백질(g)	지질(g)
2000	350	50	50

나. 식품구성

식품군	곡류군	어육류군 저 중 고	채소군	지방군	우유군	과일군
단위수	13	4 2 -	7	5	1	1

다. 식단 작성방법

① 저염식은 염도계를 사용하여 0.5 이하가 되도록 한다.

② 저염소금, 저염간장 등의 소금 대용품에는 포타슘이 함유되어 있으므로 신장병 및 고포타슘혈증이 있는 환자는 사용하지 않도록 한다.

라. 권장식품·주의식품

식품군	권장식품	주의식품
곡 류	쌀밥, 잡곡밥, 식빵, 하드롤 국수(국물제외), 찹쌀밥(소금제외)	비스켓, 도너츠, 머핀, 파이 과자류(포테토칩, 콘칩, 팝콘, 크래커 등)
어육류	신선한 육류(살코기) 신선한 어류(생선, 조개류). 두부, 콩, 달걀	육류의 내장류(골, 콩팥 등), 자반생선, 젓갈류, 통조림, 건어물(굴비, 오징어채, 마른멸치, 쥐치포, 뱅어포 등), 훈제연어육제품(햄, 소세지, 베이컨, 어묵 등)
유제품류	우유, 야쿠르트, 떠먹는 요구르트, 아이스크림, 두유	치즈, 크림치즈
채소류	신선한 채소	김치류(배추김치, 백김치, 물김치 등 모든 종류의 김치), 장아찌, 단무지, 피클, 파래, 물미역, 미역줄기, 해파리
과일류	신선한 과일, 과일 통조림 과일 쥬스(오렌지, 사과, 포도 등)	염분이 첨가된 토마토주스, 야채주스
지방류	참기름, 들기름, 콩기름, 옥수수기름, 깨	깨소금, 버터, 땅콩버터, 마요네즈, 프렌치드레싱, 소금이 첨가된 견과류(땅콩, 아몬드 등)
조미료	후추가루, 고춧가루, 식초, 레몬, 파, 마늘, 생강, 양파, 겨자, 와사비 등	소금, 간장, 된장, 고추장, 우스터소스 케찹, 바비큐 소스
기 타	식혜, 수정과, 사이다, 사탕, 설탕, 잼, 젤리, 꿀, 물엿	술(소주, 정종, 위스키, 맥주, 포도주 등) 이온음료(포카리스웨트, 게토레이, 파워웨이드, 마하세븐 등), 라면, 스프, 인스턴트 식품, 냉동조리식품

6. 경관식(Tube Feeding)

: 수술, 또는 신체장애로 삼키기 곤란하거나 혼수상태에 빠진 경우, 생명유지를 위해 혼합물을 Tube을 통해 공급하는 식이 체단백손실을 완화 시키고 체중과 체조직의감소를 최소화 시키는 것을 목적으로 한다.

가. 유의사항

① 초기에는 경장영양과 정맥영양을 적절히 병행하여 사용하는 것이 필요하다.

② 관급식은 대개의 경우 1 kcal/cc의 농도이나 환자의 적응도와 수분 요구량 정도에 따라 1.5~2.0 kcal/cc까지 농축하거나, 희석된 용액을 공급 한다.

③ 관급식에 대한 적응상태가 좋지 않아 요구량 만큼 섭취할 수 없는 경우 정맥 영양을 병행 공급하는 것이 바람직하다

④ 시판용(정식품 – 그린비아, DM, TF, 대상– 뉴케어, 뉴케어DM, 뉴케어300, 고단백, 한국메디칼푸드–메디푸드, 메디푸드엘디)

나. 문제점과 그 원인들

문제점	원인
구토	부적절한 관의 위치 관의 크기가 너무 클 때 급식의 속도가 너무 빠를 때 급식 직후 잔여량이 너무 많을 때 삼투성이 너무 높을 때 급식 시의 약물 복용
설사	급식 시의 속도가 너무 빠를 때 삼투성이 너무 높을 때 영양액의 조성이 부적절할 때(예 : 락토우즈) 약물 복용(예: 항생제) 극심한 단백질 영양불량 흡수량 박테리아 과성장
변비	영양액 내 섬유소 부족 불충분한 수분량 활동량의 부족

경관유동식 섭취방법 및 주의점

* 섭취방법
  1. 경구용,당뇨식, TF
     - 환자의 상태에 따라 초기에는 10~50 mL/hr 로 조절하십시오
     - 투여량은 매8시간에서 24시간마다 20~40 mL/hr로 증가시켜 1~5일안에 열량과 단백질 요구량이 만족되는 속도가 되도록 조절하십시오.
     - 투여 전 위 (胃)내 잔류물을 반드시 확인해야 합니다.
     - 설사 등 부작용이 있거나, 환자의 위장관계 기능이 약화된 경우에는 희석하여 사용하여야 합니다.
     - 간헐적 공급 시 투여 후 20~30 mL정도의 물로 희석하여 주십시오.

  2. 그린비아RD 그린비아RD PLUS
     - 위(胃)로 투여하는 경우 2~4시간 간격으로 위 내 잔유물을 반드시 확인해야 합니다.
     - 투여속도 및 농도를 점진적으로 높일 경우 소화시키지 못하는 환자는 이전의 속도로 주입합니다.
     - 간헐적 투여 후, 또는 지속적 투여 사이에 물(약 20~30 mL)로 튜브를 세척하여 주십시오.

* **주의사항**
- 정맥 내 투여할 수 없습니다
- 데울 경우 반드시 별도 용기를 사용하고, 음용 전 적당한 온도인지 항상 확인하세요
- 온장고에 보관하지 마십시오.
- 원료성분이 뜨거나 가라앉을 수 있습니다.
- 개봉 전 심하게 흔들면 넘칠 수 있으니 주의 하세요.
- 제품의 색, 냄새, 맛이 이상하거나 용기 외관에 이상이 있으면 드시지 마세요.
- 날카로운 개봉 부위에 다치지 마세요.
- 쥬스, 요구르트 같은 산성음료와 섞어 드시지 마세요.
- 일단 개봉한 제품은 반드시 냉장보관 하시고, 빨리 드시기 바랍니다.
- 튜브 급식 시는 의사, 간호사, 영양사등 전문가의 지시에 따라, 환자의 상태에 맞게 주입속도, 주입량, 음료의 희석도 등을 조절해야 합니다.
- 드신 후 이상이 있을 경우 즉시, 음용을 중지하고 의사의 지시에 따르세요.

II ▶ 임상영양관리 지침서

II-1. 임상영양관리

환자의 영양 상태는 이환율, 사망률 및 입원기간과 깊은 연관이 있기 때문에 영양관리에 있어서 영양 상태의 평가는 무엇보다 중요하다. 입원환자의 영양관리를 하기 위해서 임상영양사의 업무 수행 기준을 설정하였다.

1. 식단 작성(Menu Production)
   ① 환자를 위한 영양소 처방의 산정과 수행
   ② 식이처방이 변경될 때 메뉴의 변경
   ③ 관급식(L-tube)시 상업용 조합식이의 산정
   ④ 식사처방과 식단변경에 대한 모든 기록 보관
   ⑤ 모든 메뉴의 예측 식수 계산
   ⑥ 각 환자에 대한 식단이 처방대로 잘 차려졌는지를 보기 위해서 매 식사시간 전에 모든 메뉴를 확인

2. 영양관리(Nutritonal Care)

① 영양 초기평가

입원 후 24시간 이내에 영양 상태를 평가하여 우선순위를 결정하고 임상영양관리 및 의무기록을 수행한다.

② 영양 상태의 판정 및 평가

  a. 신체계측자료 및 생화학자료

    – 질병/진단

    – 나이, 성별

    – 이상체중에 대한 신장, 체중

    – 병상기록, 약물, 비정상적인 lab data

    – 식사처방내용

  b. 식습관자료

    – 음식의 선호도, 일상적 음식섭취

    – 식품의 수용도, 알레르기, 빈도

    – 섭취 시 문제점, 최근의 체중변화

    – 사회·경제·가족적 지위, 활동수준

    – 식이제한에 대한 사전 지식

③ 영양관리계획

  a. 적절한 식사의 제공

  b. 진료부와 연관된 면담, chart data의 의사소통

  c. 처방을 받아 환자에게 제공 되어지는 치료식이 식단분석, 영양권장량

④ 상담과 평가

  a. 환자상담

    – 식사원리에 대한 이해

    – 식품선택과 원리에 대한 이해

    – 메뉴를 계획하는 능력

    – 식품구매와 음식준비 요령

    – 외식의 요령

⑤ 의무기록

  a. 영양분석을 포함한 영양관리 계획

  b. 영양권장량

  c. 제공 되어지는 식이 상담과 평가

II-2. 영양 초기평가

1. 영양검색 및 영양불량환자 관리

영양적 문제와 관련 있는 알려진 특성을 찾아내는 과정으로써 이미 정해진 영양위험요인의 기준을 각 환자의 자료와 비교함으로써 영양불량이나 영양적 위험이 있는 환자를 선별하여 조기에 영양 상태를 평가한다.

(1) 검색조건

① 입원 24시간 이내의 환자의 영양 평가를 하기 위하여 다음의 객관적 지표 2가지를 통해 검색을 실시 후 환자의 영양불량 상태를 확인한다.

    a. 생화학적 검사 결과 : 알부민   < 3.0

                     Hb 남자   < 12

                     여자   < 10

    b. 식사형태 : 치료식 미음, 연하보조식, 경관유동식, 금식 > 5일

② 체중 감소, 식욕 & 식사섭취 형태, 식사 시 문제(설사, 변비, 메스꺼움, 연하·저작 곤란), 피하지방 손실, 근육소모, 부종·복수 등의 유무를 조사하여 영양 상태를 진단한다. (양호 – 약간불량 – 보통불량 – 심한불량)

③ 진단된 영양불량 상태에 맞게 영양 요구량을 산출하고 영양 치료계획을 수립한다.

④ 제언과 경과기록을 담당 의료진이 기록한다.

(2) 영양검색의 과정

① 정의

    영양검색은 영양적 문제와 관련이 있는 것으로 알려진 특성을 찾아내는 과정으로써 이미 정해진 영양위험 요인(nutritional risk factor)의 기준을 각 환자의 자료와 비교함으로써 영양불량이나 영양적 위험이 있는 환자를 선별하는 것이다.

② 특징

    – 개인면담, 의무기록 검토, 전산프로그램 등 여러 가지 방법으로 수행될 수 있다.

    – 영양판정 대신 사용되는 것이 아니라 영양판정의 전단계로 사용되며 구체적인 영양판정의 필요 여부를 결정해 준다.

    – 영양초기 평가는 간호사, 의료진에 의해서 수행한다(영양사에 의해서도 수행될 수 있다).

③ 영양위험요인(nutritional risk factor)

    * 객관적 지표

- 표준체중 백분율 : < 90%, > 130%
- 의도하지 않은 체중 감소율 : 10% 이상
- 생화학 검사 결과 : 알부민   < 3.3/dL 이하

　　　　　　　　　　총 임파구 수 < 1200 cells/㎣

　　　　　　　　　　헤모글로빈   < 14.0 g/dL(남자)

　　　　　　　　　　　　　　　 < 12.0 g/dL(여자)

④ 주관적 지표

- 연하곤란, 저작곤란
- 식욕 및 섭취량 감소 > 2주
- 소화기관 증후 (오심, 구토, 설사) > 3일
- 근육 및 체지방 소모 / 부종이나 복수

2. 영양 상태의 판정 및 평가

(1) 신체계측자료

① 신장

　a. 환자가 보고하는 신장은 실제와 차이가 나는 경우가 많으므로 반드시 직접 측정하여 확인하여야 한다.

　b. 신장 측정대를 사용하여 신발을 벗은 채 똑바로 선 자세로 측정해야 한다.

　c. 직접 똑바로 서서 잴 수 없는 경우에는 누운 키(recumbent height)를 재거나 앉은키, 팔기장 혹은 무릎 높이 등 신체 부위 기장을 측정하여 간접적으로 신장을 계산할 수 있다. 그러나 누운 키는 실제 신장보다 2% 정도 길게 측정되는 경향이 있으며, 신체 부위 기장으로 신장을 환산하는 공식은 서양인을 대상으로 만들어져 있으므로 한국인에게는 적합하지 않다.

② 체중

　a. 체중은 영양불량증을 진단할 때 가장 흔히 이용되는 지표로서 체내에 저장된 지방 및 근육량을 대략적으로 나타낸다.

　b. 체중은 체내의 지방량(Fat Mass : FM) 과 제지방량(Fat Free Mass : FFM)을 합한 총량이다. FFM은 일명 Lean Body Mass라고도 하며 총 체액 (Total Body Water : TBW)과 뼈 무기질(Osseous Mineral : OM)과 단백질(Protein: P)을 포함한다.

(2) 식습관자료

① 현재까지의 식습관 및 영양관련 경력 중에서 영양 상태에 미칠 수 있는 요인을 알아본다.

  a. 평소식사 섭취량 : 24시간 회상법, 식품 빈도법, 식사일기(3일)

  b. 식사 시 문제점 : 저작 및 연하곤란, 식욕부진, 구토, 메스꺼움, self-feeding 여부

  c. 배변습관 : 설사, 변비

  d. 치료식, 영양교육 경험

  e. 영양제 복용, 건강식품, 민간요법

  f. 식품 알레르기, 식사준비자

  g. 활동정도

(3) 생화학자료

① 생화학 검사 결과는 영양소, 약물, 질병이나 스트레스로 인한 대사과정의 변화등에 영향을 받는다.

② 검사 결과를 해석할 때에는 영양 상태 이외에도 검사 결과에 영향을 미칠 수 있는 요인들을 잘 파악하여야 한다.

(4) 영양 상태 평가

각각의 영양지표에 대해서 해당란(영양결핍정도)에 표시한 후 환자의 영양 상태를 가장 잘 반영하는 영양결핍 정도를 선택한다. 만약 영양지표가 2개 이상의 해당란에 분산된 경우에는 임상영양사의 주관적 판단에 따라서 결정한다.

* 평가 : 양호함 – 약간불량 – 보통불량 – 심한불량

II-3. 영양 요구량

1. 열량 요구량

- 환자의 열량 요구량을 정확하게 결정하는 것은 효과적인 영양관리를 위해 필수적이다. 왜냐하면 과식(overfeeding)이나 섭취부족(under-feeding)은 환자의 영양 상태에 나쁜 영향을 미치기 때문이다.

- 열량 요구량이 반드시 열량 소비량과 일치하는 것은 아니지만 환자의 열량 요구량을 결정하기 위해서는 우선 열량 소비량을 정확하게 추정하여야 한다.

⚙ 열량 소비량에 영향을 미치는 요인

(1) 기초대사량(Basal energy expenditure : BEE)
- BEE는 12~14시간 공복 후 잠에서 깨어난 직후 활동하기 전에 완전 휴식 상태에서 신체의 항상성을 유지하는데 소비되는 열량을 말한다.
- 성인에 있어서 BEE는 신체크기 (특히 lean body mass), 연령, 성별, 체온(열)에 영향을 받는다.
- 각 신체조직이 BEE에 기여하는 비율은 표와 같다.

신체조직이 BEE에 기여하는 비율

체조직	%총 체중	%BEE	열량소비량 (kcal/kg 조직/day)
지방	21-33	5	4.5
근육	30-40	15-20	13
장기(organs)	5-6	60	200-400
기타(피부,뼈,장,선 등)	33	15-20	12

Reprinted from : Matarese ML, Gottschilich MM (eds). Contemporary Nutrition Support Practice, 1998, p86.

- BEE는 총 열량 소비량의 60·70%를 차지하며 매우 활동적이거나 대사항진의 중환자의 경우도 50% 정도 된다.

(2) 식사로 인한 에너지 소비량(Diet-induced thermogenesis)
- 음식을 먹은 후 단백질은 물론 탄수화물과 지방을 소화흡수 하는데 필요한 열량을 말하며 이는 보통 BEE의 10% 정도가 된다.
- 휴식 에너지 소비량(Resting energy expenditure : REE)

  = BEE + Diet-induced thermogenesis

  = 110% BEE

(3) 신체활동
- 신체활동은 열량 요구량을 증가시킨다. 그러나 입원환자의 신체활동은 피로, 통증, 우울증 혹은 bed rest 등으로 매우 제한되어 있다.

(4) 질병상태
- 화상, 외상, 패혈증, 감염, 대수술 등은 대사항진을 초래하여 열량 소비량을 증가시킨다.

(5) 열(체온)

- 1℃ 상승 때마다 13%, 1°F 상승 때마다 7% → 의 열량 소비량이 증가된다.

✿ 열량 요구량 산출법

(1) BEE를 이용한 방법

- Harris-Benedict (HB) 공식   Harris & Benedict, 1919)

  남자 = 66 + 13.7 × 체중(kg) + 5 × 키(cm) − 6.8 × 나이(yr)

  여자 = 655 + 9.6 × 체중(kg) + 1.8 × 키(cm) − 4.7 × 나이(yr)

- HB 공식의 문제점(Garrel, et al, 1996)
  - 1919년 239명의 건강한 남녀를 대상으로 공식을 만들었으며 입원환자에게 적용할 때 문제가 있다.
  - 최근의 간접열량측정법 결과와 비교할 때
    ① 6~15% 과다 측정되는 경향이 있다. 특히 여자, 체구가 작은 사람, 비만(BMI>40) 환자의 경우
    ② 개인 간의 차이가 크다 (r = 0.48). (Hunter, et al, 1988)
- 열량 요구량 산출방법
  ① BEE에 활동계수 (activity factor : AF) 와 손상계수 (injury factor : IF)를 곱하여 열량 요구량을 산출한다 (Long, et al, 1979)

  스트레스가 없는 환자 = BEE × AF

  스트레스가 있는 환자 = BEE × AF × IF

  그러나 이 방법은 자칫하면 열량 요구량이 과다하게 산출되는 경향이 있어 최근에는 손상계수와 활동계수를 하향 조정하여 사용하기도 한다.

열량 소비량 계산을 위한 활동 및 손상계수

활동계수	활동정도	상해계수	상해정도
1.2	누워있는 환자	1.2	4.5
1.3	거동이 가능한 환자	1.35	13
1.5	보통의 활동도	1.44	200~400
1.75	매우 활동적	1.6~1.8 1.88 2.1~2.5	패혈증 외상 + 스테로이드 심한 화상

(출처; Zeman FJ. Clnical nutrition and dietetics, 2nd ed. Macmillan, p80~81,1991)

② 중환자의 경우 과식을 방지하기 위하여 BEE에 단지 스트레스 계수만을 곱해서 열량 요구량을 산출하기도 한다. 왜냐하면 중환자들의 활동은 지극히 제한되어 있고 대부분의 시간을 침상에 반듯이 누워서 움직이지 않을 뿐 아니라 통증치료를 위한 약물들은 근육활동을 감소시키기 때문에 이들의 활동량은 총열량 소비량의 5% 미만에 불과한 것을 보고되었기 때문이다.

(Weisman, et al, 1986 ; Swinamer, et al, 1987)

중환자의 열량 요구량 계산을 위한 스트레스 계수

절식(starvation)	BEE × 1.0
선택수술(elective surgery)	BEE × 1.3
다발성 외상(multiple trauma)	BEE × 1.3 ~ 1.5
패혈증	BEE × 1.3 ~ 1.5
호흡기 질환	BEE × 1 ~ 1.2
동화작용	BEE × 1.4 ~ 1.6
급성 췌장염	BEE × 1.3 ~ 1.5
만성 췌장염	BEE × 1.0 ~ 1.3

Adapted from : Gonzales MG. Nutrition Support, 2nd ed, Nutrition Dimension, 1994.

③ 비만환자의 경우에는 현체중 대신에 조정체중을 사용하거나 현체중과 표준체중의 중간값을 사용할 수 있다.

－ 조정체중 = (현체중 － 표준체중) × 0.25 + 표준체중
－ 현체중과 표준체중의 중간 값 = (현체중 + 표준체중) ÷ 2

(2) Ireton － Jones 공식

- 200명의 성인 입원환자들을 대상으로 간접열량측정법을 사용하여 공식을 개발하였다.
- 입원환자 중 특히 중환자나 외상환자들의 에너지 소비량을 추산하는데 사용된다.

Ireton － Jones 공식

인공호흡기 의존환자(kcal/day)	= 1784 － 11 (A) + 5 (W) + 244 (S) + 239 (T) + 804 (B)
자발적 호흡환자(kcal/day)	= 629 － 11 (A) + 25(W) － 609 (O)
A = age (yrs)	S = sex (male=1, female=0)
W = body wt (kg)	T = trauma (if present=1, absent=0)
b = burn	O = obesity >130% IBW (if present=1, absent=0)

Reprinted from : Ireton-Jones C. ASPEN, 22nd, Clinical Congress, 1998, p108.

(3) 계수를 이용한 계산법

- 스트레스가 없는 환자 : 20~25 kcal/kg
- 스트레스가 있는 환자 : 25~30 kcal/kg
- 체격 및 활동 정도에 따른 계수를 이용하여 열량 요구량을 계산할 수도 있다.

  그러나 이 방법은 연령이나 성별을 고려하지 않으므로 젊은 청년이나 노인(특히 여자)인 경우에는 실제 필요량보다 지나치게 많은 차이가 생길 수 있다.

체격 및 활동 정도에 따른 열량 요구량

체 격	가벼운 활동(kcal/kg/day)	보통 활동(kcal/kg/day)	심한 활동(kcal/kg/day)
비 만	20 ~ 25	30	35
정 상	30	35	10
저 체 중	35	40	45~50

Reprinted from : ADA, Manual of Clinical Dietetics, 5th ed, 1996, p17

(4) 열량 요구량 결정 시 유의할 것

- 환자의 질병상태나 상처, 체구, 섭취 및 배설 등에 있어서 개인차가 너무 많기 때문에 각 환자의 열량 요구량을 정확하게 추정하기가 어렵다.
- 환자의 열량 요구량은 측정(혹은 계산)된 열량 소비량 보다 클 수도 있고 적을 수도 있다.
- 환자에게 제공되는 영양 공급이 수분균형, 영양소에 대한 적응도 및 대사적 상태에 미치는 영향을 잘 고려해야 한다.
- 결정된 열량 요구량을 제공한 후에 환자의 임상적 상태와 예상했던 성과 달성 정도를 평가함으로써 제공된 에너지량의 적절성 여부가 검토되어야 한다.
- 성공적인 영양관리를 위해서는 임상적인 판단과 전문가적인 식견이 매우 중요하다.

2. 단백질 요구량

- 일반적으로 입원환자는 상처회복과 대사항진 등과 관련해서 단백질 요구량이 RDA (0.8 g/kg) 보다 높다.

  ### A. 계수를 이용한 방법

  일반 환자 　 : 1 g/kg IBW

  스트레스 환자 : 1.5~2.0 g/kg IBW

  회복기 환자 　 : 1.2~1.5 g/kg IBW

  신부전이나 간부전이 있을 경우에는 단백질 양을 적절하게 감소시켜야 한다.

B. 비단백질 열량과 질소의 비율을 이용한 방법

일반 환자 = 비단백질 열량 : N = 150 : 1

스트레스 환자 = 비단백질 열량 : N = 80~100 : 1

C. 질소평형에 의한 계산

단백질 섭취량과 배설량을 측정하여 질소평형(+2~+4)을 유지하는 데 필요한
단백질량을 계산한다.

3. 수분 요구량

- 수분균형을 적절하게 유지하기 위해서는 적당 양의 수분을 공급해야 한다.
- 수분 요구량을 계산할 때는 땀, 루공, 소변, 설사 등으로 손실되는 수분 양을 고려해야 한다.
- 연령별 수분필요량
  - 보통체격의 성인 : 30~35 mL/kg
  - 연령별 수분필요량

    18 ~ 64세 : 30 ~ 35 mL/kg

    50 ~ 55세 : 30 mL/kg

    65세 이상 : 25 mL/kg

    섭취량에 따라서 : 1 mL/kcal

    1 mL/kcal/kg + 100 mL/g of nitrogen
- 요구량 증가 경우 – 화상, 루공, hypovolemia, 고열
- 요구량 감소 경우 – 심부전, 복수, 급성신부전, SIADH, hypervolemia

II-4. 영양지원 (Nutrition Support)

구강을 통한 음식물 섭취가 불충분하거나 전혀 불가능할 때 위장관이나 정맥을 통하여 필요한 영양분을 공급하는 것을 영양지원이라 하는데 대체로 경장영양지원(Enteral Nutrition Support)으로 분류할 수 있다.

1. 경장영양지원(Enteral Nutrition Support)

(1) 정의

위장관의 기능이 정상일 때 경구보충이나 경관급식에 의해서 필요한 영양분을 공급하는 것을

말한다.

① 경구보충(Oral Supplements)

식욕부진으로 인해서 정규 식사만으로는 필요한 영양 요구량을 충족할 수 없을 때 Green-bia, Nucare, Medifood 등의 영양보충액으로 부족한 영양분을 충당한다.

② 경관급식(Tube Feeding)

구강으로 음식물을 전혀 혹은 충분히 섭취할 수 없을 때 Tube를 통해서 필요한 영양분을 공급한다.

(2) 영양소 필요량의 결정

영양소 필요량을 정하기 위해서 우선적으로 환자의 영양 상태를 평가한다. 영양 상태 평가에는 식사력 및 영양력 조사, 인체계측, 임상검사와 생화학적 검사가 포함된다. 이를 통해 영양불량의 여부를 판단하고 영양 공급 방법을 선택하도록 도와준다. 이후 지속적인 모니터링을 실시하여 합병증 발생을 최소화할 수 있도록 한다. 경관급식 환자를 위한 영양 상태 평가에는 각종 영양소의 필요량을 계산하는 것 이외에 가장 적절한 영양 공급 경로, 주입방법, 경장영양액 종류의 선택등도 포함한다.

① 칼로리 : 칼로리 요구량은 영양액(Formula)의 총 공급량을 결정한다. 경장영양액은 대부분 1 kcal/1 mL으로 공급하나 1.5~ 2.0 kcal/mL 까지의 농축된 상태로도 공급할 수 있다. 총 용량에 대한 환자의 반응과 수분 요구량의 정도에 따라 경장영양액을 농축시키거나 희석된 경장영양액을 공급할 수 있다. 칼로리 요구량의 계산은 스트레스가 없는 경우에는 안정 시 에너지 소모량(resting energy xpenditure, REE)의 약 25%정도로 하고 상해나 감염 등의 스트레스가 있는 경우에는 안정 시 에너지 소모량의 30~50% 이상 공급하는 것이 바람직하다. 안정 시 에너지 소모량의 계산이 용이하지 않을 경우에는 1일 체중 kg당 25~35 kcal로 계산하는데 스트레스를 받지 않거나 호흡기 의존 시 혹은 진정시킨 환자에 대해서는 낮은 계수를, 외상(trauma), 혹은 패혈증(sepsis)과 같은 심한 감염상태에 처한 환자에게는 높은 계수를 이용하도록 한다. 칼로리 공급 시 주된 공급원인 당질은 일반적으로 총칼로리의 50~60%, 지방은 25~35%로 하는 것이 가장 바람직하나 환자의 질병상태에 따라 조정하도록 한다.

② 단백질 : 환자의 단백질 요구량은 영양액의 총 공급량을 조정하거나, 단백질 농도가 다른 영양액을 선택하거나 단백질 보충제(protein modular)를 첨가하여 공급할 수 있다. 스트레스가 있을 경우의 단백질 요구량은 일반적으로 1일 체중 kg당 1.5 g(정상체중인 경우는 건조체중을, 비만인 경우는 표준체중을 기준)이나 환자 개개인별 단백질 공급의 적절성은 질소평형검사(nitrogen balance study)를 통해 평가하는 것이 가장 정확하므로 지속적인 검

사를 통해 요구량을 조정하도록 한다.

③ 비타민, 무기질, 기타 미량 영양소 : 영양액내 비타민과 무기질의 조성이 영양권장량에 적합한지 아니면 초과하는지의 여부를 확인하는 것이 중요하다. 상업용 제제인 경우 1,500 ~ 2,000 mL 정도의 용량 내에는 대부분의 비타민과 무기질이 권장량의 100% 이상 함유되어 있다. 단, 영양액의 공급량이 충분치 않을 경우 추가로 이들 영양소에 대한 보충이 필요하다.

④ 수분 : 경관급식 환자들의 탈수(dehydration)나 과수화(overhydration)에 민감하므로 수분의 균형 여부를 면밀히 관찰하도록 한다. 정상 성인의 하루 수분 요구량은 섭취하는 영양액 kcal당 1 mL 혹은 체중 kg당 30~35 mL이다. 그러나 입원환자의 경우 수분 요구량의 차이가 많으므로 개인별로 조정하도록 한다. 대부분의 상업용 경장영양액에는 1 L당 700~850 mL의 수분이 함유되어 있다. 경장영양 시에는 수분을 공급하게 되는데 무더기 급식(bolus feeding) 혹은 간헐적 급식 (intermittent feeding)의 경우 급식 전후로 20~50 mL의 수분을 공급하며 지속적 급식(continuos feeding)의 경우 적당한 간격을 두고 공급하되 최소 6시간당 약 30 mL이상의 수분을 공급하도록 한다.

(3) 용도

① 경관급식이 필요한 경우

a. 기계적 장애, 식욕부진, 소화 및 흡수부진 등으로 음식물의 구강섭취가 전혀 불능하거나 현저하게 감소된 경우

b. 대사항진으로 영양 요구량이 현저하게 증가한 경우

② 경관급식을 하지 말아야 할 경우

a. 위장관의 기능이 비정상적일 때(Gastric or intestinal obstruction, Paralytic ileus, Intractable Vomiting, Severe diarrhea)

b. Respiratory aspiration의 위험이 있을 때

(4) 경장 공급 경로(Enteral access)

관을 삽입하는 부위는 환자의 임상적 상태나 관급식을 요하는 기간에 따라 결정된다.

• 비장관(nasoenteric tube) : 6주 미만의 단기간 동안 관급식을 요하는 기간에 따라 결정된다.

a. 비위관(nasogastric tube) : 위운동과 기능이 정상일 때 사용된다.

– 장점 : 관의 삽입과 제거가 용이하고 비용이 저렴하고 수술이 불필요하며 약물 투입이 가능하다

– 단점 : 흡인의 위험도가 크고 위배출을 관찰해야 한다.

b. 비십이지관 또는 비공장관(nasoduodenal or nasojejunal tube) : 흡인의 위험도가 높거나 위배출 지연, 위부전마비(gastroparesis) 위식도 역류 질환등이 있는 경우에 사용된다.

- 장점 : 비위관 급식에 비해 흡인의 위험도가 낮고, 위부전마비(gastroparesis)가 있는 환자에게 도움이 된다.
- 단점 : 관 삽입 시 endoscopy를 요하며 위운동을 관찰할 수 없다.

II-5. 영양관리 계획 및 시행

1. 자료 분석

환자의 영양 상태와 관련된 자료를 분석하여 영양불량 상태의 원인을 파악한다.

2. 문제 목록 작성

자료 분석을 통해 문제목록이 만들어지면 영양관리의 목표가 결정된다. 여기에는 장기적 관리 뿐 아니라 단기적 관리를 위한 우선순위 설정도 포함된다.

3. 의무기록

의무기록의 방법으로는 문제지향형 의무기록(problem-oriented medical record, POMR)이 권장된다. 이 기록방법은 기본자료(병력, 임상조사, 생화학검사, 식사력, 사회환경 상태 등) 수집, 문제 목록 작성 및 문제에 대한 초기 계획수립, 경과기록(progress notes) 등을 포함한다. 최근에는 의무기록의 간소화 및 표준화를 위하여 각 병원에서 개발된 별도의 서식을 이용하는 경우가 많다.

경과일지는 SOAP 형태로 기록되는데, 자세한 내용은 다음과 같다.

- S(subjective data) – 환자와의 대화 중 얻는 정보 등 주관적 자료
  - 예 – 식습관, 기호도, 식사요법의 시행 여부
- O(objective data) – 영양적 치료에 영향을 미칠 수 있는 모든 객관적 자료
  - 예 – 생화학검사 결과, 신체계측 결과, 섭취량 조사 결과 등
- A(assessment) – 주관적 및 객관적 정보의 평가
  - 예 – 환자의 식사처방과 비교하여 식습관 평가
    현재의 섭취상황 및 문제점
    환자 체중의 증감에 대한 평가

24시간 섭취한 칼로리, 단백질 및 기타 영양소 분석

- P(plan) – 계속적인 치료를 위한 계획 및 조언

　　　　　예 – 영양관리 계획, 환자 교육 등

4. 영양소 조정 및 실행

(1) 식사 조정

- 1일 한국인 영양권장량에 맞는 식단조정

  : 환자의 질환이 영양 상태에 영향을 미치지 않는 경우에 적용한다.
- 질환치료에 적합하게 식단조정(식사요법)

  영양소 조절 – 단백질, 당질, 지방, 무기질 및 비타민 등 기본 영양소 조절

  칼로리 조절

  기타조절 – 수분 또는 섬유소 등의 조절
- 환자의 기호도 및 수용도에 따른 식단조절

  : 가능한 환자 개개인의 기호도와 수용도에 따라 개별화하는 것이 바람직하다.

(2) 식사의 공급형태 조정

- 경구, 경관, 정맥영양 등 환자의 상태에 따라 가능한 방법을 선택한다.
- 영양보충제의 사용여부를 결정한다.

5. 영양관리 시행에 대한 평가

계획된 대로 환자에 대한 영양관리를 한 후에는 다음의 사항에 대하여 평가해 보아야 한다.

- 영양관리의 목표에 도달했는가?
- 조정내용이 환자에게 알맞은가?
- 조정이 알맞을 때에 시작됐는가?
- 영양치료에 대한 교육내용을 환자가 제대로 이해했는가?

III ▶ 급식관리 지침서

III-1. 조리관리

1. 식재료 구매

(1) 구매절차

① 공산품은 연 1회, 채소는 월 1회 견적서를 받는다.

② 주간식단표를 작성한다.

③ 메뉴별 레시피를 기준으로 1인량을 정하여 식수에 맞게 입고량을 정한다.

④ 물품구매 및 검수일지를 작성한다.

⑤ 부식업체 '인천마늘농산'lo4101@hanmail.net으로 물품구매 및 검수일지를 보낸다.

123

물품구매 및 검수일지

(2) 구매신청 시 유의사항견적서

① 식재료별 제조사, 규격을 정확히 명시한다.

② 계절별 식재료를 선정하여 구매한다.

2. 식재료 검수

(1) 검수개요

검수는 식재료 납품업체가 공급하는 식재료에 대하여 품질, 신선도, 수량, 위생상태 등이 요구기준에 부합되는지를 확인하는 과정이다.

(2) 검수절차

① 위생복을 착용한다(영양사가운).

② 식재료 납품차량 위생상태를 확인한다.

- 납품차량온도

- 차량내부 청결상태 확인

탑차내부 및 온도기록장치

주요단계	세부내용
	1. 검수차량 탑차 내부 모습
	2. 검수차량 탑차 내부 및 환풍기 모습
	3. 탑차 온도기록장치 도착 당시의 온도 매일 확인

③ 물품구매청구서를 보면서 입고될 식재료를 확인한다.

④ 선도 및 규격, 제조 연월일을 확인한다.

⑤ 기준에 부적합한 식재료는 보관 후 반품 처리하고, 냉장·냉동 식재료는 즉시 냉장고 또는 냉동고로 이동하여 보관한다.

⑥ 물품구매청구서와 거래명세표가 동일한지 확인한다.

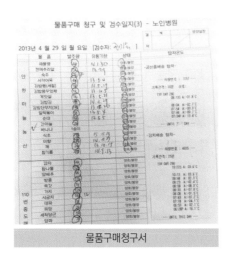

| 물품구매청구서 | 거래명세표 |

(3) 검수기준 및 방법

① 식재료의 외관, 선도, 납품온도 및 유통기한, 포장상태와 운반차의 위생상태를 확인한다.

② 저장식품에 대해서는 납품된 날짜 및 유통기한을 반드시 확인, 기록하며, 완전 조리식품과 반조리식품의 검수는 내용품, 제조년월일, 유통기한, 제조업체명 등이 명확한가를 확인하여야 한다.

식재료검수도감

③ 식재료 상태가 식재료검수도감 기준에 맞는지 확인한다.

3. 식재료보관저장

(1) 냉장/냉동고(실) 보관관리

① 적정량을 보관함으로써 냉기순환이 원활하여 적정온도가 유지되도록 한다.
　 (냉장 냉동고 용량의 70% 이하)

② 냉장·냉동고에 식품을 보관할 경우에는 반드시 그 제품의 표시사항(보관 방법 등)을 확인한 후 그에 맞게 보관한다.

③ 오염방지를 위해 날음식은 냉장실의 하부에, 가열조리 식품은 위쪽에 보관한다.

④ 보관 중인 재료는 덮개를 덮거나 포장하여 보관 중에 식재료 간의 오염이 일어나지 않도록 유의한다.

⑤ 냉동·냉장고 문의 개폐는 신속하고, 필요 최소한으로 한다.

⑥ 선입선출의 원칙을 지킨다.

⑦ 개봉하여 일부 사용한 캔제품 소스류는 깨끗하게 소독된 용기에 옮겨 담아 개봉한 날짜와 유통기한을 표시하고 냉장 보관한다.

⑧ 냉장고는 5 이하, 냉동고는 − 18 이하의 내부온도가 유지되는가를 확인·기록하며, 이상이 있을시는 즉시 조치한다.

냉장고 ①		냉장고 ②-전처리 후 보관		냉장고 ③		냉장고 ④	
유제품	유제품	채소류	채소류	공산품	조리식품	건어물	건어물
채소류 (전처리전)	채소류 (전처리전)			김치류	잡곡		
계란류	공산품류 (전처리전)	채소류	채소류	채소류 (전처리후)	채소류 (전처리후)	냉동식품	냉동식품
육류 (전처리전)	공산품류 (전처리전)	생선		육류 (전처리후)	공산품 (전처리후)		

(2) 식품창고 보관관리

① 정해진 곳에 정해진 물품을 구분하여 보관한다.

② 식품과 식품 이외의 것을 각각 분리하여 보관한다.

③ 선입선출이 용이하도록 보관·관리한다.

④ 식품보관 선반은 바닥으로부터 공간을 띄워 청소가 용이하도록 한다.

⑤ 대용량의 제품을 나누어 보관할 때는 제품명과 유통기한을 반드시 표시한다.

⑥ 장마철 등 높은 온·습도에 의하여 곰팡이 피해를 입지 않도록 한다.

⑦ 유통기한이 있는 것은 유통기한 순으로 사용할 수 있도록 유통기간이 짧은 것부터 진열한다.

식품창고

(3) 식품표기

① 조리된 식재료나 음식은 라벨링 하여 표시(제조일, 사용일)를 한다.

② 양념식재료는 소분일자와 유통기한을 라벨링하여 표시한다.

(4) 식품별 보관 방법

품목	보관 방법
곡류 및 콩류	곡류와 콩류는 수분함량이 비교적 적어서 쉽게 상하지 않으므로 건조하고 서늘하며 바람이 잘 통하는 그늘에 보관
채소 및 과일류	수분함량이 70% 이상으로 높으며 조직이 연하여 쉽게 변패되므로 세균의 먹이가 될 수 없게 물기를 제거하여 10℃ 전후에서 저온 저장 특히 비타민 C는 공기중에 방치되어 있거나 절단면이 있을 때 파괴가 가장 잘일어나므로 유의 냉장보관
육류	단기간 보관 시 1~3℃로 냉장 보관할 경우는 1~2일, 장기간 보관시 -18℃ 이하로 냉동 보관할 경우는 2~4개월 동안 보관이 가능하다. 양념한 고기는 더 낮은 온도 -20℃ 이하에서 보관
생선류	육류보다 더 빨리 상하므로 가능한 구입 즉시 조리하고 냉장 보관 시 1일 정도 보관. 건어물은 폴리에틸렌 봉지에 넣어 상온 보관 (단 여름에는 냉장,냉동 보관)
알류	2주 정도 냉장 보관 가능. 온도변화에 의한 변질 방지 위해 냉장고 안쪽에 보관 기간은 날달걀은 3~5주 이내, 완숙달걀은 1주일 정도 보관
우유 및 유제품	구입즉시 냉장보관
유지류	식물성 기름은 밀봉하여 서늘하고 어두운 곳에 보관 버터나 마가린은 밀봉하여 냉장보관
가공식품	가공식품 중 밀가루, 향신료, 설탕 등은 밀폐용기에 저장 여름에는 냉동 보관하는 것이 좋고 고춧가루는 냉동보관

(5) 식품별 보관온도 및 기한

구분	식품별	보관온도	비고
주식류	쌀, 밀가루, 보리쌀, 라면 등	15~25℃	3개월
육 류	소고기, 돼지고기 등	냉장상태 : 5℃ 냉동상태 : -18℃ 이하	3일 1개월
생선류	고등어, 꽁치, 삼치 등	냉장상태 : 5℃ 냉동상태 : -18℃ 이하	1일 15일
엽채류	배추, 양배추, 시금치, 상추, 콩나물 등	씻은상태 : 5℃ 자연상태상태 : 15~25℃	1일 3일
근채류	무, 양파 감자 등	씻은상태 : 5℃ 자연상태상태 : 15~25℃	2일 7~20일

4. 식재료 전처리

(1) 전처리작업 준수사항

① 전처리구역 내에서 식재료별(어육류와 채소류) 작업 시마다 작업대 및 세정대의 세척 및 소독으로 교차오염을 방지하여 위생적인 전처리 작업이 이루어지도록 한다.

② 냉장, 냉동식품의 전처리 작업은 실온에서 장기간 수행하지 않는다.

③ 작업 중 식재료는 바닥에 방치되는 일이 없도록 한다.

④ 전처리된 식재료 중 온도관리를 요하는 것은 조리 시까지 냉장고에 보관한다.

⑤ 전처리하지 않은 식품과 전처리된 식품은 분리하여 취급하며, 전처리된 식품 간에 교차오염이 발생치 않도록 위생적으로 관리한다.

(2) 해동

① 냉동식품을 해동할 경우 아래 중 한 가지 방법을 사용하고 라벨링 표시를 한다.

  – 시설이용 : 5℃ 이하 냉장고 72시간 이내 자연해동

  – 유수이용 : 20℃ 이하의 흐르는 물에 2시간 이내 해동한다.

② 해동된 식품의 온도는 5℃ 이하를 유지하여야 한다.

해동중		
사용일 (월/일)		
조식	중식	석식

(3) 소독(생채소 및 과일 소독 관리)

조리가열 과정 없는 생채소류 및 생과일은 닥터크로큐를 이용하여 유효염소 농도 100 ppm으로 살균·소독한다.

소독수 사용방법

1. 야채·과일 살균제(닥터크로큐) 200 mL를 물 100 ℓ에 희석한 후 소독수페이퍼로 100 ppm인지 확인하고 과일, 야채 등을 5분간 침지한다.
2. 소독한 후 깨끗한 물로 3번 이상 재 헹굼 한다.

물품구매청구서

(4) 교차오염방지

① 오염구역과 비오염구역을 설정하여 작업을 구분하여 한다.
② 기구나 용기(칼,도마 등)는 용도별 충분한 수량을 구비하여 각각 전용으로 사용한다.

	곡류군	채소군	지방군	우유군	과일군
칼					
도마					
구분	파란색칼 파란색도마	빨간색칼 빨간색도마	초록색칼 초록색도마	검정색칼 흰색도마	노란색칼 노란색도마

③ 세척용기(또는 씽크)는 채소와 생선 전처리를 시간차로 구분하여 사용하고 사용전·후 세척 소독을 실시한다.

사용시간	9:30~10:30	**소독 후**	11:00~12:00
식재료	채소		생선, 가금류

④ 모든 작업은 바닥으로부터 떨어져 실시하여 바닥의 오염된 물이 튀어 들어가지 않게 한다.

⑤ 전처리하지 않은 식품과 전처리된 식품은 분리 보관한다.

5. 조리작업관리

(1) 조리작업개요

입원환자에게 위생적으로 안전하고 처방내용이 적합한 식사를 제공하기 위하여 적절한 조리공정을 거치는 것을 말한다.

(2) 조리작업위생 관리

① 비가열 조리공정 : 가열공정이 전혀 없는 조리공정 (생채류, 샐러드류, 샌드위치류 등)

- 전처리(소독) 후 조리 전까지 뚜껑 있는 용기에 담아 냉장고에 보관한다.
- 교차오염에 유의하여 전용도마, 칼, 용기 및 장갑을 착용하고 세척·소독 후 작업한다.

② 가열조리 후 처리공정 : 식재료를 가열 조리한 후 수작업을 거치는 조리공정

(나물류, 비빔밥류, 숙회류 등)

- 식재료로 채소류와 육류(및 가공품)가 함께 사용될 경우 채소를 다듬는 동안 육류는 냉장보관한다.
- 식재료의 가열공정(데치기,볶기 등) 후 무침 등의 2차 작업시간까지 뚜껑있는 용기에 담아 냉장고에 보관한다.
- 교차오염에 유의하여 전용도마, 칼, 용기 및 장갑을 착용하고 세척·소독 후 작업한다

③ 가열 조리공정 : 가열조리 후 바로 배식하는 조리공정 (국류, 볶음류, 튀김류, 구이류, 찜류)

- 튀김요리 시 기름온도가 설정된 온도이상이 된 것을 확인하고. 찌꺼기를 자주 여과하거나 건져준다. (냉동식품 130℃, 채소류 170℃, 어육류 180℃)
- 식재료를 익히기 전에는 전처리용 장갑 및 용기를 사용하고, 조리 완료 후에는 조리용을 구분 사용한다.
- 조리 도중 적당한 시간을 보면서 식품의 중심온도를 세 군데 이상 측정하여 그 중심온도가 모두 74℃ 이상임을 확인하고 각각의 중심온도를 기록한다.
- 냉동된 육류, 어패류, 채소류를 사용하는 경우는 완전히 해동한 후 조리한다.

(냉장고에서 해동 또는 흐르는 물에 침지하여 해동할 것, 상온에 방치하지 않도록)

(3) 가열조리

① 식품 가열 조리 시 안전을 위해 조리과정 중 탐침온도계로 내부 중심온도를 확인한다.

　－ 온도계는 알코올로 소독된 디지털 탐침온도계를 사용한다(74℃ 이상).

　－ 액상음식은 저은 후 온도를 측정한다.

② 튀김 조리 시 기름의 온도는 180℃ 이상을 넘지않도록 한다(기름산화방지).

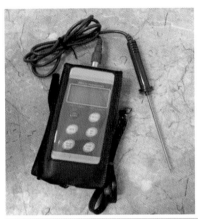 

탐침온도계

(4) 가열 후 냉각

① 덩어리 큰 것은 썰어서 용기에 담아 식힌다.

② 얇고 넓은 팬에 옮겨서 식힌다.

③ 열전달이 잘되는 용기를 이용한다.

④ 큰 솥이나 냄비는 차가운 물이나 얼음을 이용하여 싱크대에 넣고 규칙적으로 젓은 후 차갑게 한다.

III-2. 식사평가

1. 검식 및 보존식

조리된 음식의 맛, 질감, 조리상태 등을 조사하여 기록함으로써 향후 식단개선의 자료로 활용토록 검식을 하며, 만일의 위생사고 발생 시 그 원인이 명확히 규명될 수 있도록 보존식을 보관·관리한다.

(1) 검 식

① 검식은 영양사가 조리된 식품에 대하여 배식하기 전에 실시한다.

② 검식할 때는 그릇에 덜고 젓가락(또는 숟가락)을 사용한다.

③ 검식 시는 음식의 맛, 온도, 조화(영양적인 균형, 재료의 균형), 이물, 이취, 조리상태 등을 확인하며, 검식내용은 검식일지에 기록한다.

검 식 일 지

(2) 보존식

① 보존식은 배식 직전에 소독된 보존식 전용용기에 음식의 종류별로 각각 1인분량을 담아 −18℃ 이하에서 144시간 냉동 보관한다.

② 완제품을 제공하는 식재료는 원상태(포장상태)로 보관한다.

③ 보존식은 각각의 음식물이 독립적으로 보존되어야 한다.

④ 보존식 기록지에 입고날짜, 시간, 식단, 폐기일를 기록하여 관리한다.

보존식 냉동고

2. 영양가분석

(1) 주간식단표를 보고 치료식식단표(식재료별 1인량 및 치료식 메뉴를 기록)를 작성한다.

주간식단표

치료식식단표

(2) 치료식식단표가 작성이 되면 식단메뉴표를 작성한다. 식단메뉴표 작성시 칼로리사전을 보고 메뉴에 들어가는 식재료에 함유되어 있는 열량과 단백질량을 1인량으로 환산하여 기록하고 1일 총열량과 단백질량의 값을 구한다.

식단메뉴표

(3) 식단메뉴표를 보고 식단을 평가한다.

III-3. 상차림 및 배식관리 – 일반식, 치료식

1. 상차림

(1) 배식 전 조리 후 음식 보관

① 조리한 음식을 보관할 때에는 반드시 뚜껑이 있는 용기에 넣어 보관한다.

② 보관 시 식단명, 보관일자 및 조리일자 등을 명기한다.

③ 영양사는 조리 후 배식 전 식품 보관 상태를 점검한다.

④ 영양사는 보관 시 라벨 및 보관 뚜껑이 미흡할 경우 시정 지시하고 재점검한다.

(2) 상차림업무

① 반찬 담기

- 반찬을 식기에 담는 작업을 하기 전에 조리원은 손소독 후 위생장갑을 착용하고 반찬을 담는다.

- 반찬 한가지당 조리원 한 명이 맡아 일반찬과 갈은찬을 담는다.

- 치료식 반찬은 일반찬을 다담은 후에 담는다.

- 반찬을 담은 그릇은 뚜껑을 덮는다.

- 남은 찬은 락앤락통에 담아 뚜껑을 덮어 둔다.

갈은찬 & 일반찬

남은 반찬

② 국 담기

- 조리원은 2인 1조가 되어 국을 담당한다.

- 면장갑과 위생장갑을 착용 후 국을 배식한다.

- 저염국(0.3% 이하)은 염도계로 염도를 측정한다.

– 일반식 국은 저염국을 국 그릇에 푼다음 소금간을 한 후 염도계 측정 후 배식한다.

– 저염국과 일반국이 섞이지 않도록 구별하여 놓는다(저염국−스텐쟁반, 일반국−양은쟁반).

국 염도측정

③ 밥 담기

– 조리원은 손소독 후 위생장갑을 착용한다.

– 조리원 한 명이 치료식을 담당하여 밥양을 칼로리에 맞게 담고, 일반밥과 구별하여 놓는다.

– 치료식을 담당하는 조리원을 제외한 조리원은 한 그릇씩 담는다.

④ 간식 준비

– 조리원 한 명은 환자간식(과일, 주스, 우유, 베지밀 등)을 준비한다.

⑤ 수저 준비

– 조리원이 스텐쟁반에 병동별 필요한 개수만큼 수저를 준비한다.

⑥ 상 차리기

– 조리원은 손소독 후 위생장갑을 끼고 상차림을 준비한다.

– 조리원 6명이 한 조가 되어 상차림을 한다.

– 1번 조리원: 식판에 네임카드, 밥 그리고 치료식 반찬을 올린다.

  2번 조리원: 반찬 2가지

  3번 조리원: 반찬 2가지, 간식

  4번 조리원: 국

  5, 6번 조리원: 식판을 병동에 맞게 배선카로 옮긴다.

– 수저쟁반을 병동배선카에 올린다.

2. 배식

– 배식시간

문제점	배 식 시 간
조 식	8:00
중 식	12:00
석 식	6:00

– 조리원은 배식복장을 갖춘다.

– 전동배선카는 엘리베이터를 이용하여 배식한다.

– 배식 후에 병동에서 네임카드를 수거한다.

– 엘리베이터 고장 시 내선 728로 연락한다.

III-4. 상차림 및 배식관리 – 경장영양

1. 상차림

– 한 병실당 네임카드 하나를 사용한다.

– 하루 필요한 양을 오전에 올린다.

– 네임카드를 보고 캔 개수가 15개 이하이면 스텐쟁반에 담고 16개 이상일 경우 박스에 담는다.

배식쟁반

박스

네임카드

– 쟁반 or 박스를 병동별 스텐배선카에 옮긴다.

– 경장영양종류

제품명(제조원) / 성분명	뉴케어구수한맛 (대상)	뉴케어 300TF (대상)	뉴케어 DM (대상)	뉴케어 HP (대상)	메디푸드 엘디 (한국메디칼푸드)	그린비아TF (정식품)	그린비아RD (정식품)
열량농도	1.0	1.0	1.0	1.0	1.0	1.0	2.0
C:P:F	59:14:27	57:16:27	49:20:31	47:26:27	58:15:27	65:15:20	64:6:30
단백질(g)	35	40	50	65	40	37.5	30
지방(g)	30	30	35	30	30	22.22	66.67
당질(g)	150	145	125	120	160	170	320
kcal/N	178.6	156.3	125	96.2	156	167	423
NPC/N	153.6	131.3	100	71.2	131	142	398
단백질급원/대두(%)	카제인/33	카제인/30	카제인/23	카제인/31	카제인/0	카제인/75	카제인/0
지방급원/MCT(%)	옥수수유/0	채종유/20	채종유/16	채종유/25	카놀라유/20	대두유/20	해바라기유/20
믹스트린(%)	0	90	68	66	100	97.9	95
과당(%)/설탕(%)	- / 17	- / -	8 / -	- / 25	- / -	2.1 / -	- / 5
식이섬유소(g)	6	4	12	4	15	15	-
수분 (mL)	806.5	821	830	832	755	837	681
삼투압 (mOsm/kg)	430	300	310	390	300	300	890(농축)
점도(cp)	9.6	13.2	15.1	13.4	17.2	12	25
pH	6.5	6.5	6.5	6.5	6.42	6.8	6.5
RSL (mOsm/L)	275	324	388	472	311	297	215
비타민 B1 (mg)	1.3	1.3	1.3	1.3	2.2	1.2	1.3
비타민 B2 (mg)	1.5	1.5	1.5	1.5	2.45	1.5	1.6
비타민 B6 (mg)	1.4	1.4	1.4	1.4	2.45	1.5	5
비타민 B12 (㎍)	2.4	2.4	2.4	2.4	8.6	2.4	2
비타민 C(mg)	140	140	140	140	175	100	100
비오틴 (㎍)	30	30	30	30	170	30	50
나이아신 (mg)	16	16	16	16	17	16	17
엽산 (㎍)	400	400	400	400	250	400	500
판토텐산 (mg)	5	5	5	5	7	5	6
콜린 (㎍)	-	900	900	900	292.5	365	-
비타민 A (㎍ RE)	750	750	750	750	845	750	350
비타민 D (㎍)	5	5	5	5	5	5	5
비타민 E (mg α-TE)	10	10	10	10	25	10	10
비타민 K (㎍)	75	75	75	75	137.5	75	-
칼슘 (mg)	770	770	770	770	807.5	465	1200
인 (mg)	700	700	700	700	735	700	350
마그네슘 (mg)	340	340	340	340	220	220	200
아연 (mg)	12	12	12	12	11.5	10	15
철 (mg)	12	12	12	12	11	10	12
나트륨 (mg)	650	800	950	900	575	700	425
칼륨 (mg)	1050	1150	1200	1200	1542.5	1200	800
망간 (㎍)	2000	2000	2000	2000	2750	2300	-
구리 (㎍)	800	800	800	800	1100	500	-
요오드 (㎍)	-	150	150	150	83	97.5	-

2. 배식

- 배식시간 오전 10:20
- 조리원은 배식복장을 갖춘다(위생복, 배식신발, 명찰).
- 스텐배선카는 엘리베이터를 이용하여 배식한다.
- 배식 후에 병동에서 네임카드를 수거한다.
- 엘리베이터 고장 시 내선 728로 연락한다.

III-5. 세정

1. 식기세정

(1) 식기세척 일반

① 환자 식기는 자동세척시스템으로 식기세척기 전용 세제와 린스를 사용하며, 최종 헹굼 단계의 온도는 82℃ 이상 유지되도록 한다.

② 수작업을 실시할 경우 100℃, 1분간 열탕소독 후 온장고에서 80℃, 20분간 건조한다.

③ 식기세척기 전용세제는 세티스 크린(자동식기세척기세제)과 세티스 린스(헹굼보조제) 사용하고, 취급 시 주의사항은 MSDS(물질안전보건자료)에 따르고 자료는 조리장 내 지정장소에 비치한다.

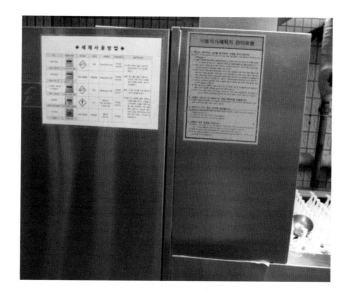

(2) 세척평가

영양사 및 담당자는 1일 3회 식기세척기 최종 헹굼단계의 온도를 식기세척기 온도관리일지에 기록한다.

세척기온도관리일지

(3) 식기소독상 관리

① 식기소독상은 A형 간염, 제1종 법정전염병(콜레라, 장티푸스, 파라티푸스, 세균성이질)의 경우 제공되며, 의료진 식사처방에 식기소독이 추가된다.

② 제공되는 소독식기는 하얀색의 멜라닌 재질로 된 식기를 이용하고 수저도 일반식기와 다른 모양의 수저로 따로 관리한다.

③ 식기소독상 퇴식 수거는 1회용 비닐장갑을 끼고 식기와 음식물쓰레기를 노란비닐 봉투에 별도로 수거한다.

④ 식기는 유효염소농도 200 ppm 소독액 20분 침적한 후 음식물쓰레기는 폐기하고 식기는 세척기를 이용 세정한다.

일반식 식기

소독상 식기

찾아보기

Index

ㄴ

ㄷ

영문

기타